La familia de León Roch

Benito Pérez Galdós:
La familia de León Roch

El Libro de Bolsillo
Alianza Editorial
Madrid

Primera edición en «El Libro de Bolsillo»: 1972
Segunda edición en «El Libro de Bolsillo»: 1977
Tercera edición en «El Libro de Bolsillo»: 1979
Cuarta edición en «El Libro de Bolsillo»: 1981

© Alianza Editorial, S. A., Madrid, 1972, 1977, 1979, 1981
    Calle Milán, 38; ☎ 200 00 45
    ISBN: 84-206-1400-9
    Depósito legal: M. 41.467-1981
    Impreso en GREFOL, S. A.
    Pol. II - La Fuensanta - Móstoles (Madrid)
    Printed in Spain

1. De la misma al mismo

Ugoibea, 30 de agosto.

Querido León: No hagas caso de mi carta de ayer, que se ha cruzado con la tuya que acabo de recibir. La ira y los pícaros celos me hicieron escribir mil desatinos. Me avergüenzo de haber puesto en el papel tantas palabras tremebundas mezcladas con puerilidades gazmoñas..., pero no me avergüenzo: me río de mí misma y de mi estilo, y te pido perdón. Si yo hubiera tenido un poco de paciencia para esperar tus explicaciones... Otra tontería... ¡Celos, paciencia! ¿Quién ha visto esas dos cosas en una pieza? Veo que no acaban aún mis desvaríos; y es que después de haber sido tonta, siquiera por un día, no vuelve a dos tirones una mujer a su discreción natural.

Mientras recobro la mía, allá van paces y más paces y un propósito firme de no volver a ser irascible, ni suspicaz, ni cavilosa, ni inquisidora, como tú dices. Tus explicaciones me satisfacen completamente: no sé por qué veo en ellas una lealtad y una honradez que se imponen a mi razón, y no dan lugar a más dudas, y me llenan el alma, ¿cómo decirlo?, de un convencimiento que se parece al cariño, que es su hermano y está junto con él, abrazados los dos, en el

9

fondo, en el fondo... No sé acabar la frase; pero ¿qué
importa? Adelante. Decía que creo en tus explicaciones.
Una negativa habría aumentado mis sospechas; tu confesión las disipa. Declaras que, en efecto, amaste... No, no
es ésta la palabra... Que tuviste relaciones superficiales, de
colegio, de chiquillos, con la de Fúcar; que la conoces
desde la niñez, que jugabais juntos... Yo recuerdo que me
contabas algo de esto en Madrid, cuando por primera vez
nos conocimos. ¿No era ésa la que te acompañaba a recoger azahares caídos debajo de los naranjos, la que tenía
miedo de oír el chasquido de los gusanos de seda cuando
están comiendo, la que tú coronabas con florecillas de
Dondiego de Noche? Sí: me has referido muchas monadas
de esa tu compañera de la infancia. Ella y tú os pintabais
las mejillas con moras silvestres y os poníais mitras de
papel. Tú gozabas cogiendo nidos, y ella no tenía mayor
placer que descalzarse y meter los pies en las acequias,
andando por entre los juncos y plantas acuáticas. Un día,
casi a la misma hora, tú te caíste de un árbol, y ella fue
mordida por un reptil. Era la de Fúcar, ¿no es verdad?
Mira qué bien me acuerdo. ¡Si sería yo capaz de escribir
tu historia!

La verdad, yo no había puesto mucha atención en estos
cuentos de *bebés*..., pero cuando vi a esa mujer, cuando me
dijeron que la amabas... Hace de esto diez días, y aún se
me figura que me estoy ahogando como en el momento en
que me lo dijeron. Créemelo: me pareció que se acababa el
mundo, que el tiempo se detenía —no lo puedo explicar—
y se doblaba mostrando un ángulo horrible, un lado
desconocido donde yo... Otra frase sin concluir. Adelante.

Ahora me acuerdo de otra aleluya de tu infancia, que
me contaste no hace mucho. ¡Cómo se quedan presentes
estas tonterías! Cuando fuiste pollo y empezaste a estudiar
esa ciencia de las piedras, que no sé para qué sirve; cuando
ella —y sigo creyendo que sería otra vez la de Fúcar— no
metía los pies en las acequias, ni se pintaba la cara con moras,
ni se ponía tus mitras de papel, jugasteis a los novios con
menos inocencia de antes; pero... vamos, lo concedo,

siempre con inocencia. Ella estaba en un colegio donde había muchas lilas y un portero que se encargaba de traer y llevar cartitas. Asómbrate de mi memoria. Hasta me acuerdo del nombre de aquel portero: se llamaba Escóiquiz.

Basta de historia antigua. Lo que no me dijiste nunca, lo que yo no sabía hasta hoy, cuando he leído tus explicaciones, es que... —pues repito que no me hace gracia, caballero—, es que hace dos años os encontrasteis otra vez allí donde florecen los naranjos, mascan los gusanillos y corren las acequias; que hubo así como un poquitillo de ilusión; que desde entonces tuviste para ella un afecto sincero y que ese afecto fue creciendo, creciendo hasta... —aquí entro yo—, hasta que me conociste... Muchas gracias, caballero, por la retahíla de galantería, de finezas, de protestas, de amorosas palabras que vienen en seguida. Esta lluvia de flores lleva una carilla. Hay carillas que parecen caras divinas, y ésta me hace llorar de contento. Gracias, gracias. Esto es muy hermoso; y lo que dices de mí muy exagerado. Más vales tú que yo... Vives para mí... ¡Ay! León, lo mejor que se puede hacer con estas frases de novela es creerlas. Ábrete, corazón, y recíbelo todo. Yo soy buena católica y me he educado en el arte de creer.

¡Si seré tonta que he vuelto a leer la bendita carilla!... ¡Oh, está muy bien!... Que un amor verdadero, elevado, profundo, borró aquel capricho, no dejando rastro de él: muy bien... Que las ilusiones infantiles rara vez persisten en la edad mayor: perfectamente... Que tus sentimientos son sinceros y tus propósitos formales: sí, sí... Que la voz que llegó a mi oído haciéndome creer en el fin del mundo fue una de tantas conjeturas que lanza la frivolidad del mundo para que las recoja la malicia y haga con ellas armas terribles: eso es, eso es... Que la de Fúcar es hoy para ti tan indiferente como otra cualquiera: divino, delicioso... En fin, que yo y sola yo..., que a mí y sólo a mí... ¡Oh, qué dulce es ponerse la mano en el pecho y apretarse mucho, diciendo con el pensamiento: «A mí, a mí sola, a nadie más que a mí!»

¡Qué argumento tan poderoso me ocurre en favor suyo!

La de Fúcar es inmensamente rica, yo soy casi pobre. Pero cuando se tiene fe no se necesitan argumentos, y yo tengo fe en ti... Cuantos te conocen dicen que eres un modelo de rectitud y de nobleza, un caso raro en estos tiempos. Estoy tan orgullosa como agradecida. ¡Qué bueno ha sido mi Dios para mí al depararme un bien que, al decir de las gentes, anda hoy tan escaso en el mundo!...

No quiero dejar de manifestarte, aunque esta carta no se acabe nunca, la impresión que me causó la de Fúcar, dejando aparte el rencorcito que despertó en mí. Después de pasado el temporal, puedo juzgarla fríamente y con imparcialidad; y si cuando me dijeron lo que sabes parecióme tener grandes perfecciones, ahora la veo en su verdadero tamaño. No hay que hablar del lujo escandaloso de esa mujer: es un insulto a la Humanidad y a la Divinidad. Papá dice que con lo que ella gasta en trapos en una semana podrían vivir holgadamente muchas familias. No carece de elegancia; pero a veces es extravagantísima y parece decir: «Señores, me pongo así para que vean todos que tengo mucho dinero.» Mamá dice que no habrá hombre alguno que se case con ese mostrador de maravillas de la industria. Los Rostchilds no abundan, y la de Fúcar causa terror a los pretendientes. Esa muchacha pródiga, voluntariosa, llena de caprichos y pésimamente educada, tendrá, al fin, por dueño a cualquier perdido. Así lo dice mamá, que conoce el mundo y yo lo creo.

No la encuentro yo tan graciosa como dicen y como a mí me pareció cuando me moría de celos. Es demasiado alta para ser esbelta, demasiado flaca para airosa. El bonito color no puede negársele; pero se necesita un microscopio para encontrarle los ojos; ¡tan chicos son! Cuentan que habla con mucho gracejo: yo no lo sé, porque nunca la he tratado ni quiero tratarla. La vi de lejos, en la playa, y en el balcón de la casa de baños, y me pareció de maneras desenvueltas y libres. Creo que me miró de un modo particular. Yo la miré queriendo darle a entender que me importaba poco su persona: no sé si lo hice bien.

Estuvo aquí tres días. Yo no salí de casa. Nunca he llorado más. Al fin, se fue esa loca. El gozo que me causó

dejar de verla se anubla un poquito cuando considero que
ahora está donde tú estás. He pensado ayer todo el día en
que debiera haber aquí una torre muy alta, muy alta, desde
la cual se viese lo que pasa en Iturburúa. Yo subiría a ella
de un salto... Pero confío en tu lealtad... Y si le dices que
me amas a mí sola, si ella te conserva algún afecto, y al
oírlo rabia... ¡Oh!, si rabia, avísamelo: quiero tener ese
gusto.

El lunes te esperamos. Papá dice que si no vienes no
eres hombre de palabra. Está muy impaciente por hablar
contigo de política, pues, según él, aquí hay una plaga de
gente ministerial que le apesta. Si al fin le hicieran senador...,
y francamente, temo por su razón si no consigue ese bendito escaño. Sigue con la manía de mandar sueltos a los
periódicos. En los de estos días hemos encontrado algunos,
y también artículos. Ya sabes que mamá los conoce en
que casi invariablemente empiezan diciendo: «Es de lamentar...»

Hoy entró muy orgulloso, mostrándome la obra que
has publicado. Él hacía elogios ardientes, y le leyó a mamá
los primeros párrafos. Era cosa de risa. Ni él, ni mamá, ni
yo comprendíamos una sola palabra, y, sin embargo, todos
encarecíamos mucho la sabiduría del libro. Figúrate lo que
entenderemos nosotros del *Análisis del terreno plutónico en
las islas Columbretes*, ni qué interés pueden tener para mí
las capas *cuaternarias,* los terrenos *pirógenos, azoicos...* Hasta
el escribir estas palabrotas me cuesta trabajo y tengo que
ir trazando letra por letra. Sin embargo, basta que hayas
hecho tú esa monserga de sabidurías oscuras para que me
cautive. He pasado algunos ratos leyendo tus páginas, como
si leyera el griego, y... no lo creerás, pero es cierto que,
sin saber la causa, yo leía y leía, llevada de un no sé qué
de admiración y respeto hacia ti. Entre tantos nombres
endiablados, he encontrado algunos preciosísimos y que
han despertado en mí simpatías, tales como *sienita, pegma-
tita, variolita, anfibolita.* Todas estas niñitas me parecen
nombres de hadas o geniecillos que han jugado alrededor
de tu cabeza cuando estudiabas la obra de Dios en las
honduras de la tierra.

˙ Pero sin quererlo me estoy volviendo poetisa, y eso es inaguantable, señor mío. ¡Y esta pícara carta que no quiere dejarse acabar!... Mamá me está llamando para ir de paseo. Está muy aburrida. Dice que éste es un lugar de baños eminentemente *cursi,* y que antes se quedará en Madrid que volver a él. Ni casino, ni sociedad, ni expediciones, ni tiendas de chucherías, ni gente de cierta clase. La verdad es que no hay dos Biarritz en el mundo.

Leopoldo también está aburridísimo. Dice que éste es un pueblo salvaje, y que no comprende cómo hay persona decente que venga a bañarse entre cafres. Así llama a los pobres castellanos que inundan estas playas. Gustavo ha pasado a Francia para visitar al santo y angelical Luis Gonzaga, que está algo delicado. ¡Pobre hermanito mío! Hace días nos visitó de parte suya un clérigo italiano, un tal Paoletti, hombre amabilísimo, muy instruido y de conversación muy amena... Pero quiero darte cuenta de todo, y no puede ser. El papel se acaba, y mamá me llama otra vez. Adiós, adiós, adiós. Que no faltes el lunes... Hablaremos de aquello, ¿sabes?, de aquello. Anoche, cuando rezaba, le pedía a Dios por ti... No pongas esa cara de pillo. Hay en tu alma un rinconcito oscuro que no me gusta. No digo más por no anticipar una empresa gloriosa que tendrá su... Quédese también esta frase sin concluir... Abur, perdido... Memorias a las *sienitas, pegmatitas* y *anfibolitas,* únicas señoritas de quienes no tiene celos la que te quiere de todo corazón, la que tiene la simpleza de creer todo lo que dices, la que te espera el lunes... Cuidado con faltar. Hasta el lunes. Si no, verás quién es tu

María.

2. Herpetismo

El que leyó esta carta paseaba, mientras leía, por una alameda de altísimos árboles. En uno de los extremos de ella había una construcción baja, de cuyo pórtico con pretensiones greco-romanas salían tibios vapores sulfúricos, harto desagradables, y en el otro uno de los edificios falansterianos a que concurren los españoles durante el estío para reproducir en el campo la vida estrecha, incómoda y enfermiza de las poblaciones. Escabrosas montañas, de yerba y musgo vestidas, daban con el pie al establecimiento, como para arrojarlo al río, y éste, que intentaba disimular su pequeñez haciendo ruido —a semejanza de muchos hombres que son Manzanares de cuerpo y Niágara de voz—, se encrespaba junto al muro de sostenimiento, jurando y perjurando que se llevaría falansterio, alameda, cantina, médico, fondista y veraneantes.

Estos cojeaban tosiendo en la alameda, o formaban desiguales grupos bajo los árboles y en los bancos de césped. Oíanse monografías de todos los males imaginables: cálculos sobre digestiones hechas o por hacer; diagnósticos ramplones, recuentos de insomnios, hijos y acedías; inventarios de palpitaciones cardíacas; disertaciones varias sobre las travesuras del gran simpático; sutiles hipótesis sobre los misterios del sistema nervioso, iguales a los de Isis en lo impenetrables; observaciones erigidas en aforismos por un pecho optimista; vaticinios de aprensivo que cuenta por sus toses los pasos de la muerte; esperanzas de crédulo que supone en las aguas la milagrosa virtud de resucitar difuntos; sofocados ayes del atacado de gastralgia; soliloquios del desesperado y risas del restablecido.

El que no ha vivido siquiera tres días en medio de este mundo anémico y escrofuloso, compuesto de enfermos que

parecen sanos, sanos que se creen enfermos, individuos
que se pudren a ojos vistas carcomidos por el vicio, y
aprensivos que se sublevarían contra Dios si decretara la
salud universal, no comprenderá el fastidio e insulsez de
esta vida falansteriana, tan ardientemente adoptada por
nuestra sociedad desde que hubo ferrocarriles, y en la cual
rara vez se encuentra el plácido sosiego del campo.

Con todo, no faltan atractivos en la sociedad herpética.
La renovación constante de tipos; las bellezas que entran
cada día, acompañadas de más mundos que un sistema pla-
netario; el lujo, las tertulias; la delicada ambrosía de la
murmuración, servida a cada instante y pasada de boca en
boca sin saciar jamás a ninguna ni agotarse con el diario
consumo; los imprevistos o redivivos noviazgos; los razo-
namientos morales, ora ásperos, ora de dulce suavidad;
los mil cabos que se atan o se desatan, el baileteo, las expediciones para ver gruta, panorama o golpe de ruinas, que
ya se vieron el año pasado y que se han de gozar uniendo
la voz al coro de la admiración general; los juegos inocentes
o venialmente criminales; las bromas, los complots, las
galanas intrigas con que algunos se atreven a romper la
monotonía de la felicidad colectiva, de aquel esparcimiento
colectivo, de aquella higiene colectiva, de aquella vida
eminentemente colectiva que, en medio de sus esplendores,
tiene un no sé qué reglamentario y lúgubre a estilo de
hospital, dan atractivos a estos sitios, al menos para ciertos caracteres, precisamente los que más abundan. Por eso
van allá todos los españoles, unos con su dinero, otros con
el ajeno, y desde que apunta julio son puestos en prensa el administrador o el prestamista para que alleguen los
caudales que reclama aquel importante fin de la vida
moderna. Enardece a la sociedad un loco afán de embria-
garse con aguas de azufre, y para cantar esta sed elegante
se echa de menos un Anacreonte hidropático.

El que leía la carta era un joven vestido de riguroso
luto. Leídos y guardados los tres pliegos quiso seguir
paseando; mas le fue preciso atender a los saludos de sus
compañeros de fonda. Era la hora en que la mayor parte
de los bañistas bajaban a beber el agua y a pasearla. Veíanse

caras desconsoladas y escuálidas, unas de viejos verdes y otras de jóvenes achacosos; sonrisas mustias que se confundían con las contracciones de dolor; no se oía más que un preguntar y responder constante sobre las distintas formas y maneras de estar malo.

La chismografía patológica es insoportable, y así debió comprenderlo el de la carta, que afortunadamente estaba bien con Esculapio, porque tomó el camino de la fonda para salir del establecimiento; pero fue detenido por un grupo compuesto de tres personas, dos de las cuales eran de edad madura, de aspecto grave y hasta cierto punto majestuoso.

—Buenos días, León —dijo el más joven en tono de confianza íntima—. Ya te vi desde mi ventana leyendo los tres pliegos de costumbre.

—Hola, amigo Roch; usted siempre tan madrugador —indicó el más viejo, que era también el más feo de los tres.

—Leoncillo, buena pieza..., alma de cántaro, ¿no paseas hoy con nosotros? —dijo el de aspecto más imponente, que ocupaba entonces, como siempre, el centro del grupo, de tal modo que los otros dos parecían ir a su lado con un fin puramente decorativo, para hacer resaltar más su importancia física y social.

El joven vestido de negro se excusó como pudo.

—Bajaré dentro de una hora —dijo, evadiéndose con ligereza—. Hasta luego.

El grupo avanzó por la alameda adelante. ¿Será preciso describir esta trinidad ilustre, la cual es, si se nos permite decirlo así, una constelación que se ve en España a todas horas, a pesar de ser muy turbio el cielo de nuestro país?

Aquí el lector, lo mismo que el autor, dirá forzosamente: «Son ellos; dejémoslos que pasen.» Pero esta constelación no pasa ni declina jamás; no baja nunca hacia el horizonte, ni es oscurecida por el sol, ni se nubla, ni se eclipsa. Siempre está en alto, ¡ay!, siempre resplandece con inextinguible claridad pavorosa en el cenit de la vida nacional.

¿Quién no conoce al marqués de Fúcar, de quien ha dicho la adulación que es uno de los pocos oasis de riqueza situados en medio del árido desierto de la general miseria?

Así como ocupa el primer lugar en la constelación citada, también es el *alfa* de la sociedad española.

¿Quién no conoce a don Joaquín Onésimo, ese fanal luminoso de la Administración que, encendido en todas las situaciones, ilumina con sus rayos a una pléyade de Onésimos que en diversos puestos del Estado consumen medio presupuesto? Alguien dijo que los Onésimos no eran una familia, sino una epidemia; pero no puede dudarse, ¡cielos!, que si esa luminaria se apagase quedarían a oscuras los ámbitos de la buena administración, y reducidos a revuelto caos el orden, las instituciones y la sociedad toda.

El tercer ángulo de este triángulo lo formaba un acicalado y muy bien parecido joven, en cuyo semblante pálido y linfático parecían extinguidas prematuramente la frescura y la energía propias de sus treinta y dos años. Eran sus maneras perezosas y su aspecto de fatiga y agotamiento, como es común en los que han derrochado la riqueza moral en la mala política, la intelectual en el periodismo de pandilla y la física en el vicio. Este tipo, esencialmente español y matritense, nocturno, calenturiento, extenuado, personificación de esa fiebre nacional que se manifiesta devorante y abrasadora en las redacciones trasnochantes, en los Casinos que sólo apagan sus luces al salir el sol, en las tertulias crepusculares y en los mentideros que perpetuamente funcionan en pasillos de teatro, rincones de café o despachos de Ministerio, parecía muy fuera de su lugar propio en aquel ambiente puro y luminoso, a la sombra de gigantescos árboles. Podría creerse que le causaba molestia hallarse lejos de sus antros de corrupción y malevolencia, y que para las esplendentes gracias de la Naturaleza no había en su corazón un latido, ni una mirada en sus turbios ojos sin viveza, de párpados turgentes, embolsados y rojos por el hábito del insomnio.

Federico Cimarra, que era el joven; don Joaquín Onésimo —a quien se creía próximo a llamarse marqués de Onésimo— y don Pedro Fúcar, marqués de Casa-Fúcar, luego que midieron dos o tres veces la alameda, se sentaron.

3. Donde el lector verá con gusto los panegíricos
que los españoles hacen de sus compatriotas
y de su país

—Ya es evidente que León se casa con la hija del marqués de Tellería —dijo Federico Cimarra—. No es gran
partido, porque el marqués está más tronado que los cómicos en Cuaresma.

—Ya sólo le queda la casa de la calle de Hortaleza —apun-
tó Fúcar con indiferencia.

—Es buena finca, construida en tiempos del marqués
de Pontejos... Al fin se quedará también sin ella. Dicen
que en esa familia todos, desde el marqués hasta Polito,
tienen la cabeza a pájaros.

—Pero ¿no le queda a Tellería más que la casa? —preguntó el hombre de Administración con curiosidad que
parecía el afán celoso del Fisco buscando la materia imponible.

—Nada más —repitió el de Fúcar, demostrando conocer a fondo el asunto—. Las tierras de Piedrabuena han
sido vendidas en subasta judicial hace dos meses. Con las
casas y la fábrica de Nules se quedó mi cuñado en febrero
último. En fondos Públicos no debe de tener nada. Me
consta que en junio tomó dinero al 20 por ciento con no
sé qué garantía... En fin, otra torre por los suelos.

—Y esa casa fue poderosa —dijo Onésimo—. Yo le oí
contar a mi padre que en el siglo pasado estos Tellerías
ponían la ley a toda Extremadura. Era la segunda casa en
ganados. Tuvieron medio siglo las alcabalas de Badajoz.

Federico Cimarra se puso en pie frente a los otros dos,
y abriendo las piernas en forma de compás empezó a hacer
el molinete con su bastón.

—Es increíble —dijo, sonriendo— la calaverada de ese

pobre León... Cuidado que yo le quiero... Es mi amigo...
Pero ¿quién se atreve a contradecirle? ¡Váyase usted a
argumentar con estas cabezas de piedra que se llaman ma-
temáticos! ¿Han conocido ustedes un solo sabio con sentido común?

—Ninguno, ninguno —exclamó el marqués de Fúcar,
riendo a borbotones, que era su especial manera de reír—.
¿Y es cierto lo que me han dicho?... ¿Que la chica es algo
mojigata? Sería cosa muy bufa a un librepensador de·mares
altos pescado con anzuelito de padrenuestros y avemarías.

—No sé si es mojigata; pero sí sé que es muy bonita
—afirmó Cimarra paladeando—. Pase lo de santurrona por
lo que tiene de *barbiana*. Pero su carácter no está formado...,
es una chiquilla, y después de que anda enamorada no
piensa en santidades... La que me parece en camino de ser
verdadera beata es la marquesa, que no podrá eludir la
ley por la cual una juventud divertida viene a parar en
vejez devota. ¡Qué desmejorada está la marquesa! La vi
la semana pasada en Ugoibea y me pareció una ruina, una
completa ruina. En cambio, María está hecha una diosa...
¡Qué cabeza!... ¡Qué aire y que *trapío*!

En el lenguaje de Cimarra se mezclaban siempre a la
fraseología usual de la gente discreta los términos más
comunes de la germanía moderna.

—Eso sí —dijo el marqués de Fúcar con expresión y
sonrisa de sátira—. María Sudre vale cualquier cosa...
Yo creo que el matemático ha perdido la chaveta y se ha
dejado enloquecer por aquellos ojos de fuego. Esa chiquilla
no me gustaría para esposa... Hermosura superior, fantasía, tendencia al romanticismo, un carácter escondido,
algo que no se ve... En fin, no me gusta, no me gusta.

—¡Caramba! —exclamó el hombre de Administración
dándose una palmada en la propia rodilla—. Todo menos
hablar mal de María Sudre. La conozco..., es un portento
de bondad..., es lo mejor de la familia.

—Hombre —dijo el marqués de Fúcar descuadernando
su cara en una risa homérica—. La familia es la familia de
tontos más completa que conozco, sin exceptuar al mismo
Gustavo, que pasa por un prodigio.

—¡Ah!, no: la chica vale, vale —afirmó Onésimo—.
No diré lo mismo de León. Es un sabio de nuevo cuño,
uno de estos productos de la Universidad, del Ateneo y de
la Escuela de Minas, que maldito si me inspiran confianza.
Mucha ciencia alemana, que el demonio que la entienda:
mucha teoría oscura y palabrejas ridículas; mucho aire de
despreciarnos a todos los españoles como a un hatajo de
ignorantes; mucho orgullo, y luego el tufillo de descreimiento, que es lo que más me carga. Yo no soy de esos
que se llaman católicos y admiten teorías contrarias al
catolicismo; yo soy católico, católico.

Se dio dos palmadas en el pecho.

—Hombre, sea usted todo lo católico que quiera —dijo
Fúcar, riendo con menos estrépito, o si se quiere con cierta
tendencia a la seriedad—. Todos somos católicos... Pero no
exageremos... ¡Oh!, la exageración es lo que mata todo en
este país. Dejemos a un lado las creencias, que son muy
respetables, pero muy respetables. Yo veo en León un
hombre de mucho, de muchísimo mérito. Es lo mejor que
ha salido de la Escuela de Minas desde que ésta existe.
Su colosal talento no conoce dificultades en ningún estudio,
y lo mismo es geólogo que botánico. Según dicen, todos
los adelantos de la Historia natural le son familiares, y es
un astrónomo de primera fuerza.

—¡Oh! León Roch —exclamó Cimarra con el tono de
hinchazón protectora que toma la ignorancia cuando no
tiene más remedio que hacer justicia a la sabiduría—, vale
mucho. Es de lo poco bueno que tenemos en España.
Somos amigos, estuvimos juntos en el colegio. Verdad es
que en el colegio no se distinguía; pero después...

—No me entra, repito que no me entra; no le puedo
pasar... —dijo Onésimo, como quien se niega a tomar una
pócima amarga.

—Mire usted, amigo Onésimo —indicó el marqués en
tono solemne—, no hay que exagerar... La exageración es
el principal defecto de este país... Eso de que porque
seamos católicos condenemos a todos los hombres que cul-
tivan las ciencias naturales sin darse golpes de pecho, y se
desvían... Yo concedo que se desvíen un poco, mucho

quizá, de los senderos católicos... pero ¿qué me importa?
El mundo va por donde va. Conviene no exagerar. Para
mí la falta principal de Leoncillo... Yo le conozco desde
que era niño: él y mi hija se criaron juntos en Valencia...
Pues su gran falta es comprometer su juventud, su riqu za,
su porvenir, en ese enlace con una familia desordenada y
decadente que le devorará sin remedio.

—¿Es rico León?

—¡Oh! ¡Mucho! —exclamó Fúcar con grandes encare-
cimientos—. Conocí a su padre en Valencia, el pobre don
Pepe, que murió hace tres meses, después de pasarse
cincuenta años trabajando como un negro. Yo le traté
cuando tenía el molino de chocolate en la calle de las
Barcas. La verdad es que en aquel tiempo el chocolate del
señor Pepe era muy estimado. Me acuerdo de ver entonces
a León tamaño, así, con la cara sucia y los codos rotos,
estudiando aritmética en un rincón que había detrás del
mostrador. En Navidad vendía don Pepe mazapanes...
Pero ¡si los ha vendido hasta hace quince años..., y no
hace treinta que trasladó su industria a Madrid...! Después
de que tuvo capital, entróle el afán de aumentarlo considerablemente. ¡Oh, es incalculable el dinero que se ha ganado
en este país haciendo chocolate de alpiste, de piñón, de
almagre, de todo, menos de cacao! Estamos en el país
del ladrillo, y no sólo hacemos con él nuestras casas, sino
que nos lo comemos... El señor Pepe trabajó mucho:
primero, a brazo; después, con aparato de fuerza animal;
al fin, con máquina de vapor. Resultado —el marqués de
Fúcar se alzó su sombrero hasta la raíz del pelo—: que
compró terrenos por fanegadas y los vendió por pies;
que el cincuenta y cuatro construyó una casa en Madrid: que se calzó los mejores bienes nacionales de la huer-
ta; que, negociando después con fondos Públicos, au-
mentó su fortuna lindamente. En fin, yo calculo que León
Roch no se dejará ahorcar por ocho o nueve millones.

—Lo mejor de la biografía —dijo Cimarra, sentándose
junto a sus dos amigos— se lo ha dejado usted en el tintero.
Hablo de la vanidad del difunto don Pepe. Lo general es
que estos industriales enriquecidos, aunque sea envene-

nando al género humano, sean modestos y no piensen más
que en acabar tranquilamente sus días, viviendo sin comodidades, con los mismos hábitos de estrechez que tuvieron
cuando trabajaban. Pero el pobre señor Pepe Roch era
célebre hasta no más. Su *chifladura* consistía en que le hi-
ciesen marqués.

—Diré a ustedes —manifestó, gravemente el de Fúcar,
cortando, con un gesto de hombre superior, esta tendencia
a las burlas—. Don José Roch era un infeliz, un hombre
bondadoso y simple en su trato social. Le conocí bien.
El haría chocolate con la tierra de los tiestos que tenía su
mujer en el balcón, según decían las malas lenguas del
barrio; pero era un buen ganapán, y tenía en tan alto grado
el sentimiento paterno, que casi era una falta. Para él no
había en el mundo más que un ser: su hijo León; le quería
con delirio. Tenía por enemigo declarado al que no le
diese a entender que León era el más guapo, el más sabio,
el primero y principal de todos los hombres nacidos. Todo
el orgullo y la vanidad del pobre Roch estaba en ser autor
de su hijo. El año pasado nos encontramos una noche en la
Junta de Aranceles. Yo quise hablarle de una subasta de
corcho...; pero él no hablaba más que de su hijo. Casi con
lágrimas en los ojos, me dijo: «Amigo Fúcar, para mí no
quiero nada, me basta un hoyo y una piedra encima con
una cruz. Mi único deseo es que León tenga un título de
Castilla. Es lo único que le falta.» Yo me eché a reír.
¡Apurarse por un rábano, es decir, por un título de Castilla!... Señor don José, si usted me dijera: «Quiero ser
bonito, quiero ser joven...»; pero ¿qué desea usted, ser
marqués?... A las coronas les pasará lo que a las cruces,
que, al fin, la gente cifrará su orgullo en no tenerlas.
Pronto llegaremos a un tiempo en que, cuando recibamos
el diploma, tendremos vergüenza de dar un doblón de
propina al portero que nos lo traiga..., porque también él
será marqués.

Fúcar, al decir esto, soltó la risa. Empezaba ésta por un
hipo chillón y terminaba en un plegado general de la piel
de sus facciones y una especie de arrebato congestivo.
Pasados los golpes de hilaridad, aún tardaba su cara una

buena pieza en volver a su color primero y a su normal aspecto de seriedad majestuosa.

—Señores —dijo seguidamente y con cierto enfado la lumbrera de la Administración, enojo que podría atribuirse a sus proyectos marquesiles—, por mucho que se hayan prodigado los títulos de nobleza, no creo que estén ahí para que los tomen los chocolateros. Pues no faltaba más.

—Amigo Onésimo —objetó el marqués con flemática ironía—, yo creo que están para el que quiera tomarlos. Si don Pepe no tomó el título de marqués de Casa-Roch fue porque su hijo se opuso resueltamente a caer en esa ridiculez hoy tan en boga. Es hombre de principios.

—¡Oh, sí! —exclamó el hombre administrativo, en quien las instituciones venerandas tenían siempre poderoso apoyo. Por lo común, estos sabios que tanto manosean los principios en el orden científico, carecen de ellos en el orden social. No faltan ejemplos aquí. Yo creo que todos los sabios son lo mismo. Ya hemos visto cómo gobiernan el país cuando éste ha tenido la desgracia de caer en sus manos. Pues lo mismo gobiernan en sus casas. En la vida privada, señores, los sabios son una calamidad, lo mismo que en la pública. No conozco un sabio que no sea un tonto, un tonto rematado.

—Aquí no salimos de paradojas.

—Es la verdad pura.

—Vivimos en el país de los viceversas.

—No exageremos, no exageremos, señores —dijo el marqués, removiéndose y tomando el tono particularísimo que reservaba para su protesta favorita, que era la protesta contra la exageración—. Aquí abusamos de las palabras, y calificamos a los hombres con mucha ligereza. La envidia, por un lado, la ignorancia... ¿Qué, qué hay?

Esto lo dijo interrumpiendo su discurso y mirando con expresión de miedo a un criado que hacia los tres avanzaba apresuradamente.

—La señorita llama a Vuecencia. Está mala otra vez.

—Vamos, mi hija está hoy de vena —dijo el marqués de mal humor, levantándose—. Ustedes me preguntarán que qué tiene Pepa, y yo les diré que no lo sé, que no sé nada absolutamente. Voy a verla.

Sus dos amigos callaban, mirándole partir. El marqués de Fúcar andaba lentamente a causa de su obesidad. Había en su paso algo de la marcha majestuosa de un navío o galeón antiguo, cargado de pingüe esquilmo de las Indias. También él parecía llevar encima el peso de su inmensa fortuna, amasada en veinte años, de esa prosperidad fulminante que la sociedad contemplaba pasmada y temerosa.

4. Siguen los panegíricos dando a conocer en cierto modo el carácter nacional

Frente a la gruta donde los bañistas tragaban vaso tras vaso, ávidos de corregir el odio de su naturaleza, había una glorieta. Eran las diez, hora en que escaseaban ya los bebedores, y un nuevo grupo se había instalado en aquel ameno sitio. Formábanlo don Joaquín Onésimo, León Roch y Federico Cimarra, que oprimía los lomos de una silla, caballero en ella, y haciéndola crujir y descoyuntarse con sus balanceos.

—¿Sabes tú, León, lo que tiene la hija de Fúcar?

—Anoche se retiró temprano del salón. Está enferma.

Después de decir esto León miró atentamente al suelo.

—Pero su enfermedad es cosa muy rara, como dice el marqués —añadió Onésimo—. Veamos los síntomas. Ya saben ustedes que colecciona porcelanas. El mes pasado, cuando volvía de París, estuvo dos días en Arcachón. Las hijas del conde de la Reole le regalaron tres piezas de Bernardo Palissy. Dicen que son muy hermosas. A mí me parecen loza de Andújar. Además, trajo de París ocho piezas de Sajonia, de una belleza y finura que no pueden ponderarse. Estas obras de arte parecían ocupar por entero

el ánimo de Pepa. No hablaba más que de sus porcelanas.
Las guardaba, las sacaba sesenta y dos veces al día. Pues
bien: esta mañana cogió los cacharros, subió a la habitación más alta de la fonda, abrió la ventana y los tiró al
corral, donde se hicieron treinta mil pedazos.

Federico miró a León Roch, que sólo dijo:

—Sí, ya lo oí contar.

—Ayer tarde —continuó Onésimo—, cuando volvíamos
de la gruta (que, entre paréntesis, tiene tan poco que ver
como mi cuarto), se le cayó una de las gruesas perlas de sus
pendientes de tornillo. La buscamos; al fin la distinguí
junto a una piedra; me abalancé a cogerla, como era natural; pero, más ligera que yo, púsole el pie encima... y la
aplastó, diciendo: «¿Para qué sirve eso?» Además, cuentan
que ha hecho un picadillo de encajes. Pero ¿no la vieron
ustedes anoche en el salón? Yo juraría que está loca.

León no dijo nada, ni Cimarra tampoco.

—¿Saben ustedes —añadió el fanal de la Administración— que va a estar fresco el que se case con esa niña?
¡Qué educación, señores, pero qué educación! Su padre,
que tan bien conoce el valor de la moneda, no le ha enseñado a distinguir un billete de mil pesetas de una pieza de
dos. Es una alhaja la señorita de Fúcar. Ya me habían dicho
que era caprichosa, despilfarradora; que tiene los antojos
más ridículos y cargantes que pueden imaginarse. ¡Pobre
marido y pobre padre!... Si al menos fuera bonita...; pero
ni eso. Ya le dará disgustos a don Pedro. Luego no quieren
que truene yo y vocifere contra esos hábitos modernos y
extranjerizados que han quitado a la mujer española su
modestia, su cristiana humildad, su dulce ignorancia, sus
aficiones a la vida reservada y doméstica, su horror al lujo,
su sobriedad en las modas, su recato en el vestir. Vean
ustedes las tarascas que nos ha regalado la civilización
moderna. Comprendo la aversión al matrimonio que va
cundiendo, y que, si no se ataja, obligará a los gobiernos
a dar una ley de novios y una ley de casamientos, estable-
ciendo un presidio de solteros.

—¡Graciosísimo! —exclamó Cimarra, poniendo bruscamente su mano sobre el hombro de León—. Del carácter

y de las rarezas de Pepa podrá hablarnos éste, que la conoce desde que ambos eran niños.

León dijo fríamente:

—Si la enfermedad y las rarezas de Pepa consisten en
romper porcelanas y destrozar vestidos, no importa. El
marqués de Fúcar es bastante rico, inmensamente rico, cada
día más rico.

—Sobre este tema —indicó el fénix burocrático—, sobre
la colosal riqueza del señor marqués, la frase más caracte-
rística la debemos al amigo Cimarra, que es el hombre
de las frases.

—Yo no he dicho nada, nada, de don Pedro Fúcar
—replicó Federico con aspavientos de honradez.

—¡Lengua de escorpión! ¿No fue usted el que en casa
de Aldearrubia..., yo mismo lo oí..., a propósito de la
escandalosa fortuna de Fúcar, soltó esta frase: «Es preciso
escribir un nuevo aforismo económico que diga: La bancarrota nacional es una fuente de riqueza?»

—Eso se puede decir de tantos... —murmuró León.

—De muchos, de muchísimos —dijo Cimarra prontamente—. Como Fúcar ha labrado su rica colmena en el
tronco podrido del Tesoro público... ¿qué tal la figura?...,
pues digo que, habiendo centuplicado su fortuna en las
operaciones con el Tesoro, no será el único a quien se
podrá aplicar aquello de la bancarrota nacional...

El señor de Onésimo se turbó breve instante. Mas, reponiéndose, añadió:

—Yo he oído hacer a usted, querido Cimarra, un despiadado análisis de los millones del marqués de Fúcar.
A los hombres de ingenio se les perdona la murmuración...
No venga usted con arrepentimientos: ya sé que ahora es
usted muy amigo de su víctima, de aquel a quien supo pin-
tar, diciendo: «Es un hombre que hace dinero con lo
sólido, con lo líquido, con lo gaseoso, o, lo que es lo mismo, con los adoquines, con el vino de la tropa y con el
alumbrado público. El tabaco de sus contratas es de un
género especial, teniendo la ventaja de que, si amarga en
la boca, puede servir para leña; y también son especiales
su arroz y sus judías, las cuales se han hecho célebres en

Ceuta: los presidiarios las llamaban *píldoras reventonas del boticario Fúcar*.»

—Hablar por hablar —replicó Cimarra—. Sin embargo de esto, yo aprecio mucho al marqués. Es un hombre excelente. Todos hemos dado algún alfilerazo al prójimo.

—Ya sé que esto es pura broma.' Aquí se sacrifica todo al chiste. Somos así los españoles. Desollamos vivo a un hombre, y en seguida le apretamos la mano. No critico a nadie: reconozco que todos somos lo mismo.

El marqués de Fúcar apareció en la glorieta.

—¿Y Pepa? —le preguntó León.

—Ahora está muy contenta. Pasa de la tristeza a la alegría con una rapidez que me asombra. Ha llorado toda la mañana. Dice que se acuerda de su madre, que no puede echar del pensamiento a su madre... Qué sé yo... No la entiendo. Ahora quiere que nos vayamos de aquí, sin dejarme tomar los baños. Yo no quería venir, porque me apestan estos establecimientos horriblemente incómodos de nuestro país. ¡Caprichos, locuras de mi hija! De buenas a primeras, y cuando nos hallábamos en Francia, se le puso en la cabeza venir a Iturburúa. Y no hubo remedio... a Iturburúa, a Iturburúa, papá... ¿Qué había yo de hacer?... Al fin, ya me había acostumbrado a esta vida ramplona, y la verdad, tanto como me contrarió venir, me contraría marcharme sin haber tomado siquiera seis baños... Eso sí: aguas como éstas no creo que las haya tomado en todo el mundo... ¿Y adónde vamos ahora? Ni hay para qué pensarlo, porque las genialidades y los arrebatos de mi hija burlan todos los cálculos... Apenas tengo tiempo de pedir el coche-salón... Pepa está tan impaciente por marcharse como lo estuvo por venir... Ha de ser pronto, hoy mismo, mañana temprano a más tardar, porque estas montañas se le caen encima, y se le cae encima la fonda, y también el cielo se le viene abajo, y le son muy antipáticos todos los bañistas, y se muere, y se ahoga.

Mientras don Pedro expresaba así, con desorden, su paterno afán, los tres amigos callaban, y tan sólo Onésimo aventuró algunas frases comunes sobre las perturbaciones nerviosas, origen, según él, de aquellas y otras no com-

prendidas rarezas que a la más bella porción del género
humano afligen. El marqués tomó del brazo a Federico
Cimarra, diciéndole:

—Querido, hágame usted el favor de entretener un rato
a Pepa. Ahora está contenta; pero dentro de un rato estará
aburridísima. Ya sabe usted que se ríe mucho con sus ocu-
rrencias ingeniosas. Ahora me dijo: «Si viniera Cimarra
para murmurar un poco del prójimo...» Bien comprende
que es usted una especialidad. Vamos, querido. Ahora está
sola... Adiós, señores; me llevo a este bergante, que hace
más falta en otra parte que aquí.

Quedáronse solos don Joaquín Onésimo y León Roch.

—¿Qué piensa usted de Pepita? —preguntó el primero.

—Que ha recibido una educación perversa.

—Eso es: una educación perversa... Y ahora que recuerdo..., ¿es cierto que se casa usted?

—Sí, señor... Llegó mi hora —dijo León, sonriendo.

—¿Con María Sudre?...

—Con María Sudre.

—¡Lindísima muchacha!... ¡Y qué educación cristiana!
Francamente, amigo, es más de lo que merece un hereje.

Benévola palmada en el hombro de León terminó este
corto diálogo.

5. Donde pasa algo que bien pudiera ser una nueva manifestación del carácter nacional

Avanzado había la noche, y el modesto sarao de los bañistas principiaba a desanimarse. Los últimos giros de las
graciosas parejas se extinguieron en los costados del salón,
como los últimos círculos del agua agitada mueren en las
paredes del estanque; se deshicieron aquellos abrazos con-
vencionales que no ruborizan a las doncellas, y al fin, tuvo

la condescendencia de callarse el piano homicida que dirigía con su martilleante música el baile. No faltó una beldad que quisiera prolongar aún la velada sacando de las cuerdas del instrumento un soporífero nocturno, que es la más insulsa y calamitosa música entre todas las malas; pero este alarde de ruido elegíaco duró, felizmente, poco, porque las madres se impacientaron y alegres tribus de señoritas empezaron a desfilar sobre el piso de madera lustrosa. Resbalaban con agrio chirrido las patas de las sillas; al pío, pío de la charla juvenil se unía un sordo trompeteo de toses. Las bufandas se arrollaban como culebras en la garganta carcomida de los hombres graves, oradores, abogados y políticos, que eran la flor y el principal lustre del establecimiento.

En la pieza inmediata, las fichas abandonadas y revueltas del tresillo y del ajedrez hacían un ruido como de falsos dientes que riñen unos contra otros fuera de la encía. Las toses y carrasperas arreciaban con la salida de los últimos, que eran los más viejos, y después, aquel murmullo compuesto de cháracas juveniles y del lúgubre quejido de la decrepitud prematura, que a lo más florido de la actual generación aqueja, se fue perdiendo en el largo pasillo, luego atronó la escalera y se extinguió poco a poco, distribuyéndose en las habitaciones del edificio celular. Podía existir la ilusión de considerar a éste como un gran órgano, en el cual, después de que la gran sinfonía tocada por el viento, volvía cada nota, aguda o grave, a su correspondiente tubo.

En la sala del tresillo leía periódicos el marqués de Fúcar. Su postura natural para este patriótico ejercicio era altamente tiesa, manteniendo el papel a bastante distancia y ayudando su vista con los lentes, que colocaba casi en la punta de la nariz y le oprimían las ventanillas. Si tenía que mirar a alguien, miraba por encima y por los lados de los vidrios. Frecuentemente reía en voz alta durante la lectura, sin dejar de leer, porque era muy sensible al aguijón punzante del epigrama, sobre todo si, como es frecuente en nuestra Prensa, el aguijón estaba envenenado.

A su lado leían otros dos. En el salón grande, cuatro o

cinco hombres charlaban, reclinados perezosamente en los divanes. Federico Cimarra, después de pasear un rato con las manos metidas en los bolsillos, entró en la sala de tresillo a punto que el marqués de Fúcar apartaba de sí el último periódico y arrancaba de su nariz los lentes para doblarlos y meterlos en el bolsillo del chaleco.

—¡Qué país, qué país! —exclamó el ilustre negociante, conservando en su fresco rostro la sonrisa producida por el último chiste oído—. ¿Sabe usted, Cimarra, lo que me ocurre? Aquí todo el mundo habla mal de los políticos, de los gobiernos, de los empleados de Madrid...; pues voy creyendo que Madrid, los empleados, los gobiernos y la gavilla de políticos, como dicen, son lo mejor de la Nación. Malos son los elegidos; pero creo que son más malos los electores.

—Donde todo es malo —dijo Federico, con frialdad filosófica, que podría pasar por el sarcasmo de un corazón muerto y de una inteligencia atrofiada, metidos ambos dentro de un cuerpo enfermo—; donde todo es malo, no es posible escoger.

—Y la causa de todos los males es la holgazanería.

—¡La holgazanería! Es decir, la idiosincrasia nacional; mejor dicho, el genio nacional. Yo digo: Holgazanería, tu nombre es España. Poseemos grande agudeza, según dicen; yo no la veo por ninguna parte. Somos todos unos genios; yo creo que lo disimulamos...

—¡Oh! Si hubiera gobiernos que impulsaran el trabajo.

Cimarra puso una cara muy seria: era su modo especial de burlarse del prójimo.

—¡El trabajo!... Ya ni siquiera sabemos tener paño pardo. Van desapareciendo las alpargatas, los botijos son cada vez más raros, y hasta las escobas vienen ya de Inglaterra... Pero nos queda la agricultura. ¡Ah! Este es el tema de los tontos. No hay un solo imbécil que no nos hable de la agricultura. Yo quiero que me digan qué agricultura puede haber donde no hay canales, y cómo ha de haber canales donde no hay ríos, y cómo ha de haber ríos donde no hay bosques, y cómo ha de haber bosques donde no hay gente que los plante y los cuide, y cómo ha de haber gente donde

no hay cosechas... ¡Horrible círculo del cual no se sale, no
se sale!... Cuestión de raza, señor marqués... Esta es una
de las pocas cosas que son verdad: la fatalidad de la casta.
Aquí no habrá nunca sino comunismo coronado por la
lotería...; éste es nuestro porvenir. Que el Estado adminis-
tre toda la riqueza nacional y la reparta por medio de rifas...
¿Qué tal? Esto sí que tiene *sombra*... ¡Oh! Verá usted,
verá usted... ¡Magnífico! Este es un ideal como otro cualquiera. Consúltelo usted con don Joaquín Onésimo, que
pasa por una lumbrera de la Administración, y es, a mi
juicio, una de las mayores calabazas que se han criado en
esta tierra.

—¿No está por ahí? —dijo Fúcar, riendo y mirando en
derredor—. Que venga para que oiga su apología.

—Está hablando del orden social con don Francisco
Cucúrbitas, otra gran eminencia al uso español. Es de esos
hombres que hablan mucho de administración y de trá-
mites, es decir, de expedientes... Dios ha criado a estos
señores para realizar el quietismo social, que, después de
todo, no es malo... Nada, señor marqués: mi sistemita de
comunismo y rifas. Las contribuciones lo recogen todo y
la lotería lo reparte. ¡*Pistonudo*! ¿Sabe usted, amigo, que
aquí se aburre uno lindamente?

Durante la pausa que siguió a esta frase, acercóse Federico a la puerta del salón para llamar a los que aún quedaban en él; después volvió junto al marqués, y sacando
de su bolsillo una baraja, la arrojó sobre la mesa. Las cartas
se extendieron, pegadas unas a otras y resbalando como una
serpiente cuadrada.

—¡Hombre, también aquí! —dijo Fúcar con expresión
de disgusto.

Cimarra volvió al salón que ya estaba apagado. Empuja-
dos por él, entraron cuatro caballeros. León Roch se paseaba solo en el salón, medio a oscuras. Después de hablar
en voz alta con el mozo, Cimarra tomó el brazo de su
amigo y paseó con él un rato. Entre los dos se cruzaron
palabras apremiantes, agrias; pero, al fin, León subió a su
cuarto, bajando diez minutos después.

—Toma, vampiro —dijo con desprecio a su amigo dándole monedas de oro.

Después se quedó solo. Acercándose a la puerta de la sala de tresillo, pudo ver el cuadro que en el centro de ésta había, formado por seis personas, algunas de las cuales tenían un nombre no desconocido para la mayoría de los españoles. Es verdad que había entre ellos quien gozaba de reputación poco envidiable; pero también alguien había que la ganara ventajosa con sus bellos discursos, en los cuales no faltaban palabrejas muy sonoras contra el desorden social, los vicios y la holgazanería. El marqués de Fúcar era, de los allí presentes, el único que parecía tomar la ocupación como un verdadero juego, y apuntaba, sonriendo, las cartas, acompañando de picantes observaciones cada pérdida o ganancia. Cimarra, con el sombrero en la corona, el ceño fruncido, los ojos atentos y brillantes, la expresión entre alelada y perspicua con cierta seriedad de adivino o de estúpido, tallaba. Sus delicados labios murmuraban a cada instante sílabas oscuras, que un inocente habría tomado por fórmulas de evocación para atraer espíritus. Era el tenebroso lenguaje del jugador, el cual, con gruñidos o sólo con el ardiente resuello, mantiene un diálogo febril con las cuarenta personas de cartón que se deslizan entre sus manos, y ora le sonríen, ora se mofan de él con hórridos visajes.

La contienda con el azar es una de las luchas más feroces a que puede entregarse el hombre inteligente. La casualidad, que es el giro libre y constante de los hechos, no ha de ser hostigada; no se la puede mirar cara a cara; jugar con ella es locura. Revuélvese con las contorsiones y la fuerza del tigre, y ataca y destroza. Sus caricias, pues también las tiene, despiertan en el hombre un hondo anhelo que le consume como llama interior. El espíritu de éste se pierde y delira con sueños semejantes a los del borracho, porque el ideal indeciso de aquella misma casualidad que con él forcejea, le penetra todo y hace de él una bestia. Atleta furibundo y desesperado en las tinieblas, el jugador es víctima de pesadilla horrenda, y se siente lanzado en

una órbita dolorosa, como piedra que voltea en la honda
sin salir nunca de ella.

El marqués decía a cada rato:

—Señores, que es tarde; que tenemos que madrugar.
Bueno es divertirse un poco; pero no exageremos...

6. Pepa

León Roch no quiso ver más, y salió del salón y del establecimiento. La noche, tibia y calmosa, convidábale a
pasear por la alameda, donde no había alma viviente ni se
oía otro ruido que el canto de los sapos. Después de dar
cuatro vueltas, creyó distinguir una persona en la más
próxima de las ventanas bajas. Era una forma blanca, mujer,
sin duda, que, apoyando su brazo derecho en el alféizar,
mostraba el busto. León se acercó, y viendo que la forma
no se movía, se acercó más. Habría ésta parecido una estatua
de mármol, a no ser por el pelo oscuro y el movimiento de
la mano, que jugaba con las ramas de una planta cercana.

—Pepa —dijo él.

—Sí, soy yo... Aquí me tienes hecha una romántica,
mirando a las estrellas... Es verdad que no se ve ninguna;
pero lo mismo da.

—Está muy negra la noche: no te había conocido —dijo
León, poniendo sus dedos en el antepecho del hierro—.
La humedad puede hacerte daño. ¿Por qué no cierras?
No esperes a tu padre. Ese ladrón de Cimarra ha puesto
banca. Allí están entretenidos... Retírate.

—Hace calor en el cuarto.

León no pudo distinguir bien, por ser oscurísima la
noche, las facciones de la hija de Fúcar; pero observaba la
fisonomía de la voz, que suele ser de una diafanidad asombrosa.

La voz de Pepa gemía. Su cabeza, echada hacia atrás, se apoyaba en la madera de la ventana. Tenía en la mano una flor —a León le pareció una rosa— de palo largo. A cada instante se lo llevaba a la boca, y arrancando un pedacito, lo escupía. León vio todo esto, y comprendiendo la necesidad de decir algo apropiado al momento, buscó en su mente, rebuscó; pero, no hallando nada, nada dijo. Ambos estuvieron callados un rato: León, atento, inmóvil, con ambas manos fijas en el frío antepecho; ella, arrancando y escupiendo palitos.

—Se cuentan de ti estos días no pocas rarezas, Pepa —indicó él, considerando que para llegar a decir algo de provecho era preciso empezar diciendo una tontería—. Dicen que rompiste las porcelanas, que cortaste en pedazos los encajes, no sé qué encajes...

—¡Qué tipo!... —exclamó Pepa, rompiendo a reír con un desentono que hizo temblar a León—. La pobre señora no sale de las sacristías... ¿No entiendes?... Parece que eres idiota. Hablo de tu futura suegra, de la marquesa de Tellería... Cuando estuve en la playa de Ugoibea tuve el gusto de verla. Me contaron las picardías que habló de mí. Lo de siempre..., que soy muy mal criada, que derrocho; que tengo modales libres y hábitos chocantes..., chocantes, justamente... ¡La pobre señora ha cambiado tanto desde que empezó a marchitarse su hermosura!... Ya se ve: no se puede llevar una vida mundana cuando se tiene un hijo santo... Pues qué, ¿no te has enterado? ¿No sabes que Luis Gonzaga, el hermano gemelo de tu novia, el que está de colegial en el Sagrado Corazón de Puyoo, tiene fama de ser un ángel con sotana? Chico, vas a vivir en medio de la corte celestial. Hasta tu suegra usa cilicio. ¿No lo crees? Pues créelo, porque lo han dicho sus amantes.

Al decir esto, Pepa escupió un palito de rosa con tanta fuerza, que fue a chocar en la frente de León.

—Pepa —indicó éste con enojo—. No me gusta que las personas que estimo hablen así de una familia respetable.

—Se puede hablar de mí y llamarme loca, voluntariosa... Yo no puedo hablar..., es verdad. En mí todo es informalidad, desenfreno, desorden, ignorancia... Pasemos a otra cosa. León, sentí mucho no ver cara a cara a tu futura esposa, María Egipcíaca. Dicen que está muy guapa: siempre fue guapa. En Ugoibea sale poco; y ella y su tontísima mamá se van solas a tomar los aires puros. Cuentan que están muy tronadas; pero tú eres rico, y el marqués... ¡Oh! Dicen que es el único mentecato que no ha logrado hacerse un puesto en la política.

—Pepa, por Dios, no digas disparates. Me lastimas en lo más delicado con tu charla imprudente.

Pepa seguía escupiendo palos. El tallo de la rosa estaba reducido a la cuarta parte.

—Sí; yo soy muy mal educada —dijo con amarga ironía—. Además, ahora han descubierto que tengo muy mal corazón, un corazón cruel, un carácter rebelde y caprichoso...

—Eso no es verdad; pero has de hacer lo posible para que la gente no lo crea.

—Sí, valiente cuidado me da a mí la gente. ¿Acaso yo necesito de nadie?

—¡Qué orgullosa eres!

—Dicen que no encontraré un hombre razonable que se case conmigo —exclamó, repitiendo el desentonado reír, que parecía una conmoción espasmódica—. Esto como que da a entender que hay hombres razonables... Yo no soy de esas que se fingen santas y modestas para encontrar marido... Por mi parte, aseguro desde hoy que no me casaré con ningún sabio... Me repugnan los sabios. La suprema felicidad consiste en tener mucho dinero y casarse con un tonto.

—Veo que estas noches estás de humor de disparatar —le dijo León familiarmente—. Tú no crees lo que dices, y tus ideas son mejores que tu lenguaje.

Ya porque sus ojos se habituaran a la oscuridad, ya porque aclarase un poco la noche, León empezó a distinguir las facciones de Pepita Fúcar destacándose en el negro cuadrado de la ventana como la figura borrosa y pálida de un lienzo antiguo. La blancura de su tez, sus cabellos bermejos, la viveza de sus ojos pequeñuelos, en cuyas pupilas brillaba una brasa diminuta, el mohín mimoso de sus labios, la graciosa ferocidad de sus dientes partiendo palitos, y principalmente su enfado, casi la hacían aparecer bella estando algo distante de serlo.

—A otros podrías hacerles creer que tienes esas ideas extravagantes —dijo León—; pero no a mí, que te conozco desde que éramos niños, y sé que tu corazón es bueno. Una madre cariñosa habría formado en ti ciertos hábitos de que careces y corregido muchos defectos que te hacen parecer peor de lo que eres; pero has vivido en gran abandono: pasaste la niñez entre personas mercenarias y después, en la edad en que se forma el carácter y se hace, por decirlo así, la persona, tu padre te lanzó bruscamente a la vida en un torbellino de lujo, de frivolidades y riquezas. De tus caprichos hizo leyes, y no supo o no quiso poner tasa a tus genialidades dispendiosas. Tú sabes mejor que yo lo que ha sido tu palacio durante mucho tiempo: un *mare magnum* de desorden, la anarquía doméstica en su último grado. Confiada a ti alguna vez la dirección de tu casa, los criados se convertían en señores. Fue preciso que los extraños te llamasen la atención para que comprendieras el saqueo infame que allí reinaba, y echases de ver que te consumían en una semana los fondos de un trimestre. Tu padre, ocupado en ganar dinero, no pensó en enseñarte a conocer su valor, porque tu padre es también un delirante, un insensato que no piensa más que en los negocios, así como el jugador no piensa más que en la carta que ha de venir... ¡Pobre Pepa, tan rica y tan sola!... Ahora me explico muchas excentricidades de tu vida que el público comentaba de un modo desfavorable para ti y en las cuales yo te disculpo, sí, te disculpo... Hiciste construir una gran estufa en tu jardín, y una vez armada, la mandaste quitar de la fachada de Oriente para ponerla en la del Norte. Concluida de poner estaba, cuando la hiciste desmontar y la cambiaste por una colección de porcelanas. En un mismo año variaste tres veces todo el mueblaje y tapicería de tus habitaciones, y hoy comprabas bronces, tallas y telas carísimas, para venderlo todo mañana por la cuarta parte de precio. En tus viajes has gustado de comprar preciosidades, pero no en tanto número como las chucherías sin arte, ni elegancia, ni valor alguno. Reuniste una colección de pájaros, para regalarlos después uno por uno. He oído contar que, solicitada por otros deseos y antojos, estuviste dos días sin echarles de comer. Estableciste en tu casa un fotógrafo para que te sacara vistas del jardín, de la escalera y retratos de los caballos; y en tanto que así protegías las artes, no había en tu casa un solo libro, ni uno solo, como no fuera algún almanaque estúpido o alguna mala novela que pedías prestada a tus amigas. Haces limosna, amparas a los desvalidos, porque tienes un corazón excelente; pero oye el relato de tus caridades; es preciso que oigas esto, Pepa, y que luego medites. Un día se te presentó una mujer que pedía para celebrar una novena: sacaste de tu gaveta dos mil reales y se los pusiste en la mano. El mismo día se te presentó la viuda de un albañil muerto en las obras de tu palacio, la cual se quedó con cinco hijos y sin recursos: a ésa le diste un duro. No conoces el valor ni la extensión de las penas humanas, ni alcanzas la medida de las necesidades. Gran peligro es no ver jamás el fondo de esa arca de dinero en la cual metes sin cesar la mano para satisfacer tus gustos a cada instante renovados. ¡Pobre Pepilla!... No extrañes que use contigo este lenguaje, un poco duro, muy distinto de las adulaciones que oyes sin cesar, pero es sincero, leal y está inspirado en el deseo de tu bien. Es el lenguaje de un hermano que quiere verte corregida y en camino de ser feliz...; porque temo por ti días muy amargos y hechos graves que te enseñarán con abrumadora prontitud y realidad lo que aún no sabes. La realidad, cuando hemos descuidado sus lecciones, viene súbitamente a sorprendernos en medio de los goces, y nos instruye a golpes... Tengo un sentimiento profundísimo al verte tan desgraciada, tan sola, querida Pepa, en medio de este frío páramo de tus riquezas, y no poder conducirte fuera, porque nuestros destinos son distintos: a ti y a mí nos ha llevado Dios por sendas diferentes. Tengo un sentimiento grande, y si quieres que te lo diga claro, como deben decirse las cosas, te tengo lástima, sí, lástima... Yo te estimo, te aprecio mucho. ¿Cómo he de olvidar que hemos jugado juntos en nuestra niñez, que nos hemos tratado en todas las épocas de nuestra vida y aun..., ¿por

qué no decirlo?, que hemos tenido el uno para el otro estas
inclinaciones superficiales, pasajeras, que nos hacen novios
a los ojos del vulgo?... Esto no puede olvidarse. Siempre
he sido y seré siempre para ti un buen amigo.

Pepa pilló fuertemente entre sus dientes el palo ya muy
mermado de la flor, y tirando de ésta la deshojó. Volaron
las hojas en la ventana, y algunas fueron a posarse en la
barba y cabeza del joven que hablaba. Después, Pepa se
llevó su pañuelo a la boca.

—¡Sangre! —dijo León, cogiéndole la mano que oprimía el pañuelo.

—Es que me he clavado una espina en el labio —dijo
Pepa, con voz tan hondamente transfigurada, que León
Roch se estremeció de pena. Después de una breve pausa,
la de Fúcar volvió a hablar, y con acento más seguro,
dijo—: ¿Sabes que en tu nueva casa vas a estar divertido?...

—¿Por qué?

Pepa rió, oprimiendo con las dos manos su agitado seno.

—Porque cuando tu cuñado, Luis Gonzaga, el que está
aprendiendo para misionero, empiece a echar sermones
por un lado, y tú empieces a soltar herejías por otro, no
habrá quien pare en la casa León, lo dicho, dicho: eres un
sabio insoportable, y tu talento da náuseas.

—Ya sé que el verdadero juicio tuyo sobre mi persona
no es tan poco benévolo.

Pepa se inclinó un poco hacia afuera. León sintió próximo a su rostro un aliento abrasado que le quemaba
como una lámpara cercana.

—El que no ha estudiado otra ciencia que la de las piedras —dijo Pepa con la voz más amarga que puede oírse—,
es un idiota.

—Tal vez eso sea verdad... Ahora, querida Pepa, amiga
a quien profeso un cariño puro y fraternal, dame tu mano.

Pepa se puso bruscamente en pie.

—Dame tu mano y despídete de mí lealmente... ¿No
te dice tu corazón, que algún día necesitarás de mí...,
quizá un leal consejo, quizá esa ayuda que los desgraciados
se prestan unos a otros en los inevitables naufragios de la
vida?

Pepa arrojó con violencia los restos de la rosa, cuyo roído tallo fue a azotar la frente del joven. Este creyó sentir un latigazo.

—¡Yo necesitar de ti!... —exclamó—. ¡Vanidoso...! Verdaderamente, me pareces un estúpido... Puede ser que si algún día veo que se me acerca un pedante dando el brazo a una simplona, le pregunte: «¿Quién es usted?» ¡Despedirme de ti! Bueno: lo mismo me da que sea hasta mañana o hasta la eternidad.

—Como tú quieras —dijo León, alargando su mano—. Adiós. Te vas mañana con tu padre. Yo no voy a Madrid por ahora. Quizá no nos veamos en mucho tiempo.

Pepa le volvió la espalda con brusco movimiento, y desapareció en las tinieblas de su cuarto. León miraba hacia dentro sin ver nada. Perfume delicado, tan ligero que parecía una ilusión del olfato, era lo único que de la persona de la marquesita de Fúcar había quedado en la ventana junto al sabio perplejo. Era como un hueco conservando la forma de la figura ausente.

—Pepa, Pepilla... —dijo León con acento cariñoso.

Pero no tuvo respuesta ni distinguió nada en aquel cuadro de tinieblas profundas. Después oyó un débil gemido. Largo rato estuvo en la ventana llamando a intervalos sin obtener contestación. Pero los gemidos seguían, anunciando que en el fondo de aquella oscuridad existía un dolor.

Esperó más; al fin, se alejó, paso a paso, turbado como un pecador y tétrico como un asesino.

7.   Dos hombres con sus respectivos planes

Tropezó con un bulto, sintiendo al mismo tiempo fuerte palmetazo en el hombro, acompañado de estas palabras: ·

—¡La bolsa o la vida!

—Déjame en paz —dijo León, apartando a su amigo y siguiendo adelante.

Pero Cimarra se pegó a su brazo y le retuvo, haciéndole girar sobre un pie. Por un instante se habría podido ver en aquel grupo el paso vacilante y el vaivén de un grupo de borrachos. Pero suposición tan fea se hubiera desvanecido al oír a Cimarra, el cual, muy serio, ceñudo y con la voz ronca y airada, dijo a su amigo:

—¡Suerte deliciosa!... Estoy luciéndome en Iturburúa.

—Déjame, tahúr —dijo León con ira, sacudiendo el brazo en que hacía presa su amigo. No tengo humor de bromas ni intención de prestarte más dinero... ¿Se ha retirado del juego el marqués de Fúcar?

—Ahora va a su cuarto. Es hombre de una suerte abrumadora. Así está el país... ¡Infeliz España!... Solís ha ganado mucho. Desde que le han hecho gobernador de provincia tiene una suerte loca; las víctimas somos Fontán, el jefe de la Caja de X... y yo... Es temprano, León, sube a tu cuarto y trae *guita*.

León no dijo nada porque su espíritu estaba en gran confusión y desasosiego, muy distante de la esfera innoble en que el de su amigo se agitaba.

En vez de subir, como Federico quería, entró con él en la sala de juego. Una de las víctimas antes mencionada roncaba en un diván. La otra se disponía a salir con gesto y voz que indicaban un humor de todos los demonios, andando perezosamente y tomando precauciones contra el fresco de la noche.

Los dos amigos se quedaron solos.

—No juego —dijo León bruscamente.

Conociendo el genio poco voluble de León Roch, Cimarra pareció resignarse, y sentado junto a la mesa acariciaba con sus dedos finos y esmeradamente cuidados la baraja. El grueso anillo que ceñía su meñique despedía pálidos reflejos a la luz ya mortecina del *quinquet,* y fijos los cansados ojos en las cartas, las pasaba y repasaba, mezclándolas y remezclándolas de todas las maneras posibles. Eran en sus manos como una masa blanda que aceptaba la forma que le querían dar.

—Yo no tengo la culpa, yo no tengo la culpa —dijo, lúgubremente, León, que se había sentado en un diván, mostrando hallarse muy agitado.

—¿De qué? —preguntó Federico, mirándole con asombro—. A ti te pasa algo, bandido. ¿En dónde has estado?

—No estoy enfermo. Lo que me pasa no puedo confiártelo... Es una pena singular, un remordimiento...; no; remordimiento, no, porque en nada he faltado... Una pena, un sentimiento... Tú no comprenderías esto aunque te lo explicase: eres un libertino, un depravado, un corazón muerto, y tus emociones son de un orden profundamente egoísta y sensual.

—Gracias. Si no soy digno de recibir la confianza de un amigo...

—Tú no eres mi amigo; no puede haber verdadera amistad entre nosotros. El acaso nos hizo amigos en la infancia; la Naturaleza nos ha hecho indiferentes el uno al otro. En esta región frívola, de pura fórmula, cuando no de corrupción, en que tú has vivido siempre, no puedo yo respirar ni moverme. Llevóme a ella la vanidad de mi pobre padre, cuyo cariño hacia mí ha tenido extravíos y alucinaciones. Mi carácter y mis gustos me inclinan a la vida oscura y estudiosa. Mi padre, que ganó una fortuna con el sudor de su frente en el rincón de una chocolatería, quiso hacer de mí un ser infinitamente distinguido y aristocrático, tal como él lo concebía en su errado criterio, y me dijo: «Sé marqués, gasta mucho, revienta caballos, guía coches, seduce casadas, ten queridas, enlázate con una familia noble, sé ministro, haz ruido, pon tu nombre sobre todos los nombres.» Sus palabras no eran éstas; pero su intención, sí.

La agitación de su alma no permitía a León permanecer sentado por más tiempo, y se levantó. Hay situaciones en que es preciso aventar los pensamientos para que no se aglomeren demasiado y anublen el cerebro, formando en él como una negra nube de espeso humo.

—¿Y a qué viene eso? —preguntó Federico—. No hables tonterías y echemos un...

—Dígote esto porque estoy decidido a desertar... Me

son insoportables los caracteres de esta zona social adonde
mi padre me hizo venir. No puedo respirar en ella; todo
me entristece y fastidia, los hechos y las personas, las costumbres, el lenguaje..., las pasiones mismas, aun siendo
de buena ley. Sí; me entristecen también los afectos disparatados, el sentimiento caprichoso y enfermizo que se
ampara de todas aquellas almas no ocupadas por una indiferencia repugnante.

—Enérgico estás —dijo Cimarra, tomando a risa el
énfasis de su amigo—. A ti te ha pasado algo grave; tú
has recibido una picada repentina, León. A prima noche te
vi tranquilo, razonable, cariñoso, un poco triste, con esa
melancolía desabrida de un hombre que se va a casar y
vive a ocho leguas de su novia... De repente, te encuentro
en la alameda, alterado y trémulo; te oigo pronunciar
palabras sin sentido; entramos aquí, y noto una palidez en
tu cara, un no sé qué... ¿Con quién has hablado?

El jugador le observaba atentamente sin dejar de remo-
ver las cartas entre sus dedos.

—No te diré —indicó León, ya más sereno— sino que
mi cansancio va a concluir pronto. Yo labraré mi vida a mi
gusto, como los pájaros hacen su nido según su instinto.
He formado mi plan con la frialdad razonadora de un
hombre práctico, verdaderamente práctico.

—He oído decir que los hombres prácticos son la casta
de majaderos más calamitosa que hay en el mundo.

—Yo he formado mi plan —prosiguió León, sin atender a la observación del amigo—, y adelante lo llevo, adelante. No puede fallarme; he meditado mucho, y he pensado el pro y el contra con la escrupulosidad de un químico
que pasa gota a gota los elementos de una combinación.
Voy a mi fin, que es legítimo, noble, bueno, honrado, profundamente social y humano, conforme en todo a los destinos del hombre y al bienestar del cuerpo y del espíritu;
en una palabra, me caso...

Federico le miraba y le oía con expresión de malicia
socarrona.

—...Me caso, y al elegir mi esposa... No está bien dicho
elegir, porque no hubo elección, no; me enamoré como un

bruto. Fue una cosa fatal, una inclinación irresistible, un incendio de la imaginación, un estallido de mi alma, que hizo explosión, levantando en peso las matemáticas, la mineralogía, mi seriedad de hombre estudioso y todo el fardo enorme de mis sabidurías... Pero esto no impide que antes de decidirme al matrimonio no haya hecho una crítica fría y serena de mi situación y de las cualidades de mi novia. Debo hacer lo que haré, Federico, debo hacerlo; estoy en terreno firme; este paso es acertadísimo. María me cautivó por su hermosura, es verdad; pero hay más, hay mucho más. Yo procuré dominarme, acerquéme con cautela, miré, observé científicamente, y, en efecto, hallé dentro de aquella hermosura un verdadero tesoro, no menos grande que la hermosura misma que lo guardaba. La bondad de María, su sencillez, su humildad, y aquella sumisión de su inteligencia, y aquella celestial ignorancia unida a una seriedad profunda en su pensamiento y en sus gustos, me convencieron de que debía hacerla mi esposa... Te hablaré con toda franqueza: la familia de mi novia es poco simpática. Pero ¿qué me importa? Yo me divorciaré hábilmente de mis suegros... No me caso más que con mi mujer, y ésta es buena: posee sentimiento y fantasía, y esa credulidad inocente, que es la propiedad dúctil en el carácter humano. Su educación ha sido muy descuidada, ignora todo lo que se puede ignorar; pero si carece de ideas, en cambio, hállase, por el recogimiento en que ha vivido, libre de rutinas peligrosas, de los conocimientos frívolos y de los hábitos perniciosos que corrompen la inteligencia y el corazón de las jóvenes del día. ¿No te parece que es una situación admirable? ¿No comprendes que un ser de tales condiciones es el más a propósito para mí, porque así podré yo formar el carácter de mi esposa, en lo cual consiste la gloria más grande del hombre casado?... Porque así podré hacerla a mi imagen y semejanza, la aspiración más noble que puede tener un hombre y la garantía de una paz perpetua en el matrimonio. ¿No te parece así?

—¿Me consultas a mí, que soy un egoísta corrompido? —dijo Federico con ironía—. León, tú estás loco.

—Te consulto como consultaría a ese banco —dijo León, volviéndole la espalda con desprecio—. Hay situaciones en que el hombre necesita decir en voz alta lo que piensa para convencerse más de ello. Haz cuenta que hablo solo. No me contestes si no quieres... Sí; lo haré a mi imagen y semejanza; no quiero una mujer formada, sino por formar. Quiérola dotada de las grandes bases de carácter, es decir, sentimiento vivo, profunda rectitud moral..., conocimientos muy extensos del mundo, y la ridícula instrucción de los colegios, lejos de favorecer mi plan, lo embarazarían: tendría que demoler para edificar sobre sus ruinas; tendría que ahondar mucho para buscar buena cimentación.

Entonces hubo un cambio de actitudes. Arrojó Federico la baraja sobre la mesa, levantóse, y después de dar algunas vueltas alrededor de León, que permanecía sentado, le puso la mano en el hombro, y en voz baja le dijo:

—Señor sabio, también los ignorantes depravados fijan su mirada en el porvenir; también forman sus planes, no con matemáticas, pero quizá con más garantía de seguridad que los hombres prácticos. Digamos, entre paréntesis, que el burro es un animal práctico. No condenan el matrimonio: al contrario, lo consideran necesario para el adelantamiento de las sociedades y el perfeccionamiento de las condiciones...

Dio otras dos vueltas, y añadió:

—...De las condiciones del individuo. Ya comprenderás lo que quiero decir... Por acá no somos sabios, ni después de enamorarnos como cadetes hacemos un estudio exegético de las cualidades de las dignas hembras que van a ser nuestras mujeres... No aspiramos tampoco a fabricar caracteres; esta manufactura la tomamos como está hecha por Dios o el Demonio. Eso de casarse para ser maestro de escuela es del peor gusto. A otra cosa más que al carácter debemos atender en estos apocalípticos tiempos que corren. La desigualdad de fortuna entre los seres creados, y el desgraciado sino con que algunos han nacido; el desequilibrio entre lo que uno vale y los medios materiales que necesita para luchar con y por la vida, ¡oh!, el pícaro

struggle for life de los transformistas es mi pesadilla..., la
falta de trabajo que hay en este maldito país, y la imposibilidad de ganar dinero sin tener dinero... ¿Oyes lo que
digo?... Pues estas causas todas y otras más nos obligan
a considerar antes que el mérito de nuestras futuras...

—¿Qué?...

Cimarra hizo con los dedos un signo muy común,
diciendo:

—El *trigo*.

Como se ve, de su agraciada boca afluía el lenguaje
completo de ciertos jóvenes del día, y mezclaba el idioma
de los oradores con el de los tahúres, las elegantes citas
en habla extranjera con los vocablos blasfemantes que aquí
no se pueden decir...

—La vida moderna —añadió— se hace cada vez más
difícil; los ricos como tú pueden echarse a volar por el
mundo de las moralidades y no poner en su corazón deseo que no sea puro, ni tener pensamiento que no sea la
quinta esencia del éter más delicado. Pero no hay que exagerar, como dice Fúcar. Yo sostengo que eso que los tontos
llaman el vil metal puede ser un gran elemento de moralidad. Yo, por ejemplo...

—¡Tú! ¿De qué eres ejemplo tú?...

—Yo... Quiero decir que hallándome en posesión de
una fortuna, sería un modelo de patricios, y quizá pasaría
a la posteridad con el calificativo de ilustre. ¿Pues no es ya
frase de cajón, frase hecha, llamar ilustre a don Francisco
Cucúrbitas?

—Aunque quieras disimularlo, en ti hay un resto de
pudor —le dijo Roch—. Tu relajación no es tanta como
quieres hacer creer.

—Todo es *al respective,* como dice, siempre que bromea,
mi amigo Fontán —repuso Cimarra alzando los hombros—. No se puede juzgar así, tan a la ligera, a un hombre
que vive entre ricos y es pobre. Fíjate bien en esto. A ti
se te puede hablar con franqueza. Mis proyectos no son
todavía más que anteproyectos, querido... Allá veremos...
Se me figura que he empezado bien. El tiempo lo dirá.
Puede que algún día, cuando vivas olvidado de mí en medio

de tu felicidad de marido pedagogo, oigas decir que este perdido de Cimarra se ha casado. A eso vamos, a eso marchamos. Este pobre tiene también sus planes y sus filosofías. Todos somos galápagos, y otros tienen más conchas que yo... No creas que me desentiendo de las prendas morales de mi mujer; y estoy seguro de que no me caso con un monstruo. Habrá honradez, señor sabio; habrá honradez, hijos y hasta nietos.

—¿Has elegido?

—He elegido... Te advierto que no doy gran valor a la belleza física: Los hombres superiores no se dejan seducir y enloquecer como tú por unos ojos más o menos grandes y una boca que luego han de afear los años... La hermosura tan sólo vive, ¡ay!, como dijo el poeta, *l'espace d'un matin*... Hay un conjunto agradable y simpático, maneras distinguidas, cierta discreción, cierta travesura agradable, chiste y hasta *sandunga*... De educación no estamos bien; pero no pensamos poner cátedra... Hay mucho bueno, algo que no lo es tanto; abundan las genialidades tontas, los caprichos, los hábitos de despilfarro...

León palideció, fijando en su amigo una mirada ávida.

—...A mí me importa poco que rompa platos que no valen nada, que haga pedazos un cuadro de Murillo, que haga picadillo de encajes... Hay cosas en que los maridos no deben meterse.

Roch miró con estupidez el hule verde de la mesa en que apoyaba sus codos.

—¡Hombre, cómo se va el tiempo!... —dijo bruscamente, levantándose y abriendo la ventana—. ¡Si es de día!...

La claridad de la mañana entró en la sala. Iluminados por aquélla, los dos rostros parecieron melancólicos y pálidos. La luz de la lámpara brillaba aún lacrimosamente dentro del tubo y alargaba fuera una lengüeta negra, delgada, hedionda.

—¡Qué vida para reparar la salud! —dijo León. Miró luego por la ventana el cielo turbio y lloroso, cuya tristeza servía de cuadro sombrío a la tristeza de los dos trasnochadores. León empleó un rato en la contemplación vaga de que apenas se da cuenta el espíritu en horas de cansancio y

que fluctúa entre el sueño y la pena, no siéndonos posible
decir si dormimos o padecemos. En aquel momento Federico halló en su amigo un aspecto excesivamente triste,
pues todo en él era negro: la ropa y la barba; y su hermosa
fisonomía, de un moreno subido, tenía cierto tinte acarde-
nalado, a causa del insomnio. Su ancha frente, llena de
majestad, mas revelando brumosas cavilaciones, dominaba
su persona como un cielo cerrado y opaco que guardaba
en sí la luz y sólo muestra las nubes.

Volviéndose repentinamente hacia su amigo, León dijo:

—Pues, buena suerte.

—Siento no poder dormir un poco —manifestó Federico—. Me muero de sueño; pero tengo que ponerme en
camino con Fúcar.

—¿Te vas?

—¿No te lo había dicho? Se han empeñado en que los
acompañe... Vamos adelante, adelante con los faroles.

Cimarra aderezó sus palabras con una sonrisa maliciosa.

—Buen viaje —dijo León, volviéndole la espalda.

Sintióse más tarde el ruido de los coches del marqués,
ya dispuestos para llevar a los viajeros a la estación de
Iparraicea. Subió Federico a su cuarto para arreglarse precipitadamente, y al poco rato oyóse en el falansterio el
estrépito que acompaña a la salida y entrada de huéspedes,
arrastre de equipajes, ruido de mozos, chillar de criados.
León permaneció en la sala de juego, y aunque sentía la
voz del marqués y de su hija que entraban en el comedor para
desayunarse, no quiso salir a despedirlos.

Media hora después partió un ómnibus cargado de mundos y de criados, seguido de la berlina que llevaba a los
tres viajeros. León vio el primer coche pasar junto a su
ventana; pero antes de ver el segundo, dio media vuelta,
y marchando de un ángulo a otro con las manos en los
bolsillos, dijo para sí: «Debo estar tranquilo: yo no tengo
culpa.»

Salió después al pasillo, donde empezaban a aparecer,
arrebujados y claudicantes, los bañistas de más fe. Los
bañeros, con sus mandiles recogidos, entraban en los ca-
labozos donde yacen las marmóreas tinas, y con el vaho

sulfuroso salía por las puertecillas ruido de los chorros de agua termal y el de las escobas fregoteando el interior de las pilas.

Después salió a la alameda, y como viese a lo lejos los dos coches que subían por el cerro de Arcaitzac, dio un suspiro y dijo para sí: «¡Desgraciados los que no logran encadenar su imaginación!»

Descansó tres horas en su cuarto, y a las nueve ocupaba un asiento en el coche de Ugoibea. Su semblante había cambiado por completo, y parecía el más feliz de los hombres.

8. María Egipcíaca

Pasaron algunos meses, y León Roch se casó el día señalado, a la hora señalada y en el lugar señalado para tan gran suceso, sin que cosa alguna contrariase el plan formado a su debido tiempo y con todo rigor cumplido. Su alma gozaba de aquel contento que viene tranquilo, manso y sin ruido, como el soplo de primavera; contento que recrea la vida sin embriagarla, y que ofreciéndose al alma en dosis mensuradas, no la deja satisfacerse por entero, y así la pone a salvo del tedio. Filósofo y naturalista, León creyó que ningún estado mejor podía ni debía ambicionar.

La belleza de María Egipcíaca tomó desarrollo admirable después de la boda, y en este aumento de hermosura vio el esposo como un gallardo homenaje tributado por la Naturaleza a la idea del matrimonio, tan sabia y filosóficamente llevada de la teoría a la práctica. «Somos un doble espejo —decía—, en el cual mutuamente nos recreamos, y a veces no sabemos si la imagen contemplada es la mía o la de ella. De tal modo se confunden nuestros sentimientos.»

El amor de María Egipcíaca, que era al principio tímido

y frío, como corresponde a un Cupido bien educado que acaba de quitarse la venda, fue bien pronto arrebatado y ardoroso. La pasión, que primero había estado detrás de la cortina, presentóse después con su tea incendiaria, su cáliz divino, su dogal de ansias perpetuas que producen una estrangulación deliciosa, por lo que el marido estuvo durante algún tiempo olvidado de sus planes pedagógicos, aunque su razón en los momentos lúcidos le hacía comprender la urgente necesidad de ponerlos en uso y de realizar en la práctica el mejor de los sistemas. Poco a poco fue recobrando su habitual equilibrio, y los sentimientos irritados descendieron al punto subalterno que en su alma les correspondía. Hallóse, al fin, como quien sale de un letargo. Vio su espíritu como grande y hermoso país que ha estado largo tiempo ocupado por una inundación; pero ya las aguas bajaban, dejando ver primero los picachos más altos; después, las lomas; al cabo, la llanura. Entonces dijo: «Esto va pasando: necesariamente tiene que pasar. Cuando pase, yo abordaré resueltamente la temida cuestión, y empezaré a modelar —empleaba con mucha frecuencia este término de escultura— el carácter de María. Es un barro exquisito, pero apenas tiene forma.»

La mujer de León Roch era de gallarda estatura y de acabada gentileza en su talle y cuerpo, cuyas partes aparecían tan concertadas entre sí y con tan buena proporción hechas, que ningún escultor la soñara mejor. Sus cabellos eran negros, su tez blanca, linfática, con escasísimo carmín, y así se realzaba su expresión seria y apasionada en tal manera, que cuantos la veían se enamoraban y sentían envidia de su esposo. No tenía tipo español, y su perfil parecía raro en nuestras tierras, pues era el perfil de aquella Minerva ateniense que rara vez hallamos en personas vivas, si bien suele verse en España y en Madrid mismo, donde hallará el curioso un ejemplar, único, pero perfecto. Sus ojos eran rasgados, grandes, de un verde oceánico con movible irradiación de oro, y miraban con serenidad sentimental, que podría pasar por sosa aquí donde, si se reúne mucha gente y un ejército de ojos negros, se advierte un verdadero tiroteo granizado de saetazos. Pero las mira-

das de María no tenían fama de desabridas, sino de orgu-
llosas. Sus labios eran tan rojos como recién abiertas heridas; su cuello, airoso; su seno, proporcionado, y sus manos
pequeñas *y de dulce carne acompañadas,* como las de Melibea.

Hablaba con calma y cierto dejo quejumbroso que llegaba al alma de los oyentes, y reía poco, tan poco que cada
día iba creciendo su fama de orgullo; y era tan reservada
en sus amistades, que, en realidad, no tuvo amigas. Había
adquirido desde su infancia tal renombre de sensatez, que
sus mismos padres la diputaban como lo más selecto que
la familia había dado de sí en todo el curso de su gloriosa
existencia.

Con esta belleza tan acabada, que parecía sobrehumana;
con esta mujer divina, en cuya cara y cuerpo se reproducían, como en cifra estética, los primores de la estatuaria
antigua, se casó León Roch después de diez meses de relaciones platónicas. Fue ocasión de su esclavitud un súbito
enamoramiento que le sobrecogió al verla por primera vez
y tratarla en una reunión de la Corte, cuando María, recién
salida al mundo, se hallaba en aquel peregrino estado de
pimpollo en que la belleza de la mujer se marca con un
sello de inocencia y aparece matizada aún con el rocío
de esa encantadora mañana que se llama infancia. Se ena-
moró como un pastor, vergüenza da decirlo, y él mismo
se asombraba de ver que el teodolito de topógrafo y el
soplete de mineralogista trocábase en sus manos en cara-
millo o flauta de bucólico vagabundo.

Pero ¿vio en su mujer algo más que una extraordinaria
belleza? ¿Qué parte tenía su corazón en aquel delirio?
Sería gracioso que se dejase arrastrar por la imaginación
quien tanto se jactaba de tenerla por esclava.

*

Crióse María en un pueblo próximo a Avila, con su
abuela materna, señora de grandísima terquedad y tiesura,
que a menudo hablaba de principios sin dar nunca a conocer de un modo concreto cuáles eran los suyos y en qué
se distinguían de los ajenos. Al amparo de esta noble se-

ñora, que a los sesenta años tuvo la abnegación de trocar las vanidades del mundo por la estrechura de una casa rústica, el lujo y bullicio por la huraña soledad de un páramo, y la crónica escandalosa de Madrid por la chismografía de aldea, recibió María su primera instrucción. Sabía leer bien, escribir mal, y recitaba la doctrina sin perder una coma. A excepción de algunas ideas gramaticales y geográficas que le inculcó una maestra de gran sabiduría, todo lo demás lo ignoraba. Más tarde supo la niña, hojeando algunos libros, allegar ciertos conocimientos de esos para cuya adquisición no se necesita gran esfuerzo.

Compañero en aquel período de su vida en el páramo fue su hermano gemelo, Luis Gonzaga. La abuela los quería locamente a los dos y los llamaba los ángeles de su muerte, porque decía que, teniéndolos a su cabecera en la hora tremenda, le sería más fácil enderezar a Dios con devoción profunda sus últimos pensamientos. Ellos, que también se amaban con toda su alma, compartían sus juegos, los trabajos de las lecciones, el pan y queso de las meriendas y los húmedos besos de su abuela. Paseaban juntos por los horribles pedregales abulenses, y de noche se sentaban con la cabeza echada atrás para contar a competencia las estrellas que en aquel país se ven más claras que en ningún otro paraje del mundo. Se les oía decir:

—Cuenta tú por ese lado, que yo contaré por éste... No me quites mi cielo ni te salgas del tuyo... Vaya, que lo de este lado me toca a mí... Medio cielo para cada uno.

—Todo será para entrambos —le decía una clueca voz desde la ventana alta—. Vaya, angelitos míos, venid a cenar, que es tarde.

Leían a menudo vidas de santos, única lectura que en aquellas soledades era posible; y tan a pechos tomaron ambos niños las estupendas historias de padecimientos, trabajos y martirios, que sintieron deseo de que los martirizaran también a ellos, y ocurrióles la misma idea que cuenta Santa Teresa en el relato de su infancia, cuando ella y su hermanito discurrieron ir a tierra de infieles para que les cortaran la cabeza. María y Luisito salieron una mañana por aquellas áridas tierras, resueltos a no detenerse hasta

que les deparase Dios un par de moros que los descuarti-
zaran. Quedáronse dormidos al amparo de una peña, y
allí el Autor de todas las cosas, Dios omnipotente, les dio
un beso y les entregó a la Guardia Civil. Recogidos por la
pareja, fueron llevados a la casa.

Vivían en un país casi desértico, lejos de toda humana
sociedad. El cura les llamaba los *niños del yermo*, y los sen-
taba sobre sus rodillas para entretenerse con ellos en el
juego de los dedos, en el cual, cada uno de los de la mano
es un personaje figurado, y entre todos representan una
especie de comedia o pasillo, verbigracia: el dedo gordo
es un frailazo que llega a la puerta de un convento de
monjas, llama con gruesa voz, y al punto contesta el dedo
anular con voz de tiple. «Tan, tan.» «¿Quién?...» «El fraile
que quiere entrar.» Todo se reduce a que fray Pedro va en
busca de unas coles, que las monjas le dan de palos y él
se retira refunfuñando. Con eso se reían mucho los dos
gemelos, en edad en que los chicos apetecen por lo común
los muñecos más divertidos que sus propios dedos.

Crecieron, y sus juegos iban siendo menos primitivos;
sus lecturas, las mismas, y sus caracteres muy serios y formales. Luis Gonzaga cautivaba a todos por su índole
reservada y juiciosa, así como por su incapacidad para travesuras. Unicamente le reprendían su afán de vagar por las
soledades pedregosas, aspirando el ambiente fino y helado
que sin cesar bate las inmensas moles graníticas, semejantes a ruinas de una colosal arquitectura, o a osamenta de un
mundo cuya carne se han llevado las aguas. Gustaba de
estar solo, ambicionaba apacentar las cabras sedientas y
flacas que saltan de hueso en hueso sobre aquel esqueleto
de una Arcadia muerta ya y seca. Despreciaba el frío, despreciaba el calor. Un día le encontraron tendido a la sombra
de un pino, único ejemplar allí existente de la familia ar-
bórea, y que, triste, pelado y vacilante, parecía decir, como
el cartujo. «De morir tenemos.» Luis Gonzaga escribía
cosas en un papel, valiéndose de un lápiz trompudo, sin
cesar mojado en saliva. Sorprendido por el cura, arreba-
tóle éste el escrito, y vio unos renglones desiguales sin
rima, sin numen, sin gramática ni ortografía que le causa-

ron risa, porque él también entendía un poco de Humanidades.

—Ni esto es verso —le dijo— ni es tampoco prosa.

No era verso ni prosa, pero sí poesía: eran estrofas, renglones bíblicos, que expresaban las agitaciones de un alma contemplativa. ¡Cómo se reía el cura leyendo: «Llega el oscuro de la noche, y las ovejas del cielo se extienden por el grandísimo, campo azul, guardadas por los ángeles bonitos... El Señor ha pasado ayer en un carro de truenos, del que tiraban relámpagos, que resollaban con granizo y sudaban con lluvia... Yo temblé como llama en el viento, y di mil vueltas en mi idea, como la piedrecilla arrastrada por el río... Soy como el cardo seco a quien se pega fuego: haciéndome humo, suelto mi ceniza y subo al cielo!»

Un día la abuelita se levantó más tarde que de costumbre, el rostro encendido, torpísima el habla, las pupilas resplandecientes como dos botones viejos, a los cuales con el roce se hubiera dado brillo. Observaron con dolor todos los de la casa que la señora decía mil disparates, y aunque esto no era en absoluto una novedad, éralo por la repetición constante de los despropósitos, sin intervalo de discreción. Cuando el cura le tomaba el pulso, la señora se agarró a su brazo, después de echarse un mantón por los hombros, y riendo con estupidez delirante, gritó:

—Al baile... ¡Señor cura, vamos al baile!

Hizo dar dos vueltas al Reverendo, y, después cayó como un plomo. No le alcanzó más que la Extremaunción. Muerta y enterrada, los dos gemelos volvieron junto a sus padres, que estaban entonces en un período de grandísima escasez y apretura. Luis Gonzaga fue mandado a Carrión de los Condes, de donde pasó a Francia; y María, que afligió a la familia por su estado cerril, fue llevada a un establecimiento de esos que llevan el nombre de colegio. Salió de él a los dos años con el barniz que en tales casas se da, y su madre la presentó a los amigos; entonces la familia de Tellería principió a salir del abatimiento y oscuridad en que estaba, a causa de un cambio favorable en su fortuna; y, al fin, la marquesa abandonó aquel apartamiento que tanto le repugnaba, y durante algún tiempo se vio a madre e hija discurrir por las varias esferas de la sociedad distinguida y andar en lenguas de aduladores como en plumas de revisteros, y hartarse de palco y *landau* y eclipsarse en los veranos para reaparecer en los inviernos con nuevo brillo. Por último, vino un día deseado y María se casó.

Fue considerado este matrimonio como un golpe de suerte para los Tellerías, nobles de segunda fila, cuyo bienestar material no debía inspirarles grandes escrúpulos en la elección de maridos. Dígase lo que se quiera, las familias nobles del día no profesan a sus pergaminos un culto fanático, y si se exceptúan media docena de nombres que unen a su resonancia histórica un caudal sano, aquéllas no vacilan en aceptar las alianzas convenientes y sustanciosas, fundiendo la nobleza con el dinero; y así vemos un día y otro que las doncellas de ilustre cuna dan la mano, y la dan con gusto, a los marqueses de última emisión hechos al minuto, a los condes haitianos, a los políticos afortunados, a los militares distinguidos y aun a los hijos de los industriales. La sociedad moderna tiene en su favor el don del olvido, y se borran con prontitud los orígenes oscuros o plebeyos. El mérito personal unas veces, y otras la fortuna, nivelan, nivelan, nivelan con incansable ardor, y nuestra sociedad camina con pasos de gigante a la igualdad de apellidos. No hay país ninguno entre los históricos que esté más próximo a quedarse sin aristocracia. A esto contribuyen, por un lado, el negocio, haciéndonos a todos plebeyos, y, por otro, el Gobierno, haciéndolos a todos nobles.

La felicidad de aquel matrimonio no tuvo en los primeros meses otras contrariedades que la sombra que proyectaban a veces sobre ellos los parientes de María. Pasado algún tiempo, León empezó a creer que se prolongaba más de lo regular la ternura apasionada, inquieta y quisquillosa de su mujer. Esto habría carecido de importancia si con ello no coincidiera una resistencia acerada a plegarse a ciertas ideas y sentimientos de su marido. Grandísima tristeza tuvo León cuando vio que, sin dejar de amarle arrebatadamente, María no iba en camino de someterse a sus enseñanzas, no ciertamente del orden religioso, pues en esto el discreto marido respetaba la conciencia de su mujer. ¡Estupendo chasco! No era un carácter embrionario, era un carácter formado y duro; no era barro flexible, pronto a tomar la forma que quieran darle las hábiles manos, sino bronce ya fundido y frío, que lastimaba los dedos sin ceder jamás a su presión.

Una noche, al año de casados, hallábanse solos en su gabinete. Habían hablado larga y cariñosamente de la conformidad de pensamientos como base inquebrantable de todo matrimonio pacífico. Agotada la conversación, el uno había tomado un libro para hojearlo junto a la chimenea, y la otra rezaba. De repente, María Egipcíaca dejó el reclinatorio y acercándose a su marido le puso la mano en el hombro.

—Tengo una idea —le dijo, clavando en él su misteriosa mirada verde, que tenía entonces, con los reflejos de esmeralda y oro, dulzura extraordinaria, sin duda porque sus ojos volvían de ver a Dios—; tengo una idea que me enorgullece, León.

León aguardó un poco, por no dejar interrumpido el párrafo, y después oyó a su mujer.

—Voy a manifestarte mi idea —añadió ella—. Yo, mujer débil, inferior a ti en muchas cosas, y principalmente en saber y experiencia, lograré un triunfo que jamás alcanzará tu orgullosa superioridad.

León le tomó una mano y se la besó tres veces, diciendo:

—Yo no soy superior a nadie, y menos a ti.

—Sí; lo eres; esto aumenta mi gozo y me empeña más en mi empresa... Tú, con tu juicio, que crees tan fuerte, aspiras a cambiar mi carácter. Yo, con mi amor, que es más grande que todos los juicios, aspiro a conquistar el juicio tuyo, haciéndote a mi imagen y semejanza. ¡Qué batalla y qué victoria tan grande!

—¿Cómo lograrás eso? —dijo León, rodeando con el brazo la cintura de su mujer.

—No sé si intentarlo poco a poco... ¡O así!

—Al decir así, María arrebató violentamente el libro de las manos de su esposo y lo arrojó a la chimenea, que ardía con viva llama.

—¡María! —gritó León, aturdido y desconcertado, alargando la mano para salvar al pobre hereje.

Ella le estrechó en sus brazos, impidiéndole todo movimiento: le besó en la frente, y, después, volvió al reclinatorio, donde se puso a rezar de nuevo.

¿Qué decía el libro? ¿Qué decía el rezo?

9. La marquesa de Tellería

Los marqueses de Tellería vivían en el principal de su casa. León Roch, atento a que entre la vivienda de sus suegros y la suya hubiese la mayor extensión posible de superficie terráquea, había alquilado una hermosa casa en lo más apartado de la zona del Este. Allí le encontraremos dos años después de su boda.

—Buenos días, León... ¿Estás solo? ¿Y Mariquilla?... ¡Ah!, estará en misa; yo pensaba ir también; pero ya es tarde... Alcanzaré la de once de San Prudencio... ¿Qué tienes?... Estás pálido. ¿Habéis reñido?... Pero me sentaré... Dime: ¿cuánto te han costado esas estatuas? Son hermosísimas. Tienes una linda colección de bronces... Pero dime: ¿todavía vas a meter más libros en este despacho? Esto es la biblioteca de Alejandría. ¡Oh! ¡No es como tú toda la juventud de estos tiempos!... ¡Qué chicos los de hoy! Yo no sé qué será del mundo cuando llegue a la edad madura esa multitud de jóvenes viciosos, ociosos y enfermos que hoy son el adorno principal de esta sociedad... Pues todavía hay un mal mucho peor. Pase que los muchachos sean casquivanos y sin sustancia..., pero los viejos son más viciosos, más frívolos, más disipadores, más holgazanes que los chicos... He llegado al asunto delicadísimo de que quiero hablarte, querido hijo. Siéntate y atiéndeme un poco.

Azotó la marquesa con su hermosa mano el brazo de la

butaca más próxima, y sentado en ella León, dispúsose a oír a su madre política. Era ésta una dama de gentil porte, bruscamente desmejorada después de larguísima juventud, por repentinas dolencias que se habían presentado cual acreedores, tanto más implacables cuanto más rezagados. Y no obstante, aún la hermosura de la dama prevalecía resplandeciendo débilmente en su cara, y descendía hacia el horizonte entre las caliginosas brumas de un blanquete no siempre aplicado con comedimiento y habilidad. Aquella puesta de sol no era de las más espléndidas. Su cuerpo airoso, y antaño lleno de majestad, se inclinaba ya como presintiendo su bajada a las frías honduras del sepulcro, si bien el férreo costillaje del corsé mantenía en aparente firmeza y redondez aquella desplomada arquitectura. Sus ojos, negros y hermosos, eran lo menos muerto de aquel conjunto moribundo, y a veces se abrillantaban con gracia y embeleso, semejando a un sesgo de inspiración en medio de la oda académica compuesta de imágenes arcaicas y manoseadas. Su cabello, que del negro andaluz había pasado al rubio veneciano, pasaba ahora del rubio de Venecia a un plateado indeciso y pulverulento.

Su tez, áspera ya y sin lisura, desaparecía bajo una especie de vello artificial en que se confundían sutiles alquimias olorosas, dispuestas para engañar al espectador, bien así como en los teatros el pintado lienzo imita la verdura de los bosques y aun la diafanidad y pureza del cielo. Pero aquel efecto, conseguido hasta cierto punto en las acecinadas mejillas de la señora en decadencia, perdíase a veces, porque la comprada blancura del rostro hacía que amarilleasen un poco los dientes, todavía enteros, bonitos, iguales. Su sonrisa, toda gracia y desdén, los mostraba a cada rato, por hábito antiguo que bien pronto habría de modificarse, si aquel lindo teclado doble comenzaba a desorganizarse como un ejército que cree haber peleado bastante. Vestía gallardamente y con elegancia. Su habla era abundante, con pretensiones, no siempre inútiles, de añadir tal cual frase ingeniosa al aluvión de palabras insustanciales que forma el fondo de la conversación corriente entre personas sin médula.

—Ya escucho, señora —dijo León.

—No me gustan rodeos —añadió la marquesa—. Además, María te habrá hablado de esto. Tu padre político es un perdido.

—Creo que exagera usted un poco. El marqués gusta de divertirse... Es gusto muy general entre las personas que no tienen nada que hacer.

—No, no, no le defiendas. La conducta de Agustín es indefinible... ¡A su edad!... Lo extraño es que en sus mejores tiempos ha sido un hombre recogido, prudente, callado y metido en casa. Créelo: me repugna ver al marqués hecho un viejo verde. Y no es otra cosa; aquí le tienes pintado en dos palabras: un viejo verde. Hace dos años, casi desde que te casaste con mi hija, mi querido esposo empezó a frecuentar el Círculo de los muchachos; tropezó con algunos mozalbetes que le enloquecieron, cambió de lenguaje, de modo de vestir, trasnochó, jugó... Pero ¿tú no notas que hasta parece rejuvenecido? ¿No te hace reír, confiésalo con franqueza, su empeño de parecer pollo? Le verás siempre en las cuadrillas de muchachuelos que mariposean por Madrid... De veras es cómico... Siempre le tienes de flor en el ojal... Esta mañana le he dicho algunas verdades un poco duras. Yo no sé cómo se las compondrá él con su sastre, porque es un gasto de ropa que abruma... Aquí, en la confianza de la familia, se puede decir todo, León. Mi buen marido gasta lo que no tiene ni puede tener en toda su vida. Nunca fue ordenado, pero tampoco disipador; jamás escribió un número en un pedazo de papel, pero tampoco se dejó arrastrar por el afán de un lujo imposible... ¿Y quién es la víctima de esto? Yo, yo, que, habiéndome sacrificado siempre, debo sacrificarme también ahora, cuando mi salud está quebrantada y necesito sosiego, descanso, paz. ¡Ay, cuánto envidio a la que reina en esta casa! ¡Con cuánto gusto aceptaría un rincón en ella, aunque fuera el más humilde!... Es un tormento mi vida. Agustín gasta lo que no tiene; Gustavo es formal y bueno, pero muy poco apegado a sus padres; Leopoldo no es ni será nunca nada, por su ineptitud y esos hábitos de ociosidad y disipación adquiridos a pesar de mis esfuerzos para evitarlo.

Y gracias que el Señor, al paso que me da tales pruebas de
sus rigores, me las da por otro lado clarísimas de su misericordia... ¡Qué orgullo tan grande para una madre tener
dos hijos como Luis Gonzaga y María, aquél tan profundamente apegado a su carrera eclesiástica, que será, según me
dicen los padres, un verdadero santo; ésta, casada contigo,
feliz contigo, ofreciendo contigo un modelo de matrimonios pacíficos y en completa armonía! ¡Lástima que no
tengáis hijos!

Al llegar aquí, la marquesa, dejándose llevar de su sentimiento, dio libertad a algunas lágrimas, que no llegaron
a rodar por sus mejillas; tan prontamente las atajó, secán-
dolas con su pañuelo. Después siguió exponiendo las penas
que afligían su corazón de esposa y de madre. Según dijo,
había padecido mucho por el carácter ligero del marqués y
la condición díscola o superficial de Gustavo y Leopoldo;
había consumido su juventud y lo mejor de su vida en
esfuerzos heroicos para evitar el hundimiento de la casa
de Tellería; había sacrificado para este fin importantísima
parte de su dote, que no era un grano de anís; pero reservaba lo mejor, sí, y lo reservaría aunque los chicoleos juveniles del marqués y los extravíos de sus hijos llegasen al
último extremo. Ella no podía exponerse a una vejez de
miseria humillante, ni a vivir de la limosna de su hija, casada
con un hombre rico; sus hábitos, sus principios, su dignidad, no le permitían sacrificar tampoco lo mejor de su dote
al hombre imprudente que había esparcido por las mesas
verdes de los casinos y por los cuartos de las bailarinas el
patrimonio de Tellería... ¡Y si ella lo dijese todo, si ella
revelase lo más negro!...

—Sí, lo revelaré... A ti se te puede decir todo —añadió,
mirando a su yerno con cierto éxtasis—. No sólo tienes el
deber, sino el derecho de conocer las debilidades de tus
padres... Me han dicho que el marqués está enredado con...
la habrás visto, habrás oído hablar de ella..., esa que llaman
la Paca o *la Paquira*...; no vale nada, pero es graciosa y elegante. Le comió al duque de Florunda lo poco que le quedaba... Figúrate tú ese mamarracho de Agustín, que casi

está con un pie en el sepulcro... Esto, más que ira, da compasión, ¿no es verdad?

León meditaba.

—¿En qué piensas, hijo?

—En que la virtud cardinal del matrimonio es la paciencia.

—Eso quiere decir que sufra y aguante... Pero ¡si mi vida ha sido un puro martirio!... Yo seguiría resistiendo si los despilfarros y las locuras de Agustín no me trajeran compromisos graves que tocan el buen nombre de nuestra casa. Estoy apuradísima..., ¿qué crees? ¡Oh! Siento mucho decirte que no puedo darte los sesenta mil reales que me prestaste y que yo debía devolverte este mes, como convinimos.

—No importa —dijo León, deseando cortar delicadamente aquel asunto—. No se ocupe usted de eso.

—Es que no sólo no puedo darte aquellos tres mil duros, sino que me hacen falta otros tres mil.

—Tampoco importa: los tendrá usted.

—¡Otros tres mil! Esto es horrible. ¡Cómo abuso de tu bondad!... Será la última vez, porque estoy decidida a montar la casa con un régimen muy estrecho... Yo te doy garantías con mi casa de Corrales de Arriba.

—No es preciso garantía... Repito...

—¡Gracias, gracias!... ¡Eres tan buen hijo!..., ¡te quiero tanto!... ¿Cómo te pagaré?... —dijo la marquesa, visiblemente trastornada por una emoción verdadera—. No creas: también tú tienes que agradecerme. Me ocupo de ti, de tu bien, y algunas veces me apresuro a quitar de en medio alguna nubecilla que pueda dar sombra a tu felicidad. Anoche reñí con tu mujer.

—¿Con María?

—Con María, sí; también ella tiene sus defectos, aunque defectos que, según dicen, no son otra cosa que exageración de las virtudes. Ya sabes que es muy religiosa, excesivamente religiosa. Hace tiempo comprendí que por este motivo de la Religión habría en vuestro hogar algunos disgustillos.

León dio un suspiro.

—Algunos —indicó—, pero no graves.

—Vamos, no vengas a quitar importancia a vuestras desazones —dijo la marquesa, contrariada de que León suavizase lo que a ella le convenía endurecer—. La pobre muchacha te quiere ciegamente; su amor está sobre todo; pero le atormenta mucho tu fama de ateo. Ya sabes que los pensamientos de mi hija son indóciles e indomesticables como las fieras del desierto.

León hizo con la cabeza un triste signo que indicaba una respuesta afirmativa más triste aún.

—Pase que no vea con gusto tu irreligiosidad... Eso es natural... Nos han enseñado una fe, y en ella debemos vivir y morir. Pero que llore y se desespere porque no vas todos los días a la iglesia como ella, ni confiesas cada mes, ni gastas tu dinero en bobadas..., vamos, esto es ridículo. ¡Cuánto le he predicado anoche!... ¿Qué crees?... Me enfadé, la reñí, golpeé en su cabeza dura como se golpea en un yunque, y, al fin...

—¿Y al fin?...

—La convencí, sí; la convencí de que no se puede exigir a los hombres ciertas prácticas, que si en nosotras están bien, en ellos serían ridículas, ferozmente ridículas. Buen trote llevan los hombres del día para que se los quiera meter en las iglesias. Yo digo una cosa: María, empleando su tiempo en devociones, y tú, gastándolo en tus estudios, podéis ser muy felices. ¿A qué entrar en honduras? ¿Acaso tú le impides que rece todo lo que quiera? Los hombres de hoy tienen sus ideas, y no es posible luchar con ellos. Nadie hay más religiosa que yo; pero no quiero meterme en cosas que no entiendo. Las mujeres no somos sabias: creemos, y creemos, y creemos. Un matrimonio que se desavenga por esto, me parece el colmo de la tontería... Pero ¿no sabes su pretensión? Aspira, nada menos, que a convertirte, a hacerte aborrecer tus ideas y adorar las suyas... Vamos, no pude tener la risa cuando le oí esto. ¿Sabes qué dice? Que su mayor gozo sería quemarte todos los libros que tienes aquí... ¡Qué lástima! ¡Unas encuadernaciones tan bonitas!... Buen cuidado me daría a mí de que mi esposo no me imitara en mis devociones, con tal de que

me amase mucho y no amase a ninguna más que a mí...
¡Celos de los libros!, jamás. Eso es de mujeres tontas. No
puedes figurarte con qué fuerza le hablé: le dije que tú
eras el hombre mejor de la Tierra... Ella convenía en esto;
pero... nunca le faltaban peros. Le dije que vales más que
ella, infinitamente más que ella; que eso del ateísmo es un
fantasma, que, aunque se habla de ateos, no hay tales ateos,
así como se hablaba antes de las brujas, a pesar de no haber
tales brujas. Le dije que no pensara en esa sandez de convertirte, y que lo mejor que podía hacer, para tener paz
perpetua en su casa, era aflojar un poco en su monomanía,
¿no te parece?... Quizá le convenga mudar de confesor, ¿no
te parece?... En esto debe imitarme. Yo soy muy religiosa;
cumplo fielmente todos los preceptos; contribuyo al culto
con lo que puedo; pero nada más. ¿No crees que mi hija
debe imitarme?

León no contestó nada. Estaba taciturno y abstraído.
Bruscamente echó de sí una idea lúgubre, como quien
espanta un abejón que zumba, y, mirando a su suegra, le
dijo:

—Hoy mandaré a usted los sesenta mil reales.

—¡Ah! ¿Te ocupabas de eso? —repuso la marquesa,
cuyo semblante parecía que, con la irradiación del gozo, se
ponía fosforescente—. Bueno, mándalo, te daré el recibo...
Pero ¡cómo me estoy aquí charla que charla! Con tu buena
compañía me olvido de que tengo prisa, mucha prisa, mu-
chísima. ¡Las once!... ¡Voy a perder la misa!...

Levantóse apresuradamente y dio la mano a su yerno.

—El padre Paoletti predica hoy... Adiós... Corro a San
Prudencio. ¿Qué quieres para tu mujer? Le diré que venga
pronto a casa, que estás muy solo. Abur, abur.

10. El marqués

Era de cuerpo pequeño, rostro fino y afeminado, al
cual daba, por cálculo, trocado al fin en costumbre, una
gravedad pegadiza, semejante a un cosmético que empleara
diariamente metiendo el dedo en los botes de su tocador
de viejo florido. Ojo, nariz y boca eran en él, como los de
su hija, de una corrección admirable; mas lo que en ella
cautivaba, en él hacía reír, y lo serio se mudaba en cómico,
porque nada es tan horriblemente bufón como la fisonomía
de una mujer hermosa colgada como de espetera en las
facciones de un viejo mezquino.

Su vestir correctísimo y elegante, sus ademanes desem-
barazados, su cortesía refinada y desabrida, que encubría
una falta absoluta de benevolencia, de caridad, de ingenio,
adornaban su persona, brillando como la encuadernación
lujosa de un libro sin ideas. No era un hombre perverso,
no era capaz de maldad declarada, ni de bien; era un compuesto insípido de debilidad y disipación, corrompido
más por contacto que por malicia propia; uno de tantos;
un individuo que difícilmente podría diferenciarse de otro
de su misma jerarquía, porque la falta de caracteres, salvas
notabilísimas excepciones, ha hecho de ciertas clases altas,
como de las bajas, una colectividad que no podrá calificarse
bien hasta que los progresos del neologismo no permitan
decir *las masas aristocráticas*.

Y aquel ser vacío y sin luz tenía palabras abundantes no
exentas de expresión, y manejaba a maravilla todos los
lugares comunes de la Prensa y de la tribuna, sin añadirles
nada, pero tampoco sin quitarles nada. Era, pues, un propagandista diligente de ese tesoro de frases hechas que para
muchas personas es compendio y cifra de la sabiduría.
Era de los que constantemente desean que haya *mucha*

administración y poca política; estaba convencido de que *este país es ingobernable;* deseaba que se conservasen las *venerandas creencias de nuestros antepasados,* para que volviéramos a ser asombro de *propios y extraños;* creía firmemente que *aquí no puede haber nada bueno; que éste es un país perdido,* a pesar de *la fertilidad del suelo;* y al mismo tiempo sostenía con rutinaria devoción los dogmas inquebrantables de la *hidalguía castellana,* de la *religiosidad nunca desmentida del pueblo español,* de la *tendencia materialista del siglo,* etc. Tenía, además, *grandísimo horror a las utopías,* y para él todo lo que no entendía era una utopía. A la pandereta de su verbosidad no le faltaba, como se ve, ninguna sonaja.

—¡Siempre aquí, siempre en este bendito despacho, que parece la celda de un prior por sus buenas luces y su tamaño, y habitación de un príncipe por las obras de arte que contiene!... Siempre aquí, querido León. No se te ve en ninguna parte. ¿Y María? Anoche estuvo en casa; no faltaron las lágrimas de siempre. Va a que su mamá la consuele. Y Milagros y ella cuchichean... Yo creo que entre las dos te ponen como ropa de Pascua. Allí no se piensa más que en los abonos de los teatros y en los triduos de San Prudencio. Después de misa se reúnen todas a hablar de modas... ¿Estás enfermo? Te encuentro pálido. ¿Qué tienes?

—¿Yo? —dijo León, mirando a su suegro como quien despierta de un sueño y se ve delante de un desconocido—. ¿Decía usted?...

—Que si estás malo. Tienes muy mala cara. Anoche se habló de ti en casa de Fúcar... Por cierto que nunca he visto al marqués de tan mal humor. Desde que Pepa se casó con Cimarra, el pobre don Pedro no hace más que tragar hiel... ¡Pobre Pepa! Se cuentan de Federico horribles bribonadas... ¡Y qué niña tan bonita tiene Pepa!... ¿La has visto? ¿No vas por allá?... Tienes buenos cigarros, a fe mía...

El humo de los dos habanos se juntaba, subiendo al techo. Por un instante reinó un profundo silencio en la hermosa pieza. Oíase tan sólo el efervescente rumor del chorro de la manga de riego con que el jardinero refrescaba los macizos del jardín. En habitaciones lejanas cantaban algunos pájaros aprisionados, cuyo charlar parecía una disputa de todas las notas musicales, discutiendo sobre el mejor modo de formar una sinfonía en un cerebro wagneriano. En el despacho, un gran atlas geológico, abierto sobre ancho atril casi tan grande como un facistol, mostraba, en franjas de colores, las edades del mundo. En la mesa veíanse flores abiertas en canal, mostrando sus ovarios misteriosos; insectos rotos en estado de autopsia; ejemplares conquiliológicos aserrados por la mitad, revelando el secreto de sus graciosas bóvedas, esmaltadas de rosa y nácar; láminas representando huevos en distintos grados de incubación; modelo del ojo humano en cartón y del tamaño de un coco; y en medio de tales baratijas resplandecía el lente de un microscopio, reflejando un rayo de sol y enviándolo, cual mirada curiosa, sobre la cabeza del marqués, que por lo desnuda de cabello, convidaba al estudio de la craneoscopia.

—¿Te dedicas también a la Historia Natural? —dijo éste, con expresión de tolerancia. Esa parece ser la ciencia del día, la ciencia del materialismo. ¡Bonito servicio estás haciendo al género humano, arrancándole *sus venerandas creencias,* para darle un cambio..., ¿qué?... la famosa hipótesis de que somos primos hermanos de los monos del Retiro!

Rióse, con pueril carcajada, de su propia ocurrencia, y después echó una ojeada sobre los estantes de libros.

—¿Sabes —dijo súbitamente— que soy ponente de la Comisión que ha de dar informe sobre la ley de vagos?

—Darán ustedes un informe brillante.

—¡Oh! Es cuestión delicada —añadió el marqués, echándose atrás en la mecedora, de modo que se quedó mirando al cielo y con los pies en el aire—; es la cuestión madre. Yo le he dicho varias veces al presidente del Consejo: «Mientras no tengamos una buena ley de vagos, no hay que pensar en una buena política.» Hay que ir al fondo de las cosas, a las causas fundamentales, ¿no te parece? De la multitud de holgazanes y gentes de mal vivir, cesantes hambrientos y pillastres que aguardan las revueltas públicas

para hacer su agosto, proviene el malestar en que vivimos.
Bárreme toda esa inmundicia y te respondo del orden
social.

—Muy bien pensado —dijo León—. Barrer, barrer es
lo que importa.

—¡Ah! Lo malo es que no puedo dedicar a la Comisión
todo el tiempo que deseara. Estoy muy ocupado. Y a
propósito, querido León, tengo que hablarte de un negocio.

Había llegado al punto que era objeto de su visita; pero
abordándolo con grandísimo interés, que hacía palpitar
su corazón, lo disimulaba expertamente. No podían faltar
a aquel hombre enteco emociones íntimas y donosura cortesana para velarlas.

—Ya sabes que soy consejero de Administración del
Banco de Agricultores. Es una empresa grande, patriótica.
Hemos de *levantar el crédito territorial del abismo en que yace.*

Esta y otras frases del suelo financiero andaban por la
boca del marqués de Tellería como Pedro por su casa.
Dijo después de varias cosas jamás oídas, a saber: que
España es *esencialmente agrícola;* que la riqueza agrícola no
puede desarrollarse por falta de capitales; que los capitales
existen..., ¿pues no han de existir?..., pero que es preciso
reunirlos, encauzarlos, distribuirlos convenientemente para
que fertilicen..., para que beneficien..., para que fecun-
den... El marqués no pudo acabar la frase, que por ser de su
invención y no del repertorio, se le atascó. El Banco de
Agricultores estaba íntimamente ligado a la gran Compañía inglesa Spanish Phosphate Limited, destinada a hacer
una transformación en nuestro país... Era una idea estupenda. ¡Capitales, abonos! He aquí los dos *polos del eje
sobre que ha de girar la regeneración agrícola del país.* (Esto
también era frase de prospecto.) El marqués concluyó la
arenga diciendo, con aparente indiferencia:

—¿Qué te parece? ¿Colocarás parte de tus capitales en
nuestras acciones?

—Necesito mi capital para vivir —dijo León con fingida
inocencia.

—¡Hombre!...

León le dijo algo tan crudo sobre ciertas sociedades, que el marqués perdió de súbito aquel colorete enfermizo que tenía sus mejillas y parte de su nariz, un no sé qué purpúreo como zumo de moras, que, eclipsándose o apareciendo en su cara, expresaba los distintos efectos de su alma. Después de una pausa, durante la cual empeñóse en dar a las guías de su bigote blanquinegro el aspecto terrorífico de las astas de un toro, se levantó y se puso a observar los objetos de Historia Natural.

—Bien; no hay más que hablar de este asunto —murmuró.

Siguió observando, revolviendo, tocando aquí y allí, cogiendo algunos objetos para acercarlos a sus ojos, y adaptando después uno de éstos al ocular del microscopio, para decir, con el singular orgullo de sí mismo que caracteriza a la ignorancia:

—Pues yo no veo nada... Yo no sirvo para esto... Gracias..., que te aproveche tu microscopio. Dime: ¿y con esto ven ustedes el alma?... ¡Ya! Como no la ven, sostienen que no existe.

Y antes de que su yerno le diese contestación, fuese a él, parósele delante, le miró un buen rato, y, moviendo la cabeza, le dijo:

—Estoy pensando que a mi pobre hija no le falta razón para quejarse... No es esto decir que no seas un bendito, León; pero vamos a cuentas. Ella tiene sus creencias; tú tienes las tuyas; mejor dicho, no tienes ninguna. Tu falta de religiosidad y tu desdén por las *venerandas creencias del pueblo español* la ofenden, la lastiman, la afligen sobre manera. Querido —añadió, poniéndole la mano en la frente con apariencias de cariño—, recuerda que el pueblo español es eminentemente religioso. Pues qué, León, ¿estamos aquí en Alemania, país de las locas *utopías?*

León dijo algo.

—No, no, no, basta que la dejes en libertad —replicóle Tellería con viveza—. Es preciso que tú hagas algo. Tienes una fama de ateo que espanta. Yo..., te soy franco, más querría perder mi posición y mi nombre en el mundo, que tener esa fama de ateísmo que tú mismo te has ganado.

Comprendo las angustias de María: ella es religiosa; parece que, nacidos de un mismo vientre su hermano y ella, nacieron para ser santos... ¡Y concluirá por tenerte horror, y te aborrecerá, y no querrá vivir contigo!... Y si así sucede, tuya será la culpa por haberte significado demasiado en tus obras. Hombre, el que más y el que menos, todos tenemos nuestra levadurilla de herejía..., es decir, yo no tengo nada: yo soy ortodoxo hasta la medula; a mí que no me vengan con filosofismos... Lo que hay es que todos, aun siendo creyentes, cumplimos mal: nos descuidamos; pero somos prudentes, tenemos tacto, guardamos las apariencias..., consideramos que vivimos en un pueblo *eminentemente religioso*..., recordamos que las clases populares necesitan de nuestro ejemplo para no extraviarse. Aquí no estamos en Alemania. ¡Oh!, te juro que aborrezco las *utopías*. El pueblo español tendrá muchos defectos; pero jamás ultrajará lo que ha sido causa de su gloria y del respeto que infundió a *propios y extraños*. Por encima de nuestras miserias descollará siempre la *hidalguía castellana*, para...

El noble señor no pudo concluir su frase, porque León le interrumpió, hablándole con viveza y energía. Oyóse durante largo rato la voz de uno y otro, y allá en la pieza lejana, donde cantaban los pájaros, María y su hermano Leopoldo suspendieron su conversación para prestar oído al rumor parlamentario que del despacho venía.

—Estos malditos pájaros no dejan oír una palabra —dijo el mancebo—. ¿Oyes, María? Papá y tu *señor* disputan. ¡Qué ganas de perder el tiempo!

María puso atención, después de decir a los pájaros con acento de enojo:

—¡Callad, tontos!

Poco después, un brusco movimiento de la cortina dio paso a los bigotes corniformes del marqués, a su cara, en la cual la gravedad se hermanaba con el humorismo, como si en ella quisiera poner la Naturaleza un ejemplo vivo del eterno y capital dualismo del arte.

—Ya lo sabes —dijo con voz agridulce, entre serio y festivo—. Yo soy un hipócrita, un vividor... Tu caro esposo me lo ha dicho con buenas palabras... Un vividor, un hipócrita..., sí, eso ha querido decir.

Y dio un beso a su hija.

—Positivamente —añadió—, la cabeza de León está un tanto perturbada... ¡Lástima grande, porque es un guapo chico!... Estos malditos pájaros no dejan hablar.

—¡Callad, tontos!

¡Con cuánto ardor toman ellos parte en las disputas de los hombres! Entre los conceptos de la conversación acalorada o apacible arrojan sus notas para ahogar las disputas humanas en una lluvia de alegría.

Mucho se habló después; pero las avecillas no dejaban oír. El lector tendrá paciencia para esperar a que callen los pájaros.

11.   Leopoldo

Una mañana trabajaba León Roch en su despacho, cuando fue bruscamente interrumpido. Alzó del papel los ojos, y, fijándolos en el gran espejo que delante de él estaba sobre la chimenea, vio una figura enjuta y macilenta, una mueca de calavera, en la cual la descomposición subterránea perdonara un poco de piel; dos ojos saltones con cierta viveza morbosa como la de los delirantes; un cuello delgado y violáceo, cuya piel, llena de costurones, parecía recientemente remendada; una nariz picuda y violácea también, de fina estampa, pero que, por su agudeza, iba tomando aspecto de pico y daba al rostro cierta fisonomía completamente ornitológica; una rala sembradura de pelos azafranados que rodeaban el largo óvalo de la cara en angosta faja, semejando el pañuelo que se pone a algunos muertos para que no se les caiga la mandíbula inferior; una frente estrecha y granulosa, en la cual había trazado el sombrero amoratada raya, semejante a un surco de sangre;

una cabeza chata, en la cual los cabellos, bermejos, se partían en dos graciosas alas; una cara, en fin, que era, si así es permitido decirlo, la descomposición o la transfiguración de una cara hermosa, o, mejor dicho, la caricatura de una raza entera; y también vio dos manos metidas en bolsillos y dos pies de mujer cuyas puntas apenas asomaban bajo las enaguas que, en forma de pantalones, cubrían sus delgadas piernas; un cuerpo sin curvas, sin formas, sin donaires, como armadura hecha para la ropa; un traje de mañana rayado de arriba abajo; una corbata graciosamente anudada; un bastón que salía vertical de uno de los bolsillos, y una pomposa flor clavada sobre el pecho como el mango de un puñal cuando se acaba de consumar el asesinato. Y cuando esto vio, León dijo, bondadosamente:

—¡Ah! Polito, siéntate. ¿Qué traes por aquí?

Dejóse caer el joven en una butaca y estiró las piernas con muestras de cansancio. Habló. Su voz, que se esperaba fuese aguda y adamada, era ronca y carraspeante, una al modo de tos o gargarismo hablado, como esas voces que en la más baja escala social se forman en el pregón público y se endurecen con el frío de la mañana y el aguardiente de la noche. Después de hablar un momento, calló, para echarse en la boca un objeto medicinal.

—No puedo abandonar la brea ni un instante... —dijo, gruñendo—. Desde que la abandono, me ahogo... ¿Qué te haces, León? Siempre leyendo. Envidio tu vida tranquila... No, gracias; hoy no puedo fumar. Me lo ha prohibido el médico..., es preciso ver si combato los ataques epilépticos... Ahora me encuentro bien. ¿Sabes que voy a Sevilla? Los muchachos se han animado, y no puedo quedarme aquí. Vamos cuatro amigos: Manolo Grandezas, el Conde-Duque, *Higadillos* y yo. *Higadillos* tiene que torear los tres días de feria... ¿Por qué no te animas? A María le gustará mucho ver la feria.

—Si ella quiere ir, estoy dispuesto a llevarla.

—Ella no quiere ir, ése es el caso —añadió el de la bronca voz—. Y a propósito, *mio caro Leone,* por ahí dice la gente que sois muy desgraciados, que no congeniáis ni poco ni mucho, que tu descreimiento es un martirio para

mi pobre hermana. Yo me río, León; me río de esas cosas... «Pero si es el hombre mejor del mundo, si es un
caballero como hay pocos», les digo... Aquí de mis elogios. ¡Cascarones! Ya sabes que yo no digo sino lo que
pienso... Anoche dijeron las de Rosafría que no comprendían, ¡mira tú qué sandez!, que no comprendían cómo mi
hermana se casó contigo. «Pero, señores, sean ustedes
razonables, consideren ustedes...» Nada, nada..., que eres
de los de cáscara amarga, pero muy amarga. A una señora que tú conoces, y yo y todos..., no te digo quién
es..., le oí decir estas mismas palabras: «Antes quisiera
ver muerta a mi hija que casada con un hombre así.»
No faltó quien te defendiera, aun en el bello sexo... «¡Ah!,
es hombre de grandísimo mérito...» La señora decía que
no con su boca, con su mano, con su abanico... «Hay
cosas que no pueden ser —decía—, que no pueden ser...»
Por último, querido León, yo no me atreví a defenderte...
Lo que te aconsejo, ¡cascarones!, es que no pongas los
pies en ciertas casas: te expondrías quizá a recibir un gran
desaire por todo lo alto, o a que te planten un par de *palitos
cuarteando*. La de Borellano te llama la *bestia negra*... Sin
embargo, dice que eres simpático. Pepe Fontán dijo una
cosa muy chusca a propósito de la inquina que te tiene la
de Borellano. «Nada: todo eso es despecho, porque de todos
los hombres que conoce, León es el único que no le hace
el amor.» Ya sabes que ha tenido un amante por año...
Por eso dice Cimarra que no puede ocultar su edad...
¡Pobre Federico! Cuentan que ha reñido con su mujer y
con su suegro... Parece que falsificó unas letras... Nada,
que me lo mandan a La Habana... Pero ¿qué hora es?
¡Las once! ¿Y tu mujer no viene de misa? Te concedo
que son demasiadas misas. ¡Ah!, ya sé: ella y mamá estarán de tertulia con el padre Paoletti, un italiano *berrendo
en negro, retinto*... ¡Casca...! Si yo fuera casado...; pero no:
yo no seré cornúpeta, *passez moi le mot*... ¡Oh!, si lo fuera,
mi mujer haría mi gusto, y nada más. María es buena; pero
cuando se le pone una cosa en el testuz... No creas, yo
también le he dicho mis verdades por su impertinencia...
Compañero, es horrible eso de tener una mujer que cons-

tantemente nos está contando el estribillo «Hombre, confiesa; hombre, comulga; hombre, ve a misa...» ¡Cascarones! Es para pegarse un tiro... Puesto que le das libertad, ella debiera ser prudente. Por tu parte, haces mal en tomar tan a pecho lo que vale tan poco... Mira tú, yo dejaría a mi mujer que oyese cuatrocientas veintisiete misas al día, y que tomara varas con todos los confesores. Poniéndole tasa en eso de gastarse mi dinero en Manifiestos, le llevaría el genio. ¡Bah! Siempre que ella me hablara de cosas santas, yo le diría: «Sí, hija mía; todo lo que quieras. Eso, y lo otro, y lo de más allá.» En fin, que no reñiríamos nunca por un dogma más o menos; y al mismo tiempo, querido León, yo me divertiría todo lo posible. *Comparito,* eso de irse al Infierno sin pasar antes buena vida, es lo más tonto del mundo. Aburrirse aquí entre libros, y luego condenarse allá..., porque tú te condenarás, y yo también, León...; allá iremos todos.

Y soltó una risa tan estrepitosa como su aliento asmático se lo permitía. Después se levantó, y, poniendo ambas manos sobre la mesa, cual si su cuerpo no pudiese mantenerse derecho sin ayuda de puntales, habló así:

—¿Sabes, querido, que me vas a prestar otros cuatro mil reales?

León abrió una gaveta. Sonreía no sabemos por qué; pero consta que de todos los individuos de su familia política, aquél era, por lo inofensivo, el que le inspiraba más lástima, siendo esto, tal vez, la causa de que a veces le abriese su bolsa con paciencia y hasta con gusto, por no contrariar a un ser excesivamente miserable y desvalido. O quizá plagiaba León el sistema benéfico del vicario de Wakefield, que siempre que quería sacudirse a algún pariente importuno le prestaba dinero, ropa, o un caballo de poco valor, «y jamás —dice— se dio el caso de que volviera a mi casa para devolvérmelo».

—Gracias, querido *beau frère* —dijo el mancebo, no ocultando la alegría que en la raza humana acompaña siempre a la adquisición de dinero—. Te lo devolveré el mes que entra con lo demás... No de una vez; te advierto que no podré dártelo junto...; a plazos, sí... ¡Es horrible!

Si hubiera tres Semanas Santas en el año, todos los españoles tendríamos que pedir limosna... ¡Casca, casca!... ¡Vaya con los petitorios! La otra noche, las de Rosafría me comprometieron a dar mil reales para el Papa... Ya ves... Si el mundo estuviera arreglado, el Papa debía darnos a nosotros... ¡Eh, so tunante! *¡Lady Bull!*... ¡Eh, venga usted aquí!

Estas palabras iban dirigidas a una alimaña rastrera y oscura que había entrado en el despacho con el joven, pero que hasta entonces se había mantenido en una actitud de circunspección respetuosa. Era una perrita de la horrible raza *King Charles,* que tenía el color de ratón, la redondez del puerco espín, un hocico de mono entre abigarradas lanas, y una panza de sapo mal sostenida por cuatro patas pequeñas. Al fin de la conversación, su cascabelillo, hasta entonces mudo, empezó a sonar, indicando grandes travesuras, y Polito la descubrió entre unos libros arrinconados en el suelo.

—¡Venga usted aquí, aquí pronto!

La tomó en brazos. Entonces se sintió ruido de coches y el acompasado pisoteo de uno de estos caballos españoles que parecen corceles de estatua ecuestre trotando eternamente sin salir de su pedestal.

—¡Ah! Ya están aquí —dijo Leopoldo—. *Higadillos,* a caballo, y el Conde-Duque, en su *break*... Les dije que pasaran por aquí a recogerme. Vamos a ver el apartado... Allá voy.

Desde su asiento vio León el coche detenido junto a la reja, y el torero a caballo, un grosero mocetón de piernas ceñidas y cintura fajada, de cuerpo culebreante, no falto de belleza escultórica, rematado por zafia cabeza española de color de tabaco y el sombrero ancho. El caballo piafaba, y el Conde-Duque contenía los de su *break,* fogosos animales mestizos de sangre bearnesa y andaluza.

Poco tardó Polito en subir al coche con *Lady Bull,* y la festiva comparsa se puso en marcha calle abajo, presidida por *Higadillos* y alegrada por los cascabeles del tiro a la calesera. León miró con curiosidad aquel fragmento pequeño, pero expresivo, de la iconografía contemporánea de España.

12. Gustavo

Le miró, y una sonrisa afable, señal inequívoca de complacencia por la visita, iluminó su semblante triste. Después las miradas de uno y otro —pues se hallaban próximos a la ventana— se recrearon en la frescura aromática
del jardín, sobre cuyo verdor pasaba el chorro de la manga
de riego como un plumero de agua que limpia el polvo,
ahuyentando los pájaros, deteniendo a las mariposillas,
ahogando a los insectos, acariciando a las plantas. Hábilmente dirigida por el jardinero, penetraba en la espesura
de los setos de evónimos, se desmenuzaba, para formar
polvaredas líquidas, en las cuales jugaba fugaz arco iris.
El jardín era nuevo, de esos que se traen de casa del horticultor como los muebles de casa del tapicero, formando
un todo completo, y se plantan con método, con su selva
en miniatura, sus praderas, sus vergeles, sus peñascos bordados por la yedra, sus canastillos llenos de minutisa y de
convulvuláceas. Cada conífera estaba en su sitio, y había
corrillos simétricos, en los cuales algunas filas de petunias
aparentan estar de rodillas adorando la majestad de una
araucaria imbricata, o la altiva insolencia de un drago que
todo es púas. Diríase que todo acababa de ser desembalado,
cual si más bien fuese hechura de la industria que de la
Naturaleza; pero era bonito, fresco, alegre, y no se podía
concebir cosa más apropiada para separar la calle, que es
de todos, de la casa, que es de uno solo.

Después de que contemplaron un rato el jardín, sentáronse a tomar café.

—Antes de que se me olvide —dijo Gustavo—, quiero
reprenderte una virtud que, por lo mal practicada, es dañosa: me refiero a tus liberalidades, que, indudablemente,
perjudican a ti, que las haces, y a mi hermano, que las

disfruta. Sé que otra vez has dado dinero a Polito, y esto me disgusta, porque mi hermano es un vicioso de la peor casta que existe... Aquí, en el seno de la confianza, puedo decir todo lo que siento y juzgar con rectitud a los individuos de mi familia. Si su conducta me produce vergüenza, prefiero que me abrase el rostro a que me queme la sangre.

El que así hablaba era un joven formal y un poco severo, parecido a sus hermanos y a su padre, pero menos hermoso que María y muy distante de la extenuación irrisoria de Leopoldo. Su rostro, quizá demasiado duro, indicaba un carácter entero, rara cosa en tal familia, convicciones arraigadas y una digna estimación de sí mismo. Era grave en el discurso, cortés en el trato, huyendo, al parecer, tanto de la arrogancia como de la llaneza, y manteniéndose en un medio de frialdad cultísima que algunos tenían por estudiada. Honrado y puntualísimo caballero en las relaciones comunes de la vida, poseía, de añadidura, instrucción no escasa y brillante talento. Ni alto ni bajo, ni grueso ni delgado, vestido de oscuro, la mirada serena detrás de sus lentes, exento de vicios, incluso el de fumar; parco en sus gastos, implacable con el desorden, Gustavo, hijo primogénito del marqués de Tellería, era, según el común sentir, lo mejor de la casa, la honra de la clase en que naciera y una esperanza para la Patria. Inútil es decir que era abogado. Su hermano Leopoldo lo era también, como casi todos los jóvenes españoles; pero si éste no sabía ya qué forma tiene un libro, Gustavo estudiaba más cada día y aun defendía pleitos al amor del bufete de uno de los primeros jurisconsultos de Madrid. Había seguido la carrera genuinamente nacional y aventurera por excelencia, y saliendo de la Universidad sin ser nada, hallábase en camino de serlo todo. Debe añadirse que era orador elocuentísimo.

—A ti, querido León —añadió—, puedo confesarte que tengo horas de amarga tristeza por la conducta de alguna persona de mi familia, de todas ellas, mejor dicho, exceptuando a ese ángel que es tu mujer y al otro ángel, quizá más perfecto, que vive lejos de nosotros. ¿No es horrible ver a mi hermano corroído por el vicio, encenagado en la frivolidad corruptora que envilece a tantos individuos, no

diré de nuestra clase, porque no es exclusiva de ella esta
ignominia, sino de todas las clases? Empeñándose en
hacer un papel superior a nuestros medios de fortuna, el
ejemplo de otros le arrastra a una disipación absurda.
Pero esos otros son ricos, y mi hermano, no. Yo me
indigno al ver a Leopoldo guiando coches y montando
caballos que cuestan más de lo que él puede poseer en un
año... Además, si su ignorancia me aflige, su holgazanería
me desespera. ¡Oh!, tienes razón en lo que me has dicho
alguna vez. Es muy exacta tu observación de que así como
la plebe tiene su aristocracia, la nobleza tiene su populacho... Pero, en fin, no hablemos más de esto, que me entristece. Quede demostrado que no debes alentar el liber-
tinaje de Polito.

León dijo algo, y Gustavo le contestó así:

—Sí; creo que mis padres tienen la culpa. Nuestra educación ha sido muy descuidada. Es tontería disimular que
mi madre..., gran trabajo me cuesta esta confesión..., no
ha sabido apartarse y apartarnos a tiempo del torbellino
de la sociedad sedienta de goces; ha vivido más fuera de su
casa que dentro. Hoy mismo..., ¿por qué he de ocultarte
lo que sabes tan bien como yo?...; hoy mismo, cuando
nuestra fortuna ha mermado tanto, y según creo, lo poco
que resta será bien pronto de los acreedores, ¿no es mons-
truoso que mi madre sostenga su casa en un pie de lujo
que no nos corresponde?... ¡Infame vanidad!... Cuando
veo los saraos dispendiosos de mi casa, lo que en vanas
apariencias se gasta allí donde escasean tantas cosas, tantas... que son necesarias; cuando veo la escandalosa va-
riación de vestidos de mi madre, su asistencia casi diaria
a los teatros, su afán de competir con quien tiene más
dinero que nosotros; cuando veo esto, León, siento im-
pulsos de renunciar al porvenir que he soñado en mi
Patria, y correr a buscar un pedazo de pan en país extranjero.

León le interrumpió para hacer una observación, a lo
que Gustavo contestó así:

—Yo, de buena gana, me iría; pero..., qué quieres...,
no se puede abandonar el porvenir que ya está a medio
conquistar; no se decide uno a abandonar el terreno ganado

a fuerza de estudio. Además, por lo mismo que preveo grandes desastres en mi familia, creo que debo estar presente en el momento del naufragio... Conformémonos con esta vida odiosa y triste... Tú no conoces ciertas interioridades vergonzosas, León; tú no sabes lo que es vivir en una casa donde todo se debe, desde las alfombras hasta el pan de cada día; ni conoces los escalofríos producidos por la campanilla del terror, anunciando perpetuamente a los industriales afligidos o furibundos que van a reclamar su dinero; ni tienes idea de las farsas que se ven obligadas a representar cada día personas cuyo nombre solo parece debiera ser emblema de respeto y formalidad; ni conocerás nunca esa agonía profunda en que se ven personas decentísimas por carecer en un momento crítico de cantidades que no quitarían el sueño a un jornalero. Tú, que tienes fortuna y modestia, la cual es como segunda fortuna que beneficia a la primera, no conoces las ansias de este vivir en plena comedia entre el humo de la vanidad y sobre las ascuas de la escasez. Tranquilo y dichoso, sin otra pasión que la del estudio, libre de los aguijonazos de la ambición que quitan el sueño, y de los tropiezos y reveses que amargan la vida, pareces el niño mimado de la Providencia; aquí, en esta casa, no sitiada por acreedores ni asaltada por las visitas, en la dulce compañía de tu mujer querida, que es un ángel... ¡Pobre María!

Después de una pausa, durante la cual el sesudo joven parecía leer alguna cosa en la frente de su cuñado, dijo con amargura:

—¡Y, sin embargo, León, no has sabido hacerla feliz!

Palabras vivas, una observación seca y tonante como un disparo, y, por último, una afirmación categórica, provocaron la siguiente respuesta:

—Tu primer deber es evitar el escándalo y no dar al mundo el espectáculo de una unión descompuesta y perturbada por la disensión religiosa. Ya que tienes la desgracia de no creer, debiste ocultar a tu esposa esa llaga de la conciencia; debiste abstenerte de publicar ciertos escritos científicos. De todos modos es malo el ateísmo; pero cuando carece de pudor, cuando no se disimula a sí propio, es

más repugnante. Toda deformidad debe ser velada, y las
de la conciencia más, para no ofender a la moral pública...
No esperes que sea indulgente contigo en esta cuestión;
ya conoces mi carácter, ya sabes que no puedo ocultar lo
que siento. Yo te estimo, conozco tus buenas cualidades,
tu bondad relativa, tu moralidad pasiva, pues no merecen
otro nombre las perfecciones y méritos de los que viven
fuera de la verdad revelada; confieso que eres mejor que
algunos que se tienen por creyentes; que posees las virtudes
frías y correctas de la filosofía pagana, y que cumples ciertos
preceptos por la razón sencilla de que es *cómodo ser bueno*,
y porque el cumplimiento de los deberes externos siempre
trae ventajas al individuo; sé que obedeces a tu helada
moral filosófica como obedece el buen contribuyente y
ciudadano los reglamentos de policía y de higiene; te
declaro de los mejores en esta baraúnda de hombres corrompidos; te tengo aprecio y aun cariño; te admiro por tu
talento; pero a pesar de todo, óyelo bien: si yo..., si yo,
León —al decir esto se levantó, alzando el brazo en actitud harto apostólica—, hubiera tenido en mi mano la mano
de María, no te la habría dado jamás, ¿lo entiendes?, !no
te la habría dado jamás!

Habló después León con más calor, y Gustavo le dijo:
—¡Oh! Yo detesto también la hipocresía. No admito
más que dos caminos: o ser católico o no serlo. En nuestra
fe sacratísima no caben distingos ni acomodos. Yo soy
católico, y como tal procedo en toda mi vida; yo no tengo
el dogma en mi boca y el ateísmo en mis actos; yo, despreciando los juicios de la frivolidad, oigo misa, confieso,
comulgo, practico el ayuno. Me glorío de recibir los ultra-
jes de la canalla desvergonzada que aparenta dirigir la
opinión, y a su cinismo opongo yo mi valor, y a su chismografía volteriana los principios santos y la autoridad
de la Iglesia. Estas ideas, este rigor de mi vida llena de
dignidad, yo los llevaré a la vida pública cuando entre en
ella..., porque entraré impulsado por una secreta vocación
de soldado y de mártir, y por la mano de Dios, que no quiere
quedar sin defensa en esta arena sangrienta de las pasiones
humanas. Si hay hombres perversos que han desenjaulado

a las fieras del descreimiento y del racionalismo, Dios arro-
jará a sus domadores en medio de ellas. Al hombre que te
manifiesta estas ideas con tanto tesón, no le pidas indulgencia
para las disensiones de tu casa, ni le exijas que participe
del criterio acomodaticio según el cual mi hermana y tú
tendríais igual culpa de vuestra desgracia. No, mil veces
no. Ella no tiene culpa ninguna, ¡tú la tienes toda, tú, toda!
La verdad no puede transigir con el error. En este caso,
tú has de sucumbir y ella ha de permanecer siempre levan-
tada y triunfante.

A esto, León le hubiera contestado algo; pero, deseando
poner a un lado aquel desagradable tema, llevó el curso de
la conversación a otro que era de mucho gusto para el
joven. Este abandonó el tono apocalíptico para hablar así:

—Es verdad: los votos de tus arrendatarios de Cullera
me han salvado. Ya tengo por seguro el triunfo... Aquí, en
confianza, yo he deseado mucho ir a las Cortes...; comprendo que es mi camino, mi carrera. Cuando se tienen
principios fijos y el inquebrantable propósito de soste-
nerlos a todo trance, la vida pública es honrosa. El tiempo
en que vivimos convida a la lucha, ¿no es verdad?...; porque
cuando los caracteres han desaparecido anegados en una
riada de corrupción, ¿no es ventajoso y lúcido mostrar
carácter y que se diga: «ése es un hombre»? Cuando la
lógica humana y la verdad ultrajada piden que haya azotes,
¿no es hermoso y brillante tomar el látigo? La civilización
cristiana es como un hermoso bosque. La Religión lo ha
formado en siglos; la filosofía aspira a destruirlo en días.
Es preciso cortarle las manos a esa brutal leñadora. La
civilización cristiana no puede perecer en manos de unos
cuantos ideólogos auxiliados por una gavilla de perdidos
que, por no tomarse el trabajo de tener conciencia, han
suprimido a Dios.

Enarboló la mano flexible y pesada, blandiéndola como
la palmeta de un maestro de escuela, y en pie, dispuesto a
partir, dijo:

—Amigo, casi hermano, te profeso sincero cariño; pero
en tocando al punto negro, cuidado, mucho cuidado. Si la
llaga de tu casa se agrava, ponte en guardia... Me verás

al lado de la víctima, al lado de mi pobre hermana...
Adiós.

Se fue. Viéndole salir, León sintió que un secreto pavor
llenaba su alma, dejándole por algún tiempo imposibilitado de pensar nada claro.

13.   El último retrato

El hombre a quien hemos visto en la soledad de su gabinete, turbada rara vez en el espacio de algunos meses
por las escenas descritas, no consagraba todo su tiempo al
estudio. Engranado en la máquina social por las afecciones, por el matrimonio, por la ciencia misma, no podía
ser uno de esos sabios telarañosos que los poemas nos pre-
sentan pegados a los libros y a las retortas, y tan ignorantes
del mundo real como de los misterios científicos. León
Roch se presentaba en todas partes, vestía bien, y aun se
confundía a los ojos de muchos con las medianías del vulgo
bien vestido y correcto que constituye una de las porciones
más grandes, aunque menos pintorescas, de la familia
social. No se eximía de la insulsez metódica que informa la
vida de los ricos en esta capital, y así se le veía con su mujer
en el paseo de carruajes, cuyo encanto consiste en reunirse
todos a hora fija y dar unas cuantas vueltas en orden de
parada, coche tras coche, paso a paso, en perezosa y militar
fila, de modo que las señoras reclinadas en el asiento poste-
rior del *landau* sienten en su cara el resuello de los caballos
del coche que va detrás, y aún ha habido solípedo que inten-
tara comerse, creyéndolas vivas, las flores del sombrero de
la dama que va en el carruaje delantero. También iba al
teatro con su mujer, observando la deliciosa disciplina de
los abonos a turno, que tiene la ventaja de administrar el
aburrimiento o el regocijo a plazos marcados, sin contar

para nada con el estado del espíritu. Daba de comer a pocas
personas en un solo día de la semana, habiendo disputado
y ganado a su mujer la elección de comensales, que eran
de lo mejor entre lo poquito bueno que tenemos en discreción y formalidad. Para elegir no se acordó de categorías
de escuela, y sólo obedeció a las simpatías personales. De
modo que su yantar semanal —horrible frase— y sus *noches*,
como pudiéramos decir, reunían hombres listos, católicos
remachados, políticos de la más pura doctrina epicúrea,
aristócratas de la edición incunable, otros de las flamantes,
y hombres de escasa importancia social, pero que la aparen-
taban por su cualidad de crónicas vivas o por la seducción
de su trato, en gran manera distinguido. También iban
jóvenes de la pléyade universitaria, brillantes en el profe-
sorado y en las ardientes disputas, cuyo estruendo se oye
por todas partes. Reinaba en estas reuniones armonía
completa, pues nada reconcilia tanto como el buen comer,
la presencia de elegantes damas y la obligación de no olvidar un momento las leyes de la cortesía. Aunque algunos
quizá se despreciaban cordialmente, había en la casa cierta
atmósfera de estima general; y una conversación discreta,
tolerante, instructiva y amena, producto feliz de aquel
conjunto de opiniones diversas, engañaba las horas. Se
hablaba de artes, de letras, de costumbres, de política; se
murmuraba también un poco; en algún pequeño grupo
hacían crónica personal algo escandalosa, y en otro se hablaba de las cuestiones más hondas, de religión, por ejemplo, que es un tema planteado en todas partes dondequiera
que hay tres o cuatro hombres, y que tiene el don de inte-
resar más que otra cosa alguna. Este tema, constantemente
tratado en las familias, en los corrillos de estudiantes, en las
más altas cátedras, en los confesionarios, en los palacios,
en las cabañas, entre amigos, entre enemigos, con la palabra casi siempre, con el cañón algunas veces, en todos los
idiomas humanos, en los duelos de los partidos, con el
lenguaje de la frivolidad, con el de la razón, a escondidas
y a las claras, con tinta, con saliva, y también con sangre,
es como un hondo murmullo que llena los aires de región
a región y que jamás tiene pausa ni silencio. Basta tener

un poco de oído para percibir este incesante y angustioso soliloquio del siglo.

Rasgos físicos de León Roch eran lo moreno del color, lo expresivo de la mirada, la negrura de la barba y el cabello; su rasgo moral era la rectitud y el propósito firme de no mentir jamás. La mayor parte de las personas hallaban encanto indefinible en su modo de mirar; pero de su rectitud no podía juzgarse tan fácilmente, porque la conciencia no se ve. El ponerle o no en el número de los buenos, dependía del criterio con que se le mirase. Teníanle algunos por persona excelente; otros, por un mal sujeto. Si a la vista era su cuerpo airoso y seductora su presencia, alguien dijo de él: «Por fuera es buen mozo, pero por dentro es un jorobado.»

No tenía gazmoñería racionalista —pues también hay gazmoñería racionalista—, que consiste en escandalizarse con exceso de la credulidad de algunas personas y en ridiculizar su fervor; por el contrario, León miraba con respeto a algunos creyentes, y a otros casi con envidia. No tenía tampoco el afán de la conquista, ni quería convertir a nadie; y si el estudio le había dado grandes regocijos, también le producía horas de amargura y desaliento. No creía su estado perfecto, sino, por el contrario, harto imperfecto; por lo cual no gustaba de embarcar gente en las islas frondosas de la fe para llevarlas a las solitarias estepas de la duda.

Diose primero a las ciencias naturales, hallando en su investigación los más puros goces. Después, la filosofía le trajo un mareo insoportable, y al fin volvió a los estudios experimentales, que era donde se encontraba con pie firme y en país conocido. La historia le divertía tan sólo; la fisiología le encantaba. También cultivó la astronomía, favorecido por su dominio de las matemáticas. Solía decir: «La historia nos hace enanos, la fisiología nos pone en nuestro tamaño natural, y la astronomía nos engrandece.»

Había en su alma cierta aridez, ocasionada por el escaso empleo de la imaginación en su niñez y en sus estudios. Se había criado en una trastienda y allí corrió desabrida su edad primera al lado de su madre, mujer tosca y sin delicadeza, que sentía poco y carecía de luces. Trabajaba mucho, pero no sabía leer; tenía la vanidad de que su hijo era muy precoz, y la creencia de que llegaría a ser obispo, general o ministro. Muerta su madre, pasó una temporada en Valencia, en la casa de un tío paterno, plebeyo enriquecido con la cerámica, y que decía: «Todo el 'saber es aire. Más útil es a la Humanidad el hombre que hace un ladrillo que el que escribiera todos los libros que se conocen.» Después vino para León una juventud sin calaveradas, sin aventuras, sin conatos de poeta dramático, sin proyectos de raptos y duelos sin lágrimas, sin melancolías, sin vacilaciones en la elección de carrera, con pocos ensueños. Le metieron en un laberinto de matemáticas, diciéndole: «Sal, si puedes.» Es verdad que salió; pero luego le arrojaron en un mar de guijarros, donde había que luchar con esos oleajes petrificados, testimonio palpable de las agitaciones plutónicas y neptunianas que han esculpido nuestro globo; le metieron de cabeza en las entrañas del planeta, abiertas por la inducción o representadas en los museos por las colecciones, y le dijeron: «Toda esta grava, que parece arrancada del arrecife de un camino, es un libro maravilloso: cada chinita es una letra. Es preciso que lo leas todo.» Vio las aguas haciendo ruido aun antes de que hubiera orejas, y arco iris antes de que hubiera ojos; vio la heráldica del mundo expresada en las figuras de bivalvos, de crustáceos y de ofidios que dejaron su forma impresa como el sello auténtico de las dinastías que desean hacer constar su reinado; vio plantas nacidas antes de que hubiera dientes y muelas que mascaron antes de que hubiera hombres, y al hombre mismo, huésped tardío de la creación, llegando cuando los bosques se habían resignado a ser almacenes de carbón, y cuando no había mares definitivos, y los ríos estaban nivelando hermosas llanadas, y cuando aún bufaban mil volcanes ingentes, arquitectos infatigables que daban el último golpe de cincel a la crestería de nuestras bellas montañas. Vio esto y otras muchas cosas que vienen detrás.

Más tarde, cuando terminada su carrera se vio rico, es decir, cuando comprendió que no sería esclavo de la ciencia, sino, por el contrario, dueño de ella, cultivó un poco la imaginación. Bien conocía que jamás sería artista, pero tomó en su mano el fino estilete con que es representada una de las musas. Sus manos, que tan bien sopesaban la palanca de Arquímedes, eran toscas para instrumento tan delicado. «Está visto —decía— que siempre seré un bruto.»

Había logrado escribir medianamente, con más claridad que elegancia; hablaba en público muy mal, atrozmente mal; pero en la conversación privada solía expresarse con elocuencia, siempre que el tema fuese alto. Había adquirido la costumbre de emplear gallardas figuras por la inclinación de la ciencia moderna a lisonjear en vez de espantar el sentido de la muchedumbre, y porque las formas parabólicas han sido siempre muy del gusto de los entendimientos superiores. Es el eterno homenaje tributado por la ciencia al arte, y al que éste debe corresponder alumbrándose en su glorioso camino con la inextinguible luz de la verdad.

Aquel hombre, tan preocupado de si esta piedra era más o menos siluriana que aquélla, de si otra cristalizaba en romboedros o en prismas, se encariñó desde su temprana juventud con un ideal para la vida, y era éste una existencia sosegada, virtuosa, formada del amor y del estudio, las dos alas del espíritu, como en su jerga figurada decía. Pasada la época de los afanes escolásticos, soñaba con buscar y encontrar aquel ideal en un matrimonio bien realizado, del cual nacería una familia. Esta familia soñada, la gran familia ideal, la placentera reunión de todos los suyos, ocupaba su pensamiento. ¡Cosa extraordinariamente bella y consoladora! Unirse con una mujer adorada, amante y sumisa, de clara inteligencia y corazón donde nunca se agotaran las bondades; ver después unos seres pequeñitos que irían saliendo, y haciendo gracias, pedirían, piando, el pan de la educación; desarrollar en ellos con derechura el ser moral y el físico; vivir por ellos y atender a las necesidades de aquel grupo encantador, en cuyo centro la esposa y la madre parecería la imagen de la Providencia derramando sus dones, ora fecunda, ora maestra, ya cubriendo al desnudo, ya dando alimento al desfallecido, guiando el primer paso del vacilante, conteniendo

el ardor del intrépido... ¡Oh!, para esto valía la pena de
vivir; para lo que esto no fuera, no. Luego venían a su
imaginación los encantos de la vida del rico ilustrado, que
puede gustar los placeres del trabajo sin ser esclavo de él...,
una vida deliciosa, consagrada por mitad al estudio, por
mitad a los cuidados de la familia, dividiéndola asimismo
entre la ciudad y el campo, pues de este modo es más
grata la Naturaleza y más grata la soledad; vida ni muy
apartada ni muy pública, en un dulce retiro sin esquivez,
lejos del bullicio, mas no inaccesible a los amigos discretos... Sí; era preciso realizar esto, y realizarlo pronto,
antes de que se pasase la vida en un rodar incesante y
vertiginoso; era menester hallar pronto la que había de
ser base de aquella felicidad soñada, pero posible. La elección no era fácil: debía ser prudente, seria, estudiada;
pero ¿acaso no estaba él en las mejores condiciones para
hacerla bien?... Sí: la haría bien, porque era un sabio,
tenía mucho talento, mucha serenidad, espíritu de crítica,
grandes hábitos de análisis... Y sin embargo...

14. Marido y mujer

«Y sin embargo..., me equivoqué.» Esto decía para sí
una noche en presencia de su mujer, solo con ella, en el
silencio de la casa tranquila, abandonada ya por los tertulios, tibia aún por el calor de la reunión, en aquella hora
en que el pensamiento cae en vagas meditaciones precur-
soras del sueño, después de representarse los hechos del
día, que hace poco eran escenas y figuras reales y que pronto
serían pesadillas.

Frente a él, dispuesta ya a acostarse, estaba la incom-
parable figura de la Minerva ateniense, cuyos ojos verdes,
por aberración artística inconcebible, se fijaban en uno de

esos vulgares libros de rezo, llenos de lugares comunes, oraciones enrevesadas y gongorinas, sutilezas hueras, páginas donde no hay piedad, ni estilo, ni espiritualismo, ni sencillez evangélica, sino un repique general de palabras. Pero ¿qué importa? Dejando que su mente se perdiera con somnolencia en semejante fárrago, María estaba soberanamente hermosa.

León había dejado caer de sus manos el periódico de la noche, otro repique general de timbres rotos, de cascabeles chillones y de ásperos cencerros, y contemplaba a su mujer, cavilando en la espantosa burla que había hecho él de su destino. El, que había pasado su juventud conteniendo la imaginación, habíale soltado un día las riendas sin darse cuenta de ello, y se dejó arrastrar por una ilusión impropia de hombre tan serio. ¿Cómo pudo dejar de prever que entre su esposa y él no existiría jamás comunidad de ideas, ni ese dulce parentesco del espíritu que descubren hasta los tontos? ¿Cómo se dejó llevar de la fascinación ejercida por una hermosura sorprendente? ¿Cómo no vio la pared de hielo, enorme, dura, altísima, que se levantaría eternamente entre los dos? ¿Cómo no penetró aquel entendimiento rebelde, aquel criterio inflexible, aquella estrechez de juicio, aquella falta de sentimiento expansivo, generoso, mal compensada por una exaltación áspera o mimosa? ¿Cómo no adivinó aquella sequedad y desabrimiento de su hogar, vacío de tantas cosas dulces y cariñosas, y en particular de la más cariñosa y dulce de todas, la confianza?

En un momento de profunda tristeza y desaliento llevó su mano del corazón a la frente y asentó sobre ésta la palma crispada, como echando una maldición a su sabiduría. María no advirtió aquel movimiento y siguió con los ojos fijos en el libro. «Me enamoré como un estúpido —pensó él, volviendo a mirarla—. ¿Y cómo no, si es tan hermosa?...»

Recordó después sus infructuosas tentativas para formar el carácter de María. En la primera época del matrimonio, María amaba a su marido con más ardor que ternura. Bien pronto, sin dejar de amarle del mismo modo, empezó a ver en él un ser extraviado y vitando en el orden intelectual. León le había dado libertad para practicar el culto: y ella la usó con moderación al principio. Pero a medida que León trataba de influir en el carácter de ella, no para arrancarle su fe, como algunos malintencionados dijeron entonces, sino por el deseo de establecer entre ambos la mayor armonía posible, abusaba ella de la libertad concedida a sus devociones, y éstas llegaron a ser tantas que ocuparon pronto la mitad de su tiempo y casi todo su espíritu. No se crea por esto que renunció a las vanidades del mundo, pues gozaba de ellas, aunque sobria y moderadamente. Iba al teatro, con excepción del tiempo de Cuaresma, vestía muy bien, frecuentaba los paseos de moda, y dedicaba parte del verano a los esparcimientos y expediciones propias de la estación. De su persona cuidaba muchísimo, porque gustaba de agradar a su marido; de su casa, poco; de su esposo, nada, y el resto del tiempo lo consagraba al trabajo intelectual y práctico que le exigían varias congregaciones piadosas y las Juntas benéficas a cuyo seno había sido llevada por sus amigas o por su madre. Militaba en la encantadora cuadrilla de la devoción elegante.

«Pero ¿no soy yo el rebelde? —decía León con desaliento—. ¿De qué la acuso? ¿De que tiene fe? Si yo la tuviera, seríamos felices. ¿Por qué no la tengo?»

Hubo un tercer período, durante el cual el amor de María permanecía inalterable, siempre más vehemente que tierno, y tan poco espiritual como al principio. En dicho período, revolviéndose María contra su esposo con arrebatos de querer humano y de piedad mística, sentimientos que, lejos de excluirse, parece que se complementaban en ella, quiso atraerle al camino de la devoción elegante, perfumado con inciensos, alumbrado con cirios, embellecido con flores, amenizado con bonitos sermones y acompañado de hermosas damas. La aspiración de María era ser piadosa sin perder al hombre que tan vivamente había realizado la ilusión de su fantasía. Llevarle a la iglesia era su afanoso empeño.

—Déjame solo —le decía León, agobiado de pena—. Vete y ruega a Dios por mí.

—Sin ti me falta la mitad de mi vida, y parece que no soy nada buena, como deseo serlo.

Luego se abalanzaba hacia él, le estrechaba en sus brazos, y reclinando su frente sobre el pecho del hombre aburrido, decía con gemido perezoso:

—¡Te quiero tanto!...

La resistencia de León a tomar parte en las prácticas piadosas estableció, al fin, aquella desavenencia, o, mejor dicho, completo divorcio moral en que los hallamos a los dos años de su matrimonio. Ni se comunicaban un pensamiento, ni se consultaban una idea o plan, ni partían entre los dos una alegría o un pesar, que es el comercio natural de las almas, ni se entristecían juntamente, ni mutuamente se alegraban, ni siquiera reñían. Eran como esas estrellas que a la vista están juntas y en realidad a muchos millones de leguas una de otra. Fácil era a los amigos conocer que León sufría en silencio un gran dolor.

—Se empeña —decían— en que su mujer sea racionalista, y esto es tan ridículo como un hombre beato.

—Eso digo yo —añadía otro—. El creer o no es cuestión de sexo.

—Es que está enamorado de su mujer.

Esto último era exacto en el sentido de que León vivía fascinado aún por la hermosura cada día más sorprendente de María Egipcíaca, hermosura que ella, sin dar tregua a la devoción, sabía realzar con el lujo, con la elegancia del vestir y el delicadísimo cuidado de su persona.

De María podía decirse lo mismo que de León, en lo relativo al enamoramiento; ella también no cambiara por cosa alguna al hombre que le habían dado la sociedad y la Iglesia. En cuanto a él, llenaba el vacío de su alma con aquella pasión temporal encendida por una pasmosa belleza. No le era indiferente, antes bien le vanagloriaba el *beati possidentes* con que la multitud obsequia al dueño de una mujer fiel y hermosa; y la idea de que María pudiese pertenecer a otro hombre, siquiera en intención o pensamiento, le enfurecía. En resumen: eran dos seres divorciados por la idea en la esfera de los sentimientos puros y unidos por la hermosura en el campo turbulento de la

fisiología. Sobre esto reflexionaba León en aquella hora de
la noche. Ultimamente hizo esta observación amarguísima:
«El mundo está gobernado por palabras, no por ideas.
Véase aquí cómo el matrimonio puede también llegar a ser
un concubinato.»

—¿Has concluido? —dijo a su esposa, viéndola que
dejaba el libro para rezar un momento en silencio y con
los ojos cerrados.

—¿Has acabado tú el periódico?... Déjamelo, quiero
ver una cosa. La duquesa de Ojos del Guadiana no quiso
costear sola la función de mañana... A ver si se anuncia
en la sección de cultos.

León leyó en voz alta toda la sección de cultos.

—¿Sermón del padre Barrios? —interrumpió María,
demostrando admiración—. Si le hemos mandado retirar
porque está asmático y no se le puede oír... ¡Qué abuso!
San Prudencio va tomando fama de ser el refugio de los
malos predicadores, y allí van los descreídos a reírse de la
tartamudez del capellán y del acento italiano del padre
Paoletti. Todo consiste en que hay personas que parece
que dirigen las funciones y no dirigen nada. Pero no faltará
quien ponga orden en aquella casa. No, no sueltes el periódico: lee los espectáculos. ¿Qué ópera nos dan mañana?

—La misma —dijo León, arrojando de sí el papel, y
deteniendo por el brazo a su mujer, que se levantaba—:
Aguarda, tengo que hablarte.

—Y de cosas serias, según parece —manifestó, sonrién-
dose, María—. ¿Estás enojado? ¡Ah!, ya sé..., me vas a
reñir. Sí, sí —añadió, arrojándose en un sofá próximo a
la butaca en que estaba sentado él—. Me riñes porque he
gastado mucho dinero este mes.

—No.

—Reconozco que he sido algo pródiga; pero con la
economía de otro mes te indemnizaré... Sí, queridito: he
gastado más de la cuenta. ¿A ver?... Los tres vestidos,
diecisiete mil; el triduo, cuatro mil... La novena que me
correspondió, diez mil... La tapicería nueva de mi alcoba...,
de eso has tenido tú la culpa por burlarte de los angelitos
blancos jugando con espigas azules... Además, tengo que

poner los regalos a los actores, por no haber querido cobrar nada en la función de Beneficencia...: tres relojes, dos petacas, dos alfileres... Además... Mañana sacaré la cuenta.

—No es eso, te digo que no es eso. Puedes gastarme todo lo que quieras, puedes arruinarme, instituyendo herederos de mi fortuna a modistas, curas y cómicos. De otra cosa más grave que tus gastos quiero hablarte, María: quiero preguntarte si no es tiempo ya de que cese la aridez y la tristeza de este matrimonio nuestro; si no es tiempo ya de que reconozcas que tu atención excesiva a los asuntos de iglesia es como una especie de infidelidad, y que para dar tanto a las devociones, forzosamente has de quitar algo a nuestra casa y a mí.

—Ya te he dicho —repuso María seriamente— que de mis devociones, buenas o malas, daré cuenta a Dios, no a ti, que no las entiendes. Haz por entenderlas, ten fe y hablaremos.

—¡Ten fe!... De eso sí que no entiendes tú. Yo no la tengo, no puedo tenerla según tu idea. Además, tu conducta y tu modo especial de cumplir los deberes religiosos me la arrancarían, si la tuviese como tú deseas. Te lo diré de una vez. No veo en tus actos ni en tu febril afán por las cosas santas ninguno de los preciosos atributos de la esposa cristiana. Mi casa me parece una fonda, y mi mujer, un sueño hermoso, una imagen tan seductora como fría. Te juro que ni esto es matrimonio, ni eres tú mi mujer, ni yo soy tu marido.

—¿Y quién es aquí el culpable sino tú? —replicó la dama con brío—; ¿quién sino tú? Si no hay armonía, si no hay confianza, ¿a qué se debe sino a tu descreimiento, a tu ateísmo, a tu separación de la Santa Iglesia? Yo estoy firme en el terreno del matrimonio; tú eres el que estás fuera. Te llamo, te aguardo con los brazos abiertos, y no quieres venir, menguado.

Y los abrió; pero León no tuvo ni siquiera la idea de arrojarse en ellos.

—Y yo iría, iría con el corazón lleno de gozo, si encontrara en ti a la verdadera mujer creyente para quien la piedad es la forma más pura del amor; yo iría respetando y admirando tu fe, y aun deseando participar de ella; pero así tal cual eres, no quiero, no quiero ir.

—Pues entonces, loco, mil veces loco, ¿qué quieres? ¡Ah! ¿Quieres que yo reniegue de Dios y de su Iglesia, que me haga racionalista como tú; que lea en tus perversos libros llenos de mentiras; que crea en eso de los monos, en eso de la materia, en eso de la Naturaleza-Dios, en eso de la Nada-Dios, en esas tus herejías horribles? Felizmente, he podido salvarme de caer en tales abismos. Soy piadosa, creo todo lo que debo creer y practico el culto con asiduidad, con prolijidad, porque es el medio mejor para sostener viva la fe y no dar entrada en el entendimiento a ninguna falsa doctrina. ¡Que frecuento demasiado la iglesia!... ¡Que cumplo muy a menudo los preceptos más santos!... ¡Que celebro funciones espléndidas!... ¡Que oigo todos los días la palabra de Dios!... ¡Que rezo de noche y de día!... Esta es la cantilena, ¿no es verdad? Ya sé que paso por beata. Pues bien: todo tiene su razón en el mundo. ¿Crees tú que yo me abrazaría tan fuertemente a la Cruz si no estuviera casada contigo, es decir, con un ateo; si no estuviera, como estoy, en peligro de ser contaminada de tu doctrina por el trato diario contigo y por el mucho amor que te tengo? No; si tú no fueras tan poco, yo no sería tanto. Si tú fueras católico sincero, aunque descuidado en tus deberes, yo no sería beata: cumpliría los preceptos esenciales y nada más. Ten presente una cosa, León: imagínate dos navegantes que cruzan en una pequeña barca un mar tempestuoso. Si los dos remaran con igual fuerza, llegarían sin dificultad a la orilla; pero he aquí que el uno suelta el remo y se tiende. ¿No es indispensable que el otro redoble sus fuerzas hasta morir? Fíjate bien, querido mío: uno solo rema y han de salvarse los dos.

—Esa figura no es de tu invención —dijo el esposo, que sabía muy bien hasta dónde alcanzaba el ingenio retórico de su mujer—. ¿De quién es?

—Si es mía o no, no te importa —replicó María con desabrimiento y menosprecio—. Lo principal es que contiene una verdad innegable. ¿Quieres que vaya a aprender la verdad en tus monísimos libros?

—No, no pretendo eso —dijo León, lleno de pesadumbre—. Pero por torpe que yo sea, por extraviado que me supongas, ¿lo seré tanto que no merezca de ti el favor de que aceptes una idea mía, una sola, siquiera una vez, sino que siempre has de ir a buscar tus ideas fuera y lejos de mí?

—De ti acepto tu afecto, que creo sincero; tu respeto a mis creencias siempre que sea verdad; tu apoyo material; pero ¡tus ideas, tus consejos...!

Dijo esto María con tal rigor de expresión y tal brillo de desdén en sus deslumbradores ojos gatunos, que León sintió el frío de una espada en su corazón oprimido.

—¡Nada mío! —murmuró, dejando caer sus miradas al suelo como quien desea morir.

—Nada que venga de tu razón soberbia y extraviada; nada que pueda contaminarse de tu filosofía diabólica —añadió María, hundiendo su espada hasta la empuñadura.

Después de una pausa, León, exhalando un suspiro tan grande como su paciencia, la miró pálido y alterado.

—¿Quién te ha dicho eso? —le preguntó.

—Eso no te importa —replicó María, palideciendo también, mas sin perder su valor—. Ya te he dicho que como sincera católica no me creo obligada a dar cuenta a un ateo de los secretos de mi conciencia religiosa, en lo que se refiere a mis prácticas de piedad. Sabe que te soy fiel; que ni con hecho, ni con intención, ni con pensamiento he faltado al juramento que junto al altar te hice. Basta: con esto acaba mi sinceridad de esposa; es toda la confianza que puedes esperar de mí. Aquella parte de la conciencia que pertenece a Dios, no pretendas explorarla; es un reino sagrado en el que te está prohibido entrar... No me hagas la necia pregunta: «¿Quién te ha dicho eso?», porque no tienes derecho a recibir contestación.

—Ni la necesito —dijo él—. No tuve jamás la idea de alarmarme porque mi mujer se acercase al confesonario una o dos o tres veces al año para decir sus pecados y pedir perdón de ellos conforme a su creencia; pero esto tiene su corruptela, y la corruptela de esto consiste en llevar la dirección espiritual por tortuosos caminos, con cátedra diaria, consultas asiduas y constante secreteo, sostenido de una parte por los escrúpulos de la candidez y de otra por la curiosidad imprudente de quien no tiene familia.

—No, tonto —dijo María irónicamente—: mejor será que yo busque reglas y buenas ideas para mi conciencia en la dirección espiritual de tus tertulias ateas... Por cierto que ya causa enfado la ligereza con que algunos de tus amigos hablan aquí de asuntos religiosos. Te he dicho hace tiempo que nuestras reuniones me iban pareciendo una ostentación escandalosa de malos principios, y al fin llegará un día en que me resista resueltamente a presentarme en ellas. No niego que sean muy respetables algunos de los que vienen a casa; pero otros no lo son: conozco las ideas de algunos.

—¿Quién te las ha dicho? —preguntó León vivamente.

—No sé... Lo que digo es que me he cansado de ser complaciente, de disimular mi disgusto en presencia de hombres que han escrito ciertas cosas, de otros que las han dicho públicamente, de otros, en fin, que no las han dicho ni las han escrito..., pero yo sé que las piensan, yo lo sé.

—Mucho sabes tú... Veo que ya se ha fulminado la sentencia contra nuestras tertulias. Detrás de esa sentencia vendrán otras.

Y por una aberración natural del dolor que suele quebrarse en su curso sombrío, estallando e iluminándose con el brillo engañoso de un júbilo apócrifo, León rompió a reír.

—Pues sí: tus tertulias son muy cargantes —dijo María, algo turbada—. Son muy perjudiciales, porque entre una frase política, otra de música, otra sobre inventos y alguna sobre historia, ello es que nuestro salón es una cátedra de ateísmo.

—Sería una cátedra de buenas costumbres si se bailara y se murmurara. En mi salón no se ha hablado nunca de ateísmo ni cosa que lo valga. ¡Reposa en paz, oh conciencia pura, conciencia infantil! ¡Feliz criatura, que piensas cumplir tus deberes con la práctica externa llevada hasta el

desenfreno y adorando con fervor supersticioso las palabras, la forma, el objeto, la rutina, mientras tu alma sola,
fría, inactiva, sin dolores ni alegrías, sin lucha y sin víc-
toria, se adormece en sí misma en medio de ese murmullo
de sermones, de toques de órgano y del roce de vestidos
de seda que entran y salen!... ¡Te crees perfecta, y ni aun
tienes el mérito de la vacilación contenida, de la duda
sofocada, de la tentación vencida, del placer sacrificado!
¡Qué fácil y cómoda santidad la de estos tiempos!... Antes
el lanzarse a la devoción significaba renuncia pronta y radical de todos los goces, abdicación completa de la perso-
nalidad, odio a las glorias vanas del mundo, desprecio de la
riqueza, del lujo, de las comodidades, para quedarse en los
puros huesos y espiritualizarse y poder pensar mejor en
las cosas del Cielo: significaba el vivir absolutamente la
vida del espíritu hasta el delirio, hasta la embriaguez, y
el rico envidiaba al pobre, el sano pedía a Dios que le
enfermase y el limpio quería cubrirse de asquerosas llagas.
Esto era una aberración si se quiere, mas era grande, sublime, porque la abnegación y la humildad son las virtudes
que menos se desvirtúan por la exageración; esto era como
un suicidio, el único suicidio disculpable, el delirio, la
enfermedad del sacrificio; pero ahora...

León dirigió a su mujer una mirada abrumadora de
elocuencia y desdén.

—...Pero ahora..., las reglas de la beatitud exigen óbolos
abundantes, eso sí; exigen asistencia metódica a los templos, ceremonias ostentosas; pero se trata a las personas
según su rango: al pobre como pobre, al rico como rico,
es decir, permitiéndole que lo sea, siempre que no niegue su
ayuda a ciertos intereses. Sí: las devotas de hoy asisten al
culto, se mortifican en cómodas sillas-reclinatorios, rezan
sobre cojines y limpian con sus colas el polvo de las iglesias. No se les pide más que la mañana; y las noches son
libres para bailar, ir al teatro, cubrirse de piedras y de raso,
asistir a las tertulias y banquetes de los ricos, aunque sean
judíos o protestantes; ostentarse en los paseos, acicalar y
perfeccionar con el arte su belleza para perder a los hom-

bres..., pero ¿qué importa? Satanás se ha vuelto tonto...,
ha transigido, está viejo ya, y no sabe lo que hace.

—¡Qué groseras burlas! —dijo María, algo confusa—.
Según tú, yo estoy en pecado mortal porque visto bien,
voy al teatro... Parece que hablas de lo que no entiendes.
Estos ateos son la gente más tonta del mundo.

No estaba enojada; prueba de ello es que con un movimiento cariñoso pasó la mano por la barba de su marido.

—¿Creerás que me has confundido con tu charla, queridito?... Pues has de saber que si me visto bien y voy al
teatro y alguna vez al baile, es porque tengo permiso para
ello, es porque puedo hacerlo sin desmentir mi piedad.
Quien sabe más que tú de tales cosas me ha tranquilizado
sobre este punto, haciéndome ver que como mujer casada
no puedo romper los lazos que me unen a la sociedad...

—Sí: ésa, ésa es la consigna, ya lo sé... —dijo León,
riendo—. Divertíos todo lo que queráis, con tal que...

—Tus reticencias son blasfemias... Calla, idiota... ¡Si te
convencerás al fin de que no sabes más que sandeces!

—¿Sandeces? —dijo León, sonriendo y tomando entre
sus dedos la barbilla de su mujer, que era un prodigio de
redondez y gracia.

—¡Cómo me voy a reír de ti, cuando al fin, con la efica-
cia de mis oraciones, de mi fe, de mi piedad, consiga del
Señor...! ¿Te ríes? Pues no te rías. Otros ejemplos más
extraños se han visto. Sé algunos casos que si te los contara te pasmarían.

—Pues no me los cuentes —dijo León, moviendo a un
lado y otro la cara hechicera de su mujer, cogida siempre
por la barbilla.

—Sí: hay casos que parecen increíbles, casos de hombres malvados que se han convertido..., y tú no eres malvado...

—¿Todavía no he sido declarado malvado...? Descuide
usted, señora, que todo se andará. Gracias por la buena
opinión que allí se tiene de mí... todavía.

María se abalanzó a él, y estrechando con vigor su
cabeza, le besó en la frente.

—Tú vendrás al lado mío —le dijo—, y serás católico

ferviente, como yo, y me acompañarás en mis dulcísimas
prácticas religiosas...

—¿Yo?

—Sí, tú. Tú vendrás a mí. ¡Qué feliz seré entonces!...
¡Te quiero tanto!...

¡Y qué hermosa estaba, qué hermosa! León sentía sobre
sí el efecto irresistible de belleza tan acabada en rostro y
figura, de aquellos ojos en que algo se veía semejante a la
inmensidad turbada y resplandeciente del mar, cuando se
mira el fondo para descubrir un objeto perdido. Separóse
de él María, y en pie delante de un espejo, alzó las manos
para soltarse el cabello. Las guedejas negras cayeron sobre
sus hombros, que no podían compararse propiamente al
frío mármol, sino a las más hermosa carne humana, pues
también hay carne de Paros; a eso que el misticismo llama
barro y ha servido al divino Artífice para tallar ciertas estatuas mortales que parece no necesitan de un alma para
tener vida y hermosura.

—¡Qué linda! —exclamó Roch, hundido en un sillón
como un estúpido—. ¡Cada vez más linda!

Después de culebrear en derredor del espejo, María
entró en su alcoba. León puso su cabeza entre las manos y
estuvo meditando largo rato. Tenía fiebre. Después se
levantó airado consigo mismo o contra alguien.

—¡Necio de mí! —exclamó con su voz más íntima—.
Una esposa cristiana quería yo, no una odalisca mojigata.

15. Un convenio como los que la diplomacia llama «modus vivendi»

Pasó un rato. De pronto, María lanzó un grito agudo,
desgarrador. León fue corriendo a la alcoba y vio a su
mujer incorporada en el lecho, con los brazos extendidos,
los ojos extraviados.

—León, León —dijo con espanto—. ¿Eres tú? ¿Dónde estás? ¡Ah!, ya te veo. Abrázame. ¡Qué horrible pesadilla!

León procuró tranquilizàrla, y no tardó la dama en sosegarse con la apreciación de la realidad, medicina de los desvaríos de la imaginación.

—¡Qué sueño!... ¡Figúrate..., soñé que te habías muerto y que desde lo más hondo de un hoyo negro me estabas mirando, mirando, y tenías una cara...! Después aquello pasó... Estabas vivo; querías a otra... Yo no quiero que quieras a otra.

Encadenó con sus brazos el cuello de su marido.

—¿Qué hora es? —preguntó.

—Tarde. Duerme otra vez, que ya no tendrás más pesadillas.

—Y tú, ¿no duermes?

—No tengo sueño.

—Entonces vas a velar toda la noche. ¿Qué haces? ¿Lees?

—Medito.

—¿Piensas en aquello que hablamos?

—En aquello y en ti.

—Eso, eso: piensa mucho en las verdades que te dije, y así te irás preparando sin saberlo... Me parece que oigo campanas tocando a fuego.

Los dos escuchaban. Oíanse ladridos de perros, que en aquella zona de Madrid, donde por cada casa hay diez solares vacíos y solitarios, suelen reunirse para buscar despojos de cocina en los vertederos. Oíase asimismo el lejano chirrido de las ruedas del último tranvía, y también el ritmo metálico, tenue, seguro, invariable del reloj de León en el bolsillo de su chaleco. Todo se oía menos campanas.

—No es todavía hora de tocar a misa —dijo él—. Duérmete.

—No tengo sueño, no quiero dormir —replicó María echando atrás su cabeza—. Me parece que he de volver a verte en el fondo del hoyo, mirándome. Tú te reirás de esto. ¡Qué sandez! ¡Mirar y ver después de la muerte quien cree y afirma que con la vida se acaba todo!

—¿Te he dicho yo eso alguna vez? —manifestó León enfadado.

—No me has dicho eso; pero yo sé que eso es lo que tú piensas; yo lo sé.

—¿Por qué? ¿Por dónde lo sabes? ¿Quién te lo ha dicho?

—Yo lo sé; yo sé lo que tienen en el fondo de su cabeza ciertos filósofos; lo sé todo; y tú eres de ésos. Yo no leo tus obras porque no las entiendo; pero quien las entiende las ha leído.

Apartóse León de su mujer vivamente afectado. Dio algunos pasos para salir de la alcoba; pero retrocediendo bruscamente, volvió al lado de María, le tomó una mano, y con voz severa le dijo:

—María, voy a pronunciar la última palabra, la última... He tenido en este momento una idea que me parece salvadora; idea que si es aceptada y practicada por ambos, nos sacará de este infierno...

Sobrecogida de emoción y respeto al ver la gravedad con que su esposo hablaba, María no supo decir nada.

—...En dos palabras te expondré mi idea... ¡Proyecto feliz!... No sé cómo no se me había ocurrido antes... Es el siguiente: yo me comprometo a sacrificarte mis estudios y mis tertulias, te sacrifico la noble amistad de los libros y de los amigos. Mi biblioteca se tapiará, como la de Don Quijote, y en nuestra casa no se volverá a oír ni siquiera un concepto sospechoso, ni una observación mundana y ligera sobre las cosas más graves del espíritu, ni se hablará de ciencias ni de historia; en una palabra, no se hablará de nada.

—¡Qué felicidad! —dijo María, incorporándose para besar las manos de su marido—. ¿Es cierto que me lo prometes y me cumplirás lo que me prometes?

—Te lo juro por lo más sagrado. Pero no cantes victoria antes de tiempo. Ya comprenderás que no se hacen concesiones de esta clase sino a cambio de otras. Ya te he dicho mi parte; ahora falta la tuya. Yo te sacrifico lo que llamas estúpidamente mi ateísmo, cuando es cosa muy distinta, sacrifícame tú ahora lo que llamas tu piedad, muy problemática por cierto. Para que nos entendamos, has de renunciar a las devociones diarias e interminables, a confesar todas las semanas con un mismo padre, a poner todo tu espíritu en los accidentes teatrales del culto. Irás a misa los domingos y fiestas, y confesarás una vez al año, sin previa elección de sacerdote.

—¡Oh!, es mucho, es mucho —dijo María, moviendo sobre la almohada su linda cabeza, cual si a sí misma se compadeciera por la deplorable mezquindad a que sus piedades quedaban reducidas.

—¡Mucho, te parece mucho, tonta! Bueno: aumentaré mi parte. Te concedo más: te concedo que si reduces tus visitas a la iglesia, iré a ella contigo.

—¡Irás conmigo! —exclamó María, saltando bruscamente en el lecho como un pez recién sacado del agua. ¿Es verdad lo que dices?... Tú me engañas.

—Iré, sí; iré... los domingos.

—¿Nada más que los domingos?

—Nada más.

—¿Y confesarás una vez siquiera cada año, como yo?

—Eso... —murmuró León.

—¿Vas a decir que no?

—Eso, no... ¡Oh!, tú pides demasiado de una vez. Mi sacrificio es inmenso, mientras el tuyo es insignificante. Te desprendes de lo superfluo, quedándote con lo justo y razonable; te arrancas las feas tocas de mojigata para mostrarte con toda la belleza de mujer cristiana. Esto no es sacrificio: el mío sí que es grande, doloroso, pues poniendo a tus pies mis estudios y mis amigos te pongo delante lo mejor de mi vida para que lo pisotees.

—Pero no es bastante, no —dijo María con abandono—. ¿Qué te importa dejar de leer, si piensas, piensas y pensarás siempre lo mismo? Me acompañarás a la iglesia por fórmula: entrará tu cuerpo, y tu alma se quedará en la puerta; y cuando veas alzada la Hostia sagrada en las manos del sacerdote, soltarás dentro de ti una carcajada diabólica, si no es que estás pensando en los insectillos que ves en el microscopio, y que son, según tú, la causa del sentir y el pensar en nuestra divina alma.

—No me hacen efecto tus burlas... Conozco el origen de esos juicios ridículos. Y te prometo una asistencia respetuosa y una atención sincera... ¡Ah!, me olvidaba de otra particularidad. También has de sacrificarme..., bien lo merezco..., la residencia en Madrid. Nos iremos a vivir a otra parte. Elige tú.

—Mucho pides..., ¡qué abuso! —exclamó la dama con entonación de un niño mimoso—. ¿Y qué me das tú? Una farsa de catolicismo, una máscara de fe puesta sobre tu cara de incrédulo. No, León, no puedo aceptar.

—No hay salvación para mí —exclamó León golpeando su cabeza con ambas manos.

Transcurrido un instante de agitación muda, miró fríamente a su mujer, y con solemne acento le dijo:

—María, nuestra separación es inevitable. Yo no puedo vivir así. Dentro de unos días todo se arreglará definitivamente. Tú te quedarás en esta casa o irás a vivir con tus padres, según quieras; yo me marcharé al extranjero para no volver jamás, jamás.

Se levantó. La dama piadosa a la moda le tomó las manos, y estrechándolas contra su seno, rompió a llorar.

—¡Separarnos! —murmuró, sollozando—. Tú estás tonto... ¡Ingrato!

María Egipcíaca sentía por su marido un afecto semejante al que él sentía por ella. Podría existir un abismo, un divorcio absoluto entre sus almas; pero ¡separarse!..., ¡dejar de ser marido y mujer!...

—Mi resolución es irrevocable —afirmó con entereza León.

—Acepto, acepto todo lo que quieras.

Y más tarde, después de algunas horas de sueño, volvió a oírse el grito de espanto y la explicación de la pesadilla.

—¡Qué horrible visión! Ahora me he visto a mí misma muerta, y mirándote desde el fondo del hoyo negro y profundo... Estabas abrazado a otra, besando a otra... Pero ¿es ya de día? Ahora sí que suenan campanas.

En efecto, oíanse chillonas y discordes las esquilas colgadas en las torres de esa multitud de barracas enyesadas que en Madrid llevan el nombre de iglesias, dando testimonio así de la religiosidad de este pueblo.

—Llaman a las primeras misas —pensó María—. Me muero de sueño... ¡A dormir!... Dan las ocho y siguen tocando, siguen llamándome... No, no puedo ir; he dado mi palabra... ¡Jesús, las nueve! Perdón, perdón, campanitas de mi alma: no puedo ir hasta el domingo.

16. De crematística

Vinieron los días de la dispersión de las gentes. Hostigado por el calor, Madrid era un hormiguero de impaciencias buscando dinero. El oro subía como cuando hay guerra, y menudeaban en la Bolsa las pequeñas operaciones, lo mismo que si hubiera aumento de negocios. No pocas familias apretaban el dogal atado a su cuello por las dilapidaciones del pasado invierno, y otras, no teniendo ni siquiera dogal, se consolaban encareciendo las ventajas y encantos del verano de Madrid, que supera, con sus paseos y embelesadoras noches, al verano triste y eremítico de los pueblos circunvecinos. Veranear en Pinto o Getafe es como invernar en el Escudo o en Pajares.

Los Tellerías eran de ésos que por nada se quedan. También ellos se iban, contra todo fuero y razón de la aritmética, y dando al traste con toda ley económica. Pero obligada a estirar hasta lo imposible la primavera, la marquesa decía que el tiempo era aún tolerable, que en el Norte llovía mucho y hacía frío. No teniendo motivos para prorrogar su viaje, sino, antes bien, razones poderosas para acelerarlo, León fijó día en la primera semana de julio. Pero la víspera de la fecha marcada un suceso trastornó los planes de todos. Ya sabían los hijos del marqués que su hermano Luis Gonzaga estaba enfermo. Gustavo y León sabían algo más; sabían que lo devoraba un mal muy terrible, perseguidor y verdugo de la juventud contemporánea; mal que se aviene con las naturalezas débiles o extenuadas por las pasiones y el estudio. Como, según los informes de los padres de Puyoo, la enfermedad de Luis hallábase en grado incipiente, no habían dicho nada a la marquesa, esperando que ésta sabría la verdad por sí misma al hacer la visita acostumbrada al establecimiento durante la temporada de verano. Pero inopinadamente cayó sobre la casa, como un rayo de la ira celeste, un aviso del rector anunciando que Luis Gonzaga había entrado de súbito en un período alarmante, y que... «deseando el joven ver a su familia, saldría al siguiente día para Madrid en el tren expreso».

Absortos y afligidos quedaron todos, y más aún cuando al otro día vieron entrar al infeliz joven, que tan claro mostraba en su persona el sello de la traidora dolencia parecido a un espectro con sotana. Su cara ofrecía, a pesar de estar ya como agostada por el frío beso de la muerte, gran semejanza con el rostro hermoso y vivífico de María. Ya se sabe que eran gemelos, y que se parecían todo lo que puede parecerse un hombre a una mujer, sólo que la joven, con su aparente lozanía, aventajó siempre en vigor y en representación física a su hermano, harto afeminado desde la infancia.

Barbilampiño y endeble, se le creería nacido para el sacerdocio y para la contemplación de las cosas espirituales. Sus ojos, que por lo verdes y expresivos eran como espejos en que se reflejaba la propia mirada de María Egipcíaca, estaban rodeados ya de un cerco oscuro. Durante su niñez y juventud había vivido siempre abrasado por una fiebre constitucional con la cual iba tirando como si fuera un estado fisiológico. Ahora, cuando la solución se aproximaba, su fiebre era un rescoldo interior que le consumía. La holgada sotana negra y floja marcaba, al sentarse y al andar, los duros ángulos del esqueleto; su voz parecía el eco de quien está hablando en algún rincón invisible y profundo, donde las corrientes de aire suspenden, entrecortan y apagan el sonido, haciéndolo oscilar como el chorrillo de una gotera.

Sentado en un sillón, a las demostraciones cariñosas de la familia respondía con escasas frases en que la intensidad del afecto compensaba el laconismo, con apretones de manos, con miradas ardientes y amorosas.

Desolada y suspirante, la marquesa no sabía contener la expresión de su dolor, y sus quejas concluían siempre con proyectos de administrar a su hijo aires puros, aires campesinos, aires de establo, y de llevarle a beber aguas salutíferas. Lo primero que se decidió fue celebrar junta de médicos, convocando a lo más selecto. El enfermo sonreía con expresión de incredulidad, pero sin oponer resistencia a nadie, porque el hábito de la obediencia, tan arraigado en él, dábale fuerzas para dejarse zarandear en su agonía.

León no le había visto nunca. Cuando entró a verle, la marquesa le dijo:

—Aquí tienes a tu hermano, que no conoces...

—Le conozco —contestó Luis Gonzaga, dejándose estrechar su mano por la de León.

Y, diciéndolo, clavó en él la mirada atenta, penetrante, por tanto tiempo, que la marquesa, alarmada de aquel largo discurso de asombro mudo, dijo así:

—Ya sabes que es muy bueno.

—Ya, ya sé —repuso Luis, mirando a su hermano—. ¿Y os marcháis de Madrid?

—¿Cómo quieres que nos vayamos dejándote así? —replicó María, derramando abundantes lágrimas.

—Pero tu esposo no querrá detenerse.

—Nos quedaremos —afirmó León, sentándose en el grupo que rodeaba al joven—. Ni María quiere separarse de su hermano, a quien no ha visto en tanto tiempo, ni yo quiero que se separe.

—Ni tampoco quieres tú separarte de ella —añadió la marquesa—. Eres un modelo de maridos complacientes y bondadosos... Quizá nos vayamos todos juntos.

—Luis mejorará —dijo León—, y entonces emprenderemos nuestro viaje.

*

No sabemos si fue aquel mismo día o el siguiente cuando León, hallándose a solas con su suegra, presenció uno de los más fuertes accesos de tristeza que en ella había visto, y que se determinaban en suspiros, lamentos de su desgraciada suerte y en protestas de poner las cosas en un pie conveniente de orden y economía. La excelente señora derramaba copiosas lágrimas, y estrechaba la mano de su yerno, prodigándole los nombres más dulces de que se vale el cariño materno.

Atravesaba, según ella, la familia una de las más graves crisis que podían perturbar a familia alguna. El mal de Luis Gonzaga exigía dispendios inmediatos. La ilustre dama no tenía carácter para tratar a la junta de médicos como trataba a sus acreedores de escaleras abajo el marqués, cuyos despilfarros habían llegado a un extremo escandaloso. Se sentía fatigada, consumida de aquel género de vida aparatosa y de relumbrón en que la sostenía, mal de su grado, el orgullo de su marido y de sus hijos. Se consumía en el tedio de los saraos, y devoraba en silencio las ansias del hambre disimulada y de aquel malestar continuo que hacía de su casa un infierno. ¡Oh!, su educación, su clase, sus principios, sus nobles sentimientos pugnaban con la farsa; mas era débil, amaba entrañablemente, aunque sin premio, a los mismos autores de aquel malestar, y no podía desprenderse de los hábitos que se le habían impuesto. Pero estaba decidida a ser enérgica, implacable; a cortar para siempre las malas costumbres introducidas en su casa; a enfrenar al marqués; a hablar claro, muy claro, a sus hijos; a establecer un orden riguroso; excesivamente, ferozmente, riguroso; a vivir de sus recursos propios y naturales, renunciando al brillo engañoso y a la competencia ridícula con fortunas saneadas y enteras. Lloraba en silencio y pedía a Dios que apartase de la casa de su hija las calamidades que pesaban sobre el hogar paterno, favor que Dios parecía resuelto a conceder desde que adjudicó a la bienaventurada joven un marido ejemplar, un marido juicioso, un marido modelo, un marido de elección, un marido canonizable, dicho sea con perdón de la Iglesia.

Y no sabemos tampoco si fue aquel día o el siguiente

cuando el marqués se encerró con León en su despacho,
y, con acento patético y desembarazado, desarrolló ante
los ojos de éste el panorama desconsolador de su propia
situación, dando en él toques de grandísimo efecto, agru-
pando sabiamente las sombras y dibujando con energía
la figura más convincente, que era la enfermedad del mejor,
el más querido de sus hijos. Este infortunio acercaba la
mecha a la casa de Tellería, toda desvencijada y llena de
puntales, atestada de oropeles, de colorines, de bambolla
inútil... Veíase el insigne cuanto desventurado señor enfrente de un problema terrible, y su decoro de hombre
público y su dignidad de padre de familia estaban como
reos de muerte a quienes ya se ha subido en el fatal tablado.
Lo peor es que no tenía él la culpa, sino la marquesa, autora
indirecta de las *filtraciones* (gustaba mucho de emplear este
término, tomado por la Hacienda al arte de la fontanería)
que disminuían el caudal de su casa, mostrando el horrible
cauce vacío... El, por su parte, se reconocía también algo
culpable, porque había querido sostener una posición *exageradamente* decorosa como hombre que se debe a su nombre, a su partido, a su patria; había contado con el éxito
de operaciones bien preparadas, y con las posiciones que
adquirieran sus hijos. ¡Desengaño, ilusión!... El, verdaderamente, no se reconocía impecable; él no dejaba de comprender que había sido débil, excesivamente débil, ante el desen-
frenado lujo implantado en su casa por la marquesa; él
no debía haber autorizado con su presencia las comilonas,
los tés, los *raouts*, los saraos, que llenaban de ruido, de
murmuración, de equívocos y de humo su casa en deter-
minados días de la semana; él debió resistirse, debió protestar, ¿quién lo duda?, pero no protestó; fue cómplice,
faltó a los sanos principios conservadores y preventivos que
eran norte y fanal de su conducta. Pero estaba decidido a
cortar abusos, a *reformar radicalmente la administración,* a
hacer economías, a *sostener el orden doméstico, base de las virtudes
privadas y públicas.* Y no hablaba, ciertamente, a su yerno
de este desagradable asunto con objeto de pedir su amparo
para salir de los compromisos del día, no; esto no era com-
patible con el decoro del suegro, ni con sus ideas extre-

madas en materia de dignidad; hablábale sin otra mira
ulterior que darle a conocer la abrumadora realidad, para
que *usando de su prestigio cerca de la familia,* tratase de señalar
a Milagros el abismo que a sus pies se abría. El pobre
marqués se sacrificaba por todos, no quería nada para sí.
La enfermedad de su hijo más querido le afectaba en extremo; no tenía gusto para nada, y se sentía víctima de la
fatalidad, de las pésimas condiciones de este *país ingobernable,* pobre, a pesar de la *fertilidad del suelo.* ¿Cómo hacer
frente a las inmensas dificultades de tal situación? ¡Ay!, el
mismo marqués necesitaba con toda urgencia tomar baños
alcalinos para su reúma, y no podía, no quería comprender
el viaje. Su deber le retenía en Madrid, al lado de su hijo
enfermo; su deber le prohibía gastar en su persona lo que
reclamaba la vida amenazada de Luis Gonzaga, un joven
sin igual, casi un sacerdote, un santo bajado del Cielo...,
el marqués conocía los deberes que le imponía su situación
y estaba decidido a cumplirlos. Sí: su *hidalguía, genuinamente española,* se lo ordenaba así; pero necesitaba los consejos de un amigo cariñoso y desinteresado; necesitaba que
alguien le animase con palabras varoniles y le alentase con
ejemplos eficaces; necesitaba de un hombre recto, juicioso,
franco, enemigo de farsas; necesitaba, en fin, un apoyo moral, puramente moral...

—Repito que un apoyo moral nada más —dijo, terminando la frase con un suspiro y estrujando entre sus manos
la de León.

Si éste fuera capaz de envanecerse con las alabanzas, aun
siendo merecidas, se habría hinchado de satisfacción cuando
Milagros, dos o tres días después, le dijo con tono de
verdad sincera:

—¡Cuán cierto es, querido hijo, que un buen corazón
puede existir debajo de una cabeza vacía de ideas religiosas!

Y cuando el marqués le dijo:

—Yo te tenía por el hombre mejor del mundo. Es tan
grande tu bondad, que me hará creer en una utopía; ya
sabes que yo no creo en utopías; pero ahora... En fin, no
puedo expresarte lo que siento al ver el interés que tomas
por el decoro de tu familia. Bien conoces tú que en el

diluvio de las pasiones es necesario que la familia se salve.
¡Sí: la sociedad se hunde; pero sobrenadará la familia, el
arca!...

Dicho sea en honor de la verdad, León, más que la salvación de su familia política, comparada, no sin gracejo,
por el marqués con el Arca de Noé, había tenido presente
la enfermedad del gemelo de su esposa y la pena que ésta
sentía al ver la mala disposición de sus padres para las horas
aflictivas y los dispendios que tan cerca andaban.

17. La desbandada

Tristísimo fue el pronóstico de los médicos. Sin embargo,
indicaron que el desenlace funesto estaba aún lejano, con
lo cual hubo esperanzas y algún sosiego en la casa. Tan
consolador es el tiempo que está por venir, como el que ha
pasado, y las desgracias aplazadas, así como las transcu-
rridas, se pierden en ese indeterminado horizonte detrás
del cual está el ancho hemisferio del olvido. En la familia
de Tellería empezó a renacer la calma y cada individuo de ella
fue recobrando, poco a poco, su habitual carácter. Gustavo
era diputado y pasaba todo el día en el Congreso. La marquesa, sin dar completamente tregua a la pena real que la
dominaba, había recobrado aquella dulce expresión de
conformidad con el mundo terrestre, mezclada siempre
de cierto pietismo quejumbroso, de lo cual resultaba una
especie de resignación a gozar. Las cosas fútiles la ocupaban largas horas. Una mañana encontróla León muy indecisa enfrente de una elección de sombreros de verano,
traídos de la tienda. Había allí todas las variedades creadas
cada mes por la inventiva francesa. Veíanse nidos de pájaros adornados de espigas y escarabajos, esportillas hendi-
das con golpes de musgo, platos de paja con florecillas sil-

vestres, casquetes abollados, pleitas informes con picos de candil, cubiletes con alas de chambergo y pechugas de colibrí, solideos rodeados de gasas; en fin, todas las formas extravagantes, atrevidas o ridículas con que la fantasía delirante de los artistas de modas emboba a las mujeres y arruina a los hombres. La marquesa los miró todos, agraciando a cada cual con una observación picante y discreta, como mujer de refinadísimo gusto. Se puso algunos, los probó ante el espejo, moviendo su cabeza para buscar mejor los efectos de línea y de color, y, al fin, los devolvió todos a la caja, diciendo:

—No compro nada... Todavía es posible que vayamos a Francia... Allí compraré, como otros años, todo lo que necesite, y lo introduciré..., lo introduciré... Yo me sé entender con la Aduana. Sí: es posible que vayamos... Pero, ¿no sabes, León?

Este había presenciado con su mujer y con Luis Gonzaga la inspección de sombreros, dando su parecer cuando se le pedía. La conversación pasó de la moda al contrabando. Los dos gemelos estaban mudos y tristes, mayormente Luis, que fijaba sus ojos con insistencia en la jardinería inmediata al balcón, llena de gomelos, algún rododendro y hermosas azaleas cubiertas de flores rosadas.

—¿No sabes, León? —prosiguió Milagros—. Esa mala cabeza de Leopoldo se nos marcha esta tarde. Va a Biarritz con esos chicos, con sus amigotes. No he podido contenerle...; le he demostrado que, quedándonos aquí todos por acompañar a Luis, él también debe quedarse. Dice que necesita los baños de mar, y no le falta razón... Aprovecha la marcha del duque de Ceriñola y del conde de Garellano, que tienen coche-salón.

Un criado, a quien se preguntó por Polito, dijo que el señorito Leopoldo había dicho que almorzaba fuera; que del palacio de sus amigos partiría para la estación, sin volver a la casa de sus padres. Su equipaje estaba hecho y las maletas cerradas.

Tan singular manera de despedirse, demostrando a las claras el cariño filial y fraternal de aquel benemérito mancebo, afligió un tanto a la marquesa que, en medio de sus desvaríos, no carecía de afectos ni de conciencia. Leopoldo era, según ella, un chico detestablemente educado, aunque no por culpa de su madre; un calaverilla empedernido, insensible a todo dulce afecto, y que, por montar un caballo prestado, o guiar un coche ajeno, o viajar en el vagón del amigo, o estrechar la mano de *Higadillos,* o poner a una carta unos cuantos duros, era capaz de volver· la espalda a su familia en los momentos de mayor conflicto.

El marqués, que acababa de presentarse, vistiendo elegantísimo traje claro de verano, recibió la noticia con escepticismo mundanal, que parece en ciertas bocas la fórmula más pura del buen gusto.

—Es natural —dijo— que los muchachos se diviertan... Después viene la edad madura, los achaques, las graves preocupaciones de una posición social consagrada a la vida pública, el reúma..., por ejemplo; aquí estoy yo, que a todo trance necesito un poco de carena..., y no puedo menos de tomarla. El médico se ha puesto furioso cuando le dije que no podía salir este verano... «¿Cómo se entiende, señor marqués?... Un jefe de familia no debe descuidar su salud. Le condeno a usted a baños. ¡Sentencia inapelable!» En resumen, queridos, he resuelto marcharme mañana.

La estupefacción de la marquesa parecía despecho y enojo. ¡Todos libres, y ella, esclava, amarrada al nefando potro del veraneo en Madrid, a ese potro no tan ignominioso por lo molesto como por lo *cursi!*

—Nuestro querido Luis —añadió don Agustín, acariciando la barba de su hijo— mejora de día en día. No hay cuidado por él. Le conviene el reposo. Un verano en Madrid, al lado de su madre... Con cuánto gusto os acompañaría; pero estoy fatal. Varios amigos me han comprometido a tomar con ellos el tren de mañana.

Al decir esto se había quedado solo con León, porque Milagros, con sus dos mellizos, pasó al comedor.

—Yo no hago aquí ·falta —prosiguió el marqués, paseando en compañía de su hijo por la hermosa sala adornada de los mil preciosos cachivaches de exportación francesa en tapicería, cerámica y mueblaje que han venido a llenar en las casas aristocráticas el vacío de las verdaderas obras de arte, arrancadas de su esfera natural por las quiebras y llevadas a los museos por el *dilettantismo* del Estado—; yo no hago falta aquí. Ya debes suponer que no me voy tranquilo. Por cierto que me enfada la ligereza de mis hijos, huyendo a la desbandada de la casa paterna, cuando la pobre Milagros necesita de su compañía para sobrellevar la enfermedad de Luis..., porque Luis está grave, no nos hagamos ilusiones. Yo creo que tirará; puede ser que rebase este otoño; pero el invierno...; de todos modos, los chicos han hecho mal, muy mal. Leopoldo se va esta tarde, y Gustavo, mañana. No lo hubiera creído en Gustavo; pero ya se ve..., está enamorado, perdidamente enamorado. La marquesa de San Salomó parte mañana para Arcachón, París y El Havre. Gustavo sale también para el extranjero, y ya sabemos que las cartas se le han de dirigir sucesivamente a Arcachón, París y El Havre. Bonito viaje, ¿no es verdad? La marquesa de San Salomó es linda y elegante; mi hijo tiene grandes atractivos...; pero ¡quién sabe si será verdad lo que dicen! Yo no lo creo. No hay duda de que la oratoria ardiente de Gustavo, sus defensas briosas del Catolicismo, hicieron estragos en las tertulias elegantes. Desde muy temprano era de ver la tribuna llena de preciosas cabezas, adornadas de los más lindos sombreros, y allí se oía un murmullo delicioso de disputas y alabanzas. Porque eso sí: tenéis que confesar que la mujer es entre nosotros salvaguardia de las *venerandas creencias de nuestros padres*. ¿Queréis hacer la transformación de las conciencias, señores ateos? Pues empezad por suprimir esa *encantadora mitad del linaje humano*... La verdad es que Gustavo habla maravillosamente: sus palabras de fuego conmueven la Cámara y alborotan las tribunas. Luego ha escogido un tema tan simpático, tan elocuente de por sí, un tema que habla al sentimiento, al alma, a la fe, a lo que hay más sagrado, de más divino en nuestra alma, y que se conforma admirablemente con la *hidalguía castellana*. El marqués de Fúcar me dijo, guiñando el ojo: «Tellería, este chico· sabe el camino...» Yo también lo digo: Gustavo sabe adónde va... y por dónde se va. Reúne tantas buenas cualidades, que es, como me decía en la tribuna del Senado don Cayetano Polentinos, «un verdadero archivo de esperanzas». Talento, buena figura, ese ardor parlamentario... No obstante, me hubiera gustado ver en él un poco más de apego a la familia... ¡Que emigre yo, tan necesitado de reposo y salud!... Pero Gustavo... Comprendo la atracción invencible de una mujer como la San Solomó... Ya, ya vamos. (Se había presentado un lacayo, diciendo que el almuerzo se enfriaba.) ¿Tienes ganas de almorzar, León? A ti también te sentaría levantar el vuelo.

Al día siguiente, León despedía en la estación del Norte al marqués y a Gustavo, que iban en el mismo tren, pero en coche distinto, en compañía distinta, aunque ambos con billetes de favor, debido a la amistad con los consejeros de Administración.

—No he podido prescindir de este viaje —le dijo Gustavo, tomándole del brazo y llevándole a dar un paseo por la parte del andén donde había menos gente—. Si algo ocurriese en casa, me pones inmediatamente un parte telegráfico... ¿Ves? Ahí está ya esa mujer: me lo figuré desde que vi a papá preparando su viaje. ¿La ves?

—¿Quién?

—*La Paca...*, *la Paquira...* ésa.

Entre la compacta muchedumbre, sobre la cual parecían sobrenadar cantidad de sombrerillos empenachados de rústicas flores contrahechas, de plumajes sutiles y de velos verdosos y azules como jirones de nubes que empañaban las caras, León vio una muchacha de gracioso rostro y elegante figura, que disputaba con el vigilante por dos asientos de berlina.

—Allá está papá con dos de sus amigos que salen también... Y yo pregunto: ¿Adónde conduce esta absurda ligereza de un hombre que debía considerar su edad, sus deberes, el estado de nuestra casa, su posición social?... El afán de ser siempre joven mata a la sociedad presente... Si tú no sales, acompaña a mamá y a Luis todo lo que puedas. Mamá está muy afectada: esta desgracia ha sido para ella como un aviso del Cielo, como una advertencia para que deje de ver en la vida una sucesión perpetua de goces. ¿Será provechosa la lección? Me temo que no. Su corazón es bueno; pero su carácter está lleno de debilidad. Me indigna el ver cómo la enternece el pillete de Leopoldo para sacarle dinero. Mamá es así: todo el que pide para divertirse la encuentra propicia... Pero el tren se va... Papá no ha entrado en el departamento donde va la Paca; pero está en el inmediato con sus amigos. Al menos, que evite el escándalo... Yo me entro en este salón. Nos hemos reunido varios amigos del marqués de San Salomó, que ha tenido la bondad de invitarme. Adiós. Que me escribas, que me pongas un parte si ocurre algo. Arcachón, Hotel Brisset... Más tarde, en París, *poste restante*.

18. El asceta

Observó León que Luis Gonzaga estaba en la casa paterna fuera de su centro. Aquella figura rígida y macilenta, enfundada en negro sayal con faja del mismo color que amenguaba su mezquina cintura, la cabeza descubierta, el semblante inclinado, la vista clavada en el suelo, la tez glutinosa, el cuello flaco y vacilante, cual si no pudiera resistir el peso de la cabeza; las manos largas, amarillas, transparentes, como haces filamentosos y sin más fuerza que la necesaria para cruzarse orando, discurría como una sombra maldecida por las salas revestidas del abigarrado papel o de las chillonas tapicerías. Era una mancha oscura y triste caída sobre el mueblaje de colorines y oro, sobre los exóticos objetos de estilo japonés, cuyas aisladas figuras de pesadilla parecían armonizar con la personal del escuálido colegial.

Se le veía errante, agitado como un pájaro prisionero, que busca salida, y cuando sus ojos recorrían la varia colec-

ción de muebles y objetos bonitos, era para escoger la silla
más incómoda y sentarse en ella. Buscaba los rincones
oscuros para nido de sus meditaciones. A veces, los criados, al arreglar una pieza, encontraban aquel negro cuerpo
fajado, y ante él detenían el plumero, pronunciando glacial
fórmula de respeto. Entonces Luis huía ,de allí para buscar
otra choza en aquella Tebaida de papel pintado y estampas
profanas, de seda y cretona, de damasco y palosanto. El
pobre anacoreta moribundo, al correr de un rincón a otro,
espoleado por su febril misticismo, tropezaba con un piano,
con un biombo chinesco, con un velador que sostenía
redoma de peces, con un blando sofá vestido de hilo gris, o
con una desnuda Venus de bronce. El no comprendía
que se vistiese a los muebles y se desnudase a las estatuas.

Mirábanle los criados con indiferencia, quizá porque
él no les dirigía nunca la palabra ni les pedía nada; tanta
era su humildad. Resistía el hambre y la sed hasta un
extremo incalculable, y no conocía las molestias, porque
las trocaba en placeres su alma codiciosa de mortificación.
Un lacayín con pechera estrecha de botones, la carilla
alegre y vivaracha, la cabeza trasquilada, los pies ágiles y
las manos rojas llenas de verrugas, era el único que le
prestaba algunos servicios, aun a despecho del mismo
joven. Este solía hacerle preguntas:

—¿Cómo te llamas?

—Felipe Centeno.

—¿De dónde eres?

—De Socartes.

Pero no hablaban largo. El anacoreta bajaba los ojos
y el lacayito se alejaba. Los demás servidores de aquella
casa tenían todos una expresión displicente y avinagrada,
como hombres que, contra su voluntad, hacen penitencia,
viéndose condenados a pobreza absoluta en medio del
lujo y de la pompa. La marquesa y María acompañaban
largas horas a Luis, procurando reanimarle con triviales
palabras.

—Yo no temo la muerte —les decía él, sinceramente—.
Por el contrario, la deseo con todo el ardor de mi alma,
como un cautivo sano desea la libertad. Vosotros no me

comprendéis porque estáis apegados al mundo, porque no vivís la vida interior, porque no habéis roto, como yo, todos los lazos de la Tierra.

Acogía la marquesa con suspiros estas seráficas declaraciones, que producían tristeza y admiración, por considerar cuán lejos se hallaba ella de tales alturas. Su reclusión y el calor daban a la señora melancolía y aburrimiento. Una noche, cuando León se retiraba a su casa, dijo a su mujer:

—Sólo por dignidad, o, mejor dicho, por miedo al *qué dirán,* no ha seguido tu mamá a los demás en esta deserción infame. ¡En qué horrible mundo vivimos! Pues que todos se van, o se quieren ir, nosotros nos quedaremos. Tu hermano está muy grave; puede resistir todo el verano, y puede acabarse cuando menos se piense.

Al día siguiente, el médico dijo que la casa de Tellería, situada en un barrio populoso, sombrío y mal ventilado, era lugar muy impropio para el enfermo. Se acordó trasladarle al hotel de León, situado en los bordes de la villa, bañado de aires saludables y protegido por plácido silencio. El enfermo no opuso resistencia, como no la oponía a cosa alguna, y fue trasladado a la morada de su hermana. Le instalaron en el piso bajo para evitarle subir escaleras, dándole por alcoba una pieza inmediata al despacho de León, y por sala para residir constantemente, el despacho mismo, vasto, claro, alegre. Ninguna de estas ventajas llamó su atención, porque lo mismo era para él un real palacio que la mazmorra más oscura. El primer día diéronle fuertísimas congojas, y tan continuadas, que madre e hija se alarmaron mucho; mas él, luego que fue serenándose, sonreía con afabilidad y dulzura, diciéndoles:

—¿Por qué os asustáis? ¿Por qué lloráis? Yo no me asusto, ni lloro, sino que estoy alegre, más alegre cuanto más acerbo es mi padecer. De veras os digo que, al considerarme tan cerca de la muerte, contengo mi alegría, no sea que el gozo de verme libre de esta hedionda vestidura carnal despierte alguna vanidad en mi alma, u otro sentimiento desagradable a los ojos del Señor. Si me envanezco demasiado de morir, queridas de mi alma, puede que Dios me castigue, condenándome a vivir algún tiempo más.

Con León hablaba poco, casi nada, pues siempre que éste a preguntarle iba por su salud o a acompañarle, hallábale entregado a sus prolijas devociones, cuyo plan no alteró jamás, ni aun en los días de mayor gravedad. Le llevaban de comer lo más escogido y lo más propio para su estómago; pero él tomaba siempre lo peor.

—No como esto —decía— porque me gusta.

Rogábanle que tomase tal o cual cosa de gran provecho para su salud; pero siempre a ello se negaba.

—Puesto que tu gusto es no tomarlo —le decía su hermana con admirable lógica—, mortifícate tomándolo.

Entonces sonreía y lo tomaba. Iban a visitarle algunos sacerdotes, principalmente franceses, de esos de melena ahuecada y gracioso sombrero de tres candiles, corteses, finos, mundanos, limpios, y platicaban acerca de la casa de Puyoo. Rara vez se veía allí a los graves curas españoles, que, cuando son buenos, son los clérigos más clérigos, digámoslo así, de la cristiandad, verdaderos ministros de Dios para la seriedad real, la mansedumbre sin afectación y la sana sabiduría. Luis Gonzaga gustaba de la tertulia, pero más de la soledad; en aquélla mostraba su agudo juicio, no exento de sal y gracejo; su piedad profunda, que era la admiración de todos, y su dicción, tiernamente apasionada. Todas las mañanas le llevaban en coche, y con grandes precauciones, a la iglesia, de donde venía tarde. Al regresar, meditaba a solas y de rodillas; no tomaba alimento sino cuando ya no podía sostener su cuerpo extenuado, y en mitad de la sobria comida solían sobrevenirle las congojas que parecían rematar su cansada vida en un suspiro.

No permitía que nadie le ayudase a vestirse y desnudarse, ni que le acompañaran de noche. María hizo notar a su esposo que algunas mañanas estaba el lecho intacto, señal de que había dormido en el suelo. Los blandos sillones y sofás que las industrias suntuarias han puesto hoy al alcance de todas las fortunas no conocían el contacto de sus huesos. Sentábase ordinariamente en una banqueta de rejilla sin respaldo, y allí pasaba horas y horas rígido, sudoroso. Cuando su cuerpo no podía tenerse derecho, arrimaba la banqueta a la pared y apoyaba la fatigada espalda, echando la cabeza hacia atrás, cerrando los ojos y cruzando las manos. Parecía un reo a quien acababan de dar garrote. No hablaba nunca de sus hermanos, ni de su padre ausente. La persona a quien mostraba más apego y algo de confianza era María. A León ni siquiera le miraba.

Frecuentemente era mortificado por escrúpulos, que solía manifestar. Si por espacio de un cuarto de hora estaba su pensamiento ausente de las meditaciones sobre la muerte, al caer en la cuenta de su distracción sentía inquietudes y un vivo enojo contra sí mismo. Quería imitar en todo, o al menos en lo posible, al glorioso niño de quien tomó el nombre, aquella alma angelical y purísima que voló del mundo a los veintitrés años, abrasada por el fuego de la pasión mística, y que mutiló en su pensamiento y en su sentir todo lo que no fuera el ardiente prurito de salvarse.

Como el santo niño jesuita, Luis Tellería padecía horriblemente de la cabeza; repetíanle en la casa de Madrid las tremendas jaquecas que en Puyoo le daban con frecuencia, abrasándole el cerebro y conmoviendo su máquina toda, cual si, convertidos en molde sus sesos, cayese en ellos un metal derretido. Durante estos ratos de espantosa mortificación, su alma, replegada en sí misma, gozaba con el martirio; los dolores físicos eran recibidos allá dentro con un júbilo delirante que tenía su vanidad y su sibaritismo. No exhalaba una queja, y cuando sentía revolverse dentro de su cráneo las serpientes de fuego, su boca se contraía para sonreír. Al San Luis de marras mandólo el prelado que no pensase tanto, para evitar un mal tan penoso. A éste le decían lo mismo, y, gozoso de parecerse al santo, contestaba: «Mándame que no piense tanto para que no me duela la cabeza, y más me duele de hacer esfuerzos para no pensar nada.»

El médico le ordenaba diariamente calmantes y otras medicinas. Las tomaba por fórmula, cuando a ello le apremiaba su madre con ruegos y sollozos. La medicina que a él le gustaba era una correa erizada de picos de hierro que constantemente llevaba enroscada en su cintura, no más ancha que la de una niña de doce años. Su hermana se acercaba de noche a su cuarto, andando de puntillas para no ser observada, y, en vez de hallarle descansando, le veía de hinojos ante el Crucifijo que le habían puesto junto a la cama.

En la casa de Puyoo había hombres muy buenos, otros muy sabios, algunos listos y traviesos, y todos se hacían lenguas de la virtud de Luis y de aquel santo odio de sí mismo, que parece, a pesar de todas las declaraciones, forma un tanto anticuada de la edificación. Sin embargo, la misma tendencia de la devoción moderna a reconciliarse con el buen comer y el mejor dormir hacía más admirable las abstinencias y el voluntario martirio del hijo del marqués. Su fama era grande en toda la Compañía: se hablaba de él en Roma.

Vivía en estado de taciturna tranquilidad, y, a pesar del gran cariño que tenía a sus padres, había logrado, a fuerza de horribles luchas con su memoria, no pensar en ellos, para que cosa ninguna le pudiera apartar de la presencia continua de Dios, fin perpetuo de sus ansias y martirios. Al par que su santidad, descollaba su ingenio en el estudio, siendo tan agudo y peregrino, que en poco tiempo dominó la filosofía y teología y supo defender conclusiones con tanto despejo, que los ergotistas más hábiles se quedaron pasmados. Pero esto mismo fue ocasión de gran desasosiego para su alma, porque el verse elogiado mortificaba su humildad, hasta que, temeroso de que su amor propio se despertara con las alabanzas, se fingió torpe. Su anhelo era que en la cátedra se le considerase como el último de los escolares. Sólo ante el riguroso mandato del superior renunció a hacer escrúpulos de sus talentos. A los superiores obedecía, y observaba las reglas con prolijidad extrema: llegó a dominar de tal modo sus sentidos, que, al fin, parecía no poseerlos, y su oído torpe y sus ojos, siempre fijos en el suelo, no se enteraban de nada. Pasaban las personas a su lado sin que las viera. Había hecho voto de no mirar jamás a la cara a ninguna mujer, como no fueran su madre y su hermana, y lo cumplía con todo rigor. Con tal sistema su alma debía ser de una pureza ejemplar, casi, casi, como la pureza del ser que no ha nacido.

Cuando los médicos anunciaron la terrible enfermedad, aseguró sentir inmenso gozo, y se alegró tanto con la idea de padecer mucho y morir padeciendo, que hizo escrúpulo de aquel contento, y preguntó al padre director si habría pecado en regocijarse tanto con la certeza de morir, y si esto sería un artificio de la vanidad. Tranquilizado sobre punto tan difícil, observaba su mal y aumentábalo a escondidas de los superiores con privaciones y una guerra oculta declarada a toda medicina. La resolución de enviarle a su casa, cuando la muerte parecía segura, le afligió al principio; pero después tuvo una idea, un plan, y se dejó conducir a Madrid y enjaular en los lujosos aposentos que le parecían la proyección externa de su propio mal, horrible, demoníaco, nauseabundo.

Y, no obstante, él, contraviniendo las leyes naturales, cuidaba su enfermedad como se cuida una flor para que crezca; alimentaba aquella bestia inmunda que se lo comía, y gozaba al sentir chupado y mascullado su miserable cuerpo, que no era para él más que un estorbo. Solía decir: «El mundo no es más que un fétido callejón, donde la sociedad se agita con delirio carnavalesco. Estamos condenados a pasarlo vestidos con la repugnante máscara de nuestro cuerpo. Bienaventurados los que lo pasan pronto y pueden arrojar, al fin, la máscara para presentarse limpios ante Dios.»

Este era el varón angelical, ésta el alma inflamada, loca, en que todo era fe y desprecio del mundo, de tal modo, que ella sola bastara a dar a nuestro siglo lo que aún le falta: un santo, si el siglo no pareciese dispuesto a romper la turquesa de las canonizaciones. Verdad que a Luis le faltaba el milagro; pero ¿quién sabe si había hecho alguno y lo callaba, siguiendo su santa costumbre de escrupulizar su amor propio?

Alguien dijo que aquella santidad no era más que un papel bien representado; pero esto carecía de fundamento.

Más cerca de lo cierto andaba quien dijo que la santidad, como la caballería, tiene sus quijotes. En Luis todo era buena fe. Si engañaba a alguien, era a sí mismo. No podía negársele grandeza y heroísmo. Ninguno de los muchachos seminaristas que en todo tiempo han tratado de imitar a San Luis Gonzaga —porque esto ha sido una verdadera monomanía entre la juventud clerical— adelantó a Tellería en el esmero de la copia. Pero no se puede imitar lo inimitable; ¿y de qué vale un remedo puntual de las acciones y de las palabras, descuidando quizá la asimilación de lo esencial?

Alguien dirá que este joven es una figura de otros tiempos. Pues no es de otros, sino de éstos. Mas para verla es preciso ir a buscarla donde está, pues no es un tipo de la Puerta del Sol. El siglo XIX, el siglo enciclopédico por excelencia, tiene de esto, como tiene de todo. ¡Monstruosa síntesis de los tiempos, no se sabe adónde irá a parar, barajando con sus propias invenciones y prodigios nuevos las reliquias y curiosidades que ha conservado de aquel atrás remoto!

19.   La marquesa se va a la música

La casa de León estaba al nordeste de la Villa, mirando, por un lado, al Madrid flamante, poblado de casas alegres y de frescos jardines; por el otro, a las vastas soledades polvorientas. La capital de España tiene límites marcados por el lápiz de sus arquitectos; no se disuelve en el campo, ni tiene la zona mitad agrícola, mitad urbana, que nos lleva, insensiblemente, del bullicio de una ciudad al sosiego de las aldeas. El apelmazado caserío termina en seco, bruscamente, y ninguna casa se atreve a separarse ni ir sola más allá por miedo al sol, al frío y a los ladrones. Nos ha parecido a veces el reposo de una gran caravana que, al caer de la tarde, ha de levantarse y partir sin volver los ojos para ver el sitio que ocupó.

Desde la parte oriental del *hotel* se veía aquel triste paisaje de lomas manchegas, en invierno ligeramente teñidas de un verde vergonzante; en verano, amarillas, pardas, cenicientas, resguñadas por arados que no aran, barridas por vientos que se revuelcan en las sinuosidades del terreno, levantando polvo y arrojándose a la cara unos a otros. Algo rompe la regularidad desesperante: aquí hay un tejar donde se ven masas de ladrillo que humean; allá, una casa solitaria y aburrida, que, si algo demuestra, es el asombro de hallarse donde se halla. Al amparo del tejar vense chozas de adobes y esteras, obras arquitectónicas de que se reirían las golondrinas, los topos y los castores, y al amparo de estas guaridas de puntapié, los especuladores de la basura analizan la recolección de la mañana, hurgando en los montones de trapos, barreduras, papeles, restos mil de lo que diariamente le sobra a una gran ciudad. No lejos de allí juegan algunos chicos medio desnudos, cuyos cuerpos morenos y curtidos se confunden con el terruño. Parece que acaban de salir de una grieta, y que por ella se han de volver a escurrir, graciosos, blasfemantes, mal criados, revelando en su inocencia desvergonzada al ángel y al gitano, en una misma pieza todavía.

Por allí vagan, después de hocicar en los montones arriba citados, perros leprosos que no desdeñan una pantorrilla si se les ofrece, gallinas flacas que por abril o mayo pasean sus manadas de pollos y les enseñan los primeros rudimentos del *modus vivendi*. A trechos se halla alguno que otro charco de agua verde, donde el cielo se mira estupefacto de verse de color de cieno, y las negras caravanas de hormigas cruzan el terreno en todas direcciones, llevándose a rastras lo que merodean en algún campo mal sembrado. Por las mañanas óyese en estas soledades manchegas un cencerreo delicioso: son los rebaños de ovejas que van de Vallehermoso al Abroñigal, y que vuelven al caer de la tarde, salpicando con notas melancólicas el dulce silencio del crepúsculo. También pasan, meditabundas, burras de

leche, que, al despuntar el sol, llaman con su áspera esquila
a la puerta del tísico.

Este paisaje, seco, huraño, esquivo, con cierto ceño
adusto de encrucijada de asesinatos, con no sé qué displicente aspecto de cementerio abandonado: paisaje que, en
vez de llamar, detiene, y con su mirar glacial y amarillo
suspende el paso del viajero e infunde cierto pavor dantesco
en el corazón, es cosa muy distinta cuando llega la noche
y, calmado el viento, se difunde un sosiego misterioso por
toda la esfera y se levanta el indescriptible monumento
de los cielos poblados de estrellas. Es tan alta aquí la
bóveda azul, que el pensamiento y la mirada llegan como
jadeantes hasta ella. No se puede mirar sin contener la
respiración ese firmamento sin igual que se posa sobre esta
gran estepa de Castilla, como la vida espiritual surgiendo
sobre la aridez del ascetismo. Hay tierras que tienen su
paisaje en las lindas praderas y en los bosques y ríos, graciosamente sombreados por un cielo algodonáceo. Madrid
tiene su paisaje arriba, en los inmensos espacios empedrados
de mundos. Desde la casa de León veíase, al anochecer,
la faja luminosa que deja el sol en el horizonte; la hermosa
sencillez y unidad del suelo, que trae al pensamiento los
lugares de Oriente, donde han pasado los hechos grandes
de la Historia; más tarde, la sucesiva aparición de los soles
remotos, como si cada cual fuera a tomar su sitio y se en-
cendiesen poco a poco; la inmensa redondez aparente
del cielo, en cuya curva parece que algunas estrellas suben
animosas y otras bajan cansadas; la extraordinaria vibra-
ción de aquéllas, que crecen y menguan temblando; la
atención profunda de las mayores, que con un rayo solo
de su mirada abarcan toda la inmensidad; la graciosa indecisión de éstas, la adusta serenidad de otras que fulguran
ceñudas; la grandiosa pereza de la Vía Láctea, tendida sin
fin, y abajo, las masas planas de la tierra sin accidentes,
sin ruido, sin alturas, sin árboles, sin agua, imagen yacente
de la Humanidad, que, dormida o muerta, sueña en la
oscuridad de su cerebro con los infinitos esplendores de
arriba.

—María, dame tu mano; quiero salir al jardín para ver el cielo —decía Luis Gonzaga a su hermana.

Finalizaba julio y el calor era sofocante. En el jardín había puesto León un sillón de mimbres para que el enfermo gozara del bello aspecto de la noche hasta la hora en que empezaba a soplar el viento del Guadarrama. Los cuatro formaban grupo. El enfermo apenas hablaba delante de León; pero cuando éste se iba, hablaba con ardor y elocuencia de la belleza del cielo, del gozo que experimentaba con su próxima muerte y de la bondad de Dios. En julio había tenido la enfermedad no pocas alternativas: hubo días en que creyó que Luis se acababa; pero después vinieron otros y aun semanas enteras de tan visible mejoría, que la marquesa llegó a tener alguna esperanza. Los médicos, sin embargo, no permitían que la familia se forjara ilusiones, y decían a León: «Si no hay milagro de Dios, se va para el caer de la hoja.»

Aquella noche —nos referimos a la noche en que dijo las palabras escritas más arriba— parecía mejorado, y sus facciones tomaban tinte extraño de animación y alegría, correspondiendo a esto una verbosidad más rápida y ardiente que de costumbre, excepto cuando León se acercaba. Hallándose todos en el jardín, detúvose un coche en la verja y oyéronse las voces de la marquesa de Rioponce y su hija, que venían a buscar a la de Tellería para llevarla a los Jardines del Retiro. Más de una vez recibiera Milagros la misma invitación; pero se había excusado de aceptar, fundándose en la enfermedad de su hijo.

Verdaderamente no tenía gusto para nada... ¿Cómo podía disfrutar de placer alguno ante el triste espectáculo que en su casa quedaba?... ¡Oh! Sus amigas la perdonarían; sus amigas no insistirían en llevarla a fiestas, y comprenderían que no debía ni podía ir... Había hecho el sacrificio de quedarse en este horno por estar al lado de su hijo... Había hecho el sacrificio de trasladarse a la casa de León, que era un destierro, un verdadero destierro... Su corazón de madre no vacilaba ante ningún sacrificio... Pero ¡ir a espectáculos, presentarse en los Jardines cuando todo el mundo sabía que el pobre Luis seguía padeciendo!...

Verdad es que estaba mejor, mucho mejor; no había más que verle la cara; pero, a pesar de esta mejoría, ella, la infeliz, la atribulada madre, no podía pensar en diversiones ni en música... Y no es que su pobre espíritu no necesitase algún esparcimiento... Bien conocía ella que sí lo necesitaba; ¿y qué solaz más puro que un poco de buena música?... Pero no podía decidirse, no. Hallábase encadenada por su tristeza, y encariñada con ella en tal manera, que no se podía desligar de sus fatales brazos, y, padeciendo como padecía la misma pena la sujetaba con fuerte lazo a la persona de su querido enfermito.

A estas razones, la de Rioponce contestaba con otras; que el pensamiento humano y el lenguaje suministran infinito caudal de razones para todos los casos de la vida. Era evidente, como la luz del día, que Luis Gonzaga estaba mejor, ¿qué mejor?, fuera de peligro... Lo anunciaban su faz animada, sus ojos llenos de serenidad, el desembarazo con que por el jardín paseaba y el tono festivo de su voz pronunciando a menudo palabras alegres... ¡Oh! Sin género de duda, la marquesa podía salir, podía ir al Retiro. ¿Por qué no? ¿No debía ella mirar también por su salud? ¿Era acaso prudente dejarse dominar por una tristeza infundada? Los mismos altos deberes que estaba cumpliendo heroicamente junto a su hijo exigían de ella el cuidado de su propia salud para poder continuar en su gloriosa faena de solicitud y de cariño. Dios no exigía tampoco una abnegación extremada, antihigiénica, y gustaba de que en la corona de espinas del sacrificio se introdujera de vez en cuando alguna florecilla. Este razonar habilidoso y la querencia del festejo que hacía palpitar su corazón matritense decidieron a la pobre Milagros. Pero los inconvenientes surgían a cada instante. Además de que no tenía gana, absolutamente ninguna gana de ir, érale preciso vestirse, para lo cual tendría que ir a su casa.

¡Qué tontería! ¡Si estaba bien, perfectamente bien, así! No necesitaba más. Tenía el singular don de estar siempre bien, y aquella noche, fuerza era confesarlo, se había puesto elegantísima, cual si su corazón presagiara un fausto

suceso. Por último, los ruegos de su hijo la decidieron,
bien a pesar suyo.

—Iré nada más que por darte gusto, hijo mío —dijo
con mucho cariño.

Luis arrancó dos rosas del rosal más cercano y se las
dio a su madre para que se las pusiera en el seno.

—Ya sé que te gusta esta clase de adorno, que es el
más sencillo —le dijo, sonriendo.

—No voy más que por no desairar a Rosa —añadió la
madre— y por complacerte a ti. Yo soy de tu escuela,
querido hijo; obediencia y hacer alguna vez lo que no nos
agrada. Adiós.

—Adiós, mamá.

Poco después, el coche de la de Rioponce se alejaba,
arrastrando a la marquesa hacia aquel resplandor de luces
de gas que iluminaba la neblina formada por el polvo de los
paseos y las evaporaciones caniculares.

20. Un drama viejo, viejísimo

—Mi querida María, ¿estamos solos? —dijo Luis, estrechando contra su pecho las manos de su hermana.

—No —replicó ella con desasosiego, mirando una sombra oscura que avanzaba del otro lado del jardín—: allá
está... Viene.

Después de observar un rato, añadió:

—Pero se ha vuelto; se pasea... Parece que no se atreve
a acercarse..., parece que te tiene miedo, Luis, y, si no
miedo, respeto... Su conciencia no podrá estar serena
delante de ti.

—No seas tonta... ¡Respeto a mí..., a mí, que soy una
miserable criatura...! Además, los hombres como tu marido
no respetan nada ni a nadie. En su interior hará burla de
nosotros.

—Eso sí que no —dijo María con firmeza—. Yo te aseguro que no se burla de nosotros. León es bueno, y si creyera, si creyera. ¡Dios mío!... ¿Ves? Ahora parece que vuelve otra vez; pero se retira.

—Está triste —dijo Luis, observando la sombra que allá lejos vagaba lentamente como alma en pena—. Parece que una gran desgracia le abruma, y, sin embargo, tiene salud, es rico, posee todos los bienes del mundo. Mírame a mí, enfermo, muriéndome, desligado de todo, pobre y olvidado, y, sin embargo, estoy alegre; mi alma siente esta noche una calma dulce y un placer..., no sé cómo decirlo: es como si una mano suave y blanda la levantara en los aires.

Después, acercando el rostro al de su hermana y mirándola a los ojos, le dijo:

—Hermana querida, yo me voy a morir.

—Por Dios, no digas eso, hermano. Si estás mejor, si te curarás...

—No me gusta oír en tu boca los necios consuelos propios de los médicos y de los que carecen de verdadero espíritu cristiano. Yo me muero y estoy alegre de morirme. Esta mañana, cuando oí misa, parecióme que una voz celeste me anunciaba mi próximo fin. Desde entonces nació en mi alma este júbilo que ahora siento. Todos mis pensamientos hoy han sido de gozo y felicitación por el bien que anhelo. He entonado un *Te Deum,* y me he alegrado tanto, tanto, que al fin he temido que este excesivo contento escondiese algo de amor propio y ofendiese a Dios.

—No te morirás, no te morirás —dijo María, acariciándole la cabeza.

—Tu alma, contaminada del mundo, no comprende la deliciosa vida del morir. Entiendes las palabras en ese sentido estúpido que les da el Diccionario y la conversación de los pecadores. Regocíjate por mi muerte, mujer, regocíjate como yo y así aprenderás a desear la tuya. ¡Ay, hermana mía! Un solo sentimiento empaña mi alegría, un solo interés mundano me ata todavía a mi horrible envoltura. ¿Sabes cuál es? Acerca más tu asiento al mío: no puedo alzar la voz.

Los dos sillones de mimbre se tocaron.

—Me aflige el considerar que tu preciosa alma, gemela de la mía, como tu cuerpo, se quedará aquí en peligro de ser contaminada, más contaminada de lo que ya está... Esta idea me perturba en mi última hora, y aunque espero alcanzar mucho del Señor pidiéndole por ti, no estoy tranquilo.

—¡Yo contaminarme!... ¿De qué? Tú no conoces bien mi carácter, ni el heroísmo y constancia con que defiendo mi fe, mi pobre fe pequeñita y humilde, que no es más que un reflejo de la tuya, grande y brillante como el sol. No temas por mí. Ya te dije que no hay peligro; ya te expliqué bien que, amándole como le amo, me mantengo siempre a una distancia infranqueable. El ha querido salvar este abismo. Yo lo he querido también y lo he deseado; pero, después de lo que tú me has dicho, comprendo que es imposible sin un milagro de Dios.

—No milagro, sino un acto especial de su misericordia..., y este acto debes esperarlo. Pídeselo a Dios constantemente, y al mismo tiempo no desatiendas ni un día, ni un instante, la obra querida de tu salvación. Conságrate a salvarte, María; haz de tu vida terrenal un escabel puro y simple para tu subida a los Cielos; cultiva la vida interior, refuérzate con una devoción perenne, ármate de paciencia y corónate de sacrificios, porque tu situación es mala, careces de libertad, te hallas unida, por fatal error de tu juventud, a un hombre que hará esfuerzos colosales por apartarte de la única senda que lleva a la gloria eterna... De modo, hermana queridísima, que tu trabajo ha de ser doble, tus afanes inmensos, sudarás sangre, beberás hiel, sufrirás esos desgarradores martirios internos que hacen más daño que el fuego de una hoguera... ¡Pobre hermanita de mi alma!... ¡Ay!, cuando los padres me mandaron a Madrid tuve gran pena y dije: «¿A qué me mandan a ese lugar de pestilencia? ¿Por qué no me dejan morir en paz aquí?...» Ya me resignaba a obedecer, cuando un pensamiento súbito me iluminó, y pensé así: «De seguro el Señor me envía por ese camino con algún objeto piadoso.» El objeto lo vi pronto..., el objeto era que esta voz, pronta a callar para siempre, perdiendo el son vano del mundo, dijera algunas palabras importantes a un alma bella y candorosa que el Señor tiene por suya. Bien sabe Dios que eres tú lo que más amo en la Tierra; nos criamos juntos, y nuestras inclinaciones, como nuestras caras, se parecían; a los dos nos gustaba la vida espiritual, y en la edad en que todos los niños juegan, nosotros quisimos ser martirizados. Nuestra vida en aquel adusto pueblo de Avila echó el cimiento en que luego cada cual debía edificar su piedad. Mi vocación sacerdotal preservóme al instante del contagio del mundo. Tú caíste, tú te alejaste de la senda de luz y te metiste en la oscuridad, y en la oscuridad, cuando los ojos de tu alma estaban ciegos, te casaste... ¡Y con quién! ¡No vitupero el matrimonio, que es santo también, sino tu elección! Pero los grandes gérmenes de tu alma fructificarán a pesar de todo; sí, fructificarán, hermana mía... Yo, por especial favor de Dios, he venido a morir en tus brazos; he sido mandado para que me veas y me oigas...

—¡Bendígate Dios mil veces! —exclamó María Egipcíaca con efusión—. Yo creí que allá en tu santo retiro no sabías nada de lo que aquí pasaba; yo creí que ignorabas las ideas de mi marido...

—Allá lo sabemos todo. Yo conocía sus obras, sus ideas, su carácter, y tenía noticia de su exterior amable y de sus cualidades relativamente buenas... Sabía los vicios que devoran a nuestra desgraciada familia, vicios de los cuales tú y yo no debemos hacer un secreto. Nuestro pobre padre no vive como un prócer cristiano; nuestra mamá pone atención desmedida en las vanidades del mundo. Leopoldo es un joven disoluto, enfangado en la corrupción, y Gustavo, aunque defiende con brío la causa de Dios, hácelo con cierta ostentación mundana y más bien por orgullo que por el celo religioso. Los cuatro han olvidado que la hermosura, la gloria humana, las riquezas, los honores, el aplauso no sirven al fin para otra cosa que para los gusanos, que todo se lo comen, y que cuantos afanes se pasen por lo que no sea provecho del alma, son en beneficio de los mismos feos gusanos. Sólo tú te me pareces con algún carácter de santidad y virtud que descuella entre esta pesadumbre; pero aun tú, con ser tan superior a los demás, no estás exenta de gran mal y expuesta también a perder tu alma.

Al decir esto se le extinguieron súbitamente las palabras en la garganta como si una mano invisible le hubiera agarrotado.

—Me ahogo —murmuró con sordo gruñido, echando la cabeza atrás—. No puedo...

Apenas podía respirar, y su cuerpo se contrajo con dolorosas ansias.

—León, León —gritó María llena de susto.

—No es nada... No llames —dijo con mucho trabajo Luis, empezando a recobrar el uso de sus gastados pulmones—. Creí que había llegado el momento... No tardará. Dame tu mano; no te separes de mí.

Acercóse León.

—No es nada —le dijo su cuñado—. No hay que asustarse... Creí que me moría; pero no es hora, no; aún tengo algo que decir.

Los tres guardaron profundo silencio.

—Este sitio no es bueno —dijo León—. Ha estado toda la tarde abrasado por el sol, y parece un horno. ¿Quieres que te pongamos al lado del Naciente, donde está un poco más fresco?

—¡Oh! Sí..., es la parte mejor porque no se siente el bullicio de la calle ni ese vaho de ciudad populosa que aturde.

Levantóse y anduvo algunos pasos apoyado en su hermana, mientras León transportaba los dos sillones; pero antes de llegar, el enfermo se encontró súbitamente sin fuerzas, y apoyado en el brazo de María, vacilaba como un ebrio.

—¡León, León, por Dios, ven!

Sostenido entre los dos, el pobre joven ocupó su asiento en el costado oriental del jardín, y podía contemplar desde allí gran extensión de cielo estrellado dominando la estepa.

—Esto me recuerda —dijo el colegial poeta recobrando la respiración— nuestro querido páramo de Avila, aquella imagen admirable del destino del hombre, aquellas noches sublimes formadas de un suelo desierto y de un cielo fulgurante, como si quisiera representarnos un árbol misterioso del cual no se ven sino las raíces y las flores..., lo mismo que aquí, ¿ves? Las raíces, abajo; las flores, arriba; las penas, acá; allá las corolas eternamente abiertas, exhalando el aroma de la dicha sin fin.

Calló. Oíase tan sólo su respiración fatigosa. Miraba al cielo, cual si estuviera contando las estrellas, como hacía en su niñez. María parecía rezar en silencio. León tomó el pulso a su cuñado, le tentó la frente, observóle después largo rato.

—Estoy bien —dijo Luis sin mirarle.

Poco después León se alejaba. Sus pasos hacían sonar la arena del jardín con ese rumorcillo campesino que a veces supera a la más bella música. Cuando la rápida disminución del ruido indicó que el dueño de la casa había doblado el ángulo del jardín, Luis llamó a su hermana.

—María —murmuró, sin mover la cabeza.

—¿Qué?

—Pronto, muy pronto, hermana mía, atravesará mi alma por entre esos ejércitos de estrellas que parecen estar allí para aclamar a las almas que pasan triunfantes... ¡Oh!, ¡qué puro y celestial gozo siento en mi espíritu!... ¡Si yo pudiera comunicarte este gozo, si yo pudiera hacerte comprender cuán hermoso es arrojar este fardo insoportable y volar solo, libre, hacia esa inmensidad iluminada para las eternas fiestas de los justos; volar solo, libre, sin arrojar siquiera una mirada sobre este muladar de mundo...! ¿Ves esa maravillosa arquitectura de luces? Si son tan bellas éstas, que ni siquiera merecen compararse al polvo que huellan los bienaventurados más arriba, ¿cómo serán las que coronan a María Inmaculada, allá dentro, en lo más alto, en lo más hondo, allí donde nuestra mirada no puede llegar?

—Por Dios, hermano querido —dijo María con afán—, no hables mucho, sosiégate..., estás excitado...

—Hermana, yo te hablo como el prisionero que aguarda el instante de su liberación, y tú me respondes con el lenguaje vulgar, estúpido, de los médicos... Desgraciada ilusa, ¿qué me importa a mí la salud del cuerpo? La vida del pobre insecto que pasa y se posa en nuestra cara para picarnos me importa más que la mía. ¿Y cómo quieres que haga caso a esos inútiles cuidados tuyos, cuando sé que mañana...? Sí, hermana querida: mañana, después de oír la santa misa y de recibir al Señor, daré mi adiós a la Tierra... Estoy seguro de ello, me lo dice la misma voz que tantos anuncios certeros me ha hecho en mi vida de meditaciones, y..., no lo dudes..., es una visión..., un anuncio divino... Mañana, mañana.

María estaba absorta, espantada. El rostro de su hermano era como el de un cadáver que recobrase milagrosamente la mirada y la voz.

—Oye de tal modo mis palabras —le dijo Luis, tomando sus manos—, que suenen en tus oídos mientras existas. Son las últimas exhortaciones de tu hermano moribundo y feliz, y si no tienen autoridad por mi persona, tiénenla por mi muerte, porque en todo moribundo hay algo de profeta. María, reconozco que hasta aquí has hecho algo para salvar tu alma; reconozco que has entrado en el buen camino, practicando, además de las devociones que a todos obligan, otras particulares, consagradas a la Santísima Virgen y a los santos; pero eso no basta, hermana mía; eso no es nada, mientras continúes consagrando parte de tu atención a las vanidades y engaños del mundo. Esas devociones que ahora se estilan y que permiten frecuentar los teatros y tertulias, vestirse con insultante lujo, pasear siempre en coche, fomentar la superchería y presunción, son verdaderas comedias de piedad. Reforma completamente tu vida: fuera mundo, fuera galas, fuera pompas, fuera lujoso vestir, fuera refinamientos de comodidades, fuera coches, fuera elegancia y anhelo de parecer bien.

Al decir esto, hacía con la derecha mano el gesto de arrojar las cosas que nombraba.

—Desea parecer mal —añadió con febril elocuencia el arrebatado santo y poeta—; desea que se burlen de ti; desea hasta ser calumniada; desea que te llamen ridícula, insociable; desea el olvido, el desprecio de todo el género humano. No quieras nada de aquí, para tener todo lo de

allá... Juntos nacimos; así como en el vientre de nuestra
madre estuvieron unidos nuestros cuerpos, estén unidas
nuestras almas en la vida inmortal. Seamos gemelos de la
eternidad, hermana querida. ¿Quieres serlo, quieres estar
eternamente unida a mí delante de Dios, quieres que nuestros méritos se confundan en uno y que de las alabanzas
cantadas por tu boca y la mía no resulte más que un solo
himno?

—Sí, sí —exclamó, sollozando, María.

Arrojóse en brazos de su hermano, que, abrasado por la
fiebre, parecía delirar. También el cerebro de la mujer
ardía, encendido al choque de aquel cometa flamígero que
pasaba por ella en lo más crítico de su vida.

—Sí, sí —añadió, regando de ardientes lágrimas el
pecho del enfermo—; quiero volar unida a ti eternamente,
ser tu hermana gemela, y salvarme como tú, y tener el
mismo grado de bienaventuranza que tú tengas.

—Pues bien —dijo Luis entre secas toses—: tenme siempre en tu memoria. Yo me voy; pero te queda mi espíritu,
te quedan mis palabras. Oyeme bien: tu esposo, corrompido
por sus ideas filosóficas y por la negación de Dios, será
siempre un obstáculo terrible a tu santidad. Debes vencer
este obstáculo sin faltar a los deberes que te ha impuesto
el sacramento. ¡Oh!, no es posible imaginar situación más
difícil. Pero creo poder señalarte el verdadero camino.
Entre él y tú no puede haber jamás sino la unión exterior,
y vuestras almas estarán separadas por los abismos que hay
entre el creer y el no creer. Amor verdadero de esposos no
puede existir entre vosotros. Pero tu piedad te impide al
mismo tiempo aborrecerle. Amale, pues, con esa estimación general que merece el perjuro, según la ley de Cristo.
Obedécele en todo lo que no contraríe tus hábitos de piedad. Reconociéndole dueño y señor en todo, no permitas
que tu conciencia católica sea esclava de su arbitrariedad
atea. No le faltes al respeto, no le injuries, y ruega a Dios
por él todos los días, a todas horas, con fervor contrito, sin
olvidar a nuestros padres, a nuestros hermanos, que también merecen intercedamos por ellos... El Señor no te ha
concedido hijos. ¿No ves en esto una maldición echada

sobre tu matrimonio? Es una maldición, sí, y al mismo tiempo, con respecto a ti, un favor especial, porque, haciéndote estéril, el Señor te demuestra bien claro que te quiere para Sí, te demuestra su deseo de que a El te consagres y le honres. Estos dos pobres gemelos tienen mucho que agradecer a la misericordia de Dios.

—Mucho que agradecer —afirmó María, dejándose arrastrar por el torbellino—; pero tú eres un santo, yo una pecadora.

—Tú serás como yo y más que yo, porque padecerás, lucharás, y tu triunfo será por esto más meritorio... No teniendo hijos, puedes consagrarte por completo al cultivo de la vida interior. Rompiendo absolutamente con el mundo, nada puedes temer, y la absoluta disconformidad en ideas que hay entre ti y tu esposo te da la completa libertad interior. Si en cosas de la vida quiere ser tu tirano, sé su esclava; pero si en cosas del alma quiere dominarte, oye sus palabras como oirías el ruido de la lluvia. Si te castiga de obra, sufre en silencio; si te abofetea, pon la otra mejilla; pero si con palabras insidiosas o con cariños diabólicos quisiera introducir en tu mente alguna idea herética, cierra tus oídos, huye de él en espíritu. Aceptando la esclavitud que te imponga, hazte libre en espíritu. Si no te permite ir a la iglesia, no vayas: suple con meditaciones constantes y oraciones solitarias muy fervorosas la falta de culto en la iglesia. Si te permite ir a ella, ve lo más que puedas, y aspira al estado de perfección que te permita recibir la Eucaristía todos los días. Si él no solicita tu compañía, no solicites tú la suya. Si él aspira a estar en todas tus acciones, haz que esté siempre yo presente en tus pensamientos. Interésate por su salvación, pero no olvides ni un instante la tuya. No le exhortes con palabras a convertirse, porque se irritará más su ateísmo, y porque los mejores argumentos serán tus virtudes y tu humildad. Por ningún caso consientas en tomar parte en saraos dentro ni fuera de tu casa, ni tengas amistades de ninguna especie. Ya que no puedes convertir su hogar en un santo asilo, no consientas en él el menor escándalo. Una orgía o tertulia de hombres irreligiosos te autorizará para huir de tu casa. Y si algún día Dios quisiese tocar el corazón de tu infelicísimo esposo e iluminar su inteligencia; si ese hombre confesase la religión verdadera, entonces le propondrás la separación de cuerpo, para que, yendo cada cual a una casa conventual de su sexo, consagren separadamente el resto de esta vida mortal a alcanzar la eterna.

—¡Oh hermano mío! —exclamó María con exaltación—, no puedo creer sino que Dios mismo habla por tu boca.

Luis estrechó en sus brazos la preciosa cabeza de su hermana. Después estiró el flaco cuello, y gimiendo con horrible ansia de aire, parecía que toda la vida se paraba en él. Sus ojos se revolvieron en las órbitas, cerrándose después como si los deslumbrara un resplandor insoportable. De su pecho salía un soplo ronco y seco.

—León, León —gritó, María, llena de pavor.

Pero todo estaba en silencio; no se sentían pasos.

—Luis, Luis... Eso no es nada —añadió la hermana, acercando su rostro al del colegial poeta y procurando reanimarle con palabras.

Después volvió a llamar a su marido. Pero éste no se hallaba en el jardín. No se sentían voces de criados, ni otro rumor que el de la calle, donde jugaban los niños de la vecindad, y algunos ladridos de perros vagabundos que andaban por los tejares. Ni el más leve soplo de aire movía las hojas de los árboles: todo estaba quieto, con no sé qué expresión de ansiedad pavorosa. Hasta las estrellas le parecieron a María atentas y sin fulguración, cual ojos llenos de espanto. Revolvió sus miradas en derredor, y tuvo miedo al verse tan sola con su hermano, que, al parecer, se moría. Volvió a llamar, y al fin sintió los pasos de su marido, que tranquilamente llegaba.

21. Batiéndose con el ángel

El hombre a quien hemos visto casi siempre sombrío
y mudo en presencia de los acontecimientos y de las personas, desempeñando, con el fastidio del actor cansado, un
papel pasivo hasta ahora; este hombre, que no nos ha
revelado aún sino parte muy poco considerable de sus pensamientos, hallábase aquella noche más metido en sí que
de costumbre. Luego que llevó el sillón del enfermo a la
banda de Oriente dio la vuelta en derredor de la casa. Oyó
cuchicheo de criados en la verja, y risa de fregonas y doncellas, que, sentadas tomando el fresco de la calle, recibían
las galanterías de los cocheros del hotel vecino. Incomo-
dábale aquel rumor, y siguió adelante por la calle tortuosa
trazada en el césped. Sentado en un banco del costado
Norte, con los ojos vueltos al cielo, permaneció largo
rato, el codo en el respaldo, la nuca en la palma de la mano,
el cuerpo extendido con pereza y abandono.

Era astrónomo. Buscaba algo que le distrajera de aquel
dolor continuo que no dejaba respiro a su alma. ¿Qué mejor descanso que mirar al inmutable cielo, símbolo majestuoso de nuestro superior destino? El espíritu entristecido lánzase a la inmensidad de aquel mar sin orillas
como a su patria natural, y goza recogiendo las incompren-
sibles distancias y mirando cara a cara los espantosos
tamaños.

Enfrente y arriba, fija, sola, quieta, en apariencia no muy
grande, presidiendo como en un trono el decurso eterno de
las demás estrellas, vio León a la Polar, primera letra del
libro del firmamento. Las dos Osas le hacen la corte: la
pequeña rodando junto a ella; la mayor, arrastrando su
magnífica cola en grandioso círculo. Casiopea, Cefeo, el
Dragón, la enorme Cruz del Cisne, atrajeron sucesivamente

su mirada, y por último, Vega, estrella hermosa, con centelleo melancólico y elocuente. Es tan linda que nos dan ganas de cogerla, y la cogeríamos si tuviéramos un brazo un millón trescientas treinta veces más grande que el brazo que necesitaríamos para encender nuestro cigarro en el Sol. Más hacia Occidente vio el lindo corrillo de estrellas de la Corona Boreal, que parecen darse la mano para danzar en círculo, persiguiendo siempre al hermoso Arcturus, uno de los soles más bellos y más grandes, que fulgura sereno, claro y como sonriente, con vanidad de su propia belleza. Era tarde, y mientras Arcturus declinaba hacia el Ocaso, aparecía por la derecha el Cuadrado de Pegaso, seguido de la infeliz Andrómeda, que se alarga hasta tocar a Perseo; apareció éste con la cabeza de Medusa en su mano, y después de Cabra sola en un ángulo del Cochero, sin compañía ninguna, enojada, brillando con rayos que parecen saetas, mirándonos con entrecejo resplandeciente desde la distancia de ciento setenta billones de leguas. Su atención terrorífica emplea setenta y dos años de camino para llegar hasta nosotros. No lejos de allí vio el gracioso ramillete formado por las llorosas Pléyades, que parecen huir de los cuernos del rojo Aldebarán... León Roch calculaba por la hora el tiempo que tardaría en aparecer el soberbio Orión, la maravilla más grande de los cielos, seguido de Sirio, ante cuya magnificencia palidece toda hermosura sidérea; después recorrió la región zodiacal, buscando la coqueta Antarés, con hermosa cabeza y garras de Escorpión; se detuvo luego a determinar los sitios de las nebulosas más notables; esparció la vista por la Vía Láctea, donde tiende sus alas el Aguila y abre sus brazos la Cruz del Cisne; por un rato se anonadó ante tanta belleza, considerando lo difícil que es para los ojos profanos el considerarla como una polvareda de soles, y por fin..., se cansó de mirar al cielo. Reclamado en el fondo de su alma por cuidados de la Tierra y por una inquietud y presentimiento inexplicables, levantóse del asiento y penetró en la casa.

Pasó de una pieza a otra, y al entrar en el comedor oscuro oyó cuchicheo de voces. Eran las de su mujer y su cuñado, que hablaban en el jardín, a dos pasos de la venta-

na del comedor. Sentóse en una silla. Algunas palabras
pronunciadas entre tos y tos llegaban a él, como el silabear
quejumbroso y suspirón de María cuando rezaba de retahíla.
Acercándose un poco a la ventana, oyó más claramente.
No era de su agrado aquella suerte de espionaje; pero una
fuerza semejante a la querencia lúgubre del crimen le
detuvo allí un rato. Sus aterrados ojos miraban el grupo
del jardín y su rostro palidecía como el de un reo que oye
su sentencia. La misma fuerza de su enojo le alejó al cabo,
llevándole a vagar por la planta baja de la casa, discurriendo
por las habitaciones, cuyas puertas y ventanas estaban
abiertas a causa del calor. Su figura pasaba, reflejándose
de un espejo a otro, y se creería que éstos jugaban con
ella, arrojándosela y recogiéndola. Asustáronse, al sentirle
pasar, los pájaros que estaban dormidos, y las cortinas
se movieron ceremoniosamente como a la entrada de un
gran señor. Al fin dio con su cuerpo en el despacho que
ahora servía de gabinete al pobre enfermo, y se arrojó en
una butaca, dando descanso a su cabeza en las palmas de
las manos. A ratos oíase un murmullo, como si hablara
consigo mismo; a veces un apóstrofe cual si con otro hablara. Después se oyó una risilla de desprecio, de burla, o
más bien de ira, que la ira, cuando es muy reconcentrada,
suele tener erupciones humorísticas, y últimamente deter-
minóse en él un fenómeno cerebral bastante común en
los momentos en que la ira y el dolor se encuentran actuan-
do a sus anchas sobre el individuo a solas, en parajes se-
mioscuros y silenciosos.

Con los ojos cerrados (y esto es lo más extraño), creyó
ver la propia habitación en que estaba, y se sintió a sí
mismo precisamente allí donde en efecto se hallaba. Y vio
enfrente una figura japonesa, negra, rígida, recortada, destacándose sobre el fondo de colores inundados de luz. El
cuerpo mezquino se mantenía sentado tieso, cual si de
sí mismo fuera inquisidor, y el rostro gelatinoso, cadavérico, contraído todo por el hábito de hacer continuamente
los visajes del escrúpulo y de la aflicción mística, elevaba
al techo los ojos de esmeralda o los paseaba con indiferen-

cia estúpida por las paredes pobladas de acuarelas, mapas y estampas, y por el suelo cubierto de fino junco.

León había caído en la somnolencia dolorosa a que llega, después de los primeros paroxismos, una pena profundísima que, no pudiendo salir a la superficie, corre muy honda por los cauces del alma. Alguien más estaba allí. ¿Quiénes eran los que, sentados en derredor, formaban como un cónclave terrible? Eran Arcturus, Aldebarán, Vega, la Cabra, Orión, la coqueta Antarés y el soberano Sirio. En su delirio vio León que él mismo se levantaba, arrebatado de coraje y violencia; que corría derecho hacia el delgado maniquí negro, que sin intimación lo asía en sus brazos, gritando:

—¡Insecto, has venido a robarme mi última esperanza! ¡Muere, pues!...

Y el insecto acogotado le dirigía una mirada de indefinible dolor, gimiendo entre los duros brazos, y su débil armazón se quebraba, crujiendo como una cáscara de nuez que se rompe.

—¿Quién te ha llamado a gobernar el hogar ajeno? —le decía León, ciego de ira y haciéndolo astillas—. ¿Quién te autoriza a quitarme lo que me pertenece?... ¿Quién eres tú?... ¿De dónde has venido con tu horrible orgullo disfrazado de virtud?... ¿De qué te vale el desollarte vivo, si no tienes verdadero espíritu de caridad?...

Y el pobre insecto expiraba con contracciones dolorosas, cerraba los ojos para siempre y parecía que sus ajados labios decían:

«Muero.»

León, poseído de una cólera delirante, le apretaba más, y la víctima menguaba entre sus brazos: ya no era más que un negro manojo de zancas secas, de manos estrujadas y un caparazón roto como el juguete de papel en manos de un niño... Pero de pronto las estrellas prorrumpen en espantosa risa y huyen, buscando cada cual su sitio en el cielo; el desbaratado cuerpecillo se deshace de los brazos asesinos, se transfigura, se engrandece, se torna de humilde en poderoso, de mezquino en fuerte; vésele alzarse y elevar la frente rodeada de luz, extender de su cuerpo negro alas

esplendorosas, alzar del suelo los pies blancos y desnudos
sin un grano de polvo de la tierra, y levantar el brazo
formidable y musculoso, cuya mano empuña una espada
de fuego.

León echa mano al cinto. También él tiene su espada de
fuego y la saca, blandiéndola en el aire con amenazadora
presteza.

—Menguado, ¿crees que te amo?

—¡Atrás, impío!

Y entre los dos, iluminando su bello rostro por el resplandor de las espadas, apareció María, mundanamente
bella, mal veladas sus gracias voluptuosas, los ojos encendidos de amor, la boca fruncida por un mohín de mojigatería.

—¡Colegial, déjamela! ¿No ves que es mía, no ves que
la amo?

—¡Atrás, impío!

. . . .

—¡Oh, qué necia estupidez! —exclamó León, pasándose la mano por su frente, cubierta de sudor frío y des-
echando la obsesión terrible.

Claramente oyó entonces la voz de su mujer, que le
llamaba. Aquel «León, León» sonaba en su cerebro como
una campana tocando a rebato. Levantóse, y lentamente,
sin precipitación, con una parsimonia cruel y en cierto
modo vengativa, se dirigió al jardín.

22. Vencido por el ángel

—No, no es nada —murmuró Luis Gonzaga cuando
vio cerca al marido de su hermana—. Una congoja algo
más fuerte que las demás. Mañana...

León le miró sin tocarle, a dos pasos de distancia,

mudo, sombrío y acordándose de su pasada obsesión, tuvo miedo de sus sentimientos.

«No —dijo para sí—; no es más que antipatía, que se ahogará en lástima, porque este desgraciado se muere.»

Luis tomó la mano de su hermana, y con voz débil, incorrecta, desigual, entre solemne y festiva a causa del súbito calenturón fulminante que le devoraba, le dijo:

—El mayor peligro a que estarás expuesta será que te propondrán transacciones, acomodamientos... Prevente contra este lazo de la impiedad, que es una trampa cubierta de rosas, hija mía. No: entre el creer y el no creer no hay arreglo posible. ¿Concibes tú reconciliación entre el salvarse y el perderse para siempre? No hay término medio entre lo temporal y lo eterno. Huye de los arreglos, no cedas ni un ápice de tu firme y glorioso terreno. No se puede ser religioso a medias. El que deja de serlo por completo, ya no lo es. Nuestro Señor ha querido que esta obra admirable sea tal, que el que de ella quitase la más pequeña parte, al punto queda fuera de ella... Cuida de evitar la pérfida trampa... Es el tema predilecto del siglo, y ha lanzado más almas al Infierno que la misma impiedad... Acuérdate de mí, piensa en mí, tenme presente, no olvides que he venido a salvarte, a llamarte al camino de la verdad y a morir en tus brazos para que mi memoria sea más duradera. Dios nos envió juntos al mundo, y juntos nos quiere ver, alabándole al pie de su trono de gloria. María. María...

—Sosiégate, hermano, sosiégate —dijo María aterrada y llena de angustia.

Luis abrió los ojos con viveza, y mirando a León, dijo con desvarío:

—Me parece que aquí hay alguien. María, ¿no es un hombre lo que veo?

—Es León, es mi marido... Llamemos al instante al médico... ¿No te parece, León?... Los criados, ¿dónde están?

María corrió a llamar; pero su hermano la detuvo, asiéndole fuertemente el brazo.

—No me dejes solo... —murmuró—. Has dicho que tu marido... Dios mío, Dios mío, ¿qué idea es ésta que me turba?... ¿Es escrúpulo pueril, como tantos que me han mortificado, o movimiento de la conciencia? Dime tú, ¿qué es?... ¿Está aquí León?

Marido y mujer callaron.

—¡Qué idea!... ¿Le habré ofendido? No: he dado a mi hermana los consejos que me dictaba la piedad. Dios ha hablado dentro de mí. Dios, Dios... Es escrúpulo; pero aun los escrúpulos deben atenderse. ¡Ah! ¿Está aquí el buen Paoletti?

Sus ojos extraviados se fijaban en aquel momento en León.

—Padre Paoletti, ¿habré ofendido a mi cuñado?

Después, como si hubiera oído una respuesta, añadió:

—Es verdad, no puedo haberle ofendido; y, por si le ofendí, mañana le llamaré a mi lecho de muerte y le pediré perdón. Al mismo tiempo repetiré a María las advertencias.

—Llevémosle adentro —dijo León.

—Llamemos a los criados —murmuró María, balbuciente.

El enfermo apartó los brazos de su hermana cuando se dirigían a acariciarle, y con voz torpe dijo:

—Dejadme aquí... Siéntate a mi lado.

María se sentó. Sus cabezas casi se tocaban.

—Mañana, mañana, cuando haya recibido al Señor en mi humilde morada, le entregaré mi alma... Pero ¡qué frío hace! Está nevando, ¿no es verdad?

Revolvió una mirada atónita por todo el espacio.

—No brillan las estrellas —murmuró con un ronquido—. ¡Oscura noche, precursora del día claro y grande! Mañana, hermana, mañana pediré a todos perdón y me dormiré en el seno del Señor... Si vieras qué bien me encuentro ahora..., qué dulce reposo siento... Pero me da pena... Temo que esta mejoría alargue mi vida... Yo no quiero salud, yo no quiero estar mejor, yo no quiero sino dolores, ansiedad, ahogarme, estremecerme y morir... Este bienestar que ahora... siento...

Su cabeza se fue inclinando lentamente del lado de su hermana, hasta que cayó sobre el hombro de ésta, como si le rompieran las vértebras del cuello. Cerró los ojos; de sus labios salió leve suspiro, y se murió como un pájaro que se duerme.

—Se fue —dijo León examinándole.

María abrazó a su hermano y sostuvo el cuerpo, que pesadamente se inclinaba hacia la tierra, y cuando los criados, acudiendo a las dolorosas voces del ama, trasladaron al muerto a su lecho, María le besó ardientemente, inclinando su cabeza sobre el cuerpo rígido. León, no convencido aún del fallecimiento, acudió a tocarle las sienes, el pulso, a intentar la prueba del espejo. Incorporóse María enérgicamente, y rechazando a su marido con el nervioso gesto, con los ojos llenos de terror y de lágrimas, con la voz apasionada y furibunda, exclamó:

—¡Malvado! ¡No le toques, no le toques!

Parte segunda

1. Si el tiempo lo permite

El cielo estaba en revolución, ni limpio ni oscuro; por un lado, azul y risueño; por otro, ceniciento y torvo. Creeríase que en él iban a dar una gran batalla la cerrazón y la serenidad, pues una y otra se miraban desde contrapuestos horizontes, amenazándose y disputándose palmo a palmo el campo azul. El sol, neutral en esta disputa, alumbraba a ratos la Tierra, y a ratos se escondía, dejándola en glacial penumbra. Sin embargo, el gentío de la Plaza de Toros no temía que descargase el mal tiempo. Era una tarde, como la mayor parte de las de marzo y abril en el suelo madrileño, arisca y ventosa, pero con más amenazas que malicias, más polvo que agua, amagando mucho y no haciendo nada, antes de remojar botas, atendiendo a levantar faldas y arrebatar sombreros.

La Plaza estaba llena y triste. Excepto en cortos ratos, toda ella era sombra. Más triste que nunca era entonces la alta armazón de hierro pintado de color de plomo, arquitectura industrial que no se acomoda bien con el carácter desordenado y chillón, embriagador y maleante de la fiesta española. La uniformidad de los trajes que crece de día en

145

día, con perjuicio de la estética, daría al público el aspecto de una congregación de personas sensatas, reunidas en patriótico mitin, si no trastornaran el cuadro las voces, que ora son murmullo impaciente, ora roncos bramidos de pasión, ira, deleite, frenesí, hórrida música de aquella ópera sangrienta cuya letra o drama está en el redondel.

Los pañuelos de crespón van siendo cada vez más raros: con todo, algunas manchas rojas y amarillas mariposeaban aquel día sobre la gran mancha oscura del público, y los abanicos animaban con su constante aleteo las largas filas de hombres y mujeres. Los tendidos de sombra y especialmente el célebre número 2, centro de muchachos alegres y bulliciosos estudiantes, presentaba un gentío espeso, con alineación apretada como la de los granos de una mazorca. Más claros los de sol, daban cabida a los inquietos grupos de la gente jornalera, a los paletos, a un centenar de gandules cuyas maneras y traje parecen la exageración más grotesca de la caricatura del torero, a infelices artesanos que van a buscar en aquella orgía de impresiones fuertes un descanso a la insulsez metódica del trabajo. La esclarecida sociedad de los mataderos, de las carnicerías, de las fábricas de curtidos, los industriales del Rastro y los mercaderes de la Cebada, hervían allí como potaje en el fuego, y su murmullo, unido al cascado son de un cencerro, daba la impresión de andar por allí un animal que relinchaba coceando. Como el chisporroteo de la fritanga de sangre que está puesta a la lumbre y bulle y apesta, así salía de allí un lenguaje germanesco y nauseabundo. Lanzaba su ronca imprecación la lucha, que, insolente y procaz, se abría paso entre el gentío, dejando atrás un olor complejo de almizcle y cebolla, y el zafio ganapán a quien Naturaleza dio el empleo de lavar tripas de cerdo, porque no sirve ni servirá para otra cosa, hacía de su mano un caracol, lo ponía en la fiera boca, y por él arrojaba, con el vaho del aguardiente, un chorretazo de injurias a la Presidencia, donde, sin duda, estaba algún edil de la capital de España, el Gobernador o quizá el presidente del Consejo.

La delantera de gradas ofrecía un espectáculo mejor. Allí había no pocas mantillas blancas prendidas en hermosas cabezas, donde lucían, tan propiamente cual si en ellas hubieran nacido, rosas y camelias, quier blancas como leche, quier como sangre rojas. Las entretenidas, con su aire especial, característico, y que parece un aire de familia, su lujo chillón y su belleza comúnmente provocativa, ocupaban buena porción de la vasta hilera, codeándose aquí y allí con otras hembras de virtud no ya dudosa, sino completamente juzgada. Había caras de peregrina belleza, otras que querían fingirla de impropia manera con aplicaciones de blanquete, carmín y corcho quemado. Honradas familias de la clase media se mostraban también allí, en doméstica fila que empezaba por el padre (comerciante, bolsista incipiente, jefe de negociado, contratista de tocino para los Asilos de Beneficencia, comandante de Infantería, magistrado cesante, barítono de zarzuela, agente de exhortos, habilitado de Clases pasivas, notario, profesor de piano; en fin, lo que se quiera hacer de él), y acababa con el más pequeño de los niños, alumno de San Antón, y de trecho en trecho se observaba la figura nacional de la chula rica, guapa hembra, vistosa, generalmente gorda y con cierta hinchazón de matrona romana unida a la desenvoltura de la maja castiza; orgullosa de sus ojos negros y de sus anillos, que aprietan la carne enchorizada de sus dedos; esparciendo a un lado y otro miradas altivas; queriendo dar a entender que es muy señora, que tiene mucho dinero, que su prendería de ricos muebles, o su carnicería o su casa de préstamos son un segundo Banco Nacional, y que mientras ella viva no pasará necesidades éste o el otro de aquellos feos circenses que están abajo, ya de verde y oro, ya de amaranto y plata, con los bárbaros trastos en la mano y el corazón ardiendo en heroísmo. Hay en la fofa gordura de estas mujeres y en su aspecto de hartazgo, en su mirada altiva y a veces cínica, mayormente si son tratantes en ganadería humana, un no sé qué de la depravada estampa de Vitelio, Otón o Heliogábalo; sólo que suelen perder el color al oír el *morituri te salutant*.

Tras de la delantera, cuatro grandes filas de gente modesta, dominando el género entretenido al género honrado. Mujeres equívocas, personas sencillas, feas, bonitas o insignificantes, llenaban la grada en la región de sombra. En los palcos de arriba había también mantillas blancas, algunas sobre caducas cabezas, otras en lindísimos tipos de juventud y elegancia; claveles llenos de rubor, jazmines salpicados sobre pelo, ojos negros y azules, rosas blancas, pestañas como mariposas, labios rosados, un morir voluble como el cabeceo de las florecillas agitadas por el viento, sonrisas que enseñaban dientes de marfil, y el imprescindible abaniqueo, lenguaje mudo, charla de mil colores, que es embeleso mareante en las grandes reuniones de gente española, lo mismo en los palcos de un teatro que en los balcones de las calles, cuando hay procesión o parada, cuando entra un rey o sale a relucir una Constitución nueva. Veíanse caras ajadas que a la legua revelaban el empeño de no querer parecerlo; otras fresquísimas que se escondían tras el abanico al empezar la nauseabunda suerte de varas; mucho lujo, una atmósfera de elegancia que se creería emanaba del modo de vestir, del modo de mirar, del modo especial de ser bonita o de no serlo, y que se extendía a todos los objetos, compañeros o accesorios de semejante gente, desde la flor hasta el blanquete, desde la guedeja rubia que el aire hacía temblar sobre la sien, hasta el medallón atento a las palpitaciones del seno, y el guante cuyas costuras reventaban con el aplaudir de las manecitas.

En los palcos abundaban los grupos de hombres solos, todos de negro, con los codos en la barandilla, el sombrero encasquetado; nada de resabios manolescos en el vestir, pero sí un lenguaje entre parlamentario y chulesco, do aparecían revueltas, como berzas y flores en una cesta de compra, las frases de discurso, los conceptos agudos y las *voquibles* que tienen el picor de la cantárida y la sonoridad del escupitajo. Era un lenguaje fútil y escéptico como el de quien no cree ya ni en los toros, y con la puntería de gemelos atisbando arriba y abajo, a la corrida y a las damas, coincidían comentarios brutales sobre algunas de éstas. Virtud y volapiés se confundían en una sola crítica, y llegaban juntamente al oído, como el oro y el cobre entrando juntos por la hendidura de un cepillo. Una misma boca expelía juicios técnicos sobre la brega y casi con las mismas palabras descabellaba a una familia.

Allí había hombres que en los días feriados se ocupaban en hacernos leyes, y otros que diariamente nos surten de decretos y reglamentos; aristócratas empobrecidos, plebeyos llenos de dinero, ricos primogénitos de provincias, toreros recogidos, viejos bien conservados, algún extranjero curioso. Pero lo más florido de la juventud adinerada campaba en las localidades de barrera, sitio predilecto del *dilettantismo,* donde tiene su asiento un ilustre senado de señores cuyos nombres engalanan las páginas de la historia patria, de jóvenes a quienes no falta cultura ni aun talento, de periodistas que suelen mojar su pluma en la sangre abrasada del toro para escribir una especie de prosa impregnada, como la atmósfera del tendido de sol, de un heterogéneo tufillo de ajos crudos, almizcle y aguardiente.

Estaba en el circo *Sacristán,* arrogante bestia de Aleas, berrendo en negro, bien armado, de muchos pies, querencioso. Al clamor olímpico que acogió la fiereza de su primera embestida al caballo, unióse bien pronto un susurro de descontento, y todas las miradas, ¡cosa inaudita!, se apartaron del redondel, por cuya arena ensangrentada un espectro de caballo paseaba sus tripas, como la cometa sin aire pasea su rabo antes de caer en la tierra... Siguió adelante la suerte, y las gotas seguían cayendo; pero, al fin, cuando *Higadillos,* vestido de grana y oro, los trastos en la acerada mano, brindaba delante de la Presidencia, vióse un movimiento general, una gran agitación del público. Levantábase la gente; aquí gritaban, allá gruñían, y en los tendidos oscilaban las cabezas y se entrecruzaban los brazos y zancajeaban las piernas. ¡Paso, paso, dispersión general! Horrible trueno retumbó en los aires, y al mismo tiempo, cual si se abriera una catarata en las negras nubes suspendidas sobre la Plaza, empezó a caer agua, pero ¡qué agua!... Una lluvia gorda, torrencial, formidable, que azotaba con tremendos latigazos.

Espantoso fue el desorden, y la ira y el buen humor lanzaron de consuno imprecaciones y agudezas. En los tendidos, el más fuerte se abría paso a codazos y el más

ligero saltaba sobre el obeso, y la mujer pedía auxilio, y el
chico berreaba, y la cabeza de la chula parecía esponja, y
la gorra del hombre cabeza de tritón. Abriéronse aquí y allí
algunos paraguas que chocaban unos contra otros, engan-
chándose con sus uñas de murciélago.

En el redondel, los toreros, mojados, seguían lidiando,
y el animal, acobardado y huido, no estaba de humor de
bromas. El agua quería lavar y no dejar huella de sangre. Los caballos moribundos aspiraban con anhelo el aire
húmedo que refrescaba su agonía. Era imposible seguir la
corrida: llovían banderillas de agua; apenas se veía de un
lado a otro de la Plaza. Sonó de pronto el cencerro de los
pacíficos cabestros, y *Sacristán*, siguiéndolos, se fue al corral.

El público, huyendo del agua como se huye de un incendio, se aglomeró en los pasillos, que no podían conte-
nerlo, a pesar del gran desahogo del monumental circo.
Las escaleras estaban obstruidas. Como nadie se atrevía
a salir mientras la lluvia no cediera, la enorme crujía
circular era un gran barril de sardinas mojadas. No cabía
ni una cabeza más. Las mujeres sacudían sus mantones, y
los hombres maldecían a las nubes, y otros pedían su dinero.
¡Qué gritos, qué risas, qué agudezas, qué patadas, qué
sacudir de sombreros chorreando agua, qué de estornudos
y escalofríos!

Algunos jóvenes abonados a barrera trataban de abrirse
calle a codazo limpio para ganar la escalera y subir a los
palcos.

—Vamos arriba —decía uno de ellos—. Creo que está
León. Nos cederá su coche, y que se vaya con el Ministro.

—Y si él no está nos iremos en el coche de la de Fúcar...
Anda, Polito, ¿por qué te quedas atrás?

—¡Cascarones! Aguarda... ¿No ves que me ahogo? Si
estoy como una sopa... Déjame que tome una pastilla de
brea... ¡Qué *plancha*! ¡Qué corrida!

A duras penas, molestando a muchos y oyendo quejas,
lograron subir a los palcos. También arriba era grande el
jaleo, porque, como la dirección oblicua de la lluvia inun-
daba la mitad de los palcos de la Plaza, la gente de éstos
buscaba abrigo en el corredor.

—Allí está León. ¡Eh, León! —dijo Polito, acercándose
a un grupo donde había diputados y algún ministro—.
¿Nos cedes tu coche?

—Sí... Tomadlo..., no me hace falta.

—¡Bravísimo! *¡Chúpate ésa!* Ya tenemos coche... Abur.
Y entre los hombres se veían señoras en parejas, en
grupos, en bandadas, que esperaban el buen tiempo para
tornar a sus carretelas. Allí todo era buen humor, risotadas, observaciones agudas, porque semejante público, si
asiste con gozo a las corridas, no se enoja por una suspensión
que tanto contraría a los de abajo. Lo imprevisto les seduce más que lo anunciado, y siempre harto de goces,
anhela los cambios bruscos y las situaciones raras. Además,
la lluvia no es cosa insoportable para quien tiene coche.

—¡Cómo estará esa pobre gente de los tendidos! —dijo
una dama que en compañía de otra y de un señor mayor
salía de su palco—. Tienen razón al pedir que se les devuelva el dinero. Han pagado asiento para ver la corrida
y no para mojarse. Sin embargo, como es función de
Beneficencia...

Detuviéronse luego las dos damas para contestar a los
saludos de tanta y tanta gente conocida.

—¡Qué chasco!... ¡Qué corrida!... Es delicioso... ¿Y usted se va? Pues qué, ¿se ha mojado usted?... Piden que les
devuelvan el dinero... ¡Cuánto se habrá alegrado *Higadillos,*
que estaba muerto de miedo!... Parece que ya afloja... Pero
la Plaza está inundada... Yo me voy...

La dama que quería irse tocó ligeramente el brazo de
un caballero que estaba en el grupo de los hombres de
pro, mucho banquero, mucho diputado, algún ministro.

—¿Vienes a comer?

—Iré —replicó León—. Pero ¿ya?... He quemado mis
naves... Me he quedado sin coche.

—Ven con nosotras —dijo la dama, tomando el brazo
que le ofrecía León—. Yo no tengo paciencia para esperar más.

—Llueve mucho... Será preciso esperar a la puerta, y el
turno de los coches será largo.

—No importa. Vámonos.

La otra dama los seguía, tomando el brazo del galán viejo.

—Yo te hacía en Suertebella. Como me dijiste que no venías hasta la semana que entra...

—He venido esta tarde, porque me escribió papá anunciándome su llegada con un banquero francés, y es preciso disponer algunas cosas en la casa.

—Cuando te vi en el palco pensé ir a saludarte y a preguntarte si has tenido noticias de Federico.

—¿Yo? —dijo la dama con sorpresa y disgusto—. A mí no me escribe ni puede escribirme. Por sus primos sé que pensaba salir de Cuba para ir... qué sé yo adónde... ¡Oh!, no irá a buena parte.

—Y tu niña, ¿cómo está?

—No he querido traerla..., la he dejado allá..., ¡alma mía!, no anda bien, hace días que está delicadilla... ¿Cuándo vas a verla? ¡Cuánto deseo volverme allá! No puedo estar separada de ella... No estaría yo aquí hoy, si papá no me hubiera hecho este encargo fastidioso. Vamos a tener en casa una especie de asamblea de banqueros... Ya sabes tú... Es para eso del empréstito nacional. Don Joaquín Onésimo te lo explicará...; pero más vale que no le digas nada —aquí bajó la voz para que no la oyese el galán viejo, que dando el brazo a la otra dama, los seguía de cerca—, más vale que no le digas nada, porque nos mareará hablando de la Deuda pública, de la materia imponible y de la amortización de bonos. Ese hombre es un Diluvio administrativo. Papá me ha encargado que le obsequie mucho. Esta noche comeremos los cuatro solos..., casi en familia. No quiero ruido. Acostumbrada a vivir en Suertebella con mi hija, la Sociedad me fastidia y me pone mala.

Con gran trabajo abriéronse camino las dos parejas. La multitud mojada que esperaba la conclusión del llover no gusta de abrir paso a los afortunados que van en busca de su coche.

—Permitan, señores... ¿Hace usted el favor...?

Cada súplica de éstas les permitía avanzar unos cuantos pasos. Una vez en el ancho atrio mudéjar de la Plaza, respiraron como el que concluye un largo y molesto viaje.

Allí muchas personas impacientes veían el gotear incesante de los ladrillos del alero y alargaban la mano para ver si disminuía el temporal. Unos se arriesgaban con paraguas, otros corrían a los ómnibus. Los coches de lujo aguardaban a sus amos. El de Pepa tomó a las dos señoras y a los dos caballeros, y rodó salpicando barro por la ancha calzada que empalma con la carretera de Aragón. Poco después entraba en el jardín del palacio de Fúcar y en seguida en el vestíbulo cubierto. Era un gran recinto con columnas de escayola y dos enormes candelabros vestidos con fundas, que más que candelabros parecían frailes cartujos. Dejando a un lado la gran escalera de honor, larga y oscura, los señores entraron en las magníficas habitaciones del piso bajo, que eran las destinadas a la vida. Lo alto, es decir, lo más ventilado, lo más alegre, lo más claro, lo más suntuoso y rico, pertenecía al público de las grandes recepciones. Así lo manda la vanidad, gobernadora de la higiene.

2. Memorias. — Tristezas

Aquella noche sólo se sentaron a la mesa, como Pepa dijo, cuatro personas. Gozosa de verse entre amigos, que además de ser buenos eran pocos, la hija del millonario demostró graciosa y discretamente su alegría durante el curso de la comida. Más tarde las dos parejas pasaron a las salas hermosas de aquella parte del palacio donde tenían su asiento las reuniones de confianza. Allí había juntado Pepa a las raras maravillas de arte mil cachivaches de exportación francesa, aliando lo magnífico con lo bonito y lo bello con lo nuevo, tan bien dispuesto todo para mover a sorpresa o a gozo, que no lo presentara mejor el mismo palacio del capricho. La tertulia en cuarteto se prolongó hasta la hora en que la condesa de Vera se despidió para irse al Teatro Real, adonde quiso acompañarla don Joaquín Onésimo. Los otros dos se quedaron solos.

Sentados en un diván rojo al pie de un cuadrito de
género, que representaba inmundo muladar poblado de
borricos y sucios gitanos —la moda ensalza hoy grande-
mente y compra a peso de oro esta casta de pinturas—, no
lejos de un tibor japonés, que tenía por escabel pesada
trípode de cabezas de elefante y por corona las hojas
peludas de una begonia, estaban Pepa y León Roch. Ella
muy comunicativa; él, cabizbajo y mudo.

—Lo que yo había previsto sucedió —decía Pepa—.
Federico, lejos de enmendarse en La Habana, fue de mal
en peor. Bien se lo decía yo a papá. Si aquí le comprometió
en negocios disparatados y de mala fe, allá, donde parece
que la distancia hace peores a los hombres... Me da vergüenza decirlo: no me puedo acostumbrar a la idea de que
el autor de ciertas fechorías sea mi marido. En La Habana
le fue preciso esconderse y huir, porque los corresponsales
de mi padre quisieron meterle en la cárcel... Cuando pienso
que una locura o necedad mía, una ceguera inexplicable, una
cosa que no tiene nombre, ha traído a mi casa tanta ignominia... Todas las malas mañas de mi marido se derivan del
infame, del maldito hábito del juego...,; pero ¿quién
podría luchar con aquello que está en su sangre, en lo más
profundo de su alma?... ¡Ay! —añadió después de una pausa, llevándose la mano a los ojos—, te aseguro que he
pasado horas de angustia horrible y me he visto en grandes
conflictos, porque tenía que ocultar a papá ciertas cosas y
al mismo tiempo me precisaba contar con él para salir de
las situaciones apremiantes en que Federico me ponía
cuando sus pérdidas eran atroces... En fin, se ha padecido,
se ha padecido bastante, señor de Roch. No creo que los
corazones sean de fibra y carne y sangre, como dicen los
médicos; creo que son de granito y bronce y que jamás
pueden romperse, puesto que el mío no se ha roto. Tantas
lágrimas han salido de aquí —volvió a llevar la mano a sus
ojos chiquitos—, que pienso no tener más para cuando
vuelva a ser desgraciada... ¿No se habían de acabar las
rarezas y los antojos mimosos de aquellos tiempos? La
realidad amansa..., vivir es aprender... ¡Dios mío, qué cara
me has hecho pagar la formalidad!... Se ha padecido, se ha

sufrido mucho, León. Este palacio tan alegre para los demás, está lleno para mí de tristeza. No hay en él un objeto que no tenga en sí, como estampado, un gemido mío. No hay un sitio en que no pueda decir: «Aquí lloré tal día; aquí pensé morirme de dolor.» Y si fuera a contarte todo... ¡Ah!, no acabaría nunca.

Pepa indicó con lentas ondulaciones de su mano derecha la inmensidad de cosas que podría contar a su amigo, si quisiera ser indiscreta.

—Pues cuéntamelo todo. ¿No sé ya lo más negro, no sé lo verdaderamente incomprensible, que fue tu casamiento con ese bergante de Cimarra? Que tú, enferma de la imaginación y dañada de atrofia moral, aun siendo buena, cayeras en ese error inmenso, se comprende; pero que consintiera en ello tu padre... Verdad es que cuando subió al poder el partido *verdinegro* y me hicieron a Federico gobernador de provincia, mi hombre se corrigió y parecía regenerado. Era todo lo que se llama un hombre de importancia. Luego ocupó un alto puesto en el Ministerio de Hacienda... Nadie conocía a Federico en aquel funcionario riguroso, puntual, casi catoniano. Era tal su afán de parecer hombre sesudo y de peso, que hacía reír. Yo creo que tu padre se dejó alucinar por aquella máscara... Además, el amigo Fúcar tendría negocios en Hacienda por aquellos días... Oí hablar de un empréstito sobre la sal, de la incautación de salinas... En fin, Pepa, la verdadera incauta fuiste tú, cayendo en poder de ese bandido. Tus desgracias sucesivas no me sorprendieron. ¡Cuánto te compadecí! Cuando tú te casaste, yo era feliz todavía. Después... En resumen, yo conozco lo peor de tu triste historia. Si algo ignoro, no tengas reparo en contármelo.

Pepa se echó a reír. Dirigiéndose luego a su amigo con ademán de maestro que va a echar una reprimenda, le dijo:

—Pero me hace gracia tu frescura... Siempre estás «cuenta, cuenta, cuenta», y tú no me cuentas nada. Y no es porque falten en tu casa magníficos capítulos, y grandes dramas y hasta poemas, sino porque eres un guardador de secretos que no tiene igual. Ya sabes tú tragar, tragar amarguras sin que lo sepa nadie..., pero yo estoy muy

enterada de lo que pasa en tu familia: sé que María y tú
no os veis más que en la mesa, y eso no todos los días. ¡Oh!,
si tú eres discreto, tu suegra no lo es; responde a todo lo
que le preguntan... ¿Y Polito? Ese dice lo que hay y también lo que no hay.

León suspiró. Conteniendo la risa, o dicho más propiamente, ocultándola con su abanico, Pepa dijo a su
amigo:

—Tienes una familia deliciosa.

Después estuvieron los dos largo rato sin decir nada,
contemplando las pintadas flores de la alfombra. En el
palacio solitario y sin ruido alguno, había una atmósfera
de tristeza y como de somnolencia que convidaba a la
meditación. Pepa se levantó, dando algunos pasos por la
estancia, como quien busca la fórmula de algo muy importante que en la mente bulle y hormiguea queriendo ser
dicho. Ya sabe el lector que no era guapa; ¿para qué hemos de repetir esto, que por lo desagradable cae dentro de
los dominios del silencio? Pero no hay cosa mala que no
tenga algo bueno, ni mujer que no tenga algo bonito.
Además, Pepa no carecía de encantos, y para algunos tenía-
los en grado eminente; sus ojos eran de buen efecto, re-
sultando éste de la pequeñez combinada con la viveza y
con cierta expresión sentimental y cariñosa. Lo más característico en ella era el pelo rojo y abundante y la tez blanca
y clorótica, que la hacía parecer una imagen de alabastro
y oro. Delgada y un poco huesuda, atenuábase este defecto
con la buena proporción de miembros y con su encantadora ligereza de andares. Bajo su volubilidad de lenguaje
se escondía la gravedad de su pensamiento. No parecía
orgullosa, y sus maneras, algo rebeldes a la etiqueta, tenían no sé qué lenguaje de franqueza muy propicia a la
amistad. En sus caprichos y excentricidades había variado
tanto desde que la vimos en los baños de Iturburúa, que
casi no parecía la misma. Ese gran domador que se llama
la desgracia había blandido mucho su látigo sobre ella, y
de tantas fierezas apenas quedaban pasajeros resabios.

Después volvió a su asiento, y durante algunos instantes
observó con atención respetuosa la fisonomía inteligente

y melancólica del hombre que había sido su amigo de la infancia. León estaba profundamente abstraído, como un matemático que busca en insondable mar de cálculos.

—¿En qué piensas? —le dijo Pepa interpelándole repentinamente.

Necesitaríamos tres capítulos para decir lo que pensaba León en aquel instante.

—En nada —repuso con afectada indiferencia—: en miserias y farsas del mundo.

—No puedes arrancar de la memoria a tu querida mamá política —dijo Pepa riendo—. ¿No vas a sus reuniones? Las ha empezado con gran lujo al llegar la época de alivio por la muerte de Luis Gonzaga, ocurrida siete meses ha, si no me engaño. Tengo presentes las principales fechas de tu familia. No creas..., van adquiriendo fama esas reuniones.

—Ya lo creo..., adquirirán fama.

—Me dijo el conde de Vera que anteanoche les dio de cenar admirablemente... ¿Qué pensabas tú, que tus suegros no habían de dejar bien puesto el pabellón de Tellería?... Ya ves..., hay familias que no saben qué hacer del dinero...

Los dos rompieron a reír. Pasando bruscamente de la risa a la pena, León dijo:

—Deja ese tema, que me hace daño.

—Tu suegra ha encontrado la piedra filosofal —añadió Pepa, inexorable—. Debes estar orgulloso de tener en tu familia una doctora tan consumada en eso que Valera llama la Crematística... Por cierto que he sabido..., por los criados se saben cosas muy saladas..., ellos se cuentan todo unos a otros... ¡Oh!, un detalle graciosísimo. ¿Te lo cuento?

—No, por favor.

—Vamos, que te lo cuento.

—Lo adivino..., que el día de la gran cena no tenían qué comer..., que hubo un escándalo en la casa porque llegó cualquier abastecedor o confitero con una cuenta de veinte o treinta duros... Todo eso me es conocido,... es el entremés de todos los días.

—Pero no sabrás los escándalos de la de San Salomó

con Gustavo en la misma casa de tus padres políticos. Me ha dicho Vera que se les ve siempre solos en un ángulo del salón, charla que charla con mimo y secreteo, con una imprudencia, con un descaro... Así lo dicen... Quizá sea calumnia. ¡Se miente tanto!...

—¡Tanto!

—¿Y qué has oído del poeta? —añadió la de Fúcar con sagaz malicia—. ¿El marqués no te ha hablado de él? Este inspirado vate, cuyos versos no hablan más que de *cándidas palomas*, de *iris de paz de la familia cristiana*, de *la cumbre del Sinaí* o de *Siná*, de *las vírgenes del Señor*, de *ansias pías*, de *azul empíreo*, del *querub tartáreo*, de *arroyos parleros* y de *la alma virtud*; este egregio poeta cristiano tiene por *Beatrice* a tu adorada suegra.

Pepa no podía contener la risa.

—Ella es la que le inspira esas cosas tan divinas, tan evangélicas, tan por lo metafísico que escribe... A mí me carga lo que no puedes figurarte. Es un tipo. Leer sus versos y después hablar con él, es como caer desde las nubes al fondo de un pozo de cieno. No hay sólo dramas en tu familia, hay también sainetes.

—Por Dios, Pepa, no me martirices —dijo León mostrando deseos de marcharse—. Ya sabes que no puedo acostumbrarme a ciertas cosas que otros ven con indiferencia cuando no pasan en su propia casa. No pasan en la mía, pero sí en la de personas que al nombrarme me llaman hijo. Esto me abruma... Yo no puedo vivir aquí. Decididamente me voy, me voy.

—¿Adónde?

—A cualquier parte. Sólo me falta un pretexto; lo buscaré. Ya sé que mi destino es vivir solo, sin familia..., yo no puedo tener familia... Pues bien, viviré solo: no hay cosa mejor que la soledad...

—¿Te vas fuera de España? —preguntó Pepa, dominando su emoción.

—No sé aún...

—¿Nada te llama aquí?...

—No, no saldré de España. Parece que después de lo

que ocurre en mi casa y de la soledad en que vivo, nada
debiera interesarme, y sin embargo, basta que me considere ausente de Madrid para sentirme lastimado. Tengo
amigos...

—Voy a proponerte un hermoso retiro —dijo Pepa con
agitación—. ¿Sabes que junto a Suertebella, casi tocando a
Carabanchel Alto, se alquila una casa preciosa?

—Junto a Suertebella... —murmuró León, gozando mentalmente con esta idea—. Lo pensaré; veré la casa.

—Allí puedes dedicarte al estudio. Nadie te molestará...
Es tan bonito aquello..., ahora que están crecidos y verdes
los trigos... ¡Si vieras cuántas amapolas...! Se ve nuestro
parque, el de Vista-Alegre, y después llanadas preciosas,
por donde vienen a veces las ovejas... La casa está bañada
de sol y luz... Si vieras qué alegre..., y luego tan chiquitita,
tan proporcionada para una sola persona... ¡Qué magnífica
sala para estudiar, para andar a bofetadas con los libros y
entretenerte con papeles, con apuntes, con números...
y para clavar alfileres a los pobres insectos!... ¡Qué bien
estarás allí! Los amos de la casa son personas discretas,
pacíficas, honradas..., y luego hay un silencio, un silencio,·
una paz...

Pepa cruzaba las manos y las apretaba mucho para expresar la intensidad de aquel silencio, de aquella paz.

—No te darán muy bien de comer; pero tú no eres gas-
trónomo. El día en que quieras comer bien, irás a casa.
No tienes más que bajar a la corraliza, abrir una puerta...,
dos pasos...

—¡Dos pasos! —dijo León, algo extático con aquella
acabada pintura.

—Dos pasos, y estarás en la vaquería y después en el
jardinillo donde juega Monina.

—¿Dónde juega Monina?

Los dos estaban muy cerca uno de otro, y con la viveza
de los ademanes, correspondiente a la animación del diálogo, sus manos daban a veces una con otra, como los
pájaros que revolotean enamorándose.

—Monina quizá te haga algún ruido mientras estudias;
pero tú la perdonarás, ¿no es verdad?

Al decir esto, Pepa pestañeaba mucho para evitar que se le saliese de los ojos una lágrima.

—Sí, se lo perdonaré... ¡Oh!, Pepa, te juro que tengo unas ganas de comérmela a besos...

—Hace quince días que no la ves, bandido.

—Mañana voy a verla —afirmó León, y de su semblante irradiaba el gozo, como antes la fúnebre tristeza.

—Mañana... ¿De modo que te espero? —dijo Pepa, dejando que se inclinara suave y maquinalmente su cuerpo a medida que su codo se hundía en el cojín.

—Sí, espérame... ¿Dices que está delicada tu niña? —preguntó León algo inquieto.

Pepa iba a contestar, cuando entró apresuradamente un criado que acababa de llegar cansado y jadeante de Suertebella. Pepa le miró con terror. ¿Qué sucedía? Una cosa muy sencilla. Que la niña se había puesto repentinamente mala, muy malita.

—¡Dios mío! —exclamó la de Fúcar, saltando de su asiento—. Y yo aquí tan descuidada... Corro al instante..., el coche... Lola, mi abrigo... Lola, vamos... Pero ¿qué es?..., ¿qué ha tenido?..., ¿tos seca?..., ¿ahogo?... ¿Se ha caído?... ¿Se ha enfriado?... ¿Se ha mojado en el parque?... ¡Pobre alma mía! Un médico..., hay que avisar a Moreno sin tardanza.

—Yo me encargo de eso... Vete tú al instante —dijo León, no menos agitado que ella—. Será un aire, quizá el...

Y luego añadió con severidad:

—Ya he dicho una y mil veces que hay que tener mucho cuidado..., los criados dan a los niños cuanto se les antoja... Quién sabe si la habrán sacado sin abrigo al jardín... Vete pronto, corre, no te detengas..., yo haré que vaya en seguida Moreno Rubio. Irá en mi coche... a escape... Quizá no sea nada...

Pepa salió y León corrió a casa del médico. No conviene pasar adelante sin declarar que entraba en el palacio de Fúcar como amigo del marqués, como amigo también leal y verdadero y honesto de Pepa. No frecuentaba sólo aquella casa: frecuentaba otras muchas, llevado por su anhelo de buscar distracción en el ameno trato social y en las amistades honradas. Pero en aquel palacio eran más largas desde algún tiempo sus visitas. ¿Por qué? Alguien habrá que conteste torpe y soezmente a esta pregunta; pero no acertará el que tal responda. En León había nacido, sin que él le diera importancia, un sentimiento excelso, divino, de intachable pureza, cuya explicación se verá más adelante.

3. María Egipcíaca se viste de pardo y no
   se lava las manos

Después de avisar a Moreno Rubio, que vivía en el hotel inmediato al suyo, y de rogarle encarecidamente que pasara sin pérdida de tiempo a Carabanchel para lo cual le facilitó su coche, retiróse León a su casa resuelto a partir también para aquel sitio con la primera luz del día siguiente. Su casa estaba solitaria, triste, y en ella tomaban exagerado crecimiento las sombras de las figuras y el eco de los pasos. Soñoliento criado le abrió, y el ayuda de cámara siguióle medio dormido hasta su habitación.

—Déjame solo —dijo el amo al criado—. No me acuesto esta noche... Oye: ¿se ha recogido la señora?

—Hasta las once estaba en el oratorio... Voy a preguntarle a Rafaela.

—No..., no preguntes nada. ¿Quién ha estado aquí esta noche?

—La señora marquesa de San Joselito y doña Perfecta.

—La señora marquesa de San Joselito y doña Perfecta —repitió León como un estúpido.

—Ya se han ido, luego que acabaron de rezar.

—Bueno..., retírate. No necesito de ti esta noche.

El criado se retiró observando en su amo cierto desasosiego y la especial manera de mirar que indica el tormento

de una idea fija. Pero un criado no puede consolar a su
amo, ni arrancarle sus melancolías por medio del cariño
o de la persuasión, y se fue. León se quedó solo, y arrojado
más que sentado en un sillón, con el codo en el velador y
la barba entre los dedos, medio cerrados los ojos negros
como la más negra noche, pensaba..., sabe Dios en qué.
Tal era su alejamiento de la vida exterior, que no sintió los
tenues pasos de una figura parda que entró sin hacer ruido,
y más parecida a fantasma que a mujer, avanzó hasta llegar
a él. Al sentirse tocado en el hombro, al volver el rostro
y verla, dio León un grito. Es que a veces el estado de
nuestro ánimo hace que nos causen terror los hechos más
sencillos y las caras más familiares.

—Me has asustado —murmuró.

—¡Qué extraño! ¡Asustarse de mí un hombre tan valiente, un hombre de carácter y de juicio!... —dijo María
con el acento rutinario y quejumbroso que había adquirido
desde algunos meses.

Vestía la señora una bata de color más bien tirando a
ratón que a liebre, y de exagerada sencillez y tosquedad.
Estaba algo pálida, con amarillez más propia de desaliño
que de mortificación; sus bonitos pies desaparecían dentro
de grosero calzado de fieltro y su cuerpo carecía de contorno y gracia. Sus hermosos cabellos se ocultaban como
avergonzados bajo los pliegues de una especie de escofieta
de muy desgraciada forma.

Después de mirarle un rato, María dijo severamente:

—¡Me tienes miedo!

—Sí; te tengo miedo —replicó él, apartando los ojos de
su mujer y fijándolos en el suelo.

—Pues qué —dijo María, sonriendo con expresión de
desdén y superioridad—, ¿tan fea me he vuelto? No creas,
me gusta verte temblar delante de mí... Este es privilegio
de la humildad, señor mío, de la pobre humildad que hace
bajar los ojos a la soberbia.

Al concluir esta frase, María tomó una silla para sentarse. Bien porque sorprendiera un mohín de disgusto en la
cara de su esposo, bien porque creyera sorprenderlo,
dijo así:

—¿Te enfada que venga a molestarte? Ya lo suponía. Por lo mismo me quedo. Mi deber es antes que nada. Mi conciencia me exige que te pida cuenta del largo tiempo que estás fuera de casa. ¡Ah! León, tu conducta no es buena. Antes no eras cristiano, pero sabías guardar las apariencias; hoy ni siquiera eso.

—Tú —replicó León fríamente— haces todo lo posible para hacerme aborrecible mi casa. Tu enfado siempre que entran en ella los amigos que más quiero, unido al prurito de llenarla con personas que no son de mi agrado; tus frecuentes ausencias..., porque tú también te ausentas, y aún más que yo, para pasar el día en las iglesias; el giro que ha tomado tu carácter, pues de cariñosa y amable te has trocado en arisca y regañona, son otros tantos motivos para que yo esté aquí lo menos posible. Esta es una casa de hielo y tristeza que oprime el corazón desde que se entra en ella.

—¡Oh! ¡Qué iniquidades dices! —exclamó María mirando con unción al cielo, juntando las manos y llevándoselas a la barba.

—Créelo, mujer; yo no sé ocultar la verdad: tú has hecho de mi casa un antro solitario, árido y oscuro, y yo quiero luz, luz.

Ante la energía con que dijo esto, María se acobardó un tanto. Después, pestañeando con gran viveza como quien rompe a llorar, dijo:

—No creas que tus brutalidades apurarán mi paciencia. Hace tiempo que me hablas como si yo fuera uno de esos que discuten contigo en los clubs, en los ateneos..., qué sé yo cómo llaman eso. ¡Luz, luz! ¿Quieres luz?... Muy bien. ¡Pobre hombre! ¿Te cansa al fin la ceguera de tu ateísmo?... ¿Pues qué quiero yo darte sino luz?... ¡Y tú empeñado en que no, en que no, en que has de estar siempre ciego!... Bueno, hombre, no te apures. Muy consolador sería para mí que nos salváramos juntos; pero tú te empeñas en perderte... Por mi parte, hasta el último momento, hasta la hora de la muerte, te diré: «León, León, mira que...» ¿Te ríes? También me he acostumbrado a tus risas. Dios me da paciencia, y sabré ser mártir de tus burlas como lo soy de tu desdén y de tu enojo. Ríete de mí todo lo que quieras..., búrlate. Si no me importa, si lo deseo; si mi afán, mi anhelo constante es padecer, padecer.

—¡Padecer! —exclamó León con amargura—. No es, ciertamente, ése mi deseo; pero sí mi destino. Dios ha querido que allí donde creí encontrar paz y amor, encuentre una guerra constante, hastío y tedio. Yo esperé cargar una suave cruz, y cayó sobre mis hombros un madero horrible, que me fatiga, que me anonada, que me hunde.

—¡Y ese madero soy yo! Gracias —dijo María, no pudiendo sofocar el mundano despecho que pugnaba por sobreponerse a su misticismo—. Ese madero es tu mujer, soy yo.

—Eres tú. No puedo menos de decirte las cosas claramente. Debo decírtelas.

—Pues arroja, arroja esa carga insoportable —clamó la esposa con nerviosa inquietud, colorado el semblante, animados los ojos—. ¡Te peso y no me tiras al suelo!... Pues mátame, mátame de una vez... Tengo la vocación del martirio.

León miró con desdén a su esposa, y le dijo solemnemente:

—Yo no mato... por eso.

—¿Pues por qué? Yo creo que matas por todo... No se mata sólo a puñaladas: se asesina también por disgustos.

—Si se matara a disgustos, María, ya estaría yo muerto y enterrado. Este infierno de fuego lento, este constante disputar, esta recriminación nuestra, motivada por la discordancia radical en nuestro modo de pensar sobre las cosas de la otra vida y aun de ésta, son golpes sucesivos que matan, sí, matan más que el hierro y el plomo. Y este dolor de la separación de dos seres; esto de sentir que dos almas ya casi soldadas se separan, tirando cada cual de su lado..., y esto de sentir el hueco solitario y frío allí donde estaba la forma y el calor de la persona amada, y verse solo, solo...

Profundamente conmovido, León dejó de hablar.

—De esa separación —dijo María— tienes tú la culpa, tú, por tu carácter rebelde a todo convencimiento, por tu ceguera, por tu obstinación de ateo y materialista. ¿Pues qué he hecho yo sino ofrecerte paz y unión?

—¿Qué has de ofrecer tú, si toda eres espinas, toda sequedad y dureza? ¿Qué ofreces tú, sino una paz parecida a la de los sepulcros, la paz de una devoción embrutecedora, rutinaria, absurda? ¡Si en ti no hay verdaderos sentimientos, sino afanes caprichosos, una terquedad horrible y un misticismo árido y quisquilloso que excluye el amor verdadero...! No hables de paz tú, que te has revuelto contra mí, azuzándome y destrozándome el corazón con las garras de un fanatismo feroz..., porque me haces el efecto de una harpía que en vez de veneno tiene una cosa que llamas fe, y con esa fe verdaderamente diabólica me has emponzoñado.

—¡Oh! —gritó María, dándose apariencia de mártir—, insúltame a mí todo lo que quieras, pero no insultes mi fe; no blasfemes.

—Yo no blasfemo; yo digo que tú, tú sola, has hecho de nuestro matrimonio un grillete de presidiarios. ¡Tú, María, tú! Parece que no es nada, y, sin embargo, ¡qué horrible cosa! Cuando nos casamos, tú creías a tu modo, yo al mío; tú tenías tus ideas, yo las mías... Es tan grande mi respeto a la conciencia ajena, que no traté de arrancarte tu fe; te di libertad completa; jamás me opuse a tus devociones, ni aun cuando empezaron a ser exageradas y a enturbiar la alegría de mi casa. Llegó un día en que te volviste loca, y lo digo así porque no hallo mejor palabra para expresar la espantosa recrudescencia de tu mojigatería desde que murió en tus brazos, hace siete meses, aquí, en mi jardín, tu desdichado hermano, y entonces ya no fuiste mujer: fuiste un basilisco de displicencia y acritud; fuiste una inquisición en forma de mujer; no sólo me martirizabas perdiendo toda amabilidad haciéndote insoportable con tus pretensiones de santidad, sino que me perseguiste con la necia exigencia de hacer de mí un menguado beatón, un ente irrisorio. Yo procuraba apartarte de tu desvarío por medio de la persuasión; a veces hasta llegué a someterme un poco a tu ardiente capricho; pero tú pedías tanto que era imposible, imposible descender hasta esa santidad de sainete en que caíste. Llegó el momento de proceder con energía: hice esfuerzos sobrehumanos para librarte de tu propio fanatismo, y ya sabes que me fue imposible. He luchado tenazmente contigo; he empleado todos los medios, argumentos de razón, de sentimiento, hasta de fuerza: todo ha sido inútil. Tu espíritu está deplorablemente sometido a una atracción poderosa, irresistible, y vive sujeto a influencias oscuras que yo no puedo vencer. Hay en la Sociedad redes subterráneas, alianzas invisibles, lazos que atacan y tijeras que rompen lazos sin que nadie lo vea. No se puede nada contra esto. Me declaro vencido, María. Mi única palabra no puede ser sino un adiós sincero, un adiós que te doy recordando que me has querido, que hemos sido felices algún tiempo. Este adiós es triste, muy triste: no hay esperanza.

María estaba tan impaciente de hablar, que antes de que él concluyera dijo:

—También yo tengo mi capítulo de cargos, y de cargos tremendos. Yo fui criada en la religión divina y me enseñaron a practicar mi fe sinceramente y con verdad. Me casé contigo, te quise, te encontré bueno y honrado, sin comprender el horrible vacío de tu alma; pero te quise y te quiero, porque mi deber es quererte y respetarte. Pronto empecé a comprender que al enamorarme de ti había cedido a un afecto liviano; que mi elección había sido un desacierto; que tú eras incapaz de verdadera virtud; que mi alma corría grandísimo peligro de contaminarse; que no podíamos entendernos; que tus sabidurías eran muy sospechosas; que a tu lado y dejándome influir por ti y tus pestilentes ideas podría llegar a ser muy desgraciada y a perder mis creencias... Me puse en guardia. Reconozco que fuiste tolerante conmigo, que nunca afeaste mi devoción ni te burlaste de la fe, como has hecho más tarde. ¡Ah!, no puedes negarme que en la libertad que me dabas había cierto desprecio. ¡Sonreías de un modo cuando yo te hablaba de mis devociones!... Pero, en fin, así íbamos pasando. Un día me dije: «Soy una tonta si no le convierto. ¿Por qué no he de encender luz en esa alma apagada?» ¡Oh!, entonces me diste a entender que yo era una loca, me diste a

entender que éramos locos todos los que creíamos. Tú te
sonreías, te sonreías, ¡cómo te sonreías!..., y con aquella
apariencia de bondad hacías burla de los dogmas sagrados.
Tú me decías: «Deja las cosas como están, mujer, que cada
cual se salvará como pueda.» Esto me enojaba y me hacía
llorar, porque no hay más que una manera de salvarse...
Llegaron después aquellos días críticos, lo que yo llamo
Semana Santa de mi hermano Luis, los días de la agonía de
aquel serafín, a quien Dios permitió que viniese a mi lado
por unos días para dirigirme por el camino del Cielo... Veo
que te irrita este recuerdo. Necio, no puedes olvidar tu
humillación en aquellos días, cuando la presencia sola de
mi hermano era para ti un motivo constante de remordimientos...

León no contestó a su mujer ni con una mirada. Encontraba en ella un no sé qué de repulsivo que hacía retroceder
sus ojos lo mismo que su cariño.

—...Yo también sentí entonces remordimientos, o, mejor dicho, dolor muy vivo de mis culpas, y un afán ardiente
de parecerme a aquel ángel, en cuya compañía quiso Dios
que yo naciera. Me consideré destinada a un fin tan glorioso
como el suyo. ¡Cómo se encendió entonces mi alma con
un fuego celestial, puro, muy distinto, por cierto, de estos
nuestros amores! ¡Qué placeres sentí, qué músicas del
Cielo oí, que cosas imaginé, qué apariciones vi, qué ansieda-
des sufrí, qué afanes de ser miserable en la Tierra para ser
dichosa en el Cielo! ¡Qué ardiente deseo de morirme para
gozar una parte siquiera de aquel gozo santo, santo, santo,
en que está deleitándose mi hermano Luis! Yo rezaba y
soñaba, y mi hermano se me aparecía, no sé si en sueños o
despierta, resplandeciente de dicha y hermosura; llamá-
bame a su lado y me repetía las exhortaciones del último
instante de su vida... Después, no pasa noche sin que yo
sienta su voz en mis oídos... No creerás en esta elevación
ni en este ensueño de mi alma, porque estás ligado a la
materia y no ves más que con los ojos del cuerpo. ¡Pobre
hombre! ¡Pobre puñado de barro miserable! ¡Y es lo que
llama el mundo un sabio, porque se ha enterado de cuatro
cosas de la Naturaleza que nada le importan a nadie!

¡Pobre y desgraciado hombre! ¡Más desgraciado aún si no tuviera quien intercediese por él, quien pidiese a Dios misericordia para él, para él, que no la merece!

—Gracias —dijo León secamente, y como su mujer se le acercara, apartó vivamente la mano para evitar el roce del vestido pardo. El especial olor de aquella lana burda le atacaba los nervios.

—Tu ironía —declaró la esposa— no me hará retroceder ni vacilar. Sé que tu rebeldía concluirá: me lo dice una voz secreta de mi corazón; me lo dice mi Dios cuando me quedo aletargada pensando en Él; me lo dice el bendito patriarca San José, que es mi amigo, mi abogado, mi patrón amantísimo, cariñosísimo y piadosísimo; me lo dice todo lo que ven mis ojos más allá, en ese cielo esplendorosísimo... Señor —añadió, elevando los ojos y cruzando las manos, cuyas uñas no tenían la refinada pulcritud de otros tiempos—, sálvale, sácale de la pestilente secta atea en que ha caído, llévalo a tu gloria, hazle aborrecer sus condenadas doctrinas.

Siguió rezando en voz baja. Tocándole luego en el hombro, le amenazó con la mano, y en voz muy baja silbó en su oído estas palabras:

—Has de venir a pedirme perdón; te arrojarás a mis pies; me has de rogar con lágrimas y suspiros que te enseñe a rezar; te arrastrarás como yo delante de los altares llenos de polvo, sin cuidarte de que se te ensucien las manos; vivirás como yo en perpetuos escrúpulos de conciencia, creerás que una sonrisa, una mirada, una idea fugitiva son pecados; querrás abandonar todos los bienes del mundo y te deleitarás con el culto constante, con el rezar sin fatiga, con el descuido de todo lo exterior, con despreciar el esmero del cuerpo, con la penitencia... Sí, tú has de salvarte; mis santos patrones no podrán menos de hacerme este favor; intercederán con Dios, y Dios te perdonará, te llamará a sí por mi conducto... ¡Oh! ¡Qué triunfo tan grande, qué victoria!

Aquí alzó la voz, y poniéndose en medio de la estancia en actitud imponente, con la mano alzada, la mirada radiante, la cabeza erguida, exclamó:

—¡Miserable ateo, te salvarás aunque no quieras!

Mirándola salir, León callaba. El largo padecer iba haciéndole estoico. Tanto se había martillado sobre su corazón, que éste parecía convertido en insensible yunque. Después dejó caer el puño sobre el brazo del sillón con tanta fuerza, que se estremeció ligeramente el piso. Parecía decir: «Ya no más, ya no más.»

4. El mayor monstruo, el «crup»

Por la mañana muy temprano, León se dirigió en su coche a Carabanchel. Era el aire fresco a causa de la lluvia que no había cesado de caer en toda la noche, y el fango del suelo, como un espejo turbio, reproducía suciamente todos los objetos. Trabajadores de varias clases y carreteros que blasfemaban como señoritos (valga la inversión de los términos de este símil), transitaban por el puente y el camino, cruzándose con arrieros de Fuenlabrada y hortelanos de Leganés o Moraleja. Por allí arrojaba también Madrid, en aquel amanecer triste, algunos de sus muertos pobres, que eran llevados en hombros hacia San Justo o Santa María.

Pasado el primer Carabanchel, León traspasó la verja de una magnífica finca, situada en el segundo Carabanchel o Alto. La posesión de Suertebella es una de éstas que el capital abundante y la paciencia han hecho en las proximidades de Madrid, y sostiene digna rivalidad con las célebres Vista Alegre, Montijo, Alameda de Osuna, Bedmar, en Canillejas. Tenía extenso y frondoso arbolado de olmos, acacias, gleditchias, soforas, con su gran planicie de costoso césped, donde se veían gallardas sequoias, nísperos del Japón, magnolias y otras especies exóticas; magníficas estufas llenas de fucsias y gomeros, helechos arborescentes, cactos y araucarias; corrales poblados de castas diferentes

de gallináceas; cuadras donde los caballos vivían como
caballeros; establos y pajarera, sin que faltase un poco de
ría para pasear en barquichuelo, un tiro de pichón, gruta,
estanquillo de piscicultura, hasta algo de ruinas con su
imprescindible pincelada de yedra y musgo.

El palacio, aunque construido de prisa con ladrillo y
revoco, era suntuoso y elegante, sobre todo en su parte
interior, donde una mano pródiga y muy ducha en elegir
reunió cuanto de rico, raro y bonito producen las artes
suntuarias de nuestros días. Era de planta baja, constituido
por larga serie de grandes salones en fila, decorados primo-
rosamente. Quien haya visto las viviendas de la aristocracia
bancaria, comprenderá que no faltaba el salón árabe, obra
delicada de Contreras, ni el japonés, ni el gótico-sajón, ni
menos el obligado Luis XV. El marqués de Fúcar se
pirriaba por todo lo que fuera *carácter*, y la cosa más bella
del mundo no era de su devoción si no estaba absolutamente impregnada por todos los cuatro costados de aquella
calidad que hacíale decir: «¡Oh!, vean ustedes qué *carácter*.»

León atravesó uno tras otro aquellos salones anchos,
solitarios, vacíos de gente, lúgubres, vestidos de seda como
príncipes amortajados, y en su grandiosa capacidad parecía
que alguna enorme boca bostezaba. Las alfombras, cuya
blandura habrían envidiado los colchones de algunas casas,
apagaban sus pasos; los ricos bronces cincelados, que todavía olían a embalaje, y el barniz de los cuadros de almo-
neda, reflejaban fugitivos rayos de luz, y algún reloj decía
su monólogo impertinente, turbando el silencio de aquellos
antros cubiertos de joyas. Vio retratos históricos que frun-
cían el ceño; figuras *poussinescas* de risueños colores que
bailaban en los tapices con pastoril juego; Cristos de extremada amarillez cadavérica en brazos de la Madre Dolorosa;
centenares de torerillos, mujerzuelas y chulos de los que
crea la moderna escuela menuda de España, y que tanto
gustan a los aficionados de hoy; barros graciosísimos y
acuarelas representando escenas un tanto libres; gordin-
flonas ninfas de Rubens y flacos corceles de *turf* retratados
con tanto esmero como se retrataría a Cavour o a lord
Byron; preciosos gatitos de porcelana, que hacían mimos

en el borde de un jarro, y jardineras sostenidas por horrendos hipopótamos, grifos o cosa semejante.

Vio también criados en cuyo semblante se pintaba la consternación, y criadas que tenían los ojos encendidos de llorar. Algunas palabras rápidas y angustiosas le pusieron al corriente de la situación. Vio después que delante de muchos santos ardían velas primorosas, tan bonitas, que parecían hechas por manos de ángeles, y oyó rezos y llantos. Por último, llegó a donde estaba el centro de tanta tristeza, una cámara silenciosa, fúnebre, medio a oscuras. Se acercó, cual si en ella estuviera pasando el hecho más trascendental de la historia humana. Lo que allí pasaba era un dramita, la muerte de un ser pequeño, una catástrofe menuda de esas que no tienen ningún eco en el mundo, porque no le arrebatan ni hombre grande ni mujer útil, pero que llenan de congoja y turbación a las familias. En pos de aquella muerte no vendría orfandad, ni viudez, ni ruinas, ni herencias, ni trastornos, ni siquiera luto; no habría sino un episodio más de la eterna hecatombe de chiquillos con que la Providencia, matándolos en la puerta de la vida, llena de aflicción a las madres. Creyérase que necesita recortar todos los días a la raza humana, codiciosa de crecer demasiado.

Pepa, vestida aún con el traje que llevó a los toros, habíase arrojado en una silla, las manos cruzadas, la mirada atónita. Su desesperación silenciosa causaba vivísima pena a cuantos estaban allí, y los que no podían contenerla se salían fuera a llorar. Junto a ella estaba el lecho, tan bonito, que las hadas no lo fabricaran mejor con sus dedos maravillosos. Era como una canastilla de cañas de oro destinada a ostentar las flores más delicadas: sus cortinas blancas con lacitos de rosa y encajes eran de tanta gracia y belleza, que no las desdeñarían los ángeles para jugar al escondite entre sus pliegues. León se acercó hasta ver la cabeza de la moribunda, que hundía suavemente con su peso la almohadita llena de rizos dorados y de lágrimas.

León sintió escalofríos de pavor y como un puñal partiéndole el corazón al ver a Monina con la cara lívida y descompuesta, los labios violados, los ojos muy abiertos, pestañeantes y lacrimosos, el cuello entumecido, tirante, hinchado por el infarto de los ganglios, y padeció más al oír aquel gemido estertoroso, que no era tos ni habla, sino algo semejante a voz de ventrílocuo, una nota aguda, desgarradora, agria como chirrido de un pito en boca de un demonio y parecida a la inflexión del canto de un gallo, de donde viene, según algunos, el nombre de *crup* (crow). La vio contraerse sofocada, llevándose los dedos al cuello para clavárselos, con ansia de agujerearse para dar paso al aire que faltaba a su garganta obstruida. ¡Espectáculo horrible! La muerte de un niño por estrangulación, sin que nadie lo pueda evitar, sin que la ciencia ni el cariño materno puedan distender la invisible garra que aprieta el cuello inocente, antes blanco como lirio y ahora cárdeno como un pedazo de carne muerta; aquella vida pura, inofensiva, amorosa, angelical, que se extingue de manera trágica, con las convulsiones del criminal ahorcado y el espanto de la asfixia, es uno de los más crueles ejemplos del dolor inexorable que acompaña, como prueba o castigo, a la vida humana.

En aquella agonía sin igual, Monina volvía sus ojos acá y allá y miraba a su madre y a los criados, como pidiéndoles que le quitasen aquella cosa apretadora, aquella *pupa*, más terrible y dolorosa que todas las *pupas* posibles. ¡Bárbaro drama de la Naturaleza!

Inmensa era la desolación. Los corazones manaban sangre. Ya de tanto padecer, ni siquiera se lloraba. Por la mente de todos pasaba como relámpago infernal una idea sacrílega: la idea de que no hay, de que no puede haber Dios. León no sabía qué decir, y por un instante sus ojos, aturdidos como los de un insensato, vagaron de la hija a la madre y se fijaron en cosas insignificantes, en el velador lleno de medicinas, en los juguetes sembrados por el suelo, muñecas sucias y sin vestir, caballos sin patas y gatos sin cola. Todos parecían tener en sus caras de pasta tanta expresión de desconsuelo como los seres vivos.

El examen de Monina y el del semblante de Moreno Rubio, que no se apartaba de allí, indicaron a León un desenlace funesto. Pepa le miró, llena de lágrimas los ojos, y con dolor profundo, sin bulla, sin declamación, pudo tartamudear esas palabras:

—¡Se me muere!

León, por decir algo, afirmó que no había motivo para tanto. Pepa añadió:

—No hay esperanza... Moreno Rubio ha dicho que no hay esperanza..., que ya...

No concluyó la frase, porque acometida de una congoja, derramó lágrimas sin fin.

La pena que sentía León era para él desconocida, pena grande y nueva que había estallado y caído sobre él como rayo del cielo. Había conocido a Monina algunos meses antes y encontrado en su angelical travesura placeres inefables. Esto sólo no bastaba, quizá, a explicar que le hirieran tan en lo vivo el padecer físico de una niña que no era su hija y el dolor de una madre que no era su mujer.

Para que el *crup* sea más cruel, tiene sus traidores descansos, precursores siempre de una crisis mayor, el infame afloja su dogal para que la víctima respire y vea cuán bueno es el aire, cuán dulce es la vida. Después vuelve a apretar, hasta que concluye todo. Cuando pasa un violento acceso de tos, suelen venir lo que los médicos llaman falsas mejorías. Bajo la acción del tártaro entibiado, Monina logró expulsar algo de las falsas membranas que se la habían formado en las amígdalas, en la epiglotis y en la laringe. Aliviada un tanto, respiró con holgura y movió con viveza y animación sus ojos. Movimiento general de esperanza y alegría. Pepa acudió a cubrirla y arreglar su ropa, porque con la violencia de la tos se había desabrigado. Cuando Monina vio a León, gimió con ese lloro displicente y mimoso que emplean los chicos enfermos si ven alguna persona al lado de su madre o de la enfermera que los cuida.

Es esto en ellos el lenguaje de la envidia, uno de los primeros sentimientos de la criatura en la Tierra.

—Alma mía..., es León... ¿No le quieres? Pues que se vaya. Vete de aquí, bribón.

Se oyó un débil gemido, que decía:

—*Bibón*.

—Vete, vete... Voy a castigarle. Hija mía, escupe.

Pepa le puso la mano en la boca, y Monina, cerrando los

ojos, movió los labios para escupir en la mano. Después
parecía delirar y decía: «Más, más, más.»

Es la palabra que nunca sueltan de la boca los chicos
cuando les están enseñando un libro de estampas, o pin-
tando muñecos, o haciéndoles algo que les entretiene.
Como nunca se satisfacen, no cesan de pedir más y más.
Después, siguiendo en el delirio, hizo un mòvimiento
cuya vista produjo en todos agudísimo dolor. Fue que
extendió una mano fuera de las almohadas, cerrando y
abriendo el puño como cuando se amasa algo. Así saludan
ellos cuando se despiden. Era un ademán de gracia que en
aquel momento era un gesto trágico. Transcurrido un
minuto, reaparecía con más fuerza la tos seca y metálica,
la estrangulación, la desesperación convulsiva de la pobre
niña y el alarido agudo, semejante al canto de un gallo. El
que oye aquel son, cree que una aguja candente le traspasa
el cerebro. La niña se ahogaba, se moría. Pepa dio un
grito y cayó al suelo sin sentido.

La llevaron a su habitación. León se quedó junto a la
niña. ¡Cuántas cosas pensó en un minuto, en un solo
minuto! El mismo se maravillaba de que la pena que sentía
fuera bastante grande para llenar por entero su alma, como
si la pobre Monina representara todo lo que el mundo
contiene de risueño e interesante. Después de la muerte de
su padre no había notado él que su espíritu se aferrase tan
fuertemente a un ser querido en el momento último.
Ningún parentesco tenía con la madre ni con el padre de
Monina, y, sin embargo, sentía lo mismo que si aquel
morir doloroso le arrebatara algo que era suyo, muy suyo,
íntimamente suyo. Sin duda, la madre y la hija se confundían
en aquel sentimiento de compasión inmensa, entrañable, que
ocupaba su alma no dejándole hueco para ningún otro
sentimiento.

Pocos meses antes del ataque de *crup* había intimado con
Monina, entablado con ella esas amistades que jamás son
desinteresadas por la parte menuda, pues exigen frecuentes
visitas a la Mahonesa y la casa de Schropp*. Muchas

* Bazar de juguetes que ya no existe.

veces le aconteció abandonar quehaceres graves sólo por ir al palacio de Fúcar a jugar con la chiquilla. ¡Era tan linda, tan alegre, tan vivaracha, tan sabedora; era tan elocuente y expresiva su media lengua sin gramática!... Hacía observaciones tan agudas y mostraba tanto despejo y gracia, junto con tanta amabilidad y dulzura... De poco tiempo databa su amistad; pero en este corto período León había jugado con Monina en todos los juegos de que es capaz un hombre con barbas: habíala paseado en sus brazos; había intentado enseñarla a bien decir, a hacer limosnas, a perdonar las ofensas, a compadecer a los pobres, a no castigar a los animales, a obedecer a su mamá, a responder derechamente a las preguntas, a no llorar sin motivo. Por su parte, él se había acostumbrado a verla sonreír, y difícilmente podía pasarse ya sin aquella sonrisa. ¿Y cómo no adorar tan hermoso lucero, si él estaba rodeado de lobregueces? Monina tenía dos años y un mes; su nombre derecho era Ramona, por su abuela materna, la difunta marquesa de Fúcar. Poco a su madre se parecía, porque era muy linda, rubia, con ojos y mirar de querubín, toda seducciones la boca parlera, de cuerpo esbelto y desarrollado, inquieta y saltona como un pájaro. Aquel picoteo suyo haciendo regulares todos los verbos (con lo cual reconstruyen los chicos el lenguaje), seducía. Y si le entraba la comezón de no estar quieta en ninguna parte, circulando como mariposilla y zumbando como abeja, los ojos mareados, no podían apartarse de ella. El juego encendía auroras en sus mejillas, la vida parecía rebosar en ella de tal modo, que hablando reía, y andando volaba, y pidiendo castigaba, y enredando decía alguna frase pasmosa, de esas frases absolutamente lógicas con que los niños asustan a los sabios.

¡Qué espantosa transformación! El término de un día había bastado para hacer de aquel conjunto hechicero de inocencia y hermosura un miserable cuerpo enfermo. Bien pronto, de la pobre Monina no quedaría en la Tierra más que un objeto marchito, un envoltorio ajado y desagradable del que se apartarían los ojos con pena... Esta idea atormentaba a León de tal modo que no podía resignarse a ella. No. Monina no debía morir: a él le hacía falta aquella preciosa vida. ¿Por qué? No sabía por qué; sólo sabía que en lo más íntimo de su ser había una fibra, un nervio, un hilo doloroso, fijo, clavado, del cual tiraba Ramona al quererse partir para el Cielo. Días antes, el tal sentimiento le había parecido superficial, ligero y sin consecuencia; aquel día lo encontraba adherido con fuertes raíces, que si se rompían, ¡ay!, arrancarían un pedazo muy grande de su alma.

Pasados unos minutos de meditación, habló con el médico. La invasión de la *difteritis traqueal* era tan violenta que no había esperanzas de vida. La niña, según Moreno Rubio, no vería la luz del día siguiente. No había señales de que el tártaro determinase la acción sudorífica y detersiva; que si las hubiera, podría esperarse algo. Atento a cumplir con su deber, Moreno Rubio dispuso aplicar la disolución cáustica sobre la mucosa enferma. Un rato después se vio que el resultado era nulo.

—¿No hay otra cosa? —dijo León, que parecía un muerto.

—El mercurio en fricciones.

Allí no se descansaba un segundo. El médico inventaba, León disponía con febril actividad, y todos, el aya, las doncellas, los criados, ejecutaban con presteza. Vuelta en sí del accidente que la privara de sentido, Pepa acudió al lado de su hija. No podía estar dignamente en otra parte, sino allí, junto al gran peligro, vigilando las últimas palpitaciones de aquella vida preciosa y previniendo la sed, el desabrigo, la convulsión, y prodigando cuidados, cariños, agua, besos, auscultaciones, miradas. Se conocía en su semblante el heroico esfuerzo que necesitaba desarrollar para que su dolor de madre no entorpeciera su acción de enfermera. Atenta, cuidadosa, sin distraerse un momento, sin ocuparse de sí misma ni de cosa alguna, toda su alma estaba en el bracito que se descubría, en el golpe de tos, en el sofoco laríngeo, en el grito desgarrador, indefinible, más trágico que todos los gritos trágicos del mundo antiguo y moderno, que a veces se aguzaba como chirrido de metales rozándose sin aceite, a veces se apagaba como un murmullo de tenues notas, como una música, como un lenguaje, como un soliloquio en sueños.

Transcurrieron horas, ¡qué horas! El día pasó como pasa un instante. Llegó la noche. Nadie tenía allí noción del tiempo. Hubo un momento en que no se oía sino un sollozar apretado y suspiros contenidos. Los corazones mugían estrujados bajo una prensa horrible. La angustia habitaba el palacio, llenándolo todo. Llenábalo también el olor de la cera ardiente delante de los santos y de la Virgen. La nena de la casa se moría. Ya ni siquiera se llevaba las manos a la garganta para arrancarse *aquello*. Iba quedando fatigada, inerte, vencida en la desesperante lucha: su cabeza hacía un triste hoyo en la almohada, cual si fuese una piedra de enorme peso, y sus manecitas no empuñaban la sábana para hacerla trizas. ¡Si al menos el infame verdugo la dejara morir tranquila...! Pero, no; aún aflojó la soga para concederle un instante de alivio. En su estado comático, Monina murmuraba: «Más.»

—Sueña que le estás dibujando muñecos —dijo Pepa, que oprimiendo el pañuelo contra su· boca, como quien se aplica una mordaza, dejaba sus lágrimas correr a chorros por entre los dedos.

Monina llamó a *Tachana,* una niña con quien jugaba diariamente. Después nombró a *Guru,* hijo, como *Tachana,* del administrador de Suertebella.

Vino un nuevo ataque diftérico, que parecía ser el último por su violencia. Pepa lanzó un grito desgarrador.

—¡Se muere, se muere!

Y se arrojó sobre el cuerpo de la niña, rodeándolo con sus brazos. Presa de un delirio insensato, la madre se llevó las manos a su propia garganta y se apretó como si quisiera estrangularse. Era un movimiento natural, primario, instintivo, de la abnegación, queriendo apropiarse el mal del ser amado. Quisieron retirarla de allí; pero no fue posible arrancarla de la cabecera del lecho.

Acercóse León al médico, y le dijo al oído:

—¿Por qué no intenta usted la operación de la traqueotomía?

Moreno Rubio repuso con voz sepulcral:

—En esta edad es casi un asesinato.

—Conviene intentarlo todo, hasta el asesinato.

Parecían dos espectros secreteando al borde de sus tumbas.

—¿Usted lo quiere?

—Lo quiero.

—Consultemos a la madre.

—No es preciso: yo lo mando.

Moreno Rubio alzó los hombros. Después se retiró detrás de las cortinas del lecho, donde había una mesa.

—¡Hija de mi corazón! —exclamó Pepa—. ¿Por qué te mueres?... ¿Por qué me dejas sola, tan sola como estoy?... ¡Oh!, Dios mío, Virgen de los Dolores, ¿por qué me quitáis a mi niña, lo único que tengo?... ¡Monina, Mona!...

Diciendo esto, la madre no sospechaba lo que trataban León y el médico; no vio que tras las cortinas brillaba un acero, una herramienta lúgubre, más siniestra que el hacha del verdugo.

—¡Monina, angelito mío, serafín mío!... ¡Abre los ojitos, mírame!

Su pena rayaba ya en fiereza, y el ascua siniestra de su mirada delirante, sus labios secos, pálidos y temblorosos, el nervioso arqueo de sus brazos, todo parecía indicar esa suprema crisis del dolor que da a la madre las convulsiones de la euménide.

—¡Monina, paloma, niña mía! —prosiguió—. Yo me muero contigo; yo no quiero que te separes de mí.

Y al besarla parecía que quería devorarla.

—Pepa —le dijo León—, vamos a intentar lo último..., no te asustes.

—¡Mi hija está muerta, muerta!

Como si quisiera responderle, Monina dio un violento salto, y en un acceso de horrible tos expulsó un pedazo de falsas membranas. Después quedó otra vez inmóvil y reapareció el gemido estertoroso.

—¡Si se enfría, si está helada el alma mía!... —gritó Pepa—. Doctor, doctor.

Moreno acudió prontamente.

—Helada, no —dijo León, tocando a la niña—. Al contario, parece que suda.

—¡Suda! —murmuró Moreno, después de una larga pausa.

Sus manos tentaban a la moribunda, y su mirada perspicaz, acostumbrada a leer las oscilaciones de la vida, se clavaba en aquélla, que después de oscilar se detenía, sin duda, para extinguirse en calma.

—Suda —volvió a decir León.

—Suda —repitió Pepa con un rugido.

Los tres callaron. Parecía que un débil rayo de esperanza había estallado en medio de aquel grupo, hiriendo al mismo tiempo los tres corazones. Pero no era posible, no.

—Abrigadla bien —dijo Moreno, brusca, imperiosamente, con voz de piloto que manda una maniobra salvadora; y sin poderse contener, soltó un terno terrible.

Seis manos arreglaron la cama de Monina con febril presteza.

León y Pepa miraban a Moreno; pero no se atrevían a preguntarle nada. Más valía dudar, que es algo parecido a esperar. El semblante del médico no indicaba nada claramente, a no ser un vago dudar también.

—¿Sigue sudando?

—¡Oh!, sí.

—¡Sí!

—¡Sigue!

—¡Ahora más!

Se observaba la ligera humedad de aquella fina piel como si de ella dependiera la continuación o la ruina del universo existente.

—Pero esto ¿no es un síntoma favorable? —dijo, al fin, León.

—Favorable es, pero aún...

—Ayudemos a la Naturaleza —dijo Pepa.

—Ella no necesita de nuestra ayuda en el caso presente...

—Pero...

—¿Será posible que...?

—¿Doctor...?

—Todavía nada, nada.

—¡Suda más!

—¡Más!

—¡Hija de mi alma!... ¡Oh! Si vivieras...

Detrás de la silla en que estaba Pepa había una imagen de la Virgen Dolorosa con dos velas encendidas. Pepa dio un salto, se arrodilló, se postró, besó el suelo. Durante un rato se oyeron sus gemidos sofocados contra la alfombra. Seguro de que la madre no podía oírle, Moreno acercó los labios al oído de León y le dijo:

—Si la acción detersiva sigue y llega a tomar importancia, es posible que se salve... Pero sólo hay cuatro probabilidades favorables contra noventa y seis adversas... No digamos nada a Pepa.

«¡Cuatro probabilidades!... —pensó Roch—. Ya es algo... El corazón me dice...»

Y todo su interior se sacudía con un palpitar frenético. Toda la vida humana estaba allí delante de sus ojos, pendiente de un hilo, de un soplo.

Pasó un rato. Pepa volvió junto al lecho. Saltaba de una parte a otra como leona herida. No necesitaba preguntar: bastábale ver las miradas, las actitudes. Había allí algo de extraordinario y novísimo, un como giro total en los inmensos círculos del universo. Los dos hombres estaban ansiosos, no abatidos.

—¿Qué hay? —dijo la madre.

—Esperanza —replicó León, sin poderse contener.

—Poca —balbució Moreno.

Pepa cruzó las manos, elevando al cielo una mirada de ferviente gratitud.

—No, señora, no tenga usted grandes esperanzas —dijo el médico—. Esta reacción no es todavía suficiente ni mucho menos. Puede ser una falsa mejoría, como antes... Retírese usted a descansar un momento.

—¡Yo descansar!... Descansar... ¡Cuando mi hija se salve!

—Todavía...

—Suda más —murmuró Pepa, con los ojos tan abiertos que más parecía aterrada que alegre.

—Sí; suda, y mucho.

—¡Muchísimo! —exclamó la madre, cuya imaginación sobreexcitada agrandaba el fenómeno sudorífico de tal modo que la humedad de la piel de Monina le parecía un río—. ¡Si Dios quisiera, si Dios quisiera conservarme mi tesoro...!

Y se arrodilló junto a la cama. Extendía sobre la niña sus manos sin atreverse a tocarla. Apenas respiraba, temiendo que su aliento turbase aquella bendita reacción. Monina reposaba tranquila, y su respiración empezaba a suavizarse.

—¿Será posible?... Doctor...

—Nada, nada —declaró el inflexible Moreno—. La esperanza es muy exigua todavía. Veremos si sigue...

—¡Oh!... ¡Si la Virgen Santísima se apiadara de esta pobre madre sola! León, ¿qué opinas tú?

—¡Yo!... No sé —replicó León con ansia—. No sé..., parece que me dice el corazón... Pero no me atrevo, no me atrevo. Tengo una corazonada... Quién sabe..., quién sabe... Es posible...

Pepa se comprimió la boca para no gritar de alegría.

—¡Oh!, ¡qué turbación!... ¿Vivirá?... Y si nos engañáramos..., y si nos equivocáramos... ¡Dios mío, Virgen mía!, ¿por qué me dais esperanza, si luego me habréis de dejar sin mi único tesoro, sin lo mejor de mi vida, de mi casa, de mi alma?

Dio varias vueltas como persona inquieta, desasosegada, demente, que no sabe qué hacer.

—Recemos, recemos —dijo al fin—. La Virgen me ha oído... Le rogaré más, más y más, hasta que me quede sin sentido. Recemos, León. ¿Por qué no rezas tú también?

—También rezo —replicó León, inclinando la frente.

—¿También tú, tú?... Todo el que llama con fervor y humildad será oído. ¿De qué modo rezas tú?

Y tomándole del brazo, le impulsó con energía hacia la imagen iluminada. En aquellos momentos de frenesí, la fuerza muscular de Pepa era prodigiosa.

—Como tú quieras —dijo León, que no era dueño de sí mismo.

El no se dio cuenta de cómo se dejó llevar, de cómo puso

una rodilla en tierra, de cómo alzó los ojos, exclamando
con voz conmovida:

—Señor, que no se muera Monina. ¡Es lo único que amo
en el mundo!

¡Una niña que se muere, una madre que se desespera,
un hombre que cae de rodillas y reza a su modo!... Voy
creyendo que es tontería contar estas cosas que nada tienen
de particular.

5.   La madre

¡Qué horas las de aquella noche! En ellas no pasaba
nada, y, sin embargo, transcurrían llenas de interés, como
los años de la Historia preñados de pasmosos acontecimientos. La excitación nerviosa de Pepa era tan grande, que
parecía tocada de locura; llorando, reía, y sus palabras
entrecortadas, sueltas, incoherentes, anunciaban el extraordinario desvarío de su alma, vacilante entre la desesperación
y la esperanza. A veces temblaba como una vieja decrépita;
a veces iba de aquí para allí como una niña que no sabe
lo que hace.

Y Monina, después de expeler mayor cantidad de falsas
membranas, seguía sudando copiosamente. Aquel sudor
semejaba un rocío del cielo. El color amoratado de su
rostro iba desapareciendo, y en sus mejillas alboreó ligero
tinte rosado. Daba alegría ver cómo apuntaban las flores
de la vida en aquello que había sido yermo de muerte.
Su respiración era blanda, y en sus labios mudos, ligeramente dilatados, apuntaba también el capullo de la más
hermosa flor de la infancia, que es la risa. No se podía
verla sin esperanza: no era posible desechar aquella esperanza que se apoderaba del alma como una inspiración del
Cielo. Aclaraba el día cuando Moreno se volvió a Pepa
y le habló así:

—Ya es hora de poder decir algo positivo.

—¿Sí? Mi hija...

—Pues la niña —añadió el médico, estrechando la mano de Pepa— está fuera de peligro. Una reacción sudorífica, precedida de la expulsión de las membranas, nos la ha salvado. León quería intentar la traqueotomía... La disolución cáustica, obrando sobre la mucosa, nos ha devuelto la joya que creíamos perdida.

Pepa le besaba las manos, llenándoselas de lágrimas.

—No he sido yo, señora; ha sido la Naturaleza, y el tártaro y la disolución cáustica...; en una palabra: la Naturaleza sola, o, mejor dicho, Dios solo. Ahora es tiempo de que yo descanse un poco.

Después de dar breves instrucciones, se retiró. Pepa se había quedado muda. La alegría no le permitía decir nada. Se puso a rezar y estuvo en oración más de media hora. León estaba junto al lecho, apoyada la frente en las manos. De pronto sintió una voz que le llamaba. Miró y vio a Pepa junto a él.

—¡Qué día y qué noche has pasado! —le dijo ésta—. Horas de ansiedad, de muerte y, después, la alegría. Tú no eres padre; si lo fueras, ¡bienaventurados tus hijos!... El interés que has mostrado por esta niña de una familia amiga, pero extraña, de una familia que no es la tuya...

—Ese interés es un cariño irresistible, que aun aquí no puedo explicarme. Paréceme una aberración, una locura.

—¡Locura!... Eso, no. Yo quiero que ames a mi hija. Mira, León: si vivo mil años, no olvidaré estas horas en que tanto ha padecido y trabajado mi pobre alma, y lo que menos olvidaré será aquel momento, que fue el más solemne y crítico de esta noche, y aquellas palabras que oí y que están en mi memoria como si las hubieras estampado con fuego.

—No sé qué dices.

—Ni yo tampoco —replicó la de Fúcar, inclinándose hacia León—. Creo que la alegría me ha vuelto demente... Noto en mi cerebro no sé qué aberración o desquiciamiento... Pero ¿es verdad que tengo a mi hija?... ¿Es verdad que conservo a este ángel para que me acompañe en mi soledad?

Miró a la niña, y acercándose despacio, la besó en la frente con mucho cuidado para no turbar su tranquilo sueño. Cuando se volvió hacia el amigo, éste pudo observar una extraña iluminación en los ojos de Pepa.

—Estás muy excitada —le dijo—. Debes acostarte y dormir un poco. ¡Pobre madre! Has padecido mucho desde anteanoche.

—Mucho —repitió Pepa—. He padecido mucho; pero no ha sido sólo ahora, sino antes, antes... Estoy familiarizada con el padecer.

—Cálmate... Tienes calentura.

—Pues como te decía —indicó la dama, pasando bruscamente de una indecisión sombría a una claridad sonriente—, no olvidaré jamás aquellas palabras...: «Señor, que no se muera Monina. Es lo que más amo en el mundo.» ¡Lo que más amas en el mundo!

León bajó los ojos.

—Yo agradezco mucho que quieras a mi hija de ese modo —dijo Pepa, pronta a llorar—. Al fin, no soy yo sola quien la quiere... Eres un buen amigo, amigo mío desde la infancia... Siempre te he apreciado, y ahora más que nunca... En fin, al ver el interés que has tomado por mi niña, interés verdadero, profundo; al ver esto, siento un deseo irresistible de romper un silencio que me ahoga, de quebrantar un secreto que no cabe en mí, y decirte que...

Dejó caer, desplomada, su cabeza sobre el hombro de León, y lo regó con abundantes lágrimas. El no decía nada. Sentía el peso de aquella cabeza y el calor de aquel aliento y la humedad de aquellas lágrimas y callaba, torvo y reconcentrado en sí mismo. Parecía que la dama lloraba sobre una piedra.

Un sentimiento de dignidad o de pudor estalló súbito en el alma de Pepa. Incorporándose, ruborizada, lanzó una exclamación que parecía significar: «Qué estoy haciendo?... ¡Esto es un escándalo!»

—Pepa —dijo León estrechándole cariñosamente una mano—. Tu niña se ha salvado. Yo me retiro.

En aquel momento sorprendióles una voz fresca, argentina, angelical, una voz del cielo, que gritaba:

—*Mama, mama...*

Pepa se la comió a besos. Monina resucitaba, pedía *chicha* (carne), *melutita* (merluza), *bichichi* (rosbif), *cayamelos* (caramelos), *panimiteca* (pan y manteca), todo junto, todo a un tiempo, y en gran cantidad, y después de esto, no sabiendo más nombres, pedía *cosas*. Con esta palabra comprendían los niños su insaciable deseo de posesión. Es el vocablo sintético de su codicia y de gula.

6. El marqués de Fúcar recibe nuevos favores del cielo

Desde entonces la enfermedad de Ramona no ofreció cuidado, y, conocido en Madrid el buen término de ella, llenóse el palacio de amigos que corrían a felicitar, como antes habían ido a compadecer. Hay gentes que viven así, felicitando y compadeciendo todo el año, y que se morirían de tedio, si no hubiera muertes y bautizos, carruajes y tarjetas.

León partió a Madrid cuando los blasonados coches empezaban a entrar en el parque de Suertebella. A medio camino volvió para advertir que no olvidaran de dar a la convaleciente una medicina que ordenó el médico. Esto le inquietaba tanto, que en todo el día no cesaba de decir para sí: «¡Si la levantarán antes de tiempo..., si no la abrigarán..., si echarán demasiado cloral en el jarabe..., si le darán golosinas...!» Aquella tarde despachó en su casa varios asuntos, hizo luego algunas visitas indispensables, y por la noche se retiró temprano. No vio a su mujer, ni su mujer hizo por verle a él. A la mañana siguiente tomó el camino de Suertebella, donde una grata sorpresa le esperaba. El marqués de Fúcar acababa de llegar acompañado

de un ilustre extranjero: el barón de Soligny, el gran *Fúcar*
de la nación vecina; hombre que andaba olfateando las
naciones en busca de esos negocios enormes, fáciles, que
nacen más espontánea y frondosamente en el seno de los
pueblos desgraciados. Del mismo modo crecen ciertos
árboles en los terrenos muy cargados de basura. No tardaría en venir de Madrid el señor don Joaquín Onésimo, ya
marqués de Onésimo, llamado a toda prisa por Fúcar para
conferenciar sobre el proyectado empréstito nacional.

León encontró al marqués muy pensativo y un si es no es
preocupado, vacilando entre la tristeza y la alegría, cosa
difícil de explicar, porque los negocios más arduos no al-
teraban jamás la pasta dulce y blanda de aquel carácter
enteramente mundano. Al hablarse de la enfermedad de
Monina y de su milagrosa curación, don Pedro, que
amaba entrañablemente a su nieta, se mostró muy gozoso;
después miró al suelo, frunciendo ligeramente el ceño; se
sonrió un poco, volvió a ponerse grave, y, tomando a
León por un brazo y llevándole a otro aposento, le dijo:

—Hay que preparar a Pepilla para una mala noticia.

—¿Mala noticia?

—Sí; y digo mala por..., qué se yo por qué. Realmente,
la noticia de una muerte, quienquiera que el difunto sea, es
una noticia deplorable.

Y el marqués revolvió sus bolsillos llenos de papeles, o
sobres de cartas, tarjetas, todo cubierto de números traza-
dos rápidamente con lápiz en el vagón, en el hotel, en el
coche.

—Aquí está el parte... Es un acontecimiento terrible: el
naufragio de un vapor americano entre Puerto Cabello y
Savanilla... Los periódicos de aquí no han dicho nada todavía; pero mi corresponsal de La Habana... ¿Ves el tele-
grama?... Vapor *City of Tampico*.

León palideció al leer.

—De modo que Pepa...

—Pchs... Silencio... Puede oír, y no está preparada. Efec-
tivamente, mi hija se ha quedado viuda.

León Roch estaba perplejo.

—Aquí, en confianza de amigos —dijo don Pedro,

acercando sus labios al oído del joven para hablarle secretamente—, aparte de lo lamentable de la catástrofe, es una suerte para mi hija y para mí. Si Federico vuelve a Europa, acaba con ella y conmigo. Parece que Dios ha querido resolver de un modo trágico y brusco la situación comprometida en que mi querida hija se puso y me puso a mí casándose con ese perdido, jugador, falsario. Aquí tienes un capricho de la niña que a todos nos salió muy caro. Mira, León: hazme el favor de cerrar esa puerta para que podamos hablar con libertad; me carga el secreteo.

León cerró la puerta.

—Usted —dijo éste— es el más a propósito para darle la noticia.

—No habrá más remedio... Entre paréntesis, no creo que el dolor de Pepa sea muy grande, ni aun creo que sea un dolor pequeño...; será más bien una sorpresa dolorosa..., menos, tal vez. Aquí entre los dos —y diciendo esto bajó mucho la voz a pesar de estar la puerta cerrada—, yo creo que Pepa quiere a su marido lo menos que se puede querer a un marido. ¿Me entiendes tú? Puede ser que sus sentimientos hacia ese chalán de alto vuelo corran parejas con los míos, y yo no oculto a nadie que le aborrezco, que le aborrecía con todo mi corazón... Pepitinilla no derramará muchas lágrimas..., ¡qué demonio!, es muy posible que no derrame ninguna.

El marqués se frotó las manos una contra otra, como hacía siempre que remataba un gran negocio. ¡Ah! La Hacienda pública temblaba en lo profundo de sus arcas hueras cuando sentía aquel fregoteo de manos.

—Ha sido una suerte, una verdadera suerte para ella y para mí —repitió, cual si hablara consigo mismo—. La Providencia nos ha salvado... ¡Ah, vampiro! No te contentaste con saquearme en Madrid, sino que levantaste todos los fondos de mi corresponsal de La Habana. No te contentaste con falsificar aquellas letras para sacarme los treinta mil duros que tenía en Londres en casa de Fergusson Brothers, sino que, cuando te enviamos a Cuba, aún abusaste de mi nombre... ¡Maldito, execrable juego! Pero Dios castiga... Dios no consiente que los pillos...

Con un puño cerrado machacaba en la otra mano, abierta. Después, como si volviera en sí, recordando el deber que imponían la dignidad humana y la caridad, dijo:

—Pero ha llegado el momento de perdonar. Yo perdono de todo corazón. Su castigo ha sido terrible. ¡Qué espantosos son los incendios de esos buques americanos! Después de que los hacen de madera, tienen la poca aprensión de cargarlos de petróleo... Ya se ve... En el incendio y naufragio del *City of Tampico* no se salvaron más que dos grumetes y un cuáquero loco. Federico se había embarcado en él para ir a Colón con objeto de pasar a California, tierra propicia a los aventureros; había sacado de La Habana todos los fondos que tengo allí... ¡Qué sabiamente atajó la Providencia sus criminales pasos! Luego diréis los librepensadores que Dios es demasiado grande para mezclarse en nuestras miserias. Yo digo que se mezcla, yo digo que se mezcla, ¡ea!... Conviene no exagerar: no sostendré yo que Dios esté siempre atento a tanta cosilla como se le pide. Ya ves: mi hija llenó de velas de cera la casa cuando Moninilla estaba enferma... Se expidieron memoriales a todos los santos. Ya tendrían faena los de arriba si hicieran caso de las madres siempre que un chico tose o tiene calentura. Pero los grandes crímenes, las grandes estafas... ¡Oh!...

León no quiso decir nada sobre aquella donosa interpretación de los trabajos de la Providencia.

—En fin —añadió Fúcar—, bastante ha deshonrado mi nombre, bastante ha mortificado a la tontuela de mi hija... Séale la tierra ligera, séale el agua ligera... Hay una cosa que nunca he podido comprender, que siempre, siempre será un misterio para mí.

—Lo adivino —indicó León prontamente—. El por qué se casó Pepa con Cimarra. Ella es bondadosa, tiene ingenio, sensibilidad. Federico fue siempre un perdido sin corazón, y bastaba hablar con él media hora para comprender la podredumbre y el vacío horrible de su alma.

—Exactamente... ¡Ah! Lo reconozco que eduqué mal a mi hija. Pepa ha variado mucho: lo que yo no supe hacer lo ha hecho la desgracia. Pero hace cuatro años era tan

caprichosa..., en fin, tú bien la recuerdas... Verdaderamente,
sin su buen corazón, sin aquel corazón de oro, mi hija
hubiera sido una calamidad, lo reconozco... Pero ¡qué alma
la suya, qué sentimientos tan elevados, qué manantial de
ternura bajo las apariencias de versatilidad y mimitos que
no eran más que las burbujas, las burbujas, no encuentro
otra palabra, de su espíritu, rico en dones morales! Te digo
una cosa que es para mí como el Evangelio. Mi hija, casada
con un hombre de bien, discreto, agradable, a quien ella
hubiera amado de veras, habría sido la mujer por excelencia, habría sido modelo de esposas, de madres...

—Lo creo —dijo León, poniéndose sombrío.

—Y al considerar esto —añadió Fúcar, cruzando los
brazos sobre el pecho—, me explico menos su preferencia
por Cimarra, y digo preferencia, porque no encuentro otra
palabra; ni se justifica su casamiento por el efecto que hace
siempre en las mujeres una buena figura; y aunque Cimarra
era lo que se llama un hombre hermoso...

—Seguramente.

—Pues, a pesar de eso, no me explico... En Pepilla no
hubo esa ilusión, esa fascinación..., ¿cómo decirlo?... A mí
me pareció muy mal su preferencia; pero no quise oponerme, no tuve valor para oponerme. Siempre he tenido
esa debilidad... Cuando Pepa era niña, me daba latigazos, y
yo me reía. Ya siendo mujer me gastaba un millón en cacharros, y yo... me reía también. Cuando Federico me
pidió su mano, cuando la consulté sobre esto y me dijo que
aceptaba..., no tuve gana de reír; pero consentí. ¡Qué había
de hacer! La verdad es que Pepa no me pareció muy enamorada; pero... En fin, que se casaron en un día infausto. Me
gasté más de cien mil duros en la boda. ¡Qué día! Por las
calamidades que cayeron después sobre mí, paréceme que
en aquel día negro se casó todo el género humano. Mi
pobre hijita fue desgraciada desde entonces. Diríase que
la infeliz estaba devorada interiormente por un mal muy
agudo, un mal moral, un mal físico, un mal de no sé qué
clase. Entróle un delirio espantoso por las fiestas, por el
lujo... ¡Qué desvarío! ¡Qué muchachas las del día! Se
casan para divertirse más, para gastar más, para aturdirse

más. Lo particular es que ni aun en los días de luna de miel vi a Pepa cariñosa con su marido. «Eso es casarse con un maniquí», decía yo. A veces estaba mi hija taciturna, a veces borracha..., no encuentro otra palabra, borracha de fiestas, de bailes, de novedades, de vestidos. Todos los días necesitaba algo nuevo; pero ni las maravillas de *Las mil y una noches* hubieran vencido su tristeza. ¡Pobre niña loca!... Por supuesto, de Federico no hacía más caso que de una silla. Le trataba como se trataría a un idiota. Amigo León, éste es un mundo muy raro. Deberíamos decir de él que es *un valle de equivocaciones*.

—Lo cual no niega, sino antes bien afirma, que sea un valle de lágrimas.

—Exactamente. Pues como decía, llegué a preocuparme seriamente de la salud y aun de la razón de Pepilla. Felizmente, fue madre, y de la maternidad data su regeneración. Dejó de ser casquivana y gastadora... Se consagró al cuidado de su hija, y adquirió aquel aplomo, aquella noble majestad..., no hallo otra palabra mejor..., aquella noble majestad que ves en ella. Precisamente cuando mi hija fue madre, empezó Cimarra a ser el más canalla de los hombres. Tú sabes, como lo sabe todo Madrid, sus infamias, sus estafas, sus escándalos. Ese gandul me ha quitado diez años de vida. ¡Cuántas lágrimas ha derramado mi pobre niña aquí, en este mismo despacho! Cuántas veces me ha dicho: «¡Perdón, perdón, papaíto, por haberte dado por hijo a ese bandido! Yo estaba loca, yo no sabía lo que hacía.» Mi yerno me arruinaba; pero mi hija me daba besos y me pedía perdón. «Váyase lo uno por lo otro», decía yo... En fin, todo ha concluido... Dios..., la Providencia... Es preciso que tú la prepares para recibir la noticia.

—¿Yo?

—Sí. Tú tienes arte... Yo no sabría sino llegar y decirle: «Pepa, tu marido se murió...» Tú vas, coges un periódico y haces como que lees y dices: «¡Qué espantoso naufragio!»

—Yo, no; yo, no. Permítame usted que no hable de naufragios. Eso corresponde a usted o a otra persona de la familia.

—Hombre, hazme el favor... Tú eres amigo antiguo.

Abrióse la puerta bruscamente y entró Pepa con alborozado semblante y fresca sonrisa. León Roch tembló al verla, creyendo hallar en su persona una hermosura superior, que instantáneamente se le revelaba, causándole alegría. Era un fenómeno de júbilo y sorpresa, como los que causa el recuerdo feliz cuando viene a la memoria, o la idea inspirada cuando aparece en el entendimiento, llenándolo de claridad. La miró un rato sin hablar, y..., no podía dudarlo..., aparecía rodeada de una aureola; no era la misma para él: sus insignificantes facciones, sin cambio alguno visible, se acomodaban, por arte milagroso, al tipo indeciso de la mujer ideal.

—A tiempo vienes, Pepitinilla.

—Papá —dijo la marquesita—, Monina se ha despertado. Ven a verla. Buenos días, León.

—Mira, chica: León tiene que hablarte... Quiere leerte no sé qué periódico donde ha visto...

—Es broma de don Pedro. Yo no he leído nada...

—¡Qué día tan hermoso! —dijo Pepa, acercándose a la ventana, por donde entraba un sol espléndido—. Mira, León: ¿ves allí, entre los árboles, un techo?... Es la casilla de que te hablé. No sabes, papá: este ladrón anda buscando un lugar solitario para retirarse de las vanidades del mundo. Yo le he recomendado la casa de Trompeta, ¿sabes?, allí donde vivió el cura de Polvoranca.

—Es hermosa, sí..., a dos pasos de casa... ¿De veras te vienes a estos barrios?... Realmente, chico, si buscas un escondrijo para dedicarte a roer libros...

—No sé aún, no he decidido —dijo León, mirando con estupor el techo que allá a lo lejos, entre los árboles, se veía—. Pero vamos a ver a Mona.

—Vamos. ·

Pepa salió delante.

—¿Conque está mi hombre aburridito? —dijo Fúcar al joven en tono de confianza jovial, poniéndole la mano en el hombro—. Ya sé que tu mujer... ¡Deplorables resultados de la exageración! Y si no, ahí tienes: la piedad es una virtud; pero exagérala, ¿y qué resulta? El horror de los horrores.

Y más adelante, apoyado en su brazo, le dijo al oído.:

—Lo mismo que tu mujer era mi pobre Ramona... No se la podía aguantar... Pero, hijo, la infidelidad con Dios hay que tolerarla, hay que perdonarla. Yo pregunto: ¿qué puede hacer un hombre en este tremendo, irresoluble caso? Cuando una esposa es honrada y fiel, no hay motivo, ni siquiera pretexto razonable, en nuestra Sociedad, para la separación... Te compadezco. Acuérdate de lo dicho: esto es un vallecito de equivocaciones.

Poco después salió León de la casa. Iba tan metido en sí, que no saludó a don Joaquín Onésimo, que pasaba por el parque con el barón de Soligny, hablando del próximo empréstito con la grave atención que ciertas personas ponen en las calamidades públicas. En Madrid dejó su coche para andar a pie por las calles, y recorrió varias como un sonámbulo, sin ver ni oír nada más que aquella sonora voz interior que le decía: «¡Viuda!»

7.   Erunt duo in carne una

Pasaron algunos días, durante los cuales no fue a Suertebella sino una sola vez, a dejar la tarjeta de pésame. En aquella breve temporada vivía la mayor parte de las horas fuera de su casa, y dando completamente de mano a los estudios, no se ocupaba de sus libros más que para empaquetarlos en grandes baúles. Iba con frecuencia a círculos y reuniones, donde sus amigos le hallaban taciturno, insensible al interés de la charla, de la noticia, del comentario. Hablaba tan sólo de su viaje, sin decir adónde; de una ausencia larga, y si otro tema a su boca venía, tratábalo con cruel sarcasmo y amargura, modos bien distintos de aquella su antigua manera, grave y elevada, de ver las cosas de la vida, los hechos y las personas. Una noche —empezaba ya

el mes de abril— entró en su casa después de las once.
Abrióle la puerta el ayuda de Cámara.

—¿Por qué no me abrió la puerta Felipe, como de costumbre? —preguntó León.

—Felipe ya no está en casa, señor.

—¿Pues dónde está?

—La señora lo ha despedido.

—¿Por qué? ¿Ha hecho alguna travesura?

—La señora se enfadó porque no quiso ir a confesar.

—Y tú, ¿te has confesado?

—Yo, sí, señor; todos los meses. La señora no se descuida en esto. Como no le traigamos la papeleta, nos planta en la calle. Para eso, Ventura, el cochero, tiene un amigo sacristán, que le da todas las papeletas que quiera, y así contenta a la señora, y, haciéndole creer que va al confesonario, se va por ahí de jolgorio... Si no fuera por el señor, yo y mi mujer nos habríamos marchado ya de esta casa, donde hay tantas obligaciones y ni un momento de descanso. Eso de que esté un hombre trabajando toda la semana, y cuando llega el domingo por la tarde, en vez de dejarle salir de paseo, le manden a la doctrina... Mi mujer dice que no aguanta más... Pues digo, con el espantajo que la señora nos ha metido ahora en casa... Esta mañana, cuando despidió a Felipe, determinó dar a otro su plaza. Yo creí que colocaría a mi hermano Ramón. Pero no: la señora escribió una carta a los de San Prudencio, y un rato después vimos entrar uno como sacristán, gordo, colorado, sin barba, con faldones hasta el suelo, un sombrero chato y negro, carilla de santurrón y unos modaletes así como entre hombre y mujer. La señora dice que yo pasaré a hacer el servicio que hacía Felipe; que el portero ocupará mi puesto, y que el señor Pomares, así se llama el recomendado de allá, será desde hoy portero, vigilante de los demás criados y mayordomo.

—Tú estás en Babia. ¿Desde cuándo necesito yo mayordomo en mi casa?

—Mayordomo. La señora lo dispuso así, y el de los faldones largos se reía y nos miraba con sus ojos de besugo, como diciéndonos: «Ya os pondremos las peras a cuarto.»

Después nos echó un sermoncillo, y, poniendo cara de arrope pasado y cruzándose las manos sobre el pecho, nos llamó hermanos; aseguró que nos quería mucho.

—¿Está en el oratorio la señora? —preguntó León, levantándose.

—Creo que está en su cuarto.

Entró León en el cuarto de su mujer, y la halló conversando con doña Perfecta, amiga de confianza, que solía acompañarla por las noches. Sobrecogióse esta venerable dueña al ver entrar al marido de su amiga, comprendiendo con delicado instinto que se preparaba una escena y se despidió. Cuando se quedaron solos, el marido habló a su mujer, sin enojo ni altanería, en estos términos:

—María, ¿es cierto que has despedido al pobre Felipe?

—Es cierto.

—Antes de echarle de casa, debiste considerar que he tomado cariño a ese muchacho por su aplicación, su deseo de instruirse y el fondo de bondad que se le descubre en medio de sus puerilidades y travesuras. Le traje de casa de tu madre porque siempre que aquí venía se quedaba extasiado delante de mis libros.

—A pesar de esas bellas cualidades, me he visto obligada a despedirle —dijo María secamente.

—¿Pues qué, te ha faltado al respeto?

—De un modo horrible. Hace mucho tiempo que le obligo a confesar. Hoy le reprendía por no haberlo hecho el domingo pasado ni tampoco éste, y el muy tuno, en vez de llorar, volvióse a mí y me dijo con mucho descaro: «Señora, déjeme usted en paz; yo no quiero nada con cuervos.»

—¡Pobre Felipe! En cambio —añadió León, sin dejar conocer su intento—, ha entrado en la casa un señor muy venerable.

—¡Ah! Sí...: el señor Pomares. Estaba esperando a que llegaras esta noche para obtener tu consentimiento. Es un hombre de grandísima bondad y delicadeza, que de todo entiende...

—Lo creo.

—Que puede él solo trabajar más que dos o tres de esos

desalmados bergantes. Es persona de absoluta confianza, y a quien puede confiarse, sin recelo, casa, intereses, asuntos delicados.

—Quiero verle. Llámale.

María llamó, y no pasaron cinco minutos sin que se presentase el personaje de los ojos dulzones y la carátula arrebolada, tal y como fielmente le pintó el ayuda de Cámara. Contemplóle un rato León de pies a cabeza, y después le dijo reposadamente:

—Bien, señor Pomares. Voy a dar a usted mis primeras órdenes.

—¿Qué me manda el señor? —dijo el novel mayordomo con meliflua voz y arqueando las cejas.

—Que se plante inmediatamente en la calle.

—¡León! —dijo María, leyendo el enojo en las facciones de su marido.

—¿Me ha oído usted? Tome usted su baúl, y, sin pérdida de tiempo, se va usted de mi casa.

—La señora me ha mandado venir y estar aquí —repuso el venerable con acentuación algo firme, sintiéndose muy fuerte con el amparo de la señora.

—Yo soy el amo de mi casa y le mando a usted que se vaya —dijo León en un tono que no tenía réplica—. Advirtiéndole a usted que si vuelve a poner los pies y le veo yo, no saldrá usted por la puerta, sino por la ventana.

El hombre enfaldonado hizo una profunda reverencia, y desapareció.

—¡Dios mío! —murmuró María, cruzando las manos—. ¡Qué vergüenza! Tratar así a un hombre tan bueno, tan humilde, tan respetable...

—Desde este momento —dijo León, encarándose enérgicamente con su mujer— todo ha cambiado en esta casa. Ha llegado el caso de tener que intervenir en tus actos, para sacarte, de grado o por fuerza, de esta vida ridícula y oscura en que has caído, y curarte como se cura a los locos, ausentándote de todo lo que ha constituido tu locura. Mi benignidad nos ha perjudicado a los dos; ahora, mi energía, que llegará quizá hasta el despotismo, y no es culpa mía, enderezará un poco esta senda torcida por donde corres.

—Resignada a padecer —dijo María con unción postiza y mimosa—, acepto el cáliz que me ofreces. ¿Cuál es? ¿Qué quieres de mí? ¿Quieres matarme? ¿Quieres una crueldad mayor aún, que es apartarme de los hábitos de piedad que he contraído? ¿Quieres aún arrancarme mi fe?

—Yo no quiero arrancar tu fe; otras cosas son las que yo quiero arrancar ¡ay de mí!...

Se detuvo, como si realmente no supiese lo que deseaba. María estaba serena y hacía bien su papel de víctima, mientras que León parecía desasosegado y vacilante en su papel de verdugo.

—Esta noche no quiero discutir contigo —dijo—. Durante mucho tiempo hemos batallado, sin conseguir nada. Ahora me ocurre que un poco de acción es conveniente para salir de este horrible estado. Perdóname si no te explico nada y te asusto mucho; si en vez de persuadir, mando; si en vez de disputar contigo, te niego toda réplica.

—¿Qué quieres? Dilo de una vez.

—Yo necesito ausentarme de Madrid.

—¿Por qué motivo? ¿Te has cansado de teatros, de toros, de casinos, de tertulias ateas? ¡Ah! Si deseas salir de aquí, no será para ir a un yermo, sino a París, a Londres, a Alemania.

—Tú me has abandonado —exclamó León con dolor—, tú has huido de mí, y, encastillada en tu perfección chabacana, has destruido lo que debía ser el encanto y la paz de mi vida; me has hecho odiosa mi propia casa.

María se estremeció.

—Pues bien —añadió León con extraordinaria energía—: ya me he cansado de no tener casa, y estoy resuelto a tenerla.

—¿Pues no estás en ella? Por mi parte, aquí estoy siempre —dijo María, tan glacial como si por su boca la misma nieve hablase.

—¡Aquí estás! Sí. ¿Y quién eres tú? Un ser desapacible y erizado de púas. De aquí en adelante...

—Tú eres el que mandas, y estás más agitado que yo. Mi resignación me da serenidad y a ti tu soberbia de tirano te hace vacilar y palidecer a cada instante. En una palabra, León, ¿qué quieres?

—Yo me voy de Madrid. Esto es para mí una necesidad imprescindible.

—¿Qué te pasa?

—Que no quiero, no debo seguir aquí. Carezco de todo arrimo y calor en mi propia casa; estoy sin familia, porque la compañera de mi vida, en vez de encadenarme con la piedad y el amor, se ha envuelto en un sudario de hielo. Ella, en los delirios de su fe extravagante, y yo, en la triste soledad de mis dudas, no formamos, no podemos formar una pareja honrada y feliz. Otro vegetaría en esta existencia árida; yo no puedo. Mi espíritu no se satisface con el estudio; pero no teniendo otro alimento que el estudio, preciso es que se harte de él.

—¿Por qué no estudias aquí?

—¿Aquí? —exclamó León, asombrado de la propuesta—. Aquí no puede ser. Ya te he dicho que necesito emigrar.

—No te comprendo.

—Lo creo, sí; fácil es que no me comprendas... ¡Y quién me comprenderá, quién!

Lanzando un gemido de desesperación, se oprimió con ambas manos la cabeza. María, respetando el incomprensible dolor de su esposo, no hizo las observaciones impertinentes que le eran propias en semejantes casos. Por último, se dejó decir:

—Aquí puedes estudiar todo lo que quieras. Vivamos juntos. Ni tú me molestarás a mí en mis devociones, ni yo a ti en tus sabidurías. Seremos dos cenobitas: yo, cenobita de la fe; tú, cenobita del ateísmo.

—¡Deliciosa vida me propones!... Yo no quiero claustro, sino familia; no me inclino al desprecio de la vida, sino al uso prudente, recto y juicioso de ella; no quiero una existencia de imaginación acalenturada, sino la existencia real, única donde caben los verdaderos méritos humanos, los deberes bien cumplidos, el régimen de la conciencia, la paz y el honor. Yo quiero lo que quise fundar cuando me casé contigo, ¿lo entiendes?

—Lo entiendo, sí; lo que no entiendo es que para que tú tengas familia te sea preciso salir de Madrid.

—Y salir contigo.

—¡Conmigo!

—Tu deber es seguirme.

—¡San Antonio! Si apelas a mi deber... —balbució María con resignación artificiosa—. ¿Y adónde me llevas?

—A donde quieras tú. Una vez establecidos en el sitio que elijamos para residencia, tu vida cambiará por completo.

—Veamos cómo.

—Estableceré un método que se cumplirá con escrupuloso rigor. Te prohibo ir a la iglesia en días de trabajo; en mi casa no entrará una nube de clérigos y santurrones como los que hasta aquí la han tomado por asalto: haré un expurgo en tus libros, separando de los que contienen verdadera piedad los que son un fárrago de insulseces y de farsas ridículas.

—Sigue, hombre, sigue... ¿Y qué más? —indicó María Egipcíaca con sarcasmo.

—Sólo una cosa me resta que decir y es que optes entre este plan y la separación absoluta y radical para toda la vida.

María palideció.

—Eres atroz..., eres terrible... Déjame siquiera reflexionar un poco... ¿Y todo eso se ha de hacer fuera de Madrid?

—Sí: fuera. Elige tú el sitio.

—Vamos, no me vuelvas loca con tus majaderías —dijo de improviso, tomándolo a burla—. Yo no salgo de Madrid.

—Pues adiós —dijo León, levantándose—. Desde hoy eres dueña de esta casa. Queda establecida nuestra separación no por la Ley, sino por mí. Mañana se te presentará mi apoderado y te dará a conocer la renta que te señalo. Adiós. En estos asuntos me gustan la concisión y la prontitud. Todo ha concluido.

Dio algunos pasos hacia la puerta.

—Aguarda —indicó María, corriendo hacia él. Y después, arrepentida de aquel movimiento, cruzó las manos y elevó los verdes ojos traicioneros.

—Señor... Virgen Santa, hermano mío, inspiradme; decidme lo que debo hacer...

León esperaba. Ambos se miraron, sin decir nada. Como si obedeciera a una inspiración, él se acercó a ella y le tomó la mano con respetuoso afecto, diciéndole:

—María, ¿es posible que yo no represente nada en tu memoria, en tu espíritu, en tu corazón? Mi nombre, mi persona, ¿no te dicen nada? ¿No soy capaz de despertar en ti ni siquiera una idea, ni siquiera un eco? ¿El fanatismo religioso ha matado en ti hasta el último y más débil sentimiento? ¿Ha secado hasta la compasión y la caridad? ¿Ha apagado hasta la idea de la conveniencia, del deber?

María se tapaba los ojos con la mano, como el que se goza en una visión interior.

—Respóndeme a la última pregunta. ¿Ya no me amas?

María descubrió sus ojos, ligeramente enrojecidos, pero secos, y, dejando caer sobre su esposo una mirada fría, desapasionada, como limosna que se arroja para librarse de un pobre importuno, le dijo con despacioso y seco tono:

—Desgraciado ateo, mi Dios me manda contestarte que no.

Bajó León los ojos sin decir nada y se retiró a su cuarto. Toda la noche estuvo en vela, arreglando sus asuntos y empaquetando libros, ropa y papeles. Al día siguiente salió, después de echar sobre la casa la postrera mirada, no por cierto de indiferencia, sino de congoja. Su casa no era para él un simple asilo que le echaba de sí: era la esperanza desvaneciéndose, el ideal de la vida desplomándose como catedral desquiciada por el terremoto. Una fibra existía aún en su corazón, uniéndole con aquellos queridos escombros; pero, despiadado, se la arrancó y la tiró lejos.

8. En que se ve pintada al vivo la invasión
   de los bárbaros. — Resucitan Alarico,
   Atila, Omar

—Date prisa, Facunda, que el señor don León vendrá
pronto de su paseo a caballo, y se incomodará si no encuentra arreglado el gabinete... Pero ¡quia! Si no se incomoda nunca... Hombre mejor no ha nacido de mujer.
«¿Cómo va, Facunda: ha echado usted de comer a las
gallinas? Y el señor Trompeta, ¿cómo está?» «Pues vamos
pasando, señor don León.» Esto es lo único que hablamos... ¡Bah, bah!... Y Trompeta me porfiaba ayer que
aquí hay al pie de doscientos libros. Y también dos mil...
El señor don León Roch —y repito que este apellido me
parece mismamente un estornudo..., apellido ordinario,
como el nuestro...—, pues sí, siempre que va a Madrid
trae el coche lleno de libros, y después hace estas láminas.
«Pero, señor don León, ¿usted me quiere decir para qué
sirve esto?» Rayas encarnadas y verdes, manchas y franjas
de todos colores... A bien que si yo supiera leer me enteraría de todo ello, pues se me alcanza que aquí, al borde, hay
letras y hasta renglones... Pero date prisa, mujer... Facunda,
¿qué haces ahí como una boba? Date prisa a barrer y quitar
el polvo; que viene, que viene el señor... Ahora, Facundita,
bájate a la cocina y cómete la magra que dejaste en la sartén. Luego tomarás un poco de sol.

La que así hablaba era Facunda Trompeta, que tenía la
costumbre de hablar consigo misma siempre que estaba
sola, y de llamarse por su nombre y de reprenderse o adularse. Siempre empleaba el gesto y los visajes para estas autoconversaciones, y algunas veces la palabra. Era bienaventurada esposa de un honradísimo carbonero de Madrid llamado José Trompeta, que habiendo hecho modesta fortuna
en tiempos en que aún se hacían fortunas con carbón, se

retiró a Carabanchel a pasar tranquilamente el resto de sus días. Habían comprado una casa, en cuya planta baja vivían, reservando la superior para alquilarla por buen dinero a alguna de las prolíficas familias madrileñas que van allí huyendo de la tos ferina o del sarampión. A principios de abril la arrendó un caballero que frecuentaba el palacio de Suertebella, y parecía muy bien educado, aunque se reía poco y hablaba lo menos posible.

La habitación de León era una gran pieza que parecía la celda de un prior, espaciosa, alta, ventilada, tal como no se hallan ya sino en las casas antiguas. Por las ventanas del Naciente veíase a lo lejos la pomposa arboleda de Vista Alegre, y más cerca, el parque de Suertebella, cuya vaquería se comunicaba por medio de un portalón, casi siempre abierto, con la corraliza de la finca de Trompeta. Por el Poniente se dominaba el pintoresco camino de Carabanchel Alto, con la Montija, y los términos azulados y las verdes lomas de aquellos campos, que de marzo a junio no carecen de belleza.

Junto a la gran estancia, que era sala, despacho y gabinete de estudio, había una alcoba y dos cuartos pequeños. En uno de éstos habitaba el criado. Pocos y cómodos muebles, traídos de Madrid, muchos libros, piedras, láminas, atlas, mesa de dibujo con adminículos de acuarela y lavado, un microscopio, algunas herramientas de geólogo y los más sencillos aparatos químicos para el análisis por la vía húmeda y por el soplete, llenaban la vasta celda.

—¡Ea!, ya tiene usted su cuarto arreglado, señor don León —dijo Facunda, sentándose sin aliento en el sillón de estudio—. Ya puede usted venir cuando quiera. No se quejará de que le he revuelto estas baratijas.

Como se ve, la excelente señora, cuando estaba sola, además de hablar consigo misma, hablaba con los demás.

—Y dígame usted, señor don León, ¿es cierto que antes iba usted a comer muy a menudo a Suertebella? Aunque ahora va usted muy poco por allá, me parece que le gusta más de la cuenta la señorita marquesa... Como es tan rica, no importa que no sea guapa... Ahora no va usted al palacio por aquello de respetar el luto. Conozco yo bien a mi gente...

Y Facunda, no sólo hablaba con los demás, sino que se figuraba oír a sus interlocutores. A más de discursos, había discusión.

—¿Conque digo disparates?... ¿Conque no es cierto que le gusta a usted la marquesita?... Y esos mimos a la nena, ¿qué significan?... Ya; usted qué ha de decir... ¡San Blas! Si no fuera usted casado... Pero entre la gente grande no hay escrúpulos. Díganmelo a mí, que he servido veinte años a una señora condesa, y he visto unas cosas... Pero ¿qué haces aquí, Facunda, hecha una boba? Despabílate..., piernas al aire... No has puesto el puchero todavía... ¡Oh! ¿Qué ruido es ése? ¿Quién viene?

Oíanse risotadas infantiles y un delicioso traqueteo de piececitos en la escalera. Eran Monina, Tachana y Guru, que, después de corretear por el parque, pasaron a la vaquería, de ésta a la corraliza de Trompeta, y, una vez allí, decidieron hacer una excursión en toda regla por los dominios altos de la casa. El aya de Monina los acompañaba. Sabemos quién era Monina; pero no conocemos a esos dos personajes que se nombran Tachana y Guru. La primera tenía tres años y era hija del administrador de Suertebella, Catalina de nombre, de rostro lindísimo, muy reservadita y poco traviesa. Acompañaba en sus juegos a Ramona, y aunque regañaban tres veces cada hora, acometiéndose algunas con mujeril coraje, eran buenas amigas y cada cual lloraba siempre que se hacían demostraciones de castigar a la otra. Se comprenderá fácilmente cómo, en las transformaciones lexicológicas que sufren los nombres en boca de los niños, pudo Catalina o Catana llegar a llamarse *Tachana;* lo que no se comprenderá, aunque pongan mano en ello todos los lingüistas del mundo, es cómo un chico nombrado Lorenzo llegó a llamarse *Guru* en boca de Monina; pero así era, y hemos visto casos más raros todavía de corrupción de vocablos. Guru, rayaba en los seis años y era hermano de Tachana, formalito como aquélla, estudioso como pocos, apuesto y gallardo chico que ya tenía sus novias, su reloj, gabán ruso, bastón, y llamaba a las niñas *chicas.*

—Señora Facunda —dijo desde abajo la voz del aya—, ahí va la langosta. Cuidado no destrocen algo.

Entraron en tropel: Monina, saltando; Tachana, pavoneándose con un pañuelo que se había puesto por cola, y el atildado Guru, echándoselas de padre maestro con las otras dos y recomendándoles la compostura y formalidad.

—¡Ya está aquí el lucero! —exclamó Facunda, tomando a Monina en sus brazos y besándola con estruendo.

Ramona movía, colérica, sus piernecitas en el aire y bramaba con esa ira infantil de que nadie hace caso, diciendo:

—No, no; vieja fea.

—¡Lucero de tu madre!... Y tú, Catana, no des vueltas, que te mareas... Lorenzo, no tires del brazo a Monina... ¡Bribón!, ¿qué haces a la niña? Déjala..., pobrecita.

Monina y Tachana dieron vueltas por la habitación, corriendo una tras otra. Ya venían algo fatigadas de tanto correr por el jardín, y tenían el rostro encendido, los ojos chispeantes. Los graciosos hoyuelos que hacía Mona junto a su boquita cuando se reía, darían envidia a los ángeles; a Tachana se le caían sobre la frente las guedejas negras, obligándola a levantar las manos constantemente para apartarlas. Pestañeaba sin cesar, como si la ofendiera la luz del sol. Monina, por el contrario, abría sus ojos con atención investigadora, insaciable, señal de la curiosidad y ambición pueril que quiere enterarse de todas las cosas para apropiárselas después.

Ordenó Facunda que fueran juiciosas y les habría mandado algo más si no hubiera sentido la voz del aya, que en lo bajo de la escalera charlaba con Casiana, mujer de uno de los guardas de Suertebella. Dentro de los límites de lo posible —si bien en una posibilidad casi infinitamente remota— está que nuestro planeta, desobedeciendo a la atracción del sol que lo gobierna, se salga de su órbita y perezca inflamado si con otro cuerpo choca; pero lo que no es de ningún modo posible, ni aun en teoría, es que Facunda, oyendo que el aya y Casiana hablaban, dejase de correr a enterarse de lo que decían. Así lo hizo, dirigiéndose, con paso quedo y cauteloso, a la meseta de la escalera.

En tanto, Monina y Tachana se habían detenido delante de la mesa donde estaban las láminas geológicas, los dibujos concluidos y por empezar. Sonrisa de triunfo, propia de todo mortal que descubre un mundo, se pintó en el semblante de una y otra. ¡Qué cosa tan bonita! ¡Qué colores tan vivos! ¡Qué rayas! Ellas no sabían lo que aquello era, y, sin duda, por lo mismo, lo admiraban tanto. Se parecía, verdaderamente, a las obras de ellas, cuando la piedad materna les ponía un lápiz en las manos y un papel delante. Ciertamente, Guru, con su caja de colores, había hecho obras por el estilo. Allí no había nenes pintados, ni caballos, ni casas, y, sin embargo, parecíales algo como nacimiento, una obra magna, brillante, esplendorosa, sin igual.

Acontece que cuando se presenta a los niños un objeto cualquiera que les sorprende por su belleza, jamás lo dan por concluido, y quieren ellos poner algo de su propia cosecha que complete y avalore la obra. Sin duda, tienen en más alto grado que los hombres el ideal de la perfección artística, y no hay para ellos obra de arte que no necesite una pincelada más. Así lo comprendió Monina, que, viendo no lejos de la lámina un tintero, metió bonitamente el dedo en él y trazó una gruesa raya de tinta sobre el dibujo. Radiante de gozo y satisfacción, se echó a reír, mirando a Tachana y a Guru. Estos dos se echaron a reír también, y, animada por el éxito, Monina metió en el tintero, no ya el dedo, sino toda la mano, y la extendió sobre la lámina de un ángulo a otro. El efecto era grandioso y altamente estético. Parecía que sobre las tierras pintadas allí con delicadas tintas se cernían enormes nubarrones preñados de rayos y lluvias.

Tachana era demasiado pulcra para meter su dedito en un tintero. Además, se creía maestra en el manejo del lápiz. ¡Feliz ocasión! Sobre la mesa había lápices azules, y a dos pasos, en el atril, un magnífico atlas geológico, admirable obra cromolitográfica, honor de las prensas berlinesas. Sin embargo, en aquellas hermosas hojas estampadas de vivos colores faltaba algo. ¿Quién podía dudarlo? Era evidente que las tales láminas serían más bonitas si una mano solícita las adornaba con rayas de lápiz y trazadas alrededor de todos los contornos. Así lo comprendió Tachana, que era el Rafael de las rayas, pues sabía trazarlas en todas direcciones con admirable pulso.

Guru comprendió que todo aquello, iba a concluir en solfa. Dijo a sus amigas que se estuvieran quietas; pero al mismo tiempo, ¡qué ocasión para lucirse él, que tenía caja de pinturas y sabía hacer cuadros, casi, casi tan buenos como los de Velázquez! Lo que Monina había hecho era una chapucería indecente. ¿Qué significaban aquellas nubes negras y aquellas cruces de tinta con que la muy puerca había ido decorando el margen de la lámina? Efecto tan deplorable se remediaría si en un ángulo del dibujo aparecía una casita campestre con sus dos ventanas como los dos ojos de una cara, su chimenea en la punta y un perro en la puerta. Manos a la obra. Cogió un lápiz rojo, y para no colaborar en las desastrosas pinturas de Monina, apoderóse de otra lámina y empezó su casita. En poco más de cinco minutos, a la casita acompañaba un caballo, y en el caballo cabalgaba un hombre fumando en una pipa mayor que la casa.

No es posible que tres artistas trabajen en un mismo taller sin que estallen ruidosas tempestades de celos. Monina quiso dar un toque a la casa de Guru; éste la apartó con un codazo. Monina agarró la lámina, diciendo:

—*Pa mí, pa mí.*

—*Pa mí* —replicó Tachana, que había arrojado el lápiz.

La lámina grande, de sesenta centímetros, resbaló de la mesa; Tachana y Monina la cogieron cada una por un lado, y... charrás... Al ver cómo se partía, ambas se echaron a reír, y Monina batía palmas con sus manos negras.

—Tontas, ahora sí que la habéis hecho buena —dijo Guru palideciendo.

La contestación de Monina fue coger otra lámina y sacar de ella una tira en todo lo largo. Después agarró el lápiz de Tachana, y sobre las delicadas rayas que ésta había trazado con tanto esmero en el atlas, trazó ella una especie de tela de araña; tanta era la rapidez del lápiz empuñado por la mitad y movido con verdadero furor. Guru quiso, al fin, contener aquel vandálico desorden, y amenazó a Monina; pero ésta supo escaparse de un brinco, golpeando con sus manos, llenas de tinta, los muebles forrados de seda. En uno de sus locos giros, detúvose en la mesa donde estaba el microscopio y se quedó absorta contemplándolo. Se alzaba sobre las puntas de los pies, apoyándose con las manos en el borde de la mesa, y estiraba los dos dedos índices hacia el aparato, diciendo:

—*Eto*.

Eto quería decir: *¿Qué es esto? Supongo que será para mí. Veamos lo que es.*

—Miren la tonta —dijo Guru—. ¿Pues no quiere también el anteojo?

Queriendo dar pruebas de suficiencia, Guru acercó el aparato al borde de la mesa y aplicó su ojo derecho para mirar por él.

—Por este vidrio se ve a París.

Tachana había traído una silla para subir a la mesa; pero antes se subió Monina, y andando a gatas sobre ella arrojó al suelo el microscopio y otros aparatos... En este momento vieron que entraba un hombre. Los tres vándalos se convirtieron en estatuas: Monina sobre la mesa, erguida la frente, la cara muy seria, los ojos muy atentos; Tachana en la silla, con el dedo en la boca y los ojos bajos; Guru mirando dónde había un rincón para esconderse.

—¿Qué han hecho estos pícaros?... ¡San Blas mío, qué destrozo! —gritó Facunda entrando con León.

Este dirigió una mirada de dolor a los dibujos rotos, al atlas lleno de rayas, al microscopio en el suelo. Bastóle una ojeada para conocer las formidables proporciones del desastre.

—Bribonas, ¿qué habéis hecho? —exclamó dirigiéndose a la mesa—. Pero usted, Facunda, ¿en qué piensa, que deja solos a estos niños?... ¿Qué hacía usted? Sin duda oyendo la conversación. Es usted más niña que estas dos...

Hirió el suelo con el pie. Después oyó gemir a Tachana. Era un gemir que partía el corazón.

—¿Has sido tú, Monina? —dijo León, mirándola con semblante adusto.

Monina contestó que no con fuertes cabezadas. Negando con la cabeza, parecía querer arrancársela de los hombros. Al mismo tiempo su conciencia debió argüirle terriblemente, y se miró las manos, como se las miraba lady Macbeth.

—Has sido tú..., bien lo dicen tus manos, picarona.

La niña le miró pidiendo misericordia. Dos gruesas lágrimas salieron de sus ojos. Empezaba Ramona a hacer pucheros, cuando ya los chillidos de Tachana llenaban la casa. Era una Magdalena. No había más remedio que creer en la sinceridad de su arrepentimiento.

—Vaya, vaya —dijo León besando a las dos y tomando en brazos a Monina—. No lloréis más. ¡Qué bonitas tienes las manos! Si tu mamá te viera... Ven a lavarte, asquerosa.

—El aya las dejó subir solas, por estarse abajo charla que charla —indicó Facunda trayendo la jofaina con agua—. Yo no puedo atender a todo. El aya tiene la culpa.

Lavaron los pinceles de Monina. Después se sentó León, y poniendo una dama sobre cada rodilla, les dijo:

—¡Qué destrozo me habéis hecho! ¿Y Guru? ¿Dónde está Guru?

Lorenzo había desaparecido.

—Ese es el malo; estas pobrecitas no hacían nada si él no las echara a perder —dijo Facunda.

—Guru, Guru —gruñeron las dos a un tiempo, descargando sobre su ínclito amigo la responsabilidad del espantoso crimen.

—Ese pícaro Guru... Como le coja aquí...

Monina, perdido ya el miedo y sustituido por el descaro, tiraba de las barbas a León.

—¡Eh, eh!, que duele, señorita.

—*Lice* Tachana —tartamudeó Monina—; *lice* Tachana.

—¿Qué dice Tachana?

—Que tú *e* mi papá.

—No —dijo León mirando a Tachana, que se comía una mano—. Yo no soy tu papá... Quítate la mano de la boca y contéstame. ¿Por qué dices que yo soy tu papá?

Lentamente y muy por lo bajo, repuso Tachana:

—*Porque lo ició* mi mamá.

Monina, cuyo carácter era en extremo jovial, y que cuando cogía un tema no lo dejaba hasta marear con él a Cristo Padre, prorrumpió en risas, y batiendo palmas y agitando los pies como si también con los pies quisiera expresar su pensamiento, repitió unas veinticinco o treinta veces:

—Que tú *e* mi papá..., que tú *e* mi papá.

Facunda se retiraba gruñendo:

—Eso bien claro se ve. No necesito yo que la nena me lo cuente.

—Señora Facunda —dijo León—. Al aya, que puede retirarse. Monina y Tachana se quedan aquí. Yo las llevaré a Suertebella.

9. La crisis

Una hora después, Monina y Tachana jugaban en la alfombra con cucuruchos y gallitos de papel que León les había hecho, y éste ponía orden en la mesa, apartando lo que pudo salvarse de la invasión. El ruido de la puerta hízole alzar la vista, y vio delante de sí a su suegro, el señor marqués de Tellería. Parecía envejecido, y su cara, más rugosa y amojamada que de ordinario, anunciaba una perturbación nerviosa, o tal vez la ausencia de algún menjurje con que acostumbraba rejuvenecerse. Como lamparillas que por falta de aceite pestañean, esforzándose en arder con humeante llama, así brillaban sus mustios ojos, revelando lágrimas o insomnio. Su vestir únicamente no había variado nada, y era siempre correcto y pulcro: pero su voz, antes tan resuelta como la de todo aquel que cree decir cosas de sustancia, era ya tímida, sofocada, hijosa, mendicante. León sintió en grado máximo lo que siempre había sentido por su suegro: lástima. Le señaló un sillón.

—Tengo calentura —dijo el marqués alargando la mano para que León le tomara el pulso—. Hace tres noches que no duermo nada, y anoche... creí morir de susto y vergüenza.

León pidió informes para juzgar las causas de tanta desventura y el no dormir.

—Te lo contaré todo. Para ti no puede haber secretos —dijo Tellería dando un gran suspiro—. A pesar de lo que ha pasado con María y que deploro con toda mi alma... ¡Oh!, todavía espero reconciliaros..., pues a pesar de eso, siempre serás para mí un hijo querido.

Tanta melifluidad puso en guardia a León.

—¡Ah!, nos pasan cosas horribles... Se te erizarán los cabellos cuando te cuente, querido hijo... Pero ¿no es verdad que tengo calentura? Mi temperamento delicado y nervioso no resiste a estas emociones. ¡Ojalá no conozcas nunca en tu casa lo que ha pasado estos días en la de tus padres! He venido a contártelo, y ya ves, no sé cómo empezar: tengo miedo, no me atrevo.

—Yo lo comprendo bien —dijo León, deseando poner fin al largo preámbulo telleriano—. Ha llegado el momento en que el sistema de trampa adelante se ha hecho insostenible. Todo acaba en el mundo, hasta la mentirosa comedia de los que viven gastando lo que no tienen; llega un día en que los acreedores se cansan, en que los industriales diariamente engañados, los tapiceros, los sastres, los abastecedores al por menor ponen el grito en el cielo, y ya no piden, sino que toman; ya no murmuran, sino que vociferan.

—Sí, sí —dijo el marqués cerrando los ojos—; ese día ha llegado. No se quiso hacer caso de mis saludables consejos, y ahí tienes la catástrofe; catástrofe horrible, cuyas consecuencias no puedes figurarte por más que tu imaginación... En una palabra, querido hijo: el embargo está pendiente sobre nuestras cabezas... No siento yo que se lleven los cachivaches que hay en la casa y que Milagros ha ido tomando de las tiendas sin pagarlos; lo que siento es el escándalo. Anteayer, un tendero de comestibles que ha ido a casa unas doscientas veces, armó en la escalera un jaleo espantoso. Yo oí desde mi despacho sus horribles denuestos; salí furioso; pero él había bajado ya y continuaba su arenga en medio de la calle. Ayer el dueño del coche se ha negado a servirnos, y no es esto lo peor, sino que me envió una carta insolente... Te la voy a enseñar...

—No, no es preciso —dijo León deteniendo la mano trémula del marqués, que rebuscaba en los bolsillos—. Ya supongo lo que dirá ese mártir.

—Ayer me citó el juez... Esos impíos tenderos, leñeros, alfombristas, tapiceros y mercachifles de todas clases, han presentado lo menos veinticinco demandas contra mí... ¡Qué horrible es referir estas miserias! Parece que me arden en la boca las palabras con que te lo cuento, y el sonrojo me quema la cara. Dime: ¿no tienes compasión de mí?

—Mucha —replicó León, realmente lleno de lástima.

—No me defiendo, no —dijo el marqués con voz melodramática y cerrando los ojos—. Ya se han agotado todos los recursos y se han cerrado todas las puertas. En alhajas no queda ya nada, ni las papeletas del Monte. Un prestamista a quien me dirigí ayer, el único en quien tenía alguna esperanza, porque con los demás no hay que contar ya, me recibió ásperamente, díjome palabras que no quiero recordar, y me despidió de su casa. ¡Oh! ¡Qué horribles confidencias, León! Estoy revolviendo este muladar de miseria y deshonor en que he caído y me parece mentira que sea yo, Agustín Luciano de Sudre, marqués de Tellería, hijo del mejor caballero que vio Extremadura y heredero de un nombre que atravesó siglos y siglos rodeado de consideración y respeto.

—Es verdad —dijo León con severidad—: parece mentira, y más inverosímil aún es que habiendo sido sacado usted otras veces por manos generosas de ese muladar de vergüenza y miseria, se haya arrojado de nuevo en él.

—Tienes razón..., he sido débil; pero yo solo no tengo la culpa —dijo el prócer humilde como un escolar—. Mis hijos, mi mujer, me han empujado para que caiga más pronto. Y si te contara lo más negro, lo más deshonroso... ¡Ah!, León de mi alma, necesito contártelo, aunque estas cosas son de las que sólo se dicen a la almohada sobre que

dormimos y aun diciéndoselo a la almohada se ruboriza
uno. A ti no se te puede ocultar nada. Pero es tan duro
decir... Todo lo que hay en mí de esta *hidalguía castellana*
heredada de mis padres se subleva en mi alma y siento
como si una mano me tapara la boca.

—Si no es absolutamente preciso para el objeto de su
visita, puede usted callarlo.

Te lo he de decir, aunque me amarga mucho. Ya sabes
que Gustavo tiene relaciones con la San Salomó, relaciones
que no quiero calificar. Pues bien: Gustavo... No creo que
la idea partiera de Gustavo: creo más bien en sugestiones
y astucias de Milagros... No sé cómo decírtelo, no sé qué
palabras emplear tratándose de personas de mi familia.
En resumen: Pilar San Salomó dio a Gustavo una cantidad, no sé con qué fin; cantidad que se apropió mi bendita
mujer, no sé con qué pretexto. Ellos hicieron allá sus
arreglos..., no sé si hubo promesa de pago, algún documen-
tillo... Mi hijo, que es caballero y se vio comprometido,
tuvo una violenta escena con su madre, anoche, a propósito
de ese dinero, y... no puedes figurarte la que se armó en
casa. Gustavo y Polito vinieron a las manos; tuve que hacer
esfuerzos locos para ponerlos en paz... Poco después Gustavo se retiró a su cuarto; corrí tras él sospechando una
cosa lamentable, y le sorprendí acercándose una pistola a la
sien... Nueva escena, nuevos gritos, con la añadidura de
un desmayo de Milagros... ¡Qué noche, hijo mío, qué
noche tan horrible! Para colmo de fiesta, los criados, deses-
peranzados de cobrar, se han ido después de insultarnos en
coro llamándonos... No, no lo digo; hay palabras que se
resisten a salir de mi boca.

Detúvose el marqués desfallecido y jadeante. Gruesas
gotas de sudor resbalaban por su frente, y su pecho se
inflamaba y se deprimía como el de quien acaba de soltar
un peso enorme. Hubo una pausa que León no quiso de
modo alguno cortar. El mismo don Agustín fue quien
evocando el resto de sus gastadas fuerzas, y poniendo la
cara más afligida, más dramática, más luctuosa que cabe
imaginar, exclamó:

—León, hijo mío, sálvame, sálvame de este conflicto.

Si tú no me salvas, moriré, moriremos todos. Salva mi honrado nombre.

—¿De qué modo? —preguntó León fríamente.

—¿No ves mi deshonra?

—Sí; pero veo difícil que pueda evitarla.

—Dime: ¿tendrás valor para ver a tus padres pidiendo limosna? —dijo el suegro apelando a un recurso que creía de efecto.

—Estoy dispuesto a impedir que los padres y los hermanos de mi mujer pidan limosna. Pero si pretende usted que aplaque a sus acreedores; en una palabra: si pretende usted que pague sus deudas contraídas por el despilfarro, el desorden y la vanidad, para que luego que estén libres vuelvan la vanidad y el desorden a seguir viviendo y escandalizando, me veré en el caso sensible de responder negativamente. No una, sino varias veces he sacado a usted de atolladeros como éste. Mucho propósito de enmienda, muchos planes de reformas; pero al cabo la enmienda ha sido gastar más. Usted, Milagros y Polito han consumido la cuarta parte de mi fortuna. Basta ya: no puedo más.

La energía de León abrumó al pobre marqués, que estaba anonadado. La rudeza de la negativa quitóle por algún tiempo el uso de la palabra. Al fin, balbuciendo y rebuscando las frases aquí y allá, como el que recoge las cuentas de un rosario que se rompe en medio de la calle, pudo hablar así:

—No te pido limosna... No está en mi carácter... Siempre que he apelado a tu generosidad ha sido... con garantía e intereses.

—Garantía de pura fórmula, intereses ilusorios que he admitido por delicadeza para cubrir la donación con la vestidura de un préstamo hipotecario. ¿Qué garantía ha de dar quien ya no tiene ni tierras, ni casas, ni una hilacha que no está en manos de los acreedores? Lo que yo he hecho no es generosidad, señor marqués: es un verdadero crimen. No he amparado a menesterosos, sino que he protegido el vicio.

—¡Por Dios! —dijo Tellería, tembloroso y aturdido—; recuerda... Tus larguezas con mis hijos y con mi mujer han sido la correspondencia natural del amor que te tenemos... Acabemos, León: ha llegado el momento crítico de mi vida. Se trata de salvar la honra de mi casa.

—Su casa de usted ya no tiene honra, hace tiempo que no la tiene.

Irguió el marqués su afeminada cabecilla; tiñéronse en una púrpura sanguinolenta sus apergaminados carrillos, y sus ojos brillaron como si hubiera pasado rápidamente por delante de ellos una luz. Creeríase que aquel hombre, tan debilitado moral como físicamente, buscaba en el fondo de su alma un resto de dignidad, y lo tomaba y lo esgrimía como el soldado cobarde que, no habiendo hecho nada durante la batalla, quiere en el último instante de la pelea contestar con una muerte gloriosa a los denuestos de sus compañeros. Pero León tenía sobre él tan gran ascendiente, que el desgraciado prócer no halló fuerzas para alzar la voz, y sólo pudo echar de sí un gemido. Dejando caer después su abatida cabeza sobre el pecho, oyó como un estúpido. Era el árbol carcomido y seco que esperaba el último hachazo.

—Su casa de usted no tiene ya honra —repitió León—, a no ser que demos a las palabras un valor convencional y ficticio. La honra verdadera no consiste en formulillas que se dicen a cada paso para escuchar debilidades y miserias; se funda en las acciones nobles, en la conducta juiciosa y prudente, en el orden doméstico, en la verdad de las palabras. Donde esto no existe, ¿cómo ha de haber honra? Donde todo es engaño, insolvencia, vicios y vanidad, ¿cómo ha de haber honra? Puesto que estamos aquí en familia, podemos pasar una revista a la conducta de Milagros, a la de Polito, a la de usted mismo.

El marqués extendió la mano, queriendo rogar a su yerno con gesto suplicante que no pasara ninguna revista. León, no obstante, creyó necesario decir algo.

—Te ruego —repuso Tellería con afligido tono— que no me recuerdes eso que amargamente deploro. Cierto que he tenido devaneos..., ¿quién no los tiene? El mundo es así... ¿Eso qué significa?... Ahora que me ahogo, León, dame la mano o déjame morir; pero no me inculpes, no me crucifiques más de lo que estoy. Es verdad que no debo apelar tantas veces a tu generosidad; pero las circunstancias en que tú y yo nos hallamos son muy distintas. Yo tengo hijos, tú no los tienes.

—Pero... —murmuró León.

Sin duda quiso decir: «Pero puedo tenerlos.» El marqués contempló un rato a las dos niñas que jugaban en medio del cuarto.

—Para concluir —dijo León Roch—. Cuente usted con una pensión suficiente para vivir con modestia y decencia. Es todo lo que puedo hacer. Ni yo tengo minas de oro, ni si las tuviera bastarían a llenar una vez y otra esos hoyos que abren ustedes cada poco tiempo.

Don Agustín palideció, y mirando al suelo movió las mandíbulas, como quien revuelve en la boca el hueso de una fruta.

—Una pensión... —murmuró.

En efecto: la pensioncilla se le atragantaba, y aunque la gratitud impedíale protestar de palabra contra ella, bien claro decía su demudado rostro que aquella limosna vitalicia, arrojada por la compasión, sublevaba su orgullo y enardecía su sangre. Tal era su relajación moral, que no se creía rebajado implorando un préstamo con garantías ilusorias, equivalentes a una reserva mental de no pagar nunca, y se sentía herido en lo más doliente de su ser al recibir una pensión que llamaba él *una bofetada de pan*.

Además, su propio egoísmo le hacía rechazar una solución que no le sacaba de los apuros del momento. ¿Qué le importaba el porvenir ni aquella vida modesta y decorosa de que León le hablaba? ¿Qué entiende el tramposo de porvenir? Su afán es salvarse en las grandes crisis de escándalo, para seguir después, alta la frente, seguro el paso, por el mismo camino de la dilapidación y del fraude, cuyos recodos y atajos conoce a maravilla. Pero el respeto del marqués a las conveniencias y su refinada cortesanía, obligábanle a velar su pensamiento y aun a mostrarse agradecido por aquel *potaje de San Bernardino* que su yerno le ofrecía.

—Una pensión... —dijo, revolviendo en la boca lo que

parecía hueso de fruta—. Eres muy generoso... Yo te agradezco tu previsión. Verdad es que no resolvemos nada con esto. El naufragio subsiste, y tu pensión es una playa que está a cien leguas de distancia...

No supo decir otra cosa; pero palideció más, y sus ojos miraban con más fijeza al suelo. Determinábanse en él la ira y la contrariedad por una desfiguración facial que parecía envejecimiento rápido, instantáneo, milagroso. Su boca se fruncía entre dos pliegues hondos, y los pelos de su bigote desengomado tomaban direcciones distintas, cual si quisieran amenazar a todo el género humano. Sus mejillas de tez ajada y vinosa se le llenaban de arrugas, y bajo sus apagados ojos colgaban dos bolsas de carne blanducha. Hasta se podría creer que su cuello se hacía más delgado, sus orejas más largas y cartilaginosas; que sus sienes, oprimidas y surcadas de venas verdes, tomaban el color amarillento de la cera de velas mortuorias. Cuando el inflexible yerno dijo con su tono decisivo e inapelable: «La pensión y nada más que la pensión», don Agustín de Sudre marchaba con veloz descenso a la decrepitud. Después de meditar un rato sobre su desastrosa suerte, alzó la cabeza, y poniendo en sus labios una de esas contracciones en que se confunde la sonrisa del disimulo con el espumarajo de la rabia, dijo a su yerno:

—Eres muy complaciente y benévolo con nosotros; pero si mucho tenemos que agradecerte, también tú tienes motivos para guardarnos consideraciones. Ni siquiera nos hemos quejado al ver que has hecho desgraciada a nuestra querida hija.

—¡Que yo la hago desgraciada! —exclamó León con flema.

—Sí; muy desgraciada..., y nosotros tan callados, por consideración a ti, por excesiva consideración... Pero al fin los sentimientos paternales se despiertan vivamente en nosotros, y no podemos callar viendo el dolor de ese ángel... Pues qué, ¿crees tú que la pena ocasionada por tu separación no la llevará al sepulcro?

Todos los seres, por diminutos que sean, tratan de morder o picar cuando se sienten aplastados. Herido en su orgullo y burlado en sus locas esperanzas, el marqués sacaba su aguijoncillo.

—Esa cuestión es harto complicada para tratarla de paso. ¿Quiere usted, como padre, recibir explicaciones? Si es así, preciso es confesar que ha tardado usted mucho en pedírmelas. Hace casi un mes que me separé resueltamente de María.

—Pero no por tardar dejo de hacerlo —dijo don Agustín, reanimándose al ver en sus manos una de las armas que ponen al cobarde en mejor situación que al valiente—. Soy padre, y padre amantísimo. Lo que has hecho con María, con aquel ángel de bondad, no tiene nombre. Primero la has atormentado con tu ateísmo y has martirizado cruelmente su corazón, haciendo gala de tus ideas materialistas... Pues qué, ¿no merece ya ni siquiera respeto la piedad de una mujer, que, educada en la verdadera religión, quiere practicarla con fervor? Pues qué, ¿ya no hay creencias, ya no hay fe; hemos de gobernar el mundo y la familia con las *utopías* de los ateos?

—¿Qué sabe usted cómo se gobiernan el mundo y la familia? —dijo León, tomando a burlas la severidad de su suegro—. ¿Ni cuándo ha sabido usted lo que es religión, ni cuándo ha tenido creencias, ni fe, ni nada?

—Es verdad: yo no soy sabio, no puedo hablar de esto —replicó Tellería, reconociéndose incompetente—. No sé nada; pero hay en mí sentimientos tradicionales que están grabados en mi corazón desde la niñez; hay ciertas ideas que no se me han olvidado a pesar de mis errores, y con esas ideas afirmo que al separarte de María has conculcado las leyes morales que rigen a la Sociedad, todo *lo que hay de más venerando en la conciencia humana.*

Este trozo de artículo de periódico exasperó a León tal vez más de lo que la calidad de su interlocutor merecía. Pálido de ira, le dijo:

—Buenas están vuestras leyes morales; buenas están vuestras interpretaciones de la conciencia humana... Tienen gracia vuestras cosas venerandas. ¡Ah, y yo he sido tan necio que he sufrido por espacio de cuatro años una vida de opresión y asfixia dentro de una esfera social en que todo es fórmula: fórmula la moral y la religión, fórmula el honor, fórmula la riqueza misma, fórmulas las leyes, hechas de mogollón, jamás cumplidas, todo farsa y teatro, en que nadie se cansa de engañar al mundo con mentirosos papeles de virtud, de religiosidad, de hidalguía! ¡Bonito modelo de Sociedad, digna de conservarse perpetuamente sin que nadie la toque, sin que nadie ose poner la mano en ella, ni siquiera para acusarla! ¡Y yo, según usted, he faltado al respeto que merece este rebaño de hipócritas, bastante hábiles para ocultar al vulgo sus corrupciones y hacerse pasar por seres con alma y conciencia! ¡Y yo, que he sido un ser pasivo; yo, que he visto y callado y sufrido, ni siquiera me opuse a las aberraciones de mi mujer, más frenética, pero menos criminal que los demás, he faltado a las leyes morales! ¿En qué ni de qué modo? Pero ¡sí, sí; he sido cómplice callado y ocultador criminal del desorden, ayudando con mi dinero a los padres pródigos, a los hijos libertinos y a las madres gastadoras! He sido el Mecenas de la disolución, he dado alas a todos los vicios, al crimen mismo. Esta es mi falta, la reconozco.

Al principio, enojado; después, iracundo, y, al fin, furioso, León daba golpes sobre la mesa, increpando con enérgica mano a su suegro, el cual se fue empequeñeciendo, reduciéndose a la mínima expresión. El pobre señor tenía los ojos fijos, durante la filípica, en un vaso puesto sobre la mesa, y consideraba que cabría muy bien dentro de aquel vaso. Monina y Tachana, muertas de miedo, recogieron sus cucuruchos y sus gallos de papel, y calladitas, sin atreverse a reír ni a llorar, se retiraron a un rincón de la pieza.

—Yo hablaba como padre —dijo el marqués con voz tan tenue que parecía salir del fondo del vaso.

—Y yo hablo como hombre herido en lo más delicado de su alma, como marido expatriado de su hogar por una Inquisición de hielo, y lanzado a las soledades del celibato de hecho por un fanatismo brutal y una fe sin entrañas. Esas leyes morales de que usted me hablaba me condenarán a mí, lo sé, y me condenarán por lo que llaman ridículamente mi ateísmo, cuando los verdaderos ateos, los materialistas empedernidos, son ellos, son esos que se visten

toga de juez para acusarme, lo mismo que se vestirían el
saco de Pierrot para bailar en un sarao. Aunque no los
creo dignos de recibir una explicación mía, sepan que soy
la víctima, no el verdugo, y que estoy decidido a no respetar, como hasta aquí, los dictámenes de los hipócritas,
ni las sentencias de los corrompidos. Yo obraré por cuenta
mía, ya sé dónde están las verdaderas, las inmutables leyes:
no haré caso de formulillas ni de recetas. ¡Qué placer tan
grande despreciar no ya secreta, sino públicamente, lo que
no merece ningún respeto: ese tribunal, esa sentencia fa-
bricada con el voto y con los pareceres de todos los des-
pojados de sentido moral, de los concusionarios, de los
hipócritas, de los mojigatos viciosos, de los viejos aman-
cebados, de las mujeres locas, de los jóvenes decrépitos, de
los negociantes en fondos públicos y en conciencias privadas, de los que quieren ser personajes y sólo son simios,
de los que todo lo venden, hasta el honor, y de los que no se
venden porque no hay quien los quiera comprar, de los que
se dan aires de gravedad sacerdotal, siendo seglares, y son
un verdadero saco de podredumbre con figura humana!...
Allá se queden esos... Yo me aparto, me retiro solo, dejando a mi desgraciada esposa lejos de mí, por su voluntad,
no por la mía. Miraré desde fuera ese espectáculo edificante.
Allá se entiendan... Vivan al día, gasten lo que no tienen;
hagan novenas; reciban coronas y alabanzas de los adúlteros; repártanse el dinero de la riqueza territorial entre
los sacristanes y las bailarinas; púdranse las familias y acaben en generaciones de engendros raquíticos; hagan de las
cosas más serias de la vida un juego frívolo, y conservando
en sus almas un desdén absoluto a la virtud, a la verdadera
piedad, invoquen con su lenguaje campanudo una moral
que desconocen y un Dios que niegan en sus actos. ¡Ateos
ellos, a menos que Dios no sea un vocablo cómodo!
¡Ateos ellos mil veces, que miden la grandeza de los fines
divinos por la pequeñez y la impureza de sus corazones
de cieno!

El ardor de sus palabras había secado su boca. Tomó el
vaso que estaba sobre la mesa, aquel mismo vaso en que el
marqués hubiera querido meterse, y bebió un sorbo de

agua. El infeliz acusado se había empequeñecido tanto, que no miraba al vaso, sino a una cajilla de cartón, y parecía decir: «¡Qué bien estaría yo ahora dentro de esa caja de fósforos!»

Como buen cortesano y dueño absoluto de una multitud de conceptos comunes para todas las ocasiones, aun las más críticas, Tellería habló al modo de decir alguna palabra que le sirviese para disimular la gran confusión en que estaba.

—No te seguiré por ese camino —dijo, estirando el cuerpo y ahuecando la voz—. No imitaré tu lenguaje violento. Yo he invocado a las leyes morales y las invocaré siempre en este asunto... Insisto en lo inexplicable del desaire que has hecho a María, esposa fiel y honrada; insisto en lo misterioso de tu separación. Yo no puedo ver en eso un hecho ocasionado simplemente por el fanatismo de María; yo sospecho que tú...

El marqués se detuvo. Oyóse la voz de Tachana llorando. Ella y Monina se habían metido en un rincón detrás de una silla, al través de cuyos palos contemplaban, llenas de susto, a los dos hombres que tan acerbamente discutían. Cansadas al fin del escondite, empezaron a reñir una con otra. Ramona dio un bofetón a su compañera.

—¿Qué niñas son éstas? —dijo el marqués vivamente—. ¿No es aquella rubia la nietecilla del marqués de Fúcar, la hija de Pepa?...

—Sí; Monina, ven acá.

—¿No está aquí Suertebella?

—Aquí cerca.

—Ya...

El marqués se levantó. Tenía su idea. Aquel hombre, tardo en el juicio, y que rara vez podía gloriarse de ser propietario de un pensamiento, pues pensaba con la lógica ajena, así como hablaba con las frases hechas, sintió su lóbrego cerebro invadido por una luz extraña. ¡Oh! Sí: él también tenía su idea, y no la cambiara por otra alguna.

—Adiós —dijo, secamente, a su yerno, poniendo una cara muy seria, tan exageradamente seria que parecía cómica.

—Pues adiós —replicó León con calma.

—Nos volveremos a ver y hablaremos de las leyes morales —añadió don Agustín—. Hablaremos también de la desgracia de mi hija, del abandono de mi hija, del honor de mi hija. Esto es muy serio.

Y se crecía, se crecía de tal modo, que ya no cabía en la cajita, ni en el vaso, ni en el sillón, y hasta el cuarto parecíale pequeño para contener su gigantesca talla.

—Hablaremos ahora.

—No..., necesito calma, mucha calma. Mi hija debe ponerse al amparo de las leyes. Voy a comunicar mi pensamiento a la familia... El asunto es gravísimo. ¡Mi honor!...

—¡Ah! Su honor de usted —dijo León riendo—. Bien: lo buscaremos, y cuando parezca, hablaremos de él... Adiós.

Tellería se retiró. Aunque apenadísimo por el mal éxito de su tentativa pecuniaria, se sentía orgulloso, hinchado. Algo muy grande sentía dentro de sí que, dilatándose, le hacía crecer de tal modo que ya no cabía en la escalera, ni en el portal...; casi no cabía en la calle, ni en el campo, ni en el universo. Era su idea, que entró casi invisible y crecía dentro, sugiriéndole con fecundidad asombrosa otras mil ideas subordinadas, las cuales le halagaban, poniéndole a él muy alto y a los demás muy bajos. Qué bueno es tener una idea, sobre todo cuando esa idea nos consuela de nuestra infamia con la infamia de los demás, haciéndonos exclamar con orgullo: «¡Todos somos lo mismo, lo mismo!»

10. Razón frente a pasión

Al día siguiente recibió León un anónimo; después, la visita de dos amigos que le comunicaron algo muy interesante, pero también muy penoso para él, y a consecuencia de esto pasó en gran desasosiego el día, y en vela la noche. Levantóse temprano y anunció a Facunda que se marchaba; una hora después, dijo:

—No; me quedo, debo quedarme.

Por la tarde salió a pasear a caballo, y al regreso envió un recado a Pepa, diciéndole que deseaba hablar con ella. Desde el día en que supo la noticia de la muerte de Cimarra, León no había visto a la hija del marqués de Fúcar sino dos o tres veces. Un sentimiento de delicadeza le había impedido menudear sus visitas a Suertebella.

Recibióle Pepa poco después de anochecer en la misma habitación donde Monina había estado enferma y moribunda. La graciosa niña, medio desnuda sobre la cama, se rebelaba contra la regla que manda dormir a los chicos a prima noche, y, sin hacerse de rogar como otras veces, contaba todos los medios cuentos que sabía, y decía todas sus chuscadas y agudezas; empezaba una charla que concluía en risa, y castigaba a su muñeca después de darle de mamar; saludaba como las señoras, y con sus dedillos hacía un aro para imitar el lente monóculo del barón de Soligny. Después de mucha batahola, vacilando entre la risa y la severidad fingida, Pepa logró hacerla arrodillar, cruzar las manos y decir de muy mala gana un hechicero padrenuestro, mitad comido, mitad bostezado. Siguió a esta oración el «Con Dios me acuesto, con Dios me levanto», y como si esta ingenua plegaria tuviese en cada palabra virtud soporífera, Monina guiñó los ojos, cerró sus párpados con dulce tranquilidad, y murmurando las últimas sílabas, quedóse dormida en los brazos del Señor. Después que ambos la contemplaron en silencio durante largo rato, León la besó en la frente.

—Adiós, nena —dijo con cierta emoción.

—¿Y por qué adiós? —preguntó Pepa muy inquieta— ¿Te vas?

—Sí.

—Me avisaste que querías hablarme.

—Despedirme.

—¿No estás bien aquí?

—Demasiado bien; pero no debo estar.

—No te comprendo. ¿Te has reconciliado con tu mujer?

—No.

—¿Vas al extranjero?

—Tal vez.

—¿Adónde?

—No lo sé todavía.

—Pero avisarás, escribirás, dirás: «Estoy en tal parte.»

—Es posible que no te diga nada.

Pepa miró torvamente al suelo.

—Es necedad que tú y yo hablemos con medias palabras y con frases veladas y enigmáticas —dijo León—. Hace algunos meses que hablamos como los que ocultan una intención perversa. Si hay maldad, mejor estará dicha que hipócritamente ocultada. Es preciso decirlo todo. Desde que perdí completamente las ilusiones de mi bienestar doméstico, frecuento tu casa; quizá, o sin quizá, la he frecuentado demasiado en este tiempo. Mi soledad, mi tedio, mi anhelo de saborear la vida de los afectos, hacíanme buscar ese arrimo que al alma humana es tan necesario como el equilibrio al cuerpo. Yo estaba helado; ¿qué extraño es que me detuviera allí donde encontré un poco de calor? Empecé admirando a Monina y acabé por adorarla, porque yo tenía, más que afán, rabiosa sed de afectos íntimos, de amar y ser amado. ¡Es tan fácil hacerse amar de un niño!... Yo sentía en mis afanes imperiosos de deleitarme en cosas pueriles, de poner mi corazón, vacío ya de grandes afecciones, bajo los piececillos de un chicuelo para que lo pateara. No sé cómo explicártelo... Presumo que tú comprenderás esto. Se me figura que lees en mí, así como tú no me eres, no, desconocida. Me parece que hace tiempo estamos representando una comedia...

—Yo no represento jamás —dijo Pepa con aplomo.

—Pues yo tampoco. Oye lo que ha pasado en mí. Yo me sentía solo en mi casa, solo en la calle, solo en medio de la Sociedad más bulliciosa, solo en todas partes menos junto a ti. Una fatalidad... Pero no demos este cómodo nombre a lo que es resultado de nuestra imprevisión y nuestros errores... Digamos que la situación creada por nosotros mismos nos impedía declarar con la frente alta un afecto del corazón... Ambos éramos casados.

—Sí —dijo con serenidad y firmeza la de Fúcar, como si ella hubiera ya pensado muchas veces aquello mismo, y considerándolo bajo infinitos aspectos.

—Ahora ya tú no lo eres; yo, sí. La situación es casi la misma. Pero tu viudez me ha hecho más insensato... Yo no debo estar aquí, y, sin embargo, estoy; y cuando veo este color negro de tus vestidos y del vestido de Monina, siento en mí no sé qué horrible levadura de osadía y sacrilegio; lucho por ahogarla y callarme; pero tú misma, con una fuerza de atracción de que apenas te das cuenta, me obligas... No puedo decirlo de otro modo, me obligas a decirte que te amo, que te amo desde hace tiempo... No tengo fuerzas ni palabras para maldecir un sentimiento que en mí ha nacido de este lúgubre destierro doméstico en que vivo, y en ti... no sé de qué.

—Nació conmigo —afirmó Pepa, que apenas respiraba—. Me has dicho una cosa que presumía mi corazón... Pero ¡oírtela decir..., oír de tu misma boca, aquí, delante de mí..., donde sólo Dios y yo podemos oírlo!...

Le faltó la voz. Transfigurada y sin color, como el moribundo, no pudo hallar para el desahogo de su alma lenguaje más propio que apoderarse de una mano de León y besársela tres veces con ardiente ternura.

—Hemos llegado a una situación difícil —dijo él—. Afrontémosla con dignidad.

—¿Situación difícil? —indicó Pepa, con cierta sorpresa candorosa, como si la situación le pareciera a ella muy fácil.

—Sí; porque a estas horas somos víctimas de la calumnia.

Pepa alzó los hombros, como queriendo decir: «¿Y qué me importa a mí la calumnia?»

—Convendrás conmigo en que he cometido una gran falta en venir a vivir tan cerca de ti.

—¿Falta? ¿Falta venir aquí? —dijo la dama, dando a entender que si aquello era falta, también lo era la salida del sol.

—Falta ha sido. Te advierto que yo, a quien muchos tienen por hombre de entendimiento, me equivoco siempre en las cosas prácticas.

Pepa indicó su conformidad con aquella idea.

—Mi último error ha desatado la lengua a la maledicencia. ¡Pobre amiga mía! Ya es cosa averiguada en Madrid que a los dos meses de viuda tienes un amante, que ese amante soy yo, que vivimos juntos, injuriando la moral pública. No contenta con esto, la gente hace un odioso trabajo retrospectivo, dando a nuestras relaciones criminales un origen remoto, y de esto resulta una afirmación fuera de toda duda.

—¿Cuál?

—Que Monina es hija mía.

Pepa se quedó un instante perpleja. Creeríase que la tremenda afirmación no hacía gran mella en su alma. Argumentando mentalmente, no sabemos de qué modo, dijo:

—Pues bien: cuando la calumnia es tan grosera, tan absurda, no debemos afligirnos por ella.

—¿Sabes tú cuál es el escudo en que la calumnia puede estrellarse? —le dijo León con serenidad. ¿Lo sabes tú? Pues es la inocencia. Nuestra inocencia, Pepa, es tan sólo relativa, o mejor dicho, parcial. Las hablillas que nos agobian llevan en sí algo de fundado, se equivocan sólo en los hechos. Mienten cuando dicen que soy tu amante y que vivimos juntos; pero aciertan cuando dicen que te amo. Mienten cuando dicen que Monina es hija mía, pero...;

Pepa no le dejó concluir. A borbotones se le salieron las palabras de la boca para exclamar con júbilo:

—Pero aciertan al decir que la adoras como si fuera tu hija: lo mismo da.

—La calumnia se equivoca en los hechos; pero a falta de hechos hay intenciones, sentimientos, esperanzas. Contéstame: ¿crees tú que somos inocentes?

—No. Por lo menos yo no lo soy. La calumnia que ha caído sobre mí y me hiere en mi honor, parece que trae consigo algo de justicia —afirmó Pepa con acento patético—. ¡La miro con menos horror del que debía sentir, porque hay dentro de mí tanto, tanto, que podría justificar una parte, lo principal, el fundamento de ella!... Tú eres una persona de rectitud y de conciencia; yo no lo soy. Estoy acostumbrada a cultivar, acariciándolos en el secreto y en la soledad de mi alma, sentimientos contrarios a mi deber; yo soy una mujer mala, León; yo no merezco este afecto tardío que sientes por mí; yo soy criminal, y como criminal no puedo tener ese pavor escrupuloso que tú tienes a la calumnia.

—Pepa, Pepa, no hables de ese modo —dijo León, estrechando la mano de su amiga—. No es así como te he visto y te he contemplado en mi alma, cuando te apoderabas de ella y lentamente te hacías reina de todos mis afectos.

—¡Oh! Si no te gusto así —replicó la de Fúcar en un tono de amargura y dolor que oscurecía sus palabras—, ¿por qué no viniste a tiempo? Si hubieras llegado cuando se te esperaba, ¡qué pureza y qué elevación de sentimientos habrías podido hallar! ¡Qué noble y santa pasión, tan propia y digna de ti! Si hubieras venido a tiempo, dignándote agraciar con una palabra de amor a la voluntariosa, a la pobre loca, a la necia, ¡qué hermoso tesoro de afectos habrías descubierto, tesoro íntegramente reservado para ti y que en tus manos habría perdido su tosquedad!... Yo parecía no valer nada; yo era una calamidad, ¿no es cierto?... Es que yo quería estar en manos que no querían cogerme; era un instrumento muy raro que no podía dar sonidos gratos sino en las manos para que se creía nacido. Fuera de mi dueño natural, todo en mí era desacorde y disparatado... No te quejes ahora si me encuentras un poco destituida de conciencia y con escaso, muy escaso sentido moral. Yo he llevado una vida de lucha incansable y espantosa conmigo misma, de desacuerdo constante con todo lo que me rodeaba; he llevado sobre mí el peso de un desprecio recibido, y este desprecio, extraviándome la razón y haciéndome correr de desatino en desatino, me ha quitado aquella pureza de sentimientos que un tiempo guardé y atesoré para quien no quiso tomarla. No soy tan rigorista como tú; no tengo valor para mayores sacrificios, porque mi corazón está fatigado, herido, lleno de llagas como el loco que se muerde a sí mismo; no creo al mundo con derecho a exigirme que me atormente más, y así te ruego que tampoco seas rigorista, que no hagas caso de la moral enclenque de la Sociedad, que des algo al corazón, que sigas viviendo aquí, que me visites todos los días, y que me pagues algo de lo mucho que me debes, queriéndome un poco.

No pudo conservar su entereza hasta el fin del discurso, y rompió a llorar.

—Mi necio orgullo —dijo León, más bien acusándose que defendiéndose— nos hizo a entrambos desgraciados. ¡Que aquel desprecio que te hice caiga sobre mi cabeza; que todos los infortunios ocasionados por mi error sean para mí!

—No más infortunios, no. Basta con los pasados. La culpa toda no fue tuya. Yo no tenía más cualidad buena que la de quererte; yo hacía locuras, yo desvariaba. Comprendo tu preferencia por otra, que, además, era guapa; yo nunca he sido bonita... ¡Y ahora vienes a mí, después de tanto tiempo, por los caminos más raros; y ahora!...

Un sacudimiento nervioso desfiguró las facciones de Pepa. Hizo un gesto de pavura, como apartando de sí una visión terrible, y exclamó sordamente:

—¡Tu mujer vive!

No encontró León palabras para comentar ni para atenuar la terrible elocuencia de esta frase. Humillando su frente, calló.

—¡La hermosa, la santa, la perfecta!... —añadió Pepa con júbilo—. Pero ¿no es así más grande mi triunfo? Has venido a mí, la abandonas.

—No, no... —dijo León vivamente—. Yo he sido abandonado. Yo he querido a mi mujer, yo he sido fiel esclavo de mi juramento hasta ahora, hasta ahora que lo he roto.

—Bien roto está —afirmó la de Fúcar, briosa—. ¿Por qué temes el fallo de los tontos? ¿Por qué el fantasma de tu mujer te aleja de mí?

—Pepa, amiga querida, tu despreocupación me causa miedo.

—Ya te he dicho que yo no tengo sentido moral: lo perdí, me lo quitaste tú con la última ilusión. Perder toda ilusión, ¿no equivale a ser mala? Yo fui mala desde aquella noche horrenda en que la última esperanza salió de mí como si hubiera salido el alma dejándome yerta, vacía, helada, verdaderamente loca. Desde entonces, todo en mí ha sido desvariar: me casé lo mismo que me hubiera arrojado a un río; me casé en vez de suicidarme. No supe lo que hice. Si al menos hubiera tenido educación... Pero tampoco tenía educación. Yo era un salvaje que ostentaba riquezas, fórmulas sociales y apariencias deslumbradoras, como otros cafres se adornan con plumas y vidrios. ¡Luego aquel despecho, aquel puñal clavado en mi corazón!... El despecho me inclinaba a entregar al menos digno lo que yo reservaba para el más digno. ¿No había podido obtener el primero? Pues me entregaba al último. ¿No recuerdas que echaba mis joyas al muladar? ¿De qué servía mi pobre ser despreciado? ¡Casarme con un hombre estimable, con un hombre de bien! Eso habría sido tonto... ¡Qué gusto tan grande poder aborrecer al más cercano, al que el mundo llamaba mi mitad y la Iglesia mi compañero! Es que yo quería ser mala. Ya sabes que en ciertas esferas a la joven de malos instintos que quiere entrar en la libertad se le abre una puerta muy ancha. ¿Cuál es? El matrimonio. En mi turbación, decía yo: «Soy rica, me casaré con un imbécil, y seré libre.» Pero ¡no pensé en mi pobre padre! ¡Qué mala he sido! Muchas hacen lo mismo que hice yo, pero sin tan fatales consecuencias. Al casarme, todas las desgracias cayeron sobre mi casa... Yo era libre, continuaba en la desesperación, y en tanto, tú..., lejos, siempre lejos de mí. Tu honradez me enloquecía y me hacía meditar. ¿Creerás que me sentía abofeteada por tu honradez, y que a veces mi alma se encariñaba con la idea de ser también honrada?... No sé dónde hubiera concluido. Al fin Dios me salvó dándome esta hija, que al nacer me trajo lo que nunca había yo conocido: tranquilidad. Cuando a mi lado crecía Monina, yo adquirí por don milagroso cultura de espíritu, sensatez, amor al orden, sentido común. Fui otra, fui lo que hubiera sido desde luego pasando de los delirios de mi amor contrariado a la paz y al yugo de tu autoridad de esposo. Ahora me encuentras curada de aquellas extravagancias que me hicieron célebre; pero no soy tan buena como debería serlo: hay en mí un poco, quizá mucho, de falta de temor de Dios; no me hallo dispuesta a sacrificar mis sentimientos a las leyes que tanto me han martirizado, y así te digo: libre soy, libre eres...

—Yo...

—Sí, tú; porque libre es quien rompe sus cadenas. ¿No dices que has sido abandonado?

—Sí.

Vacilación dolorosa se pintaba en las facciones de León.

—¡Oh! Ya veo que aquí la abandonada siempre soy yo, siempre yo —exclamó Pepa con desesperación—. Bien, bien.

—Abandonada, no; pero hay una imposibilidad moral que ni tú ni yo debemos despreciar. Yo me hallo en el conflicto quizá más delicado y temeroso en que hombre alguno se ha visto jamás.

Pepa fijó en él sus ojos, atendiendo con toda el alma a lo que iba a decir.

—Soy casado. No amo a mi mujer ni soy amado por ella; somos incompatibles; entre los dos existe un abismo; nos separa una antipatía inmensa. Pero ¿por qué mi mujer ha llegado a ser extraña para mí? No ha sido por adulterio: mi mujer es honrada y fiel, mi mujer no ha manchado mi nombre. Si hubiera sido adúltera, la habría matado; pero no puedo matarla, ni puedo divorciarme, y hasta la separación legal es imposible. No nos ha separado el crimen, sino la religión. ¿De qué acuso a mi mujer? De que es fanática creyente en su religión. ¿Acaso esto es una falta? ¡Quién puede decirlo! A veces viene a mi mente un sofisma, y me digo que puedo acusarla de demencia. ¡Horrible idea! ¿Con qué derecho me atrevo a llamar demencia a la práctica exagerada de un culto? Sólo Dios puede determinar lo que en el fondo de la conciencia pasa, y fijar el límite entre la piedad y el fanatismo.

Al expresarse así, en frases entrecortadas y preguntas y respuestas, la boca de León, por donde aquel lenguaje agitado y vivo salía, era como un tribunal donde se discutían el pro y el contra de un crimen.

—Mi mujer ha faltado al cariño, que es ley del matrimonio, como lo es la fidelidad —añadió—; pero no ha escarnecido ni llenado de befa mi nombre. Mi nombre está puro. ¿Hay bastante motivo para que yo me declare libre?

—Sí, porque tu mujer no te ama, porque ella ha destruido el matrimonio.

—Lo ha destruido por el fanatismo religioso. Y yo miro a mi conciencia turbada y digo: «¿No seré yo tan culpable como ella?» Así como ella tiene creencias que la impelen a aborrecerme, ¿no tengo yo también otras que me la hacen aborrecible? ¿Por ventura no seré también fanático?

—¡Tú, no; ella, ella! —afirmó Pepa con encono.

—En el extremo a que nuestra desunión ha llegado, ¿quién es más culpable? María es incapaz de toda acción verdaderamente deshonrosa... Es fanática, sí, y de pocas luces; pero su fidelidad no puede ponerse en duda. A mí no me ama; pero tampoco a otro. ¿Por ventura no soy más culpable yo, que amo fuera de casa?

Pasó la mano por su frente abrasada; después meditó para buscar salida a aquel dédalo terrible.

—Y en caso de que pueda declararme libre —dijo al fin—, no puedo unirme con otra, no puedo tratar de formarme una nueva familia, ni por la ley ni por la conciencia. Debo aceptar las consecuencias de mis errores. No soy, no puedo ser como la muchedumbre para quien no hay ley divina ni humana; no puedo ser como esos que usan una moral en recetas para los actos públicos de la vida, y están interiormente podridos de malos pensamientos y de malas intenciones. La familia nueva que yo pueda formar será siempre una familia ilegítima..., hijos deshonrados y sin nombre... No creas tú que al hablarte así y al asustarme de la situación en que nos hallamos obedezco a las hablillas de Madrid, ni que me fundo, para tratar de ilegitimidad, en el sentido de la ley, que casi es impotente para resolver esta cuestión tremebunda; obedezco y atiendo a mi conciencia, que tiene el don castizo de hacerme oír siempre su voz por cima de todas las otras voces de mi alma. Interroga tú también a tu conciencia.

Pepa se inclinó suavemente, como si fuera a caer desfallecida, y, sosteniéndose la frente con la mano, murmuró:

—Mi conciencia es amar.

Este arranque de sensibilidad tenía elocuencia concisa

en los labios de la que conservaba en su alma tesoros inmensos de ternura, y, habiendo estado mucho tiempo sin saber qué hacer de ellos, aún se veía condenada a la reserva, y a desarrollar sus afectos en la vida calenturienta y tenebrosa de la imaginación.

11. Esperar

—Represéntate —le dijo León— todo lo que hay de odioso y de disolvente en una familia ilegítima, mejor dicho, inmoral...: hijos sin nombre..., la imagen siempre presente de la que...

—No la nombres..., te repito que no la nombres —dijo Pepa, procurando que su enojo no pareciera muy violento—. Su fanatismo loco la excluye, la excluye.

—¿Y si también yo soy fanático?

—No importa.

—Bien: contra la turbación que a tu mente y a la mía pueda traer esa idea, hay un remedio.

—¿Cuál?

—Esperar.

—Esperar —murmuró la de Fúcar, moviendo la cabeza, en cuyo centro la palabra esperar retumbaba con eco lúgubre—. ¡Esperar! Ese es mi destino. Hay alguien para quien la esperanza no es una dulzura, sino un tormento.

—¿Ves ese ángel? —le dijo León, señalando a Monina, que dormía, muy ajena a la tempestad que arrullaba su sueño de pureza—. Pues ahí tienes tu verdadera conciencia. Cuando las agitaciones pasadas y tu despecho, aún no extinguido, te empujen por una senda extraviada, pon en el pensamiento a tu hija. ¡Verás qué prodigioso amuleto! Lo que cien sermones y toda la lógica del mundo no podrían enseñarte, te lo enseñará una sonrisa de esta criatura,

que, por su pura inocencia, parece que no es aún de este
mundo, y en cuyos ojos verás siempre un reflejo de la verdad absoluta.

—¡Es verdad, es verdad! —exclamó Pepá, rompiendo en
llanto.

—Esos ojos y ese rostro divino son un espejo, en el cual,
si sabes mirarlo, verás algo del porvenir. Considera a tu
hija ya crecida, considérala mujer. Dentro de quince años,
¿te gustará que una voz malévola susurre en su oído palabras deshonrosas acerca de la conducta de su desgraciada
madre? Figúrate el trastorno de tu conciencia pura cuando
le digan: "Tu madre no esperó a que pasaran dos meses
de viudez para tomar por amante a un hombre casado, al
esposo de una mujer honrada."

—¡Oh!, no, no —gritó Pepa con súbita indignación—.
No le dirán eso.

—Se lo dirán. ¿Por qué no? Se dice lo que es mentira.
¿Cómo no habrá de decirse lo que sería verdad? ¿Has re-
flexionado en la influencia decisiva, lógica, que tienen sobre la conducta de los hijos las acciones de los padres?...
Hay en las familias una moral retrospectiva que evita muchas caídas y deshonras.

—Por favor, no me hables de que mi hija deje de ser la
misma virtud —dijo Pepa con brío, anegada en lágrimas.

Callaron ambos, y, sentados junto al lecho de Ramona,
enlazados los brazos, casi juntas las caras, envueltos en una
atmósfera de ternura que de ambos emanaba con el aire
tibio de la respiración, estuvieron largo rato contemplando
íntimamente su dicha. En el fondo, muy en el fondo del
alma de Pepa, había una idea que hablaba así: "Hija de mi
vida, soy feliz haciéndome la ilusión de que eres toda mía
y de que puedo darte a quien me agrade. Naciste de mis
entrañas y de mi pensamiento."

Después se apartaron de la cama donde dormía la pe-
queñuela. Pepa se sentó en un ángulo de la sala.

—Ya es hora de que me retire —indicó León.

—¿Ya? —murmuró la dama con sorpresa y temor, acariciándole con su mirada.

León iba a decir algo; pero calló de improviso, porque

había sentido pasos. El marqués de Fúcar entró en la habitación. Tenía costumbre de despedirse de su hija y de su nieta antes de recogerse. Al ver a León manifestó sorpresa, aunque la hora no era impropia 'ni desusada la visita.

El marqués besó a su nieta.

—Pues qué, ¿está mala la chiquilla?

—No, papá. Está buena.

—¡Ah!... Me figuré...

—Gracias a Dios que se te ve por aquí —dijo, cariñosamente a León.

—He venido a despedirme de Pepa... y de usted.

—¿Viajas? Hombre, es lo mejor que puede hacer un cónyuge aburrido. ¿Hacia dónde vas?

—No lo sé todavía.

—¿Y sales?...

—Mañana.

—Si vas a París, te daré un encargo. ¿No habrá tiempo mañana?... Pasaré por tu casa temprano... Yo me voy a mi cuarto: tengo jaqueca.

León comprendió que debía retirarse al momento.

—Adiós, adiós —dijo, estrechando las manos de la hija del marqués.

La mirada de Pepa y la de él se cruzaron como las dos espadas de un duelo: la de ella era todo enojo por aquella súbita despedida. Después, León miró un momento a Monina y salió con apariencia serena. Al pasar por las espléndidas habitaciones silenciosas, se sentía extraño en ellas; pero la hermosa estancia de donde acababa de salir le parecía tan suya, que casi estuvo a punto de volver para respirar un instante más aquella atmósfera de paz y sosiego, saturada del delicioso perfume del hogar propio, que simplemente se formaba del amor de una mujer y del sueño de un niño.

Al retirarse a su cuarto, don Pedro le dijo:

—Estoy muy inquieto por no haber recibido detalles de la muerte de Federico.

Sin responder nada, León salió del palacio al jardín. Tanto le llamaban de atrás sus afectos, que a cada seis pasos se detenía. Había entrado en la alameda, cuando se sintió

llamado por una voz, por un ¡ce! que sonaba como la vi-
bración del aire al paso de una saeta. Se volvió: era Pepa,
que hacia él iba, envuelta en un pañuelo de casimir, descubierta la cabeza, vivo el paso, difícil la respiración. Su
mano hizo presa con fuerza en la mano del matemático.

—No he podido resignarme a que te despidas así —le
dijo—. Eso no está bien.

—Así debió ser... —replicó León, muy turbado—. ¿Y
que importa? Hubiera vuelto mañana un momento.

—¡Un momento! —exclamó la dama con elocuente dolor—. ¡Qué triste es haber dado años como siglos, y verse
pagada con momentos!

León le tomó las dos manos, diciéndole:

—Querida mía, es preciso que uno de los dos se someta
al otro. He comprendido que, si me dejara arrastrar por ti,
nuestra perdición sería segura. Déjate, no arrastrar, sino
conducir por mí, y nos salvaremos.

—Pues di... Ya sé lo que vas a decirme... ¡Esperar!
Cada loco con su estribillo.

Puso una cara que demostraba profunda lástima de sí
misma; y como la compasión suele anunciarse con sonrisas
desgarradoras, sonrió la dama de un modo que haría llorar
a las piedras, y dijo:

—¡Esperar! ¿Y si me muero antes?

—No, no te morirás —murmuró León, cogiendo entre
sus manos la cabeza de ella como se cogería la de un niño,
y besándola.

—Está visto que soy más tonta... —balbució Pepa, que
apenas podía hablar—. Harás de mí lo que quieras, bárbaro.

—¿Me obedecerás?

—Eso no se pregunta a quien durante tanto tiempo te ha
obedecido con el pensamiento. Yo he soñado que tú venías
a mí cuando ni siquiera te acordabas de mi persona; he
soñado que me mandabas faltar a todos los deberes, y con
la idea, con la inspiración de mi alma, te he obedecido.
Esta obediencia ha sido mi único gozo, ¡qué satisfacción
tan triste! No me acuses por estas miserias de mi corazón
lacerado... Es para hacerte ver que la que hubiera ido de-

trás de ti al crimen no puede negarse a seguirte si la llevas al bien.

—¿Adondequiera que yo te lleve? murmuró León, pasándose la mano por la frente—. Dime: ¿y si yo te dijera...?

—¿Qué? —preguntó ella, sin aguardar a que concluyera, mejor dicho, cazando la idea con la presteza del pájaro que coge el grano en el aire antes de que caiga.

—La idea de la fuga..., ¿ha pasado por tu imaginación?

—¡Oh! Por mi imaginación han pasado todas las ideas.

—De modo que si yo te dijera...

—"Vamos", partiría sin vacilar.

—¿Ahora?

—Ahora mismo. Tomaría en brazos a mi hija...

Encendida en amante impaciencia, Pepa miraba a su casa y a su amigo. Su alma, desligada de todo lo del mundo, fluctuaba entre dos objetos queridos, dos solos. León tuvo un momento de terrible lucha interior. Después hirió el suelo con el pie, como los brujos antiguos cuando llamaban al genio tutelar.

—Pues te mando que me dejes partir solo y que me esperes —dijo, al fin, con resolución que tenía algo de heroísmo.

Pepa inclinó la frente con expresión de cristiana paciencia.

—Te lo mando así porque te quiero con el corazón; te lo mando así porque mi egoísmo no quiere destruir un hermoso sueño.

—Me someto —dijo Pepa, envolviendo su palabra en un gemido.

Sollozó sobre el pecho de su amigo. Después añadió:

—Pero fija un término, un término... Si me muero antes...

La idea de un morir prematuro brillaba en su mente como una luz siniestra que de ningún modo quiere apagarse.

—Fijaré un término. Te lo juro. Y pasado ese término... Pasado ese término... —repitió León, cuyo pecho respiraba difícilmente entre el nudo de aquella soga, ferozmente apretado por los demonios.

—Supón que Dios no quiera allanarnos el camino.

—Verás como lo allanará.

—¿Y si no lo allana?

—Verás como sí lo allana.

—Pero... ¿y si no?

—Verás como sí.

—Diciéndomelo tú de ese modo, no sé por qué lo creo —afirmó Pepa, acomodando mejor su cabeza sobre el pecho de su amigo, como la acomodamos en la almohada cuando empezamos a dormir—. Ahora, si quieres que me vaya contenta a mi casa, dime que me quieres mucho.

Su pasión tomaba un tono pueril.

—¿No lo sabes?

—Que me querías hace tiempo.

—Que debí quererte desde que jugábamos cuando éramos niños, cuando nos pintábamos la cara con moras silvestres... —añadió León, estrujando la cabeza de oro.

—¡Qué tiempos! —dijo Pepa, sonriendo como un bienaventurado en la Gloria—. ¡Si pudiéramos hablar largamente de eso y recordarlo, pasando los recuerdos de memoria en memoria y las palabras de boca en boca...! ¡Si nuestra vida fuese ahora verdadera vida, y no estos momentos pasajeros, estos altos horribles!... ¡Si pudiéramos hablar, reír, recordar, pensar cosas, decir disparates, reñir en broma, adivinarnos las ideas y los deseos!...

—Si pudiéramos eso...

—Pero no; hemos de separarnos. Separados hemos estado toda la vida, y ahora me parece que es la primera vez que te digo adiós. Tú, a ese caserón; yo, a mi palacio.

—Espérame con tu hija.

—¡Oh! ¡Qué triste pensamiento me ocurre!... Si tardas mucho, Monina no te va a conocer cuando vuelvas, ¡alma mía!... Te tendrá miedo.

—Se acostumbrará pronto.

—Pero ¿no vuelves mañana a casa?

—¿Para qué? ¿Para que una nueva despedida nos haga más amarga nuestra separación? Si te viera otra vez, quizás me faltaría valor.

—Mandaré a la niña a tu casa mañana.

—Sí, mándala.

León tosió secamente.

—¡Hombre, por Dios! —exclamó Pepa, con amante solicitud, alzándole el cuello de la levita—. Que te constipas…, hace frío…, déjate cuidar…, así…

—Gracias, querida mía. Es verdad que tengo frío.

—Pero qué, ¿nos separamos ya?

—Sí. Ahora o nunca.

La dama tuvo ya en sus labios las palabras *Pues nunca;* pero no se atrevió a pronunciarlas.

—¿Me escribirás con frecuencia, chiquillo?

—Todas las semanas.

—¿Cartas largas?

—Largas y difusas como el pensamiento del que espera.

—¿Adónde te escribo?

—Ya te lo diré… Vamos hacia tu casa. No quiero que vuelvas sola. Nos separaremos allí.

—Acompáñame hasta la puerta del museo; por allí salí y por allí entraré.

Anduvieron un rato. León la rodeaba con su brazo derecho, y con la mano izquierda le estrechaba ambas manos.

—Está oscura la noche —dijo ella, obedeciendo a esas inexplicables desviaciones del pensamiento que ocurren cuando éste actúa más fijamente en un orden de ideas determinado.

—¿Estás contenta? —le preguntó León, queriendo dar al diálogo un tono ligero.

—¿Cómo he de estarlo cuando te vas? Y, sin embargo, lo estoy por lo que me has dicho. No sé lo que hay en mí de júbilo y pena al mismo tiempo. Yo digo: "¡Qué dicha tan inmensa!" Y digo también: "¡Si me muero antes…!"

—En mí sucede lo propio —replicó León sombríamente.

Llegaron a la puertecilla del museo.

—Adiós… —murmuró ella, devorándole con sus ojos—. Adiós… ¡Todo mío!

—Hasta luego —dijo León con voz imperceptible, dándole dos besos—. Este para Monina; éste para su mamá.

La puerta del museo, abierta, mostraba una escalera oscura. León empujó suavemente a Pepa hacia adentro y se

alejó despacio. Ella volvió al umbral; él la saludó de lejos
con la mano...

Poco después entraba en su casa, y, medio muerto de dolor, se revolcaba en el sillón de estudio como un enfermo,
como un demente, no sabiendo si buscar en el llanto o en
la desesperación honda el lenitivo de su corazón destrozado.
No obstante, aún no había llegado el momento de que aquel
vaso de reserva, que en su ancha capacidad contenía pasiones o ideas mil del género más turbulento, estallase, atropellando todo lo que hallara delante de sí.

12. Donde se trata de la hidalguía castellana,
    de las leyes morales, de todo lo que hay
    de más venerando y de otras cosillas

La crisis por que pasaba la casa de Tellería continuaba
sin resolución. Era tan grande el desastre, que parecía locura pensar en ponerle remedio, y sólo quedaba el recurso
de disimularlo hasta donde fuera posible. Antes de llegar a
una bochornosa declaración de pobreza, los histriones inco-
rregibles apuraban todos los artificios para prolongar su
reinado exterior; y si en sus soliloquios domésticos decían:
"Vivimos sin criados; no hay tienda que quiera abastecer-
nos; carecemos hasta de ese pan de la vanidad que se llama
coche", públicamente era preciso hacer creer que todos estaban enfermos... El marqués, ¡ah!, sufría horriblemente de
su reúma. La marquesa, ¡oh pobrecita!, se hallaba en un
estado espasmódico muy alarmante... La familia toda gemía bajo el peso de una gran tribulación. No se recibía ni
a los íntimos, no se paseaba, no se iba ni a los estrenos
ruidosos. La iglesia era lugar propicio para mostrarse con
entristecido continente. ¿Qué cosa más edificante que ir a
escuchar la palabra de Dios y derramar una lágrima delante

de la que es consuelo de los afligidos? ¡Pobre Milagros!
Los que la veían entrar y salir, dando con su compunción
ejemplo a los más tibios, tributaban a su pena el debido
homenaje, diciendo: "¡Infeliz señora, cuánto ha padecido
con sus hijos!"

La tertulia de la San Salomó, refugio de la desgraciada
familia, era una reunión escogida, de poco bullicio, adonde
iban algunos poetas, guapísimas damas, media docena de
beatos y otros que lo parecían sin serlo. Allí se hablaba mucho de Roma, se leía *L'Univers* y se recitaban versos muy
cargados de perfume religioso, y entre los vapores sofocan-
tes de tal incienso se excomulgaba a todo el género humano. Se anunciaba con anticipación cada discurso político de
Gustavo Sudre para que se preparase a aplaudir la *alabarda*
(no hay mejor vocablo) de uno y otro sexo; se fabricaban
reputaciones de mancebos recién salidos de las aulas, y que
ya eran, cuál un San Agustín, cuál un San Ambrosio, bien
un Tertuliano o un Orígenes, por lo que toca al talento,
se entiende; en una palabra: la tertulia de San Salomó tenía
ese marcadísimo carácter de club, que es un fenómeno muy
atendible de la sociabilidad contemporánea. Las pasiones
políticas han subido la escalera y rugen entre el plácido
aliento de las damas. Ya se conspira más en los salones que
en los cuarteles, y hasta los demagogos encuentran de mal
gusto las logias. La tertulia de que hablamos era, pues, un
club de cierta clase, así como hay tertulias que son el Grande Oriente del doctrinarismo, y otras que lo son de la de-
mocracia.

La marquesa era joven, bonita, alta y bien distribuida de
miembros, aunque un poco ajada; graciosa, amante de los
versos, sobre todo cuando tenían mucha melaza mística y
palabreo largo de *cándidas tórtolas, palmeras de Sión*, etcé-
tera; furiosa enemiga de *toda la cursilería materialista y
liberalesca*, y delirante por los discursos contra *esa basura
de la civilización moderna*. Elegante y muy discreta, sabía
hacer brevísimas las horas a sus fervorosos tertulios; tenía
el don de salpimentar con gracia mundana y joviales conceptos el constante anatema que allí se fulminaba, y mantenía en su casa y en su mesa un delicioso confortamiento

que agradaba a los patriarcas, a los poetas, a los San Agustines y a los San Ambrosios. El marqués de San Salomó, hombre también que se hubiera dejado asar en parrilla antes que ceder ni un ápice de sus doctrinas, ¡vaya si tenía doctrinas!, era el menos asiduo en las tertulias. Iba mucho al teatro, al casino o a otros pasatiempos oscurísimos. De día recibía en su despacho a los toreros, caballistas, cazadores de reclamo, derribadores de vacas, y este deporte burdo y de mal gusto, junto con las barrabasadas de sus compañeros de aventuras, constituía las tres cuartas partes de su conversación y de sus ideas. Era rico, y tenía asignada a su mujercita, a más de la partida de alfileres, otra no floja para los triduos y novenas. Había en la administración de la casa una cuenta corriente con el Cielo. De la que el marqués tenía abierta con las bailarinas, no es ocasión de hablar.

Aquella noche —y todos los datos comprueban que fue la noche del día, recuérdese bien, en que el marqués de Tellería visitó a León Roch—, Milagros hablaba animadamente con un señor viejo y engomado, caballero de no sabemos qué Orden, varón inocentísimo, no obstante su jerarquía militar, pues era uno de esos generales que parecen existir para probarnos que el Ejército es una institución esencialmente inofensiva.

—No intente usted consolarme, general. Estoy abrumada de pena... Usted ha dicho, en preciosos versos, que el corazón de una madre es tesoro inagotable de sufrimiento; pero el mío ya está hasta los bordes, el mío no puede resistir más, rebosa.

—¿Y de qué sirve la resignación cristiana, querida? —dijo aquel Marte, cuya inocencia envidiarían los querubines a quienes pintan sólo con cabeza y alas—. El señor enviará a usted consuelos inesperados. Y María, ¿está resignada?

—¿Cómo ha de estar ese ángel? ¡Pobre hija mía! ¡La crucificarán, y no exhalará un gemido!... Dios permite siempre que los seres más virtuosos y más santos se vean sujetos a mayores pruebas. Como a mi adorado Luis, a

María la quiere Dios para sí; a aquél dio padecimientos físicos, a ésta se los da morales.

—Cada día —dijo el general, haciendo un movimiento de horror que daba cómica ferocidad a su cara de arcángel con bigotes blancos —vemos que aumenta el número de los escándalos, de las miserias, de las desvergonzadas infamias... Cada día disminuye el respeto a las leyes divinas y humanas... No se ve un carácter entero, no se ve un rasgo caballeresco, no se ve más que descaro y cinismo... Juzgue usted, querida Milagros, adónde llegará una sociedad que cada día, cada hora, se aparta más de las vías religiosas... Pero no, ¡pese a tal!, aún hay santos, señora, aún hay mártires. Su hija de usted, abandonada cruelmente por su marido, a causa de su misma virtud, y precisamente por su inaudita virtud, precisamente por su virtud, repitámoslo mil veces, es un ejemplar glorioso; es más: una enseña, una bandera de combate.

Era, ciertamente, bandera de guerra. En el salón había varios grupos, y en todos se hablaba de lo mismo. ¡Abandonarla sólo por la misma sublimidad de su virtud!... Esto merecía la ira del Cielo, esto clamaba venganza, un nuevo diluvio, la sima de Coré, Dathán y Abirón, el fuego de Sodoma, las moscas de Egipto, la espada de Atila... De todas estas calamidades, la que parece prevalecer hoy, cuando los extravíos de los hombres exigen expiación, es la de las moscas de Egipto, pues esta muchedumbre picona es lo que más se asemeja a la cruzada de chismes, anatemas de periódico y excomuniones laicas con que la gente de ciertos principios azota a la Humanidad prevaricadora.

—Si la separación hubiera sido por otros móviles... —decía un poeta a un periodista—, podría tolerarse...; pero ya es hecho evidente que León...

Siguió un cuchicheo mezclado de risillas. Dos viejas metían su hocico en el grupo para aspirar con delicia la atmósfera de maledicencia, más grata para ellas que el aroma de rosas y jazmines.

—Hace tiempo que yo lo sospechaba —dijo la de San Salomó a un diputado que ocupaba el sillón arzobispal en el coro ultramontano—. Pepa Fúcar es una descocada.

En esa casa de Fúcar la moral ha sido siempre un mito.
El modo de hacer millones corre parejas con el modo
de querer.

—Sin duda, las relaciones de León con Pepa son antiguas —dijo el diputado, que gustaba mucho de comer en
casa de San Salomó, y que solía agradecerlo aceptando
con aumento las insinuaciones malignas de la marquesa.

—Por lo que se sabe ahora y por ciertos datos que yo
tenía —indicó Pilar, saludando con una mirada de recon-
vención a Gustavo, que a la sazón entraba—, puede asegurarse firmemente que son muy antiguas.

Después siguió hablando al oído de aquel digno hombre, que, a pesar de estar resuelto a no asombrarse de nada
malo, no pudo ocultar su pasmo y perplejidad.

—¡Hija de León! —murmuró.

No lejos de allí, el de Tellería expresaba una idea nueva, enteramente nueva; una idea que salía de su boca
entre alambicadas frases, que eran como los cuidados de
que la rodeaba el cariño paternal. Esta idea era que todos
somos iguales, que no hay nadie que sobresalga, que el
mundo es horriblemente uniforme; que él —el marqués—
iba perdiendo la fe en la *tradicional y proverbial caballerosidad del pueblo español*...

—Se ve palpablemente la ruina y acabamiento de la Sociedad —declaró el general—; y aún hay ilusos que no
quieren creerlo, lo cual no empece que sea cierto... Observen ustedes un hecho, un hecho inconcuso...

Todos miraron al general, esperando la declaración de
aquel hecho, que podría parecer una batalla, según la expresión de valor negativo con que el ilustre caballero lo
anunciaba.

—Observen ustedes este hecho. Siempre que hay un escándalo, un ruidoso escándalo, véase quién lo ha producido. ¿Quién lo ha producido? Pues un hombre sin religión, uno de esos homúnculos enfatuados y soberbios que
insultan con su desprecio a la moral cristiana, y a quienes
vemos por ahí haciendo gala de una fortaleza impudente,
alzar la fronte e minacciar le stelle.

Un silencio solemne, señal del asentimiento más solemne aún de los circunstantes, acogió estas palabras. Entre el diputado arzobispal y un periodista trabóse ligera disputa sobre si León Roch era un criminal de ligereza o criminal de perversión.

—Desengáñese usted —dijo el diputado—. La corrupción es general; pero si los que tienen fe están en situación de enmienda probable, y por consiguiente, en la posibilidad de salvarse, los racionalistas caminan a su completa ruina. Ellos han derribado el templo, como Sansón, y como Sansón perecerán entre los escombros.

La San Salomó y Gustavo hablaban en voz baja donde los demás no podían oírlos.

—Es preciso, es indispensable —afirmaba ella— decirle la verdad a María.

—¿La verdad?... No nos fiemos de apariencias. Yo no he formado aún juicio sobre la conducta de León. Mientras yo no le vea y le hable, nada diré a mi hermana.

—Pues se le dirá.

—Pues no se le dirá.

Mostraba Pilar un empeño maligno, una impaciencia de mujer quisquillosa, de ésas que creen carecer del aire respirable todo el tiempo que tardan en clavar su aguijón en el pecho de la amiga.

—Aseguro que se le dirá —añadió, mostrando las ventanillas de la nariz muy dilatadas, la mirada viva, demudado el color.

—En asuntos de mi familia, mi familia decidirá.

—¡Oh! También he decidido yo en asuntos de tu familia —dijo Pilar, dando al *tu familia* una entonación impertinente.

—No ha sido con mi aprobación —repuso Gustavo, que contenía en su pecho la ira.

Palideció; su frente, su ceño, su seriedad hosca, anunciaban tormentas pasadas. Tiempo vendrá de conocerlas.

—Me anuncia este padre de la Patria —dijo Pilar, alzando la voz— que no pronunciará mañana el discurso contra la totalidad del artículo veintidós.

Sonó un rumor de descontento.

—El presidente le cambiará el turno.

—¡Y yo que tengo las papeletas en casa!

—¿Cuándo será?

—Este triste asunto de su hermana —dijo la de San Salomó, mirando a Gustavo con expresión de afectada pena— le ha trastornado el cerebro.

Gustavo se acercó al grupo en que estaba su madre.

—Serénate, hijo —le dijo ésta con acento cariñoso—. Todos padecemos tanto como tú; pero no nos falta paciencia.

—Pues a mí me falta.

Siguió la conversación sobre este tema, sin más de notable que haber afirmado el marqués su creencia firmísima de que todos somos lo mismo. Después clareóse considerablemente el grupo: Pilar atrajo mucha gente leyendo en voz alta un artículo de Luis Veuillot. Gustavo y su madre pasaron al gabinete inmediato.

—¿Es cierto que papá ha estado hoy a ver a León?

—Es cierto.

—Me temo que su viaje a Carabanchel llevaría otro objeto. Será una nueva ignominia...

—¿Qué hablas ahí de ignominia, tonto, quijote?

—Sí —dijo Gustavo, revelando en los ojos su ira—; me temo que papá haya ido a postrarse a los pies de nuestro enemigo para pedirle...

—¡Qué absurdo, hijo!... Nosotros, nosotros solicitar de ese...

—No me llamaría la atención. Estoy acostumbrado a ver cosas muy horrendas. No extrañe usted, mamá, que las vea en todas partes. Yo visitaré a León, yo le hablaré. ¡Quién sabe si no es tan culpable como le suponen!... Si realmente ha abandonado a mi hermana para vivir con otra mujer, nuestras relaciones con él deben concluir. Será un extraño para nosotros. ¡Qué cosa tan infame, tan infernal, haber recibido ciertos favores de tal hombre, y no poder arrojarle a la cara!...

—¡Por Dios, no te pongas así!... Vas a llamar la atención —dijo la marquesa, alarmada de la altivez de su hijo—. Estás ridículo.

—¡Ridículo! —exclamó Gustavo con acento de amar-

gura—. No me importa. Después de todo, yo soy aquí el
único que conoce el envilecimiento en que vivimos.

—¡Gustavo!

—Lo digo por mí, sólo por mí. Esta casa, lo mismo
que la mía, ha llegado también a causarme horror. El susurro constante de la moral hablada me ha ensordecido,
impidiéndome oír el grito de la verdad. No estoy nada
satisfecho de mi papel en el mundo, ni del estado de mi
casa, ni de la conducta de mi familia, ni del giro mundano y cínico de mis amistades. No estoy satisfecho de nada,
y ambiciono un destierro voluntario que me ponga a distancia de todos los que llamo míos.

—¿Quieres añadir nuevos disgustos a los que ya sufre
tu pobre madre? —dijo ella con visibles muestras de en-
ternecimiento—. ¡Emigrar tú, renunciar a tu porvenir…!
¡No esperar siquiera a ser ministro…! Ya sabes, otros…

—¡Es un delirio esto de emigrar! Yo no puedo salir
de aquí. Mi ambición y mi vergüenza son una misma cosa
y estoy pegado a ellas, como el caracol a su covacha. ¡Aquí
siempre! Siempre pegado a mi familia, a mi partido, a
mi clase, a mi moral.

Dio a este último vocablo amargo acento de ironía.

—Seguiré viendo lo que veo y oyendo lo que oigo…
¡Ah! Tengo que anunciar a usted una nueva calamidad.
Polito ha sido abofeteado públicamente esta tarde en una
casa que no quiero nombrar, a consecuencia de una disputa por deudas de juego. Hubo golpes, botellazos, gritos de
mujeres borrachas, intervención de la Policía…

—Pero ¿han hecho daño a mi hijo? —exclamó la de
Tellería con maternales ansias.

—No; una contusión ligera; pero se ha enterado toda
la calle de…, tampoco quiero nombrar la calle. ¡Ay! —añadió, dando un gran suspiro—. Vivimos en la época de las
tristezas y en el verdadero día de la ira celeste. Pero desde
hoy quiero tomar la dirección de los asuntos de casa. Veremos si yo la saco de este conflicto, salvando el honor
aparente, ese honor que no es una virtud, sino un letrero.
Por de pronto, censuro que papá haya visitado a León
con las miras que sospecho.

—Sospechas necedades.

—¡Oh, no!... Milagro será que me equivoque. Sabré la verdad, porque pienso ver a León.

—¿Tú?

—Sí, yo; deseo saber por él mismo su culpa. Le tengo por un extraviado, mas no por un perverso. Yo le hablaré el lenguaje de la franqueza para que él me conteste del mismo modo. Si es un miserable, él mismo me lo ha de decir... Entre tanto, que no sepa María las hablillas que corren.

—¡Oh, no! Es preciso decírselo. ¡Pobre hija de mi alma! No quiero yo que ignore las lindezas de su cara mitad. Figúrate que una persona indiscreta se lo cuenta, exagerándolo o desfigurándolo.

—No se dirá nada a mi hermana.

—No te empeñes en eso. Esta noche misma... No, no me enseñarás mis deberes de madre amante y solícita; sé lo que debo hacer. Es preciso que María se entere. ¿Quién te dice que no podremos llegar hasta la reconciliación?

Iba a contestar Gustavo cuando entró en el gabinete un poeta que no era, al decir de la gente, saco de paja para Milagros, hombre de aspecto vulgar, casi chabacano y más viejo de lo que parecía. No revelaba en la figura ni en el rostro aquel delicado estro suyo que hablarle hacía en variedad de metros de *perennales fuentes de dulzura,* de *los cabritillos de Galaab,* del *místico dulcísimo amor de las almas,* ni aquella indignación evangélica con que apostrofaba a los materialistas, pidiendo a Dios que los aplastase con las ruedas de su carro y que los mandase al *Báratro.* Era incomprensible tanta grandeza dentro de tan menguada efigie.

—Es delicioso —dijo al entrar—, y no tiene contestación.

—¿Qué?

—El artículo de Luis Veuillot contra la sociedad moderna, contra esa sociedad materializada y corrompida que, para abolir sus remordimientos, aspira a la abolición de Dios. ¿Necesita usted, Gustavo, los números de *L'Univers?*

—Puede usted llevárselos con tal de que me los devuelva mañana. Tengo que hacer un artículo sobre el mismo asunto.

La marquesa de Tellería pasó al salón.

—Está acordado que se lo contaremos mañana —dijo a la de San Salomó.

—Sí. Mañana sin falta.

Formóse otro grupo de mujeres, del cual salió un zumbido como el de un enjambre: "Mañana, mañana."

Sintióse roce de sederías, bullicio de saludos, movimientos de sillas. La tertulia se disolvía. Salieron muchos en graciosas parejas, sonriendo unos, bromeando otros. Partieron los de Tellería, el general y el diputado con ínfulas de laico arzobispo. Con éste habló un poco de política religiosa Gustavo, sin dejar su expresión melancólica y sombría.

—Adiós, Pilar; nos veremos mañana en San Prudencio.

—Abur, Casilda; haré tu recomendación al padre Paoletti.

—Adiós, adiós.

Cuando todos se fueron, la marquesa de San Salomó se retiró a rezar y a dormir.

13.   Una figura que parece de Zurbarán y no
      es sino de Goya

La señora de Roch fue muy temprano a San Prudencio. Tiempo hacía que madrugaba para cumplir sus deberes piadosos, tornando a casa a las nueve, con lo que evitaba hallarse entre el tumulto de fieles y de damas amigas que iban a las horas cómodas. Aquel día, que era domingo, madrugó mucho y salió muy temprano de la iglesia, cumplido el precepto que más halagaba su espíritu. Como de costumbre, pasó parte de la mañana en lecturas religiosas; pero ha de advertirse que no había buscado sus textos en nuestra rica literatura mística, fundida en el crisol del espiritualismo más puro y que arrebataba el alma creyente, ya encendiendo en ella divinos fuegos, ya embelesándola con un discurrir metafísico y quintaesenciado. María apacentaba su piedad, triste es decirlo, con lo peor de esta literatura religiosa contemporánea, que es, en su mayor parte, producto de explotaciones simoníacas, literatura de forma abigarrada y de fondo verdaderamente irreligioso, tirando a sensual, que, combinada con el periodismo y con las congregaciones, es uno de los negocios editoriales más extensos de la librería moderna. Mucho de esto nos viene aquí traducido del francés y tiene un sello de mercantilismo que convida a la profanación. No falta al exterior la consabida elegancia material que la industria contemporánea imprime a todas sus obras, y por dentro el verso y la prosa alternan en la expresión del pensamiento; pero ¡qué verso, qué prosa! Hay ideas que reclaman la sencillez, vestidura propia y genuina, sin la cual no pueden existir; hay sentimientos que exigen la seriedad y la majestad como su natural vehículo, y sin él degeneran en afectada declamación. Incapaz María de comprender esto, hallaba elocuente y sublime un escrito en el cual, para celebrar la presencia de Cristo en la Hostia, se hablaba de *armonía y silencio*, de *fuentes selladas*, de *manantial de amores*, de *celestial sonrisa*, de *flores de José*, de *oro puro*, de *la mirra del arrepentimiento*, del *incienso de la oración*, de *seráficos incendios*, de *horno que a un tiempo refresca y reanima*, de *brisas suaves*, de *perfumes*, de *virginales y solitarios espíritus*, de *banquete fraternal*, de *perla única y celeste rocío del nuevo Edén*. Este lenguaje, que habla tan sólo a los sentidos, cautivaba a la señora más que cualquier otro lenguaje. Dotada de imaginación y de una facultad sensoria y muy afinada, su espíritu daba fácil acceso a todo lo que viniera por aquella vía y llegase a él en el vehículo de lo bienoliente, de lo tangible, de lo bonito y de lo apetitoso.

Admiraba a Santa Teresa porque le habían enseñado a admirarla; pero no comprendía sus ingeniosas metafísicas. Aquellos amores seráficos eran para ella un juego de lenguaje o no eran nada. No se recalentaba el cerebro pensando en las maneras más sutiles de amar al Señor, ni poseía tampoco un gran corazón que le permitiera prescindir de maneras sutiles. Su ser burdo y sensual, en el sentido recto, iba ciegamente al entusiasmo religioso por otros caminos. Para ella, por ejemplo, la misericordia de Dios era una idea incuestionable y firme; pero no se encariñaba profundamente con ella sino después de asociarla a una reliquia. Las perfecciones absolutas del Autor de todas las cosas, tampoco reinaban con fuerte imperio en su ánimo si no llegaban a éste por el conducto, digámoslo así, de las perfecciones estéticas de una imagen. La Virgen María, ideal consolador que más fácilmente que otro alguno seduce el espíritu de la mujer y parece que lo informa y compenetra, subyugaba a la insigne dama; mas para que aquel ideal divino tuviera en ella una fuerza incontrastable y la hiciera gemir y llorar, érale preciso —valga la expresión— remojarlo y desleírlo en agua de Lourdes.

Basta con lo dicho para que se vea que la religiosidad de María Sudre era la religiosidad de la turbamulta, del pueblo bajo, entendiéndose aquí por bajeza la triste condición de no saber pensar, de no saber sentir, de vivir con esa vida puramente mecánica, nerviosa, circulatoria y digestiva que es el verdadero, el único materialismo de todas las edades. La verdadera plebe no es una clase: es un elemento, un componente, un terreno, digámoslo así, de la geología social; y si se hiciera un mapa de la vida, se vería marcado con tinta negra este detritus en todas las latitudes de la región humana.

Así como ciertos seres privilegiados personifican en sí la aristocracia del pensar y del sentir, la mujer de León personificaba el vulgo crédulo. En otra época y en otras condiciones sociales, María, sin dejar de llamarse piadosa y de rezar seis horas y de confesar a menudo, hubiera echado las cartas para saber el porvenir, hubiera usado rosarios benditos para conjurar maleficios de brujas, hubiera incurrido en la repugnante manía de asociar a la Religión las artes gitanas.

Pero los tiempos no son para esto; aunque, bien mira-
do, maleficios hay y arte de gitanos, si bien de otra suerte que en lo antiguo. Gustaba María de pertenecer a todas
las asociaciones piadosas, fueran o no de índole caritativa.
Era, con preferencia a todo, lo que en la jerga mojigata
se llama *josefina,* o sea, individuo de la asociación de San
José, cuyo objeto es rogar por el Papa, y que cuenta en
su seno con personas muy respetables, dicho sea esto para
que no se entienda como mofa, ni mucho menos, la men-
ción hecha. A otras juntas y a muchas cofradías pertenecía
también. Casi todas estas sociedades tienen hoy sus periódicos, creados con el fin de establecer sólida alianza entre
los socios o cofrades y ofrecer una lectura altamente re-
creativa, a veces enormemente cómica, dicho sea también
con el respeto debido. Para María no la había más sabrosa ni edificante, y se recreaba largas horas con las anécdotas
—¡lástima grande no poder copiar algunas!—, con las
oraciones y, por último, con la parte que podría llamarse
místico-farmacéutica, que es una lista mensual de las innumerables curaciones hechas con las obleas y las mantecas pasadas por el famoso *perolito* de Sevilla, prodigios que
se dejan muy atrás los milagros de Holloway y de ciertos
específicos. María guardaba siempre en su poder porción
cumplida de obleas y mantecas pasadas por el *perolito* para
atender a las dolencias de sus deudos y amigos, segura del
éxito siempre que éstos tomasen la medicina con fe. La es-
peculación del *perolito* no podía existir en ningún país
donde hubiera sentido común y Policía.

Estaba exenta María de aquel idealismo febril de su
hermano Luis, y aunque ella se proponía imitarle en todo,
era en sus ideas y en sus prácticas muy distinta. Su enfermiza devoción parecía un delirio nacido de la cortedad
de inteligencia, limitado por los sentimientos y exacerbado
por la contumacia de su carácter asaz soberbio. Respecto
de su consorte, las ideas y sentimientos de la señora eran
muy extraños. Ya sabemos qué clase de amor le tenía, el
único en ella posible. ¡Cuánto había trabajado en sus soledades de penitente para dominar aquel amor! ¡Cómo
torturó su imaginación! ¡Qué de monstruosidades inventó

para representarse feo al que era hermoso, desabrido al que era galán y seductor, repugnante al pulcro y lleno de atractivos! María Egipcíaca pensaba que mientras conservase en su mente la ilusión de aquel compañero de sus días y noches, no habría en ella verdadera santidad. Si tenía o no razón, ¿quién lo sabe? Sólo Dios, que con su vista infinita conocía la calidad de aquella ilusión.

"¡Si León no fuese ateo!", pensaba a cada instante. Y aquí entraba lo irreconciliable, aquí la idea de no tener jamás trato moral ni doméstico con semejante hombre. Había la dama consultado con el pensamiento la voluntad de su hermano, que como sombra cariñosa, venía en las noches solitarias a vagar sobre su lecho santo, y la voluntad de Luis Gonzaga era que no debía existir entre ella y el ateo relación de ninguna clase; que estaba manumitida de la esclavitud matrimonial, relevada de su carga de deberes, libre para no pertenecer más que a Dios.

A las veces despertaba con zozobra y agonía, bañada la frente de sudor, trémula y acongojada. "¿Y si quiere a otra?", murmuraba. Aquí tomaban sus ideas un giro nuevo. Podía su extraviado espíritu conformarse con la idea de que muriera León, aun con la idea de no ser amada por él; pero ¡que su marido viviese y amase, viviendo y amando a otra...! ¡Que fuera para otra lo que había sido suyo...! En esto consistía el martirio de aquella mujer, su mortificación constante, y al llegar a tan delicado punto, todo su ser saltaba con un impulso, no de pura pasión, sino de apasionado egoísmo.

Durante la época en que León se iba apartando lentamente de ella, María gozaba en mortificarle, gozaba en verle entrar todas las noches, porque es cosa que halaga al verdugo la puntualidad de la víctima en ponerse bajo su azote. A veces, por la fuerza de la costumbre y por el afecto verdadero que el largo trato había hecho nacer en ella, sentía mucho gusto de verle; pero disimulaba esta alegría y aquel afecto. ¡San Antonio! No convenía dar a conocer que el ateo era bien recibido. Secretamente solía interesarse por todo lo que a él atañía: dirigía mil preguntas a los criados, y si estaba enfermo, prontamente le ha-

cía llevar medicinas, guardándose bien de mandarle el
agua de Lourdes y las mantecas del *perolito,* por no ser
estos ingredientes eficaces sino para el que cree en ellos.

Cuando hablaban tenía que hacer grandes esfuerzos para
no contemplar con agrado la simpática y para ella seductora figura de su esposo, y luego, al encontrarse sola, se
arrepentía de ello, se castigaba mentalmente, se llamaba
perversa, lasciva, y pedía auxilio a la memoria de su hermano y a la virtud de veneradas reliquias. "¡Si no fuera
ateo...!", decía, y a veces al decirlo lloraba.

Cuando León se retiró definitivamente, la esposa, que
le había expulsado diciéndole: "Mi Dios me manda que
no te ame", sintió un descorazonamiento, un vacío, un
inexplicable terror... ¿De qué? No lo sabía fijamente.
Durante una noche entera, la noche aquella que mencio-
namos, no pudo poner en su mente una idea devota. Sentíase aturdida, y en su cerebro retumbaba un rumor de
malos pensamientos, como pisadas de fantásticos corceles
que vienen de lejos dando resoplidos. Necesitó largas lecturas y consultas y amonestaciones de clérigos para poder
echar alguna tierra sobre el hermoso cadáver del bien perdido; rezó de lo lindo, se mortificó, puso en gran trabajo
la imaginación por su método favorito, que era representarse feo lo que era hermoso, amargo lo dulce, asqueroso
lo recreativo y placentero. Este horrible trabajo de limpiar
el alma por medio de la fantasía, afeando y cubriendo de
inmundicia las nobles galas del amor, las bellezas de la
vida, no era nuevo en ella. Los ermitaños y cenobitas lo
han hecho, completándolo con las mortificaciones exterio-
res. María Egipcíaca trabajó horrendamente en las tinieblas de su atormentado cerebro por representarse como
nefandos y teñidos de lúgubres colores los alegres días de
su luna de miel y las más pacíficas y dulces horas de su
vida de casada. ¡Espantoso desorden, horrible anarquía
del alma!

Como se ha dicho, María, al verle ausente para siempre,
sintió un vacío, una desazón, una inquietud, una soledad...
¿Adónde había ido? Sin dar a conocer su turbación hizo
varias preguntas. En sus rezos meditaba la santa sobre esta

profanidad... ¡San Antonio! Indudablemente aquel hombre era suyo. Indudablemente lo suyo, lo verdaderamente suyo, no debía ser para los demás. ¡Cómo fulgura a veces la lógica en los entendimientos más turbados! Lo extraño era que, a pesar de lo que María llamaba ateísmo de León, siempre había visto en él un fondo de honradez que le inspiraba confianza. Jamás pensó, ¡tan limitada era su inteligencia!, en el problema de compaginar aquel ateísmo con esta honradez. ¿Por qué creía ella en la honradez de un ateo? No podía decirlo; pero indudablemente la confianza existía. Ahora, con la partida de su esposo, de su compañero, de su hombre, desaparecía la confianza. Atormentada fue durante no pocos días por una sensación muy singular. Enorme y fea víbora se acercaba a ella, la miraba, la rozaba, se escurría resbaladiza y glacial por entre los pliegues de su ropa, ponía el expresivo hocico de ojos negros en su seno, oprimía un poco, entraba primero la cabeza, después el largo cuerpo hasta el postrer cabo de la cola delgada y flexible. Entrando, entrando la horrible alimaña se aposentaba en el pecho, se enroscaba despidiendo un calor extraordinario, y se estaba quieta como muerta en la abrigada concavidad de su nido.

14.   La revolución

Una dama hablaba con María. Era la marquesa de San Salomó.

—Queridísima —le dijo—, no quiero ser de las últimas en venir a llorar contigo.

—¿A rezar?

—A rezar y a llorar. Dios nos aflige con sus castigos. No te vi hoy en San Prudencio. El padre Paoletti me dijo que te habías retirado temprano, y lo sentí. Quería yo consolarte como puede consolar una buena amiga.

—¡Consolarme!... —dijo María con aturdimiento—. ¡Ah!, sí, de mi abandono, de mi desaire... Hace tiempo que padezco en silencio, y el Señor, la verdad, no me ha negado dulcísimos consuelos. ¿Para qué estamos en el mundo sino para padecer? Hay que penetrarse bien de esta idea para que cuando venga el dolor nos encuentre prevenidos.

—¡Oh! —exclamó Pilar con sincera admiración, dando un beso a su amiga—. ¡Qué buena eres! ¡Qué santa! ¡Qué excepción tan admirable eres tú en nuestra Sociedad, María! Debiera venir la gente aquí a darte culto, a rezarte como si estuvieras canonizada.

—¡Qué error, Pilar, qué error tan grande! ¿Y si yo te dijera que soy muy pecadora?

—¿Tú pecadora?..., ¿tú? —observó la de San Salomó, haciendo aspavientos, cual si oyera una blasfemia—. Pues si tú eres pecadora, ¿qué soy yo? ¿Quieres decírmelo? ¿Qué soy yo?

Y se contestó a sí misma, no con palabras, sino con un grande y entrecortado suspiro, queja angustiosa de su conciencia, incapaz ya de poder resistir más peso.

—No me maravillo yo de que hubiera santos, cuando las ocasiones de pecar eran escasas, cuando la mitad del género humano vivía dentro de conventos o en feos páramos, y se veían a cada instante ejemplos que imitar, lo admiro ahora, cuando la libertad ha multiplicado los vicios, cuando todo el mundo hace lo que quiere, y encontramos rara vez casos ejemplares dignos de imitación. Por eso digo que tú debieras ser canonizada, porque dentro de Madrid, que es, sin duda, lo más perdido del Universo, y en este siglo, que es, como dice Paoletti, la *vergüenza del tiempo,* has sabido despreciar el mundo tentador y has igualado a los santos penitentes, a los confesores... y también a los mártires.

Pronunció el *también a los mártires* con entonación fuertemente intencionada.

—¡Oh!, no me hables así —dijo la Egipcíaca, que aunque gustaba de los elogios, tenía costumbre de disimular aquel gusto.

—Yo te admiro mucho, muchísimo —añadió Pilar con arranque cariñoso—, porque estoy muy lejos de ti, porque disto mucho de parecerme a tí. ¡Ay, querida mía!, si Dios me concediera el andar un pasito solo de ese camino de perfección en cuyo fin estás tú y que yo ni aun he podido principiar... ¿Sabes lo que pienso? Que voy a intimar más contigo, a acompañarte en tus rezos si lo permites, a leer lo que tú leas, y mirar lo que tu mires, y pensar en lo que tú pienses, por ver si de ese modo se me pega algo. Por de pronto, deseo y te pido que me des algo tuyo, un objeto cualquiera, un pañuelo, por ejemplo para tenerlo siempre aquí sobre mi pecho, como se tiene una reliquia. Yo quiero que me toque constantemente algo que te haya tocado a ti... Aunque no fuera sino porque al ver tu pañuelo me acordaría de ti y de la virtud, y podría atajar un mal pensamiento o una mala acción... ¿Te asombras? Pues no debes asombrarte, queridísima. *Ma petite,* tú no te estimas en lo que vales. Mira, cuando te mueras, la gente ha de andar a mojicones por conseguir pedacitos de tu ropa.

—Pilar, que estás ofendiendo a Dios con tus lisonjas.

—Eres tan buena que te escandalizas de oírlo decir. Así era tu hermano Luis, que en la Gloria está. Pero tú vales más que él.

—¡Pilar, por amor de Dios! —exclamó María verdaderamente escandalizada.

—Más que él; yo sé lo que digo.

—¡San Antonio!

—Más que él... El fue santo; tú además de santa eres mártir. Has llegado al sumo grado de la perfección cristiana. Yo no conozco criatura más alta que tú, y no sé si sentir por ti más lástima que admiración, o más admiración que lástima...

María no entendía bien.

—...Así es que el nombre de santa me parece poco... Y dime tú: ¿qué nombre deberíamos dar al que teniendo en su casa este tesoro de virtud y de bondad, huye de ella y desprecia el tesoro y se cubre de baldón desdeñando el oro por el estaño, y poniendo en lugar del ángel que Dios le dio por mujer, a una...?

—Pilar..., ¡por Dios! ¿Te refieres a mi esposo?

—¡Oh amiga de mi alma! —dijo la de San Salomó, que había enrojecido dando muestras de gran agitación—. Perdóname si me pongo furiosa al hablar de esto. No puedo remediarlo.

—Pero León... Pilar, tú no sabes lo que dices. Mi marido es un hombre formal.

Si de María se ha dicho que era limitada de inteligencia, algo basta de sensibilidad, pues su corazón de fibras gruesas y sin finura carecía de aptitud para los efectos entrañables y delicados, con la misma lealtad se ha de manifestar lo que en ella había de bueno, y era un fondo de honradez, un cimiento de esa rectitud innata que engendra siempre cierta confianza candorosa' en la rectitud de los demás. La dama penitente se sublevó contra las reticencias de su amiga.

—Veo —dijo ésta— que estoy cometiendo una gran indiscreción. Sin duda no sabes nada.

—¡Que no sé nada!... ¿De qué?

—¡Oh!, no; debo callarme. Yo creí que tu mamá...

—Háblame con claridad..., has nombrado a mi marido.

—Y ya me pesa.

—Mi marido es..., así..., de cierto modo... No cree en nada..., se condenará de seguro..., es ateo, rebelde..., pero se porta bien, se porta bien.

Bruscamente Pilar rompió a reír. Su risa sonora, importuna que duraba más de lo regular, llevó al alma de María grandísima turbación.

—Si llamas portarse bien estar separado de su mujer, que es una santa, y tener relaciones con otra... —declaró la amiga con una entonación despiadada, agria, que tenía algo del cuchillo que corta o de la lima que raspa.

María se quedó como una difunta, pálida, los ojos fijos, la boca entreabierta.

—¡Con otra!

Esto no era nuevo en ella como idea: éralo como hecho. Habían precedido a la noticia presunciones vagas, temores; pero con todo, la triste verdad abruma aun cuando haya sido precedida por el sueño asustadizo.

—¿Has dicho que con otra?

—Con otra, sí. Lo sabe todo Madrid, menos tú.

—Has dicho... con otra... —repitió María, que estaba con el conocimiento a medio perder, alelada, padeciendo una especie de parálisis, cual si cada una de aquellas dos terribles palabras fueran enorme piedra que había caído sobre su cráneo.

—¡Sí!... ¡Con otra! —afirmó Pilar, rompiendo a reír por segunda vez, lo que no indicaba un gran respeto a la mujer canonizable.

—¿Y quién es? —preguntó con fulgurante viveza la penitente, que pasó del idiotismo a una especie de excitación epiléptica—. ¿Quién es, quién es?

—Yo creí que ya lo sabías... ¡Pobre mártir! Es Pepa Fúcar, la hija del marqués de Fúcar, ése que los periódicos llamaban antes el *tratante en blancos,* y ahora le llaman *egregio* porque se ha enriquecido adoquinando calles, haciendo ferrocarriles de muñecas, envenenando a España con su tabaco, que dicen es la hoja seca de los paseos, y, por último, prestando dinero al Tesoro durante la guerra, al doscientos por ciento; un buen apunte, un gran señor de ahora, un dije del siglo, un noble haitiano, un engendro del parlamentarismo y del *contratismo,* que no me puede ver ni en pintura porque una noche, en casa de Rioponce, empezó a galantearme y le volví la espalda, y porque siempre que le veo en alguna tertulia al alcance de mi voz me pongo a hablar del tabaco podrido, de la multiplicación de los adoquines, del gas que apesta, y del calzado con suelas de papel que dio a la tropa.

Y Pilar soltó la tercera carcajada. María no oyó ni podía oír aquel gráfico y cruel bosquejo del marqués de Fúcar. Escuchaba un tumulto extraño que repercutía en su interior, el estruendo de una revolución, de una sublevación, así como el despertar súbito y fiero de un pueblo dormido. La sierpe que ya se enroscaba en su pecho incubó de improviso innumerables hijuelos, y éstos salieron ágiles culebreando en todas direcciones, vomitando fuego y mordiendo. Eran los celos, ejército invisible y mortificante, cuyo conjunto se representaba la penitente como una irra-

diación continua de mordidas y quemaduras, por su prurito de dar a los sentimientos como a las ideas forma de
sensaciones físicas, de tal modo, que este afecto era para
ella como caricia y arrullo, aquel otro como bofetada, o
como pellizco, o como aguijonazo.

Nunca había sentido la pobre santa y mártir cosa semejante, ni explicarlo sabía. Su dolor se confundía con el
pasmo, con una sorpresa terrible. El sacudimiento era tan
vivo, que no se le ocurría, como pareciera natural, pensar
en Dios, ni llamar en su auxilio a la paciencia o a la resignación. ¿Qué era aquello? Lo real destruyendo al artificio. El alma y el corazón de mujer recobrando su imperio por medio de un motín sedicioso de los sentimientos
primarios. Era la revolución fundamental del espíritu de
la mujer reivindicando sus derechos, y atropellando lo falso y artificial para alzar la bandera victoriosa de la naturaleza y de la realidad, aquello que emana de su índole
castiza y por lo cual es amante, es esposa, es madre, es mujer, mala o buena, pero mujer verdadera, la eterna, la inmutable esposa de Adán, siempre igual a sí misma, ya
fiel, ya traidora. Esta revolución la hace algunas veces el
amor; pero no es seguro, porque el amor, en su sencillez
inocente, se deja vencer por la caricia falaz de su hermano
el misticismo; quien la hace siempre con éxito es el *mayor monstruo,* la terrible ira calderoniana, los celos, pasión
de doble índole, perversa y seráfica, como alimaña híbrida
engendrada por el amor, que es ángel, en las entrañas de
la envidia, hija de todos los demonios.

Ya veremos que la súbita pasión que había estallado en
el alma de María tenía más de la índole aviesa de su madre, la envidia, que del generoso natural de su padre, el
amor. Por eso era un tormento horrible, sin mezcla de alivio alguno, un traqueteo sin descanso, un fuego que crecía
a cada instante. Como alcázar minado que revienta y cae
en pedazos, así cayó por el pronto, resquebrajándose, su
mojigatería. Verificóse en ella un eclipse total de Dios.
Dando un doloroso grito, se llevó las manos a la cabeza,
y dijo:

—¡Infame..., me las pagarás!

En aquel momento entró la marquesa de Tellería, y comprendiendo que María estaba enterada de todo, se arrojó en sus brazos. La penitente no lloraba; tenía los ojos secos y fulgurantes. La madre se decoró el rostro con una lágrima que traía preparada, como se preparan los suspirillos al entrar en una visita de duelo.

—No te sofoques, hija de mi alma. Veo que ya sabes todas esas infamias. Yo no había querido decírtelo por no turbar tu corazón angelical... Cálmate. ¿Pilar te ha contado...? Es horroroso, pero quizás remediable... Hace días que he perdido el sosiego... Vamos, un poco de resignación.

La de San Salomó creyó oportuno tomar la palabra:

—La gravedad del delito —afirmó—, consiste en la calidad de la víctima, María. Falta grande es hacer traición a una mujer cualquiera; pero hacer traición a una santa... No sé adónde irá a parar esta Sociedad que nada respeta, y que aboliendo, aboliendo, ya se atreve a la abolición del alma. *Oh!, c'est dégoutant*. ¡Y luego extrañan los perversos que haya un puñado de hombres de bien decididos a impedir la jubilación de Dios! ¡Y se espantan de que esos hombres levanten una bandera salvadora y se lancen a pelear por la sagrada causa de la Religión, madre de todos los deberes! Si son vencidos por la perfidia, que hoy es dueña de todo, no importa; ellos volverán, ellos volverán y volverán, hasta que al fin...

Dicho esto se levantó, y dirigiéndose a un armario de luna que en el contrario testero estaba, durante un rato se recreó en su interesantísima persona, volviendo el cuerpo a uno y otro costado para ver si caía bien su elegante manteleta, si el efecto de su sombrero era bueno. Con sus preciosas manos enguantadas tocó aquí y allí delicadamente para pulsar un pliegue, o retirar un mechón de cabellos que avanzaban mucho. Después se volvió a sentar.

—¿Sabes ya que vive con ella? —dijo la de Tellería a su hija, confundiendo las palabras con un beso.

—¡Con ella! —gritó horrorizada María, apartando de sí la cara harto pintoresca de su madre—. ¿En dónde?

—En Carabanchel... León ha tenido la desvergüenza de

alquilar una casa junto a Suertebella... Se comunican por el parque.

—Voy allá —dijo María, levantándose y tirando con mano convulsa del cordón de la campanilla.

—Sosiégate... No, no hay que tomarlo así.

A la doncella que entró, dijo María:

—Mi vestido negro.

—Sí, sí; bonita vas a ir —dijo la marquesa, sonriendo— con tu vestidillo de merino, el único que tienes... En caso de ir, y eso lo discutiremos ahora, debes ponerte muy guapa, pero muy guapa.

—¡Oh! —exclamó la penitente con expresión de inmenso dolor—. No tengo ropa: he dado todos mis vestidos de lujo.

—¿Y quieres ir con el trajecillo de merino?... ¡Pobre tonta! ¡Qué poco conoces el corazón de los hombres!... Eso es; preséntate a tu marido hecha un mamarracho, y verás el caso que te hace... La apariencia, la forma casi, o sin casi, gobiernan el mundo.

—Antes discutamos si debe ir —insinuó la de San Salomó.

—Sí; quiero ir allá..., quiero —gritó María, cruzando las manos y poniendo ojos de espanto.

—Nada de tragedias, nada de escenas, ¿eh?...

—Me parece peligroso que vayas. ¿Y si te expones a un desaire mayor, si te encuentras de manos a boca con Pepa o con su niña..., suponiendo que la nena esté, como dicen que está siempre, en los brazos de su papá?...

—¿De su papá? —dijo María—. ¿Pues no ha muerto Federico?

—No, tonta —manifestó la de San Salomó, poniendo la cara que es de rigor cuando se coge una aguja larga y muy fina y se atraviesa de parte a parte el pecho de un pobre bicho destinado a las colecciones de Historia Natural—. No, tonta; el papá es tu marido.

—¡León!... ¡Mi marido!... ¡Padre de Monina! —exclamó la de Roch, quedándose otra vez como idiota.

—La gente lo dice por ahí —indicó Milagros intentando atenuar la crueldad de la noticia.

—¿Y tú qué crees? ¿Qué crees tú, mamá? ¿Será cierto?
—dijo María, preguntando a las dos con febril ansiedad.

Pilar, lo mismo que la de Tellería, no eran mujeres per-
versas; su lamentable estado psicológico, semejante a lo
que los médicos llaman caquexia o empobrecimiento, pro-
venía de la depauperación moral, dolencia ocasionada por
la vida que ambas traían, por el contagio constante y la
inmersión en un venenoso ambiente de farsa y escándalo.
Pero algo había en ellas que pugnaba contra la depravación llevada a tal extremo, y asustadas de la enormidad
del cáliz que habían puesto en los labios de María, trata-
ron de atenuar su amargura.

—No; yo creo que eso es fábula...

—No; yo creo...

La de San Salomó, que era un poquillo más mala que
su amiga, no acabó la frase. Después dijo:

—La gente se funda en cierto parecido...

—¿De Monina?

—Con León... Yo, verdaderamente, no sé qué pensar.
Sospecho que esas relaciones son muy antiguas.

María rebotó de su asiento. No hay otras palabras para
expresar aquel salto brusco de corza herida en sueños, y
aquel abalanzarse a su vestido negro para ponérselo y correr a Suertebella.

—No te precipites, no seas tonta —dijo su madre, de-
teniéndola—. Ya no es hora de ir allá. ¿No ves que
anochece?

—¿Qué importa?

—No, de ninguna manera.

La tarde caía y la estancia se llenaba de sombras. Las
tres damas apenas se veían.

—Luz, luz —gritó María—. Me muero en esta oscuridad.

—Yo creo que debes ir —afirmó Milagros—, pero no
esta noche, sino mañana.

—Marquesa, ¿ha meditado usted bien ese paso? —dijo
la de San Salomó—. ¿No será eso una humillación? ¿No
será mejor el desprecio?

—¡Oh! —exclamó la solícita y amorosa madre—. Yo
confío... hasta en la reconciliación.

Su confianza no era grande; pero la suplía el deseo.

—¡Reconciliación! ¡Qué loca esperanza! ¿Crees tú en
la reconciliación?

—No sé, no sé —repuso María mostrando su incapacidad para responder a esta pregunta como a otra cualquiera—. Yo no quiero reconciliación, sino castigo.

—¡Oh!, no estamos para melodramas —dijo la de Tellería extendiendo las manos, con esa afectación de los sacerdotes que salen en las óperas vestidos siempre con una
sábana blanca—. Paz, paz... María, es preciso que vayas,
y que vayas vestida como la gente. ¡Uf!, ese olor de lana
teñida no se puede resistir.

Las dos marquesas prorrumpieron en risas, mientras
Pilar arrojaba lejos el traje de su amiga. María dirigió a
su hábito de merino negro una mirada de indignación que
quería decir: "¿Por qué no eres de seda y de corte elegante
y a la moda?" Por primera vez desde que renunciara al
mundo le pareció fea la sencilla ropa de su santidad, que
un día antes no habría trocado por el manto de un rey.

—La cuestión de vestido es fácil de arreglar —dijo la
de San Salomó—. Tú y yo tenemos el mismo cuerpo. Te
traeré vestidos míos para que escojas.

—Y manteleta.

—Y sombrero.

—También sombrero, ¿a qué hora vas a ir?

—Yo iría ahora mismo.

—No; mañana al mediodía. Es preciso no olvidar las
conveniencias, las horas convenientes, las ocasiones convenientes —indicó la de Tellería.

—Voy a comer..., vuelvo enseguida —dijo Pilar—. Te
traeré lo mejor que tengo para que escojas. Te pondremos
guapísima. Pues no faltaba más sino que Pepa Fúcar se
fuera a reír de tu facha estrambótica. Dentro de hora y
media estaré aquí. Hoy no tengo convidados, y mi marido
come fuera con *Higadillos,* un par de chulos y dos diputados... Adiós, querida... Milagros, *addio.*

Besándolas a entrambas, se retiró. En el tiempo que

estuvo fuera, la marquesa comió un poco; María, nada.
Pero no era el almanaque quien le había impuesto el ayuno. Pilar volvió trayendo su coche atestado de preciosidades indumentarias, vestidos riquísimos, manteletas, abrigos,
y para que nada faltase, trajo también sombreros, botas
de última moda y hasta medias de alta novedad. La pícara
propagandista clerical se cubría con aquella estameña. Los
criados y la doncella fueron subiendo todo y poniéndolo
en sillas y sofás. María contemplaba con mirada atenta y
turbada los diversos colores, las formas peregrinas y ca-
prichosas ideadas por el genio francés. Parecía que miraba y no veía.

—¿Qué te parece? A ver, ¿qué vestido escoges?

—Este es bonito —dijo María, fijándose con indiferencia en uno—. ¿Quién te lo hizo?

Y después estuvo contemplándolo con asombro un mediano rato. Parecía un viajero que vuelve de largo viaje
y se pasma de ver las modas cambiadas.

—¡Qué cuerpo tan estrecho! —dijo.

—Este color perla te sentará bien.

—No; prefiero el negro.

—El gro negro..., con combinación de faya pajizo claro.
¡Oh!, admirable. Has tenido buen gusto.

—Aunque la estación no es avanzada, hace calor.

—¿Qué sombrero llevas?

María miró los tres que había traído Pilar. Después de
un detenido examen señaló uno, diciendo:

—Este de color negro, ¿y... cómo se llama este otro
color?... ¿Crema? El colibrí también es bonito, y las rosas pálidas.

—¡Ah! —exclamó Pilar con asombro—, parece que no
has abandonado el mundo un solo día, y que no has dejado de vestirte... ¡Qué bien eliges!... Bueno, pues hagamos una prueba. Es preciso ver si te está bien el vestido,
para si no alargar o encoger un poco. He traído a mi doncella, y entre todas...

María no había dado aún su consentimiento cuando su
criada, su madre, Pilar y la doncella de ésta empezaron a
desnudarla de aquella horrible bata parda que parecía la

sotana de un seminarista pobre. En aquel momento sintió la dama mística una ligera reacción del espíritu religioso, y dijo afligidamente:

—Dios mío, ¿qué voy a hacer?

—Tonta, mil veces tonta —manifestó la marquesa—, déjate de escrúpulos... ¿Ni aun en este conflicto reconoces el error de tu exagerada devoción?

María se dejó llevar ante el espejo de su tocador en la pieza inmediata; déjose caer en la silla. El espejo estaba cubierto con un gran paño negro, y parecía un catafalco. Quitaron el paño, y nació, digámoslo así, sobre el limpio cristal inundado de claridad, la imagen hechicera de María Sudre. Fue como un lindo ejemplo de la creación del mundo.

—¡Dios mío, San Antonio bendito! —exclamó, cruzando las manos—, ¡qué flaca estoy!

—Un poco delgada; pero más hermosa, mucho más hermosa —afirmó la madre con orgullo.

—¡Monísima, *charmante!*... Juana, improvisa aquí un buen peinado —dijo Pilar a su doncella, habilísima peinadora—. Una cosa sencilla, un bosquejo nada más, para ver el efecto del sombrero. A ver si te luces.

Con gran presteza empezó Juana su obra, desenredando los cabellos de María. Esta, después de mirarse un rato, había bajado los ojos y parecía que oraba en silencio. Se había visto los marmóreos hombros, parte del blanco seno, y a la vista de aquellas joyas tembló de pavor, sintiendo alarmada otra vez su conciencia religiosa. Quizás habría llegado demasiado lejos la reacción si un flechazo partido del bien templado arco de su madre no la contuviera.

—Al verte, hija mía, nos parece increíble que ese mamarracho de Pepilla Fúcar...

Como el abatido corcel salta, herido por la espuela, así saltaron los celos de María. Sus ojos verdes brillaron con apasionado fulgor, y se contemplaron absortos y embelesados de sí mismos, como diciendo: "¡Qué bonitos nos ha hecho Dios!" Después María puso la cabeza en las dos actitudes contrarias de medio perfil, torciendo los ojos para poderse ver. ¡Qué hermosa visión! ¡Cuánto la realzaba

su palidez! Se habría podido ver en ella un ángel convaleciente de mal de amores celestiales.

En un santiamén armó Juana airoso peinado, tan conforme con el rostro y la cabeza de María, que el más inspirado artista capilar no lo habría hecho mejor. Exclamación de sorpresa acogió obra tan magistral, y la misma
María se contempló con admiración, pero sin sonreír. Enseguida, pasando a la habitación donde estaba el espejo
grande, se procedió a ponerle el gran traje princesa, operación no fácil, pero que al cabo fue terminada con general
aplauso. El vestido resultó que ni pintado; el corte, perfecto; el efecto, sorprendente.

—¡Oh, qué bien está esta pícara! —dijo la de San Salomó con cierta envidia—. Veamos la manteleta. Escogere-
mos esta de casimir, de la India, con riquísimo agremán
y flecos. La cortó un discípulo de Worth.

María, en pie, las obedecía ciegamente y se dejaba vestir, se devoraba con sus propias miradas, dando al cuerpo
el contorno particular y gracioso que es necesario para
ver los costados. La criada alzaba la luz alumbrando la esbelta figura.

—Ahora el sombrero.

Era la gran pincelada, el supremo toque que al sublime
cuadro faltaba. Pilar no quiso confiar a nadie aquella obra
delicada, que era como la coronación de una reina. Ella
misma levantó en alto el sombrero y se lo puso a su amiga.
¡Efecto grandioso, sin igual! ¡Inmensa victoria de la estética! María Egipcíaca estaba elegantísima, hechicera; era
la elegancia misma, el figurín vivo. Encarnaba en su persona el ideal del vestir bien, ese infinito del traje, que unido al infinito de la belleza produce las maravillosas estatuas de carne y trapo ante las cuales sucumben a veces la
prudencia y la dignidad, a veces la salud y el dinero de los
hombres. ¡Pobre Adán, cómo te acordarás de aquel tiempo
en que para ataviarse bien bastaba alargar la mano a una
higuera!

—Vaya —dijo Pilar—, ya se ve el efecto. Pero mañana
volveré para vestirte definitivamente. Ahí te dejo lo demás: zapatos, medias…, ¡mira qué bonitas! Escoge el color

azul. ¿Te vendrá mi calzado? Creo que sí. Ahí tienes botas
húngaras y 'zapatos... Te he traído hasta guantes, porque
si no me engaño, ni aun guantes tienes... Conque hasta mañana.

Y dándole un ruidoso beso, le dijo al oído:

—Mañana es día de prueba para ti. Voy a mandar encender el Santísimo en San Prudencio... El Señor te favore-
cerá, ¡pobre santa y mártir!... Entre paréntesis, querida,
la función de hoy en San Lucas, como cuantas hace la Rosafría, no se libró de aquel aspecto, de aquel barniz general
de *cursilería* que llevan consigo todas las cosas de Antonia.
¡Si vieras qué cortinajes, qué pabellones!... Parecía una
fiesta civicoprogresista... En fin, si llegan a tocar el himno
de Riego no me hubiera sorprendido... ¡Y qué sermón,
hija! Habías de oír aquella voz de falsete... ¡Luego una
pobreza de alumbrado...! En fin, no quiero entretenerte
más, que es tarde... Adiós; ahora se me ocurre una cosa:
debo mandar que te enciendan también la Virgen de los
Dolores.

—Sí —dijo María enérgicamente—, la Virgen de los
Dolores.

—Adiós, Milagros; esta noche me toca el Real. Veré si
alcanzo dos actos de *Hugonotes*... Conque mañana al mediodía...

—Al mediodía. Adiós, Pilar... Y que venga también
Juana, yo traeré algo de tocador, porque ni siquiera polvos
de arroz hay en esta casa.

—Adiós..., adiós.

15. ¿Cortesana?

La marquesa rogó a su hija que se acostara, a lo cual
ésta accedió de buen grado, porque se sentía muy fatigada.
Quitóse con lentitud los ricos atavíos que resucitaban en
ella bruscamente la elegante mujer de otros tiempos y se

retiró a su alcoba. Tiritaba de frío y había caído en gran tristeza. Después de un rato de silencio, durante el cual mirábala su madre con alarma y desasosiego, volvió la vista a las imágenes, láminas, estampas y reliquias que hacían de su alcoba un museo de devoción, y dijo así:

—Señor Crucificado, Virgen de los Desamparados, santos queridos, amparadme en este trance.

La de Tellería, que también en las ocasiones solemnes sabía dar muestras de acendrada piedad, besó los pies de un crucifijo.

—Alcánzame mi rosario, mamá —dijo María.

Milagros tomó el rosario que estaba colgado a los pies del Crucifijo y lo dio a su hija.

—Ahora —añadió ésta— puedes retirarte... Siento sueño. Después de que rece un poco me dormiré.

La marquesa señaló la hora fijada para la expedición del día siguiente. Convinieron en ir las dos, quedándose la madre en el coche, mientras la hija entraba a hablar con su marido.

—El corazón me dice que alcanzaremos algo bueno: quizás alguna reconciliación —dijo la mamá besando a la penitente—. Ahora procura dormir y no pienses mucho en santurronerías. Ya ves el resultado de tu terquedad. Francamente, niña mía, yo me pongo en el caso de un marido, de cualquier marido... No es que yo condene la devoción, la verdadera devoción. ¿Por ventura no soy yo piadosa, no soy buena católica, aunque indigna? ¿No cumplo todos los preceptos?... Eso de la santidad hay que pensarlo antes de casarse, antes de contraer ciertos deberes.

—Una cosa me ocurre —dijo María prontamente, demostrando que no pensaba en santurronerías—. Si debo llevar mañana alguna alhaja, alfiler, pulsera, pendientes, puedes traerme lo que gustes de las joyas mías que te llevaste para guardármelas.

—Bueno —replicó la madre, algo contrariada—. Pero casi todas tus alhajas necesitaban compostura y las mandé al taller de Ansorena... De todos modos...

—Rafaela me ha dicho que ayer te llevaste toda la plata.

—Sí, sí; toda. Hija de mi alma, me aflige mucho que vivas sola en este caserón. Tiemblo por ti, por tu seguridad. Andan ahora ladrones...

—La plata no me hace falta... Di, ¿no te llevaste también las cortinas de seda, mis encajes, mi escritorio de ébano y marfil, el tarjetero, los vasos de Zuloaga, las dos jarras de Sèvres, el abanico pintado por Zamacois, la acuarela de Fortuny y no sé qué más?

—¡Oh! Tienes más memoria de lo que parece... —dijo la Tellería, disimulando su turbación—. Todo me lo llevé. Esas preciosidades no debían estar expuestas a un golpe de mano. ¿Sabes tú cómo está Madrid de rateros?

—Mira, mamá —prosiguió María, dando una vuelta en su lecho—: tráeme también mi reloj, porque es preciso saber la hora, la hora fija.

—Bueno... Pero ¡calla! Ahora recuerdo que tu reloj no andaba: lo tiene el relojero.

—Pues entonces iré sin reloj... Vaya, buenas noches, mamá. Vete a dormir.

—Mañana a las diez estoy aquí para empezar la *toilette*.

—A las diez.

—Abur, paloma.

—Adiós, mamita. Pide a Dios por mí.

María no durmió nada. Por primera vez vio realizado, en parte, un antiguo antojillo de beata que pensaba realizar. Había proyectado acostarse en un lecho de zarzas de piconas, con lo que, desgarrándose todo el cuerpo muy a gusto del espíritu, se parecería a los penitentes cuyas vidas había leído llena de admiración. Aquella noche su lecho fue primero de espinas; después de brasas. Se quemaba en él, como San Lorenzo en sus parrillas o San Juan en la cazuela de la Puerta Latina... No pocas veces se había quedado dormida rezando o recitando entre dientes letrillas de novenas y décimas josefinas. Aquella noche las oraciones las letrillas, las décimas y los pentacrósticos revoloteaban entre sus labios como las abejas en la puerta de la colmena, y entre tanto, su cerebro ardía como un condenado quien dan tizonazos los ministros de Satán en cualquie aposento del Infierno. No pudiendo resistir aquel freír continuo, chisporroteante y doloroso que bajo su cráneo y detrás de sus ojos la atormentaba, saltó del lecho, encendió luz. "Ahora mismo", murmuraron sus labios, mientras se vestía.

Sin calzarse corrió hacia el reloj de su gabinete. ¡Cuánto se descorazonó al ver que marcaba la una! ¡Era tan temprano! Mentalmente se hizo cargo del sitio donde estaría el sol a tal hora y del tiempo que tardaría en salir. Después se encerró en su tocador. ¡Quién puede saber lo que hacía! En el silencio de la noche y en las piezas donde no hay nadie, los relojes, con su tictac semejante a una respiración, simulan personas. Desde las chimeneas, esos entes de bronce parece que fijan en todo su carátula de doce ojos, y que se oyen y entienden con aquel mismo órgano interno que produce su palpitar rítmico, incesante. El reloj del gabinete de la Egipcíaca era el único que podía enterarse de lo que hacía su ama. Ni aun el retrato de León podía saberlo, porque estaba vuelto contra la pared.

Oyó el reloj que su hermosa dueña abría y cerraba cajones; oyó el ruido placentero del agua saltando en la porcelana, después en el mármol, y resbalando sobre las ebúrneas partes de una estatua humana, para caer luego en chorros sobre sí misma, bullendo y saltando como en las fuentes mitológicas, donde tritones, ninfas y caracoles de alabastro surtidores, jirones, encajes y polvo de agua, forman conjunto bellísimo a la vista. El pícaro, que desde mucho tiempo antes tal cosa no presenciaba, reía y reía dando unos contra otros sus doscientos o trescientos dientes. Percibió después olor suavísimo y delicado de perfumes de tocador..., porque los relojes tienen olfato, sí, huelen por aquellos dos agujeros por donde se les da cuerda... También eran desusados los ricos olores.

Volvió al gabinete María trayendo ella misma la luz con que se alumbraba. Su primera mirada fue para la numerada esfera, y junto a ésta dejó la bujía. ¡Las dos y cuarto! ¡Qué cargante es un reloj en el cual siempre es temprano! La dama estaba en ropas blanquísimas, arrebujada en ancho mantón que la preservaba del fresco y ayudaba la reacción producida por el agua fría. Algo amoratado su rostro, no por eso era menos bonito, y sus manecitas blancas se crispaban agarrando el mantón para abrigarse, como la paloma que esconde el cuello entre sus pardas alas.

La reacción del agua fría es tan rápida como fuerte. La penitente soltó el mantón, y fijando sus miradas en el lienzo vuelto contra la pared, alzó los brazos para bajarlo... ¡Estaba muy alto! Cuando se subió sobre una silla, el reloj, único testigo de aquella escena, admiró a la hermosísima mujer en la casta diafanidad de aquel atavío, y sus ojos se abrieron más. Cada hora era un lucero, y siguiendo en su tictac, guiñaba su aguja hacia las tres.

Descolgó la señora el cuadro, y volviéndolo del derecho, lo puso sobre una silla. Entonces apareció en la sala el busto, la enérgica cabeza, la mirada profunda y leal de León Roch. Fue como la entrada súbita de alguien en la estancia solitaria. María se quedó perpleja, y toda su sangre se le corrió al corazón, agolpándose en él y dejándole heladas y casi vacías las venas; lo miraba sin respirar, sin pestañear, como cuando se presencia la aparición milagrosa de quien se ha muerto, o la encarnación estupenda de lo que se ha soñado. Y él no la miraba ceñudo, sino con expresión serena, que ponía en sus ojos la índole de su alma recta y franca... Alargó el cuello María, acercando su cara al lienzo... Retrocedió después para dar tiempo a que su mano quitase un poco de polvo; y luego que esto hizo, besó la imagen de su marido, una, dos, tres veces, en distintas partes de la cara. Oyóse entonces una carcajada indistinta, un reír sofocante y zumbón. Era el reloj que respiraba más fuerte echando de sí ese murmullo que precede al toque de las horas.

¡Las tres! El reloj principiaba a ser complaciente y juicioso, y se iba curando de aquella inaguantable manía de ser temprano. Como el hotel de Roch estaba casi en las afueras, oíase el canto de los gallos anunciando el fin de aquella noche perezosa, pesada, eterna...

"Pronto amanecerá —pensó María—. En cuanto amanezca, me voy."

Empezó a vestirse. Los trajes, los sombreros, los zapatos y demás prendas que había traído Pilar estaban arrojados sobre las sillas. Si no presidieran en la estancia tres cuadros distintos del patriarca San José, creyérase que aquél era el gabinete de una mujer de mundo, después de una noche de festín. Examinó la penitente los colores de las finas medias de seda, y, por último, segura del buen efecto, vistió sus piernas estatuarias con las azules y las sujetó con ligas del mismo color. El calzarse no era obra tan fácil. Probó zapatos, botas... ¡Oh!, felizmente, el pie de Pilar parecía hermano del suyo... Pero María vacilaba en la elección de forma. ¿Bota o zapato? He aquí un problema que por su gravedad podía equipararse a éste: ¿Gloria o Infierno?

El coturno fue desechado, al fin, después de una acaloradísima discusión interna. Venció el zapato alto, de cuero bronceado, de tacón Luis XV y hebilla de acero: una verdadera joya. Después de mirarlos mucho, María se calzó. Sus pies eran bonitos de cualquier modo, y desnudos, más. Admito el calzado como una necesidad social que no era ley en tiempos de Venus. María vio con admiración sus pies artificiales, con los cuales Dafne no hubiera podido correr, pero no por eso eran menos lindos.

Sentó con arrogancia la planta en el suelo, examinó todo desde la rodilla, giró un poco sobre el tacón, movió la delgada punta, semejante a un dedal. El pie tiene su expresión como la cara. María lo encontró admirable, y pensó en otra cosa. ¡Corsé, peinado! Dos cosas graves que no pueden hacerse a un tiempo. A veces la primera es del dominio de la fuerza; la segunda, de los augustos dominios del arte. Acudió la señora a lo más urgente, y no necesitó caballos de vapor para aprisionar su hermoso seno y talle, plegando y aplastando sobre uno y otro, como fino papel de embalaje, las blancas telas de delicado lino. El peinado era cosa más difícil. Fue al tocador, sentóse, meditó un rato con los brazos alzados, como un sacerdote que reza antes de poner sus manos sobre los objetos rituales, y al fin..., haciendo y deshaciendo, con la sencillez que permitía la falta absoluta de ciertos artículos de tocador, María logró remedar medianamente lo que las hábiles manos de Juana habían hecho la noche anterior. Estaba bien, sobre todo sencillo, airoso, elegante, que era lo principal. Nada de cargazón ni catafalcos...

Lo demás verificóse como en el ensayo de la noche precedente. El vestido *princesa* de gro negro con combinaciones de terciopelo y faya pajizo claro; el sombrero, que parecía haber salido de manos de las hadas... Todo lindísimo, seductor. María se contempló con asombro; se creía otra. No: no era posible que ella fuese tan guapa; allí había sortilegio. ¿Cómo sortilegio? No: una católica no podía pensar en esto. Lo que allí había era favor de Dios, determinación de la Providencia para ponerla en condiciones de realizar una buena obra. De Dios tenía que provenir no sólo aquella superior hermosura, sino aquel hechicero atavío. Esta superstición se pegó a su mente como un molusco a la roca, y allí se quedó adherida por succión. "Dios permite, Dios consiente, Dios manda...", pensó, formulando con vigor aquella idea.

Y a mirarse volvía. De costado, de frente, de todos modos estaba bien. ¡Qué ágil y flexible su talle, qué gallardo su busto, qué contornos, qué aire de cabeza! ¡Qué graciosa neblina la del ligero velo de su sombrero, oscureciendo el rostro pálido, como la sombra de un ave que pasaba y se ha detenido revoloteando para admirar tanta hermosura! ¡Qué misterioso simbolismo de pasión en aquel negro del terciopelo con golpes de seda de un pajizo lívido, y qué dulce armonía la de su rostro coronando aquella noche de tinieblas, manchada de relámpagos sulfúreos! ¡Qué ojos tan verdes, tan melancólicos, y, al mismo tiempo, cómo escondían bajo la tristeza la amenaza, la venganza bajo el dolor, bajo la caricia el puñal! ¡Cómo aquellos hechizos anunciaban otros, y cómo se completaba todo allí, el color y la expresión, la vista y la ilusión, la belleza y el alma, lo humano y lo divino!... ¡Ah!... ¡Guantes! Gran contrariedad fuera que Pilar no hubiera traído guantes. María los buscó, y habiéndolos hallado, probóselos muy satisfecha. "No llevo joyas —dijo para sí—; pero no importa

—y luego añadió con orgullo—: Llevo la principal: mi virtud."

Después de otro rato de contemplación en el espejo, añadió: "¡Qué guapísima voy!... Si yo supiera hablar bien y decir lo que pienso... Si encontrara las frases más propias..."

Tirando de la campanilla, alborotó toda la casa. Los criados tardaron en levantarse; pero se levantaron al fin. La doncella, que entró aturdida y soñolienta en el gabinete, se quedó pasmada al ver a su ama vestida; ¡y qué bien vestida! María mandó que al punto llamaran al señor Pomares. Este digno hombre, que había vuelto a ser admitido después de la separación, se presentó con cara hinchada y dormilona, temblando y tropezando.

—Haga usted que me pongan inmediatamente el coche —le dijo María sin mirarle.

Pomares se quedó tan estupefacto como si le mandaran tocar a misa a las seis de la tarde.

—Pero la señora ha olvidado que ya no tiene coche.

—¡Ah! ¡Es verdad! No me acordaba. Bien; tráigame usted un coche de alquiler, un *landau*.

—¿A esta hora?

—¿Pues no es ya de día?

—Todavía no ha amanecido.

—¿Y qué importa?... Veo que es usted muy dificultoso... No sirve usted para nada.

Pomares se quedó como quien ve visiones. Aquel lenguaje áspero, colérico... Sin duda la señora estaba loca.

—¡No se mueve usted, hombre de Dios! —añadió María—. ¿Por qué me mira usted así? Pronto, un coche, cueste lo que cueste.

—Bien, señora; iré a ver si...

—Pronto. Quiero salir en cuanto amanezca.

Por mucho que trabajó el buen Pomares paseando su respetabilidad de cochera en cochera, no pudo traer el *landau* hasta muy entrado el día. Ardiendo en impaciencia, María esperaba en su gabinete, después de tomar café puro, paseando y rezando a veces, a ratos sentada y sumida en profundas meditaciones; cuando le anunciaron que el coche entraba en el jardín del hotel, levantóse, fue derecha a un hermoso armario que en su alcoba tenía, abriólo y sacó una gran botella de agua no muy clara. Los labios de la dama se movían, articulando, sin duda, oraciones piadosas, mientras su mano derramaba parte del contenido de la botella en un vaso de plata. Alzándose cuidadosamente el velo del sombrero, bebió. Era agua de Lourdes.

16. El deshielo

No había andado el coche medio kilómetro, cuando a María le asaltó la idea de una dificultad terrible, y era de tal naturaleza, que casi casi estuvo a punto de dar al traste con sus proyectos. Era que siendo aquel traje como elegido para salir a la una de la tarde, impropio para una excursión de tan de mañana, la señora estaba ridícula y hasta *cursi*. ¿Cómo no había caído en ello mientras se vestía? ¿Cómo no eligió ropas más sencillas, más conformes, en fin, con lo que las pragmáticas del vestir ordenan para la primera hora? Gran descuido y aturdimiento fue el suyo; pero ya no tenía remedio, y aunque le amargaba mucho no ser en aquel día un modelo de buen gusto, se conformó, considerando que la hermosura superior hace las leyes de la moda y nunca es esclava de ella.

Solicitada su mente por cosas más graves, pronto olvidó María lo del vestido. Lo que la inquietaba era un continuo inventar de frases y discursos. Ya sabía ella todo lo que le había de decir su marido y todo lo que debía contestarle la esposa ultrajada. Los discursos sucedían a los discursos y las frases se perfeccionaban en su cerebro, como si éste fuera el crisol heráldico de la Academia. Ya un adjetivo le parecía tibio y ponía otro más quemador; ya cambiaba una oración afirmativa por otra condicional, y así iba anticipando la expresión de su ira, poseyéndose tanto en aquel ensayo, que hablaba sola.

No se fijó en ningún accidente del camino ni en nada de lo que veía. Para ella, el coche rodaba por una región vacía y oscura. No obstante, como acontece cuando en el pensamiento se embuten ideas de un orden determinado y exclusivo, María, que no observaba las cosas grandes y dignas de ser notadas, se hizo cargo de algunas insignificantes o pequeñísimas. Así es que vio un pájaro muerto en el camino y un letrero de taberna al que faltaba una *a;* no vio pasar el coche del tranvía, y vio que el cochero de él era tuerto. Esto, que parece absurdo, era la cosa más natural del mundo.

Por fin, entró en aquel para ella aborrecido poblachón, que ni es ciudad ni campo, sino un conjunto irregular de palacios y muladares. No sabiendo fijamente adónde dirigirse, preguntó a unas mujeres, que la informaron con amabilidad. El coche siguió adelante. Ya llegaba, ya estaba cerca. El corazón de la pobre esposa se saltaba del pecho, llevándose consigo los discursos y las frases tan trabajosamente compuestas.

Al fin, dejó el coche... Apenas podía andar y se sentía sin fuerzas. Vio un portalón ancho que daba a un gran patio. En aquel patio había muebles, colchones liados, gran cama de hierro empaquetada. Todo anunciaba mudanza. También vio a una mujer que hablaba con alguien. María entró, acercóse a ella, y entonces advirtió, llena de asombro, que la mujer no hablaba con nadie. ¿Estaba loca?... María le hizo la pregunta que era indispensable para poder entrar.

—¿Don León? —dijo Facunda con semblante amable, y esperando un poco a que se le pasara el asombro—. Arriba está.

Y señalaba una puerta por donde se veía una escalera. Subió María rápidamente hasta la mitad; después tuvo que detenerse, porque no tenía respiración. Arriba ya, entró en una grande y clara pieza. No había nadie.

María vio libros conocidos, muebles amigos, algún desorden, como cuando se está embalando para un viaje;

pero ni un alma... ¡Ah! De repente, como pájaro que al
ruido salta y aparece saliendo de una mata, apareció una
niña, saliendo de detrás de la mesa. Tenía una muñeca
medio rota en la mano, mucho abrigo sobre el cuerpo y
una toquilla de lana blanca, puesta poco más o menos
como se la ponen las monjas. Se comía un pedazo de pan.
Su cara era como la de un ángel, suponiendo que a los
ángeles se les pongan húmedas las naricillas a causa del
fresco de la mañana.

Vio Monina que aparecía en la puerta aquella señora,
y se quedó mirándola de hito en hito, quieta, fija, muda.
No era señora: era una muñeca grande, vestida como las
señoras. El primer sentimiento de Monina fue asombro;
después, miedo. Vio que la gran muñeca adelantaba lentamente, sin quitar de ella los ojos, ¡y qué ojos! Monina se
iba quedando pálida y quería gritar; pero no podía. Y la
enorme muñeca avanzaba hacia ella sin parecer que andaba,
sino que la movían resortes debajo de la falda, y llegaba
hasta ella, se inclinaba, doblándose por la cintura... El
terror de la pobre niña llegó a su colmo: pero no podía
chillar, porque aquellos ojos la miraban de una manera que
le cortaba la voz... Y la muñeca rígida y colosal alargó
una mano y la puso sobre el hombro de la infeliz niña,
y, asiendo después el brazo de ella, apretaba, apretaba,
como aprieta el hierro de las tenazas, mientras una voz
indefinible, que a Monina no le pareció voz humana, sino
esa voz de fuelle que en el pecho de las muñecas dice
papá y *mamá*, le preguntaba:

—¿Quién eres? ¿Cómo te llamas?

El instinto de conservación venció al miedo, y al fin, la
pobre Ramona dio un chillido agudísimo y prolongado,
retirando su brazo oprimido. En aquel momento salía
León Roch de la estancia próxima; se quedó en el marco
de la puerta como una figura en su nicho. Al contrario de
Santo Tomás, veía y no creía. Pasó algún tiempo sin que
volviera de su pasmo y terror, haciéndose cargo de la situación dificilísima en que estaba. Ver allí a su mujer era
realmente extraordinario, pero no absurdo; lo absurdo era
verla guapa, vestida a la moda, con elegancia, casi con ex-

ceso de elegancia y lujo por la discrepancia entre la hora
y el traje. Tal fenómeno no cabía dentro del círculo de
previsiones y cálculos de León, y era, por lo tanto, un
fenómeno inexplicable.

Dueño, al fin, de sí mismo, y resuelto a afrontar la
escena que se preparaba, León, antes de decir a su mujer
la primera palabra, tomó de la mano a Monina, salió a la
escalera, llamó a alguien, entregó la niña y, volviendo
adentro, cerró la puerta con brío, como el domador en el
momento de enjaularse con sus queridas fieras, que, después de todo, no son otra cosa que su familia. Cuando se
acercó a María, ésta se había sentado. Apenas podía tenerse en pie.

—¿No me esperabas? —murmuró temblando.

—No, ciertamente.

—Te creías libre..., ¡pobre hombre!..., libre para correr sin camino..., por un freno..., digo, para correr sin
freno por un camino de infamias. No contabas con mi...,
con mi...

Los discursos que traía perfectamente ordenados en su
cabeza se evaporaban palabra tras palabra. Hizo un esfuerzo de memoria para recordar una frase que creía de
efecto; pero la frase se le iba, se le escapaba. Apenas
pudo atrapar al vuelo una palabra, y gritó con voz ronca:

—¡Presidiario!

León se sonrió ligeramente; María dijo:

—¡Presidiario!... Yo soy la Policía.

—Bien —dijo León con serenidad, apoderándose al
punto de aquella idea—. Convengo en que soy presidiario,
en que tú eres la Policía; pero no tienes cadena para
atarme, que tú misma la has roto.

María había preparado sus frases contando siempre con
que su marido le diría algo que ella imaginaba; mas como
León no dijo aquello, sino otras cosas, he aquí que la
aturdida esposa estaba como el histrión que ha olvidado
sus papeles.

—¡La cadena! —murmuró, no comprendiendo en el
primer momento—. ¿Dices que yo la he roto?

—Sí: tú la has roto. Mi libertad, ¿quién me la ha dado sino tú?

—Eres un malvado, un libertino, un ingrato —dijo la dama, cayendo en las recriminaciones vulgares de todas las esposas ofendidas—. ¿De qué libertad hablas? Tú no la tienes, tú eres mi esposo, y estás atado a mí por un lazo que nadie puede desatar sino Dios, porque Dios lo ató. Estos infames materialistas creen que así se juega con el matrimonio, una institución divina.

—Y también humana. Pero no disputemos, María. Concluyamos: ¿a qué has venido?

—¡Pues no pregunta el miserable que a qué he venido! A pedirte cuenta de tu conducta criminal, a sorprenderte en tu infame retiro, a avergonzarte y, finalmente, a despreciarte.

—Podías haberme despreciado en tu casa.

—Es que he querido ver si tenías un resto de pudor y vergüenza; si te turbabas delante de mí; si te atrevías a confesarme tu falta...

—Ya ves que me he turbado un poco —dijo León, alzando los ojos—. En cuanto a faltas, si alguna he cometido, no eres tú a quien debo confesarla.

—¡Qué descarada perversidad!... Pues también he venido a otra cosa —añadió la penitente, lívida de ira—: he venido con la esperanza de encontrar aquí a esa liviana mujer, para darle el nombre que merece y...

Sus manos se engarfiaron una contra otra y apretó los párpados fuertemente.

—¿Qué mujer?

—¡Y lo pregunta el hipócrita!... ¡Oh! No la nombro, porque me parece que la boca se me mancha... ¿Te atreverías a sostener que no tienes relaciones criminales con ella?

—¿Con quién?

—Con ésa —dijo, señalando con energía a Suertebella.

—María —repuso León, palideciendo—, no quiero verte convertida en propagadora de hablillas miserables... Muy difícil me será dejar de respetarte; pero, si quieres que no falte jamás a la consideración que debo, no toques esa cuestión; calla, déjame, márchate. Tú no necesitas ya de mi afecto, puesto que te basta con tu religión; vete a tus altares y déjame a mí solo con mi conciencia.

María se recogió en sí, contrayendo los brazos contra el pecho, cual una fiera que ataca, y viose en sus ojos verdes como un oscurecimiento vidrioso, precursor de un brillo más grande.

—¡Ladrón, infame! —exclamó—. ¿Tienes el atrevimiento de arrojarme a mí, la mujer legítima, la mujer que te posee y que no te soltará, no, no te soltará, porque Dios le ha dicho que no te suelte?... ¿Quién eres tú, miserable, para romper un sacramento, para dar una bofetada al Padre de todas las criaturas?

—¡Romper sacramentos yo!... ¿Yo?

Al decir esto, León se levantaba.

—¿Yo? —repitió, acercándose a su mujer—. Yo he roto el sacramento.

—¿Pues quién?

—Tú, afirmó él, apuntando a su esposa tan enérgicamente con el dedo índice, que parecía querer sacarle los ojos.

—¡Yo!

—Tú, tú lo hiciste pedazos, cuando, apremiada por mí para salvar nuestra mutua paz, me dijiste: "Mi Dios me manda contestarte que no te ame."

María quedóse un momento lela y aturdida. Su viva cólera había cedido un poco.

—Es verdad que dije eso..., sí, y en verdad, si querías mi amor, ¿por qué no te apresuraste a merecerlo, haciéndote cristiano católico? A pesar de tu horrible ateísmo, yo no puedo decir que no te amase... algo... ¿Por qué no eres como yo? ¿Por qué no me imitabas en mi piedad?

—Porque no podía —dijo León con sarcasmo—, porque hay algunas clases de piedad que están fuera del orden natural, que son locas, absurdas, ridículamente necias... Conste, pues, que el sacramento lo rompiste tú, tú misma.

—Pero yo —dijo María, cogiendo al vuelo un argumento irresistible— he sido fiel; tú, no.

León vaciló un instante.

—Yo también lo he sido. Ante Dios, y por la memoria de mi madre y de mi padre, juro que lo he sido. Fiel, cariñoso y atento contigo por todo extremo he sido yo cuando tú, arrastrada a una santidad enfermiza por las ardientes amonestaciones de tu hermano, pusiste una muralla de hielo entre tu corazón y el mío. Me negaste hasta las palabras íntimas y dulces, que suelen suplir a los afectos cuando los afectos se han ido; me mortificaste con tus necios escrúpulos, con tus recriminaciones crueles, que tenían no sé qué semejanza con las injurias del populacho; me hiciste en mi propia casa un vacío horrible; todo me lo teñiste de un lúgubre negror frío que me oprimía el corazón, me agostaba las ideas, me inclinaba a las violencias; tuviste a gala el despojarte de las gracias, de la pulcritud, hasta del bien parecer que hace agradables a las personas, y para mortificarme más, te vestías ridícula y parecía que tu orgullo estribaba en serme repulsiva, odiosa. Toda palabra mía era para ti una blasfemia; toda disposición mía dentro de la casa, un crimen digno de la Inquisición. ¡Ah, insensata! Ya que abrazaste la carrera de la santidad con tanto entusiasmo, ¿por qué no imitaste de mí la paciencia, aquella virtud evangélica con que sufrí tu soberbia vestida de humildad, tu aspereza anticristiana, tu devoción, que, por lo insolente, por lo chabacana, parecía más bien la travesura de todos los demonios juntos representando una comedia de ángeles con máscaras de cartón?... ¡Y a mí, que he sufrido esto, que me he visto odiado y escarnecido por ti, siendo un modelo de tolerancia, vienes a pedirme cuentas, en vez de perdón!..., perdón, María, que es la única palabra que hoy cuadra en tu boca. Al esposo a quien se ha dicho que no se le ama, no se le piden cuentas. Demasiado prudente he sido y soy, cuando a pesar de todo, aún no me he atrevido a declarar roto nuestro matrimonio, aún te tengo por esposa, aún me siento ligado a ti, y no pido libertad, sino paz, no pido compensación, sino descanso.

—Casi, casi podrías tener alguna queja de mí —dijo María, abrumada por el apóstrofe de su marido—, si desde aquella época me hubieras guardado la fidelidad que yo a ti te he guardado. Pero no lo has hecho, no; me has sido infiel desde hace mucho tiempo.

—Falso.

—Sí, infiel, infiel —afirmó la esposa, insistiendo en el argumento fuerte y de más efecto, y dando sobre aquel yunque con fiera energía—. En vez de defenderte de este cargo, me has acusado; es el procedimiento de todos los criminales marrulleros... Yo estaba ciega, ignorante de tus perfidias. Tú me engañabas miserablemente.

—Falso.

—Desde hace mucho tiempo.

—Falso.

—Al fin lo he sabido todo, he descubierto toda la verdad. Y ahora no podrás negarlo. El presente revela el pasado. Tu crimen actual descubre el crimen de ayer. Has perdido el decoro, no ocultas la antigüedad de tus relaciones, y aquí, en esta casa donde te has retirado para pecar a tus anchas, pasas todo el día jugando con esa mocosilla...

Las miradas de León saltaron sobre su mujer, fulgurantes, terribles, como saetas disparadas del arco con invisible presteza. María llevó todo su aliento a su laringe para decir con voz ronca:

—...¡Que es hija tuya!

Con los labios lívidos, la mirada asesina, como la fulguran los ojos del criminal en el momento del crimen, León se acercó a su mujer, y empuñándole y sacudiéndole el brazo que encontró más cerca, gritó:

—¡Calumniadora!... ¡Embustera!

Después soltó el brazo y mascó las demás palabras que iba a decir. El respeto obligábale a tragarse su ira. María Egipcíaca, devorada interiormente por sus culebras quemadoras, no halló palabras en su mente para expresar la ira de aquel instante, porque los celos y el despecho, cuando llegan a cierto grado, no se satisfacen con voces: necesitan acción. El rencor de la dama no podía tener entonces más desahogo que un destrozo cruel, trágico, sangriento, de lo que había causado su arrebato. Hacer trizas entre sus manos a Monina era su pasión del momento, y

sin vacilar lo puso en práctica, arrancándole con salvaje
dureza los brazos, la cabeza... No se asuste el lector:
lo que María destrozaba era la muñeca que Monina se
había dejado sobre una silla. Las manos trémulas de la
mujer legítima luchaban sin piedad con los miembros de
cartón. Arrojando los pedazos lejos de sí, exclamó con en-
trecortada voz:

—Así..., así debe tratar la esposa legítima a la..., la...

Se ahogaba. León, recobrando algo de su serenidad,
pudo decirle:

—No te creí capaz de hacerte eco de una infame calumnia. No sé de qué sirve la santidad que ignora hasta
el fundamento primero de toda doctrina. Nunca tuviste
entrañas.

—¡Ay!, sí las tuve —dijo María fatigada de su propia
cólera—; pero me alegro de no haber llevado nunca en
ellas hijos tuyos. Dios me bendijo haciéndome estéril,
como ha bendecido a otras haciéndolas madres. Dios no
puede consentir que los ateos tengan hijos.

—¡Tus blasfemias me horrorizan! —añadió León, no pudiendo resistir más—. ¿Puede darse sacramento más que-
brantado, lazo más roto? Entre tú y yo, María, hay una
sima sin fondo y sin horizontes, un vacío inmenso y ate-
rrador en el cual, por mucho que mires, no verás una sola
idea, un solo sentimiento que nos una. Separémonos para
siempre; no pongamos frente a frente estos dos mundos
distintos, que no pueden acercarse y chocar sin que bro-
ten rayos y tempestades. Si hay algo irreconciliable, somos
tú y yo. Sí, también yo soy fanático; tú me has enseñado
a serlo con ardor y hasta con saña. Vámonos cada cual a
nuestra playa, y dejemos que corra eternamente en medio
este mar de olvido. Para calma de tu conciencia y de la
mía, hagámoslo mar de perdón. Perdonémonos mutuamente, y adiós.

María, oyendo estas palabras, observaba que sus sentimientos de ira y despecho eran sustituidos por otros nuevos, tranquilos y por cierta idealidad contemplativa que
se iba metiendo en su espíritu perturbado. Miraba a su
esposo y le hallaba, ¿a qué negarlo?, más digno que nunca

de ser compañero amante de una mujer como ella. Veía
su rostro expresivo, su barba negra, que le daba melancolía, y no sé qué de personaje heroico y legendario; sus
ojos de fuego, su frente donde se reposaba un reflejo de
la luz solar, como señalando el lugar que encerraba una
gran inteligencia. Esta muda observación de la belleza
varonil actuó directamente sobre su corazón, haciéndole
latir con fuerza. Acordóse de sus primeros y únicos amores, de las felicidades y legítimos goces de su luna de
miel; sobre estos recuerdos volvió insistente como una
manía la idea de que aquel hombre era muy interesante,
muy simpático, muy..., ¿por qué no decirlo?, muy bueno, y de nuevo le miró, no se cansaba de mirarle... ¡De
otra! ¡Para otra! Esta era la idea que echaba fuego en el
montón de leña; ésta la satánica idea que volcaba su
corazón derramando toda la piedad de él como los tesoros contenidos en un vaso. Por esta idea la frialdad se
trocaba en fuego, el desdén en ansias cariñosas... Ardientemente enamorada, de celos más que de amor, María
sintió una aflicción horrible cuando se vio despedida con
bonitas palabras, pero despedida al fin. Ella podía aceptar
la despedida, sí, y marcharse para siempre, podría quizás
olvidar, consentir que su marido no la amase..., pero
¡eso de amar a otra, ser de otra!...

—¡No, mil veces no! —exclamó la dama, terminando
en alto su meditación.

Diciéndolo se humedecieron sus ojos. Quiso luchar con
su llanto, y, secándose prontamente los ojos, habló así a
su marido:

—Una noche me preguntaste...

—Sí; te pregunté...

—Y yo te respondí que Dios me mandaba que no te
amase... Es verdad que me lo mandaba Dios. Yo lo sentía
aquí, en mi corazón... Pero, ya ves, no debe tomarse al
pie de la letra todo lo que se dice. Tú debiste preguntar
otra vez.

—¡Te había hecho la pregunta tantas veces!... ¡Y de
tan distintos modos!...

—Bien; ahora te pregunto yo a ti...

Se acercó a él y le puso ambas manos sobre los hombros.

—...Te pregunto si me quieres todavía.

La mentira era refractaria al espíritu de León. Consultó primero a su conciencia, pensó que una falsedad galante y generosa le honraría; mas luego sintió que se revelaban contra él las mentiras galantes. Antes de que acabase de discernir aquel oscuro asunto, la verdad brotó de sus labios diciendo:

—No... Mi Dios, el mío, María, el mío, me manda responderte que no.

Desplomóse la señora sobre su asiento. Parecía rugir cuando dijo:

—¡Tu Dios es un bandido!

—No tienes derecho sino a mi respeto.

—¿Amas a otra? —preguntó María, mordiendo la punta de su pañuelo y tirando de él—. Dímelo con lealtad..., reconozco tu lealtad..., confiésamelo, y te dejo en paz para siempre.

—Tampoco tienes derecho a hacerme preguntas.

—Niégame el derecho y contéstalas.

León iba a decir: "Pues bien; sí." Pero hay casos en que la verdad es como el asesinato. Decirla es encanallarse. La contestación fue:

—Pues bien; no.

—Te conozco en la cara que has mentido —dijo María, incorporándose bruscamente.

—¡En mi cara!

—Tú no eres mentiroso..., yo reconozco que nunca has mentido, pero ahora acabas de revelarme que has perdido aquella buena costumbre.

León no replicó nada. María esperó un rato, y después dijo:

—Nada tengo que hacer aquí...

León no pronunció una palabra, ni siquiera miró a su mujer.

—Nada, nada más —añadió ella—, sino avergonzarme de haber entrado en esta casa de corrupción y escándalo.

Humedecía con su lengua sus labios secos; pero labios y lengua estaban juntamente impregnados de un amargor en cuya comparación el acíbar es miel delicioso. María quiso escupir algo, escupir aquel *otra* que le parecía el zumo de una fruta cogida en los jardines del infierno. Sus labios se dejaron morder por los dientes hasta echar sangre.

—¡Qué vergüenza! —murmuró—. ¡Haber descendido a tanto..., arrastrarme a los pies del miserable..., una mujer como yo, una mujer...!

La rabia no la dejaba llorar, ni aun siquiera llorar de rabia.

—¡Verme despreciada!...

—Despreciada, no —dijo el marido, haciendo un movimiento generoso hacia ella.

—Despreciada como una mujer cualquiera, como una...

—Desprecio, jamás...

—Ni siquiera...

—Acaba...

—Ni siquiera..., merezco una atención...

—Atención, sí —dijo León, al parecer tan agitado como ella.

Sentía la Egipcíaca una extraordinaria humillación que arrastraba su alma a un infierno de tristeza.

—Para ti, yo..., ni siquiera soy hermosa. Soy una mujer horrible; he perdido...

—No. Te juro que desde que te conozco, nunca te he visto tan hermosa como ahora.

—Y sin embargo —gritó María, saltando en su asiento—, y, sin embargo, no me amas...

—Tú —le dijo León en voz baja—, que has cultivado tanto la vida espiritual, debes saber que la hermosura del cuerpo y el rostro no es lo que más influye en el cautiverio de las almas.

—¡Para ti soy horrible de espíritu!...

Y al decir esto se dio un golpe en la frente, exclamando: "¡Ah!", como quien recuerda algo muy solemne, o vuelve de un tenebroso desvarío a la luz de la razón.

—¿No he de ser horrible para ti, si soy mujer cristiana y tú un desdichado ateo materialista?... Y yo he cometi-

do la falta, ¿qué digo falta?, el crimen de apartar los ojos
por un momento de mi Dios salvador y consolador para
fijarlos en ti, hombre sin fe; de haberme despojado de mi
sayal negro para vestirme de estos asquerosos trapos de
mujeres públicas con el infame objeto de agradarte..., de
solicitarte... ¡No, no: Dios no me lo puede perdonar!

Y exaltada, delirante, levantóse con horror de sí misma;
se llevó las manos a la cabeza, arrancándose el sombrero
pieza por pieza y arrojándolo todo con furor lejos de sí. El
brusco tirón dado al sombrero deshizo el peinado, frágil-
mente compuesto por ella misma; cayeron los rizos negros
sobre su sien, sobre sus hombros; y desmelenada, con el
rostro trágico, la mirada felina, marchó hacia su esposo,
y en voz baja le dijo:

—Soy tan mala como tú; soy una mujer infame. He olvidado a mi Dios, he olvidado mi deber y mi dignidad
por ti, miserable. Ya no merezco que me llamen santa,
porque las santas...

Se miró el pecho y el lujoso vestido, y lanzando una
exclamación de horror, añadió:

—Las mujeres consagradas a Dios no se visten con este
uniforme del vicio. Me avergüenzo de verme así. ¡Fuera,
fuera de mi cuerpo, viles harapos!

Arrancó lazos y adornos para arrojarlos fuera. Después
agarró los bordes de su vestido por el seno, y tirando con
fuerza varonil, rompió todo lo que pudo. Sus manos locas
abrieron después grandes jirones en la tela, deshicieron
pliegues, despegaron botones; eran, aun con los guantes
puestos, dos garras terribles, capaces de hacer trizas en
un instante la obra delicada y sólida de doscientas manos
de modistas. Al fin se quitó también los guantes y la
manteleta.

—¡Basta de afrenta, no más baldón! Vuelvo a mi Dios,
a mi vida recogida, indiferente, donde gozaré maldiciendo
mi hermosura, porque te ha gustado a ti; vuelvo a la paz
de mis ocupaciones religiosas, a la meditación dulce, donde se conversa con Dios y se ve a los ángeles, y se oye
música, y hasta parece que se prueba algo de sus festines;
vuelvo a mi dulce vida, que cuenta entre sus dulzuras la

de olvidarte, y en su oscuridad las hermosas tinieblas de
no verte a ti... He pecado, he sido indigna de los favores que el Señor se dignó concederme... ¡Perdón, perdón,
Dios mío! ¡No lo volveré a hacer más!

Cayó de rodillas, y deshecha en llanto verdadero, fácil,
afluente, escondió el rostro entre las temblorosas manos.
Lágrimas abundantes resbalaban por su hermosa garganta y caían sobre su seno medio descubierto. León tuvo
miedo. Aquella lastimosa figura desgarrada, aquel llorar
amargo, movieron profundamente su corazón. Acercóse a
ella echándole los brazos, la levantó, sentóla en la silla.

—¡María, por Dios! —le dijo—. No hagas locuras.
Tú misma... Serénate. .

María no despegaba de su rostro las manos. Acercó León
su silla, puso la mano sobre el hombro de su mujer, trató
de remediar el desorden de sus cabellos, de colocar lo
mejor posible los jirones del vestido, que por la gran des-
garradura mostraba desnudo el busto. De repente se sintió estrechado por un abrazo epiléptico, y sintió en su
cara los labios ardientes de su mujer que le apretaban sin
besarle; le apretaba como cuando se va a poner un sello
en seco, y después una voz sorda, un gemido que así decía:

—Te ahogo, te ahogo si quieres a otra... ¿No soy yo
guapa, no soy yo más hermosa que ninguna?... A mí
sola..., a mí... sola.

Después el vigoroso abrazo cesó lentamente; cedió toda
fuerza muscular y nerviosa. Apartó de sí León aquellos
brazos ya flexibles, que cayeron al punto exánimes, y cayó
también la pálida cabeza sobre el pecho, velada por su
propia melena como la del tétrico y maravillosamente hermoso *Cristo* de Velázquez. Después distinguió una ligera
contracción espasmódica que corría por el cuello y el seno
de su mujer, haciendo temblar su epidermis, y oyó un
murmullo profundo que dijo: "¡Muerte..., pecado!"

María quedó inerte. Su marido le tocó el corazón, no
latía. El pulso tampoco... Salió fuera gritando: "¡Socorro!"

Desde que abrió la puerta se presentó gente. En la escalera y en la corraliza la curiosidad había reunido a no
pocos vecinos, porque se habían sentido voces, porque la

que gritaba era la esposa del señor Roch, y una esposa que grita es objeto de la general atención. Subieron, entraron. También llegó el marqués de Fúcar, que fue a enterar a León de su encargo. Aturdidos todos, no sabían qué hacer.

—Que la lleven al punto a mi casa —dijo Fúcar—. ¿Hay aquí cordiales fuertes? ¿Hay...? Lo primero que hace falta es una cama, un médico... Llevémosla a mi casa.

—Que venga aquí el médico —dijo León.

—¿En dónde la acostamos? —repitió Fúcar, mirando a todos lados.

Los colchones y camas, lo mismo que los demás muebles, habían sido llevados ya.

—¿Y mi cama? —indicó Facunda—. No la tiene mejor un rey.

—¡Quite usted allá...! A ver, parece que late el corazón.

—Sí; late, late —dijo León con esperanza.

—Esto no es nada..., un síncope... Todo por una disputa... He aquí los resultados de la exageración... Pero es preciso acostarla... A ver, envolvámosla en una manta... ¡Una manta!

Era el marqués de Fúcar hombre a propósito para las situaciones rápidas que exigen don de mando, energía y gran presteza en ejecutar un pensamiento salvador. Cuatro robustos brazos levantaron a María, después de abrigarla cuidadosamente con una manta, y la transportaron fuera de la casa. Parecía un cuerpo amortajado que llevaban a enterrar. León vio hacer esto y lo permitió como habría permitido otra cosa cualquiera sin darse cuenta de ello. Pasó mucho tiempo antes de comprender aquella traslación, si por un lado era conveniente, por otro no. Cuando quiso oponerse, el triste convoy estaba ya en marcha.

Se comprenderá fácilmente el asombro de Pepa cuando en su casa vio entrar aquel cuerpo yerto... ¡Cielos divinos! ¡María Sudre! ¡Y en qué estado! Se explicaba el desmayo; pero no se explicaba fácilmente el vestido roto, el pelo en desorden... La entraron en la primera habitación que se encontró a propósito, y la pusieron sobre la cama.

—Han olvidado lo principal —dijo Pepa—: aflojarle el corsé.

—Es verdad, ¡qué idiotas somos!

Dciendo esto, don Pedro cortó con una navaja las cuerdas del corsé. El médico entró, y cuando todos se retiraron, menos León y los Fúcares, habló de congestión cerebral... El caso era grave... Se despachó al punto un propio a Madrid llamando a uno de los primeros facultativos de la capital. El del pueblo hizo poco después mejores augurios. María volvió en sí, respirando ya con desahogo. ¡Si todo hubiera sido un síncope!..., pero algo más había, porque la infeliz dama al volver en sí deliraba, no se hacía cargo de lugares ni personas, no se daba cuenta de cosa alguna, no conocía a nadie, ni aun a su esposo.

Después cayó en profundo sopor. Era indispensable el reposo, un reposo perfecto; el médico escribió varias recetas y ordenó un tratamiento perentorio, aplicaciones, revulsivos.

—Ahora —dijo—, dejadla en reposo absoluto. Parece que no hay peligro por el momento. No se haga en este cuarto ni en los inmediatos el más ligero ruido. Mejor está sola que con mucha compañía.

El médico salió. Pepa, llevándose el dedo índice a la boca, ordenó silencio. León y el marqués de Fúcar callaban contemplando a la enferma. Pasó media hora, y Pepa dijo así:

—Sigue durmiendo, al parecer tranquila. Cuando despierte, yo me encargo de cuidarla; yo me encargo de todo.

—No —le dijo León prontamente—; te ruego que no aparezcas en este cuarto.

Pepa inclinó la frente y salió con su padre, andando los dos de puntillas. León se sentó junto al lecho. Aún le duraba el aturdimiento y estupor doloroso del primer instante; aún no se había hecho cargo claramente del sitio donde su mujer y él estaban. La penitente reposaba con apariencia de sosegado sueño. El desdichado esposo miró a todos lados, observó la estancia, dio un suspiro, tuvo miedo. De pronto, vio que Pepa entraba con paso muy quedo por una puerta disimulada en la tapicería. León la miró con enojo.

Pero ella avanzaba, revelando en sus ojos tanto terror como curiosidad. Más pálida que la enferma, su semblante era cadavérico. Sus pasos no se sentían sobre la alfombra: eran los pasos de un fantasma. El gesto con que León la mandaba salir fuera no podía detenerla, y adelantaba hasta clavar sus ojos en el cuerpo y rostro de María, observándola como se observa la cosa más interesante y al propio tiempo más tremenda del Universo.

Tras ella entró Monina, deslizándose paso a paso, como un gatito que entra y sale sin que nadie lo sienta, y juntándose a su madre, y asiéndose de su falda con ademán de miedo, señalaba a la cama y decía:

—*Moña meta.*

Moña meta, que quiere decir "muñeca muerta".

Parte tercera

1. Vuelve en sí

Solo y sin calma estaba León Roch junto al lecho. Fijos los ojos en su mujer, observaba cuanto en la mudable fisonomía de ésta pudiera ser síntoma del mal, anuncio de mejoría o señal de recrudescencia. A ratos desviaba de la enferma su atención para traerla sobre sí mismo, mirando la situación penosísima en que le habían puesto sucesos y personas. ¿Cómo no pudo evitarlo? ¿Cómo no tuvo previsión para impedir llegase por tan diabólicos caminos aquella conjunción de los dos círculos de su vida, cada cual sirviendo de órbita al giro de contrapuestos sentimientos? Al formular estas preguntas parecióle que un reír burlón estallaba en el fondo de su alma, repitiendo en caricatura aquellos propósitos suyos, contemporáneos de su noviazgo y casamiento. Los que hayan conocido al hijo del señor Pepe Roch en los días correspondientes al principio de esta verídica historia recordarán que tenía planes magníficos, entre ellos el de dar al propio pensamiento la misión de informar la vida, haciéndose dueño absoluto de ésta y sometiéndola a la tiranía de la idea. Pero los hombres que sueñan con esta victoria grandiosa no cuentan con la fuerza de lo que podríamos llamar el *hado social,* un poder enorme y avasallador, compuesto de las creencias propias y ajenas, de las durísimas terquedades colectivas o personales, de los errores, de la virtud misma, de mil cosas que al propio tiempo exigen vituperio y respeto, y, finalmente, de las leyes y costumbres con cuya arrogante estabilidad no es lícito ni posible las más de las veces emprender una lucha a brazo partido. León se compadecía y a ratos se reía de sí mismo, diciendo: "Es verdaderamente absurdo que la piedra se empeñe en dar movimiento a la honda."

Pensando estas y otras cosas, no cesaba de atender solícito a la enfermedad de su mujer. María Egipcíaca había vuelto de su estado comático varias veces durante el día, pero su mente seguía turbada; a nadie conocía, ni acertaba a formular una frase con sentido. Quejándose de un dolor inmenso sin poder determinar en qué sitio o entraña de su cuerpo sentía, quiso lanzarse del lecho. Fue preciso emplear bastante fuerza para impedirlo. Por la noche su inquietud cesó, aunque no la fiebre. En su sueño decía no pocas palabras claras y precisas, indicando cierta coherencia en las visiones y, por último, oprimió las manos contra su pecho y dijo en un grito:

—¡No; a ése no; a ése no: es mío!

Después abrió los ojos, y revolviéndolos miró a las paredes, al techo, a la cama, a los muebles, cual si a todas aquellas partes pidiese noticias del lugar donde se encontraba. Su hermosa mirada sin extravío revelaba ya un pensamiento sereno, que volvía, no sin cansancio, al carril de la cordura. Vio a un hombre junto al lecho, atento, vigilante, y al conocerle, los ojos de la enferma expresaron un sentimiento dulce.

—¿Tú? —murmuró, sonriendo.

León se acercó inclinándose hacia ella. Cuando metía la mano entre las sábanas para buscar las de ella y tomarle el pulso, María se apoderó del brazo de su marido, y estrujándolo sobre su seno, dijo con un gemido:

—¡Ay! ¡Qué gusto saber que era sueño lo que vi! Te habían pinchado en unos..., así como grandes tenedores

y te iban a meter en un horno lleno de fuego. Yo me
moría de pena... Sentí una opresión... Grité...

El espíritu de la infeliz esposa, después de agitarse en
horrendos desvaríos sin determinación y de ser arrastrado en torbellino de visiones, que por tener todos los colores y las formas todas, casi no tenían ni forma ni color,
cayó en unas profundidades pavorosas, donde no había
nada, a no ser la idea pura de lo cóncavo, de lo oscuro,
y el asombro de tanta hondura y oscuridad. Pero al sentirse en el término de aquel bajar rápido y creciente como
el de la piedra lanzada al abismo, vio con claridad pasmosa. Aquello era el Infierno. Bien se comprenderá que la
mística dama vería *la cità dolente* y sus horribles habitan-
tes tales y como los había imaginado en la vida real, guián-
dose por descripciones escritas y por minuciosas estampas.
Pero comoquiera que nuestras apreciaciones de lo sobre-
natural se apoyan siempre en ideas corrientes y revisten
forma semejante a las que vemos aquí con nuestros propios ojos carnales, a María Egipcíaca se le representaban
las zahurdas infernales como inmensos túneles de ferrocarril, o bien como el recinto de una fábrica de gas, llena
de humo y pestilencia, o también cual negro taller de
fundición y forja, donde mil máquinas gruñían entre reso-
plido de fuelles, machaquería de martillos y polvareda
de ascuas y carbón. Los demonios, sin perder su histórica
traza de hombrezuelos con pezuña y rabillo de innobles
bestias, tenían no poca semejanza con maquinistas de
ferrocarril o poceros de alcantarillas, con los infelices jor-
naleros de minas hulleras, con los cíclopes de Sheffield
o Birmingham y aun con otros industriales de menor importancia, aunque no de mayor limpieza. Todos estaban
empapados en pringoso sudor, semejante a la infecta grasa
de las máquinas.

Era una gran cavidad formada del cruzamiento de infinitos túneles, galerías de hierro, y por todo ello corría un
hálito sofocante de hulla, azufre, gas de alumbrado y tufo
de petróleo, que eran los olores más aborrecidos de nuestra simpática heroína. En aquel centro había un barullo,
un estrépito, un vértigo del cual la dama no habría podido

dar adecuada definición sino diciendo que era como si mil
trenes a gran velocidad convergieran en un punto y en él
chocaran, haciéndose pedazos y desparramándose después
coches y máquinas en todas direcciones para volver a reunirse. Las locomotoras eran en la mente de la delirante
lo principal de la maquinaria del Infierno. Las veía pasar
y correr volando con patas y alas de hierro untado de
aceite hediondo, dando gruñidos y resoplidos, revolviendo
sus rojas pupilas, expeliendo humo negro y aliento de vapor y chispas. Siendo del mismo tamaño de las que se ven
en el mundo, allí parecían como un enjambre infinito de
inmensas moscas, que zumbaban en un recinto infinitamente ancho y vaporoso.

En los primeros meses de su matrimonio, María había
hecho con León un viaje por Alemania. Entre otras cosas
notables, visitaron la ya célebre fábrica metalúrgica de
Krupp, en Essen. Esta visita, que impresionó mucho a la
dama, no se borró jamás de su memoria, y en aquella hora
de alucinación, la imagen del colosal establecimiento tenía gran parte en la construcción fantástica del horrible
presidio eterno adonde es llevado el hombre por sus culpas. Otros talleres que había visto en Barcelona y en Francia prestaban algún elemento para rematar el horrible
cuadro. Veía que algunos precintos eran puestos en el
torno mecánico y torneados como cañones, o bien pasados
por laminadores, de donde salían como tiras de papel.
Llevados luego a los hornos de luz blanca, tornaban a su
forma primera. Los propagadores de ciertas ideas muy
bellacas eran sujetos entre cadenas, y puesta la cabeza
sobre un yunque, el martillo pilón de cincuenta toneladas
les machacaba los sesos. Era de ver cómo los diablillos
menores, o sea, la granujería del Infierno, se entretenían
en abrir agujeros con un berbiquí en el cráneo de algunos
infelices, para introducirles con embudillo y cuchara metal derretido, producto de un gran guisote de libros puestos al fuego en barrigudo perol, lleno de ideas heréticas.
A otros, que habían hablado mal de cosas sagradas, les
estiraban la lengua unas diablas muy feas, y juntándola
todas, es decir, centenares o millares de lenguas, las po-

nían al torno para torcerlas y hacer una soga, que luego colgaban de la bóveda, de tal suerte que los discursistas parecían manojos de chorizos puestos al humo. En otros se ejercía un peregrino tormento que casi parecía incomprensible en nuestro mundo terrenal, a pesar de que está lleno de telares, y es que tejían unos con otros a los condenados, enlazando piernas con brazos y brazos con cabezas, para formar una cuerda o ristra, la cual se entretejía con otra hasta formar una gran tela de dolor y lamentos. Sometían esta tela a una especie de torno, donde la estiraban hasta que su tamaño crecía desde kilómetros a leguas, y crujían huesos, como si por sobre un infinito montón de nueces corriesen infinitos caballos, y se desgarraban las carnes entre alaridos. Arrojado después todo al fuego, volvían los individuos a su forma primera, y de su forma prístina a la repetición del mismo entretenido tormento.

Todo esto lo vio María con indecible espanto. Estaba allí y no estaba; no podía gritar, ni tampoco respiraba. Pero llegó un momento en que el dolor se sobrepuso al pánico. Entre los muchos condenados por imperdonables picardías, vio a uno que parecía tener grandes merecimientos pecaminosos según lo mucho que le atendían los incansables y feísimos diablos y aun las asquerosas diablesas. Era León. María vio cómo se apoderaban de él, cómo le estrujaban entre las horribles manos pringosas, cómo le revolvían en cazuelas hirvientes, sacándole con espumadera y metiéndole con cuchara. Por último, le pincharon con un tridente y le acercaron a la boca de un horno cuyo fuego era tal que el fuego de nuestro mundo parecería hielo al lado suyo. Entonces María sacó de su pecho un grito, alargó el brazo, la mano..., brazo y mano que tenía una lengua... Sus dedos se quemaban cercanos al horno...

—¡No, no; a ése no...; es mío!

Aquí tuvo fin la visión. Desapareció como los renglones del libro que se cierra de un golpe. Pero la idea quedaba.

2. ¿Se morirá?

María se vio en una habitación grande y desnuda. Su
esposo estaba allí delante de ella entero y vivito. Desco-
nociendo el lugar, la enferma se sentía bien acompañada.

—¿Qué casa es ésta? —preguntó...

—La mía... Tranquilízate... Estoy aquí: ¿no me ves?
María seguía recorriendo con sus ojos las paredes y el
elevado techo.

—¡Qué cuarto tan triste! —murmuró, dando un suspiro—. Y yo..., ¿he venido aquí?

Se calló, reconcentrada en sí, escudriñando en sus turbios recuerdos. Aquella mañana, después del suceso que
bien puede llamarse catástrofe, León había tratado con el
marqués de Fúcar y con Moreno Rubio del mejor modo
de llevarse a su mujer a Madrid. Don Pedro encontró peligrosa la idea, y el médico se opuso resueltamente, diciendo que en el estado de la enferma, la traslación, aun con
todas las precauciones posibles, podría ser causa de un
funesto desenlace. Muy contrariado estaba León con esto,
y casi se hubiera atrevido a poner en ejecución su plan
de mudanza, si Moreno Rubio no le amenazara con retirarse, declinando toda responsabilidad. No pudiendo sacar
del palacio de Suertebella a quien por ningún motivo debía estar en él, juzgó que convenía desfigurar el aposento,
y con permiso del generoso dueño quitó los cuadros, objetos de arte, porcelanas y baratijas que en él había. De
este modo la habitación, que era de las menos lujosas y no
tenía tapicerías, sino papel del más común, parecía modesta.

—Sí; viniste aquí —le dijo el marido, tocándole la
frente—. Te has puesto un poco mala; pero eso pasará:
no es nada.

—¡Ah! —dijo María, herida de súbito por un recuerdo

doloroso—. Me trajeron mis celos, tu infidelidad... Pero
¿es ésta aquella casa...?

—Es mi alcoba.

—Estas paredes, este techo ·tan alto... ¿Por qué no me
has llevado al instante a nuestra casa?

—Iremos cuando te repongas.

—¿Qué me ha pasado?

—Una desazón que no traerá consecuencias.

—¡Ah!, sí; ya recuerdo... Te has portado infamemente
conmigo... ¿Qué te dije yo? ¿Te dije que te perdonaba?
Si no te lo dije, ¿es que lo he soñado yo?

—Sí; me perdonaste —le dijo León por tranquilizarla.

—Tú me prometiste no querer a otra, me juraste que-
rerme, y para que lo creyera me diste pruebas de ello.
¿Esto es verdad o lo he soñado yo?

—Es verdad.

—Y también me dijiste que estás resuelto a abjurar de
tus errores y a creer lo que creo yo. ¿Es también sueño
esto?

—No; es realidad. Haz por serenarte.

—Y luego nos reconciliamos... ¿No ha pasado así?

—En efecto.

—Y volvimos a querernos como en los primeros días
de casados.

—También.

—Y me probaste que era mentira lo de tus relaciones con...

María se detuvo, mirando fijamente a su esposo.

—No vuelvas sobre el pasado— le dijo éste con bondad—. Es preciso que hagamos un esfuerzo para devolverte la salud. Tú, María, debes ayudarnos.

—Ayudaros, ¿a qué?

—A salvarte.

—¿Pues qué, no he de salvarme yo?... ¡Dios mío, he
pecado!...

Y demostró un dolor muy hondo.

—Me refiero a tu vida, a tu salud corporal, que está
amenazada.

—¡Oh!... No estimo yo la salud del cuerpo, sino la del

alma, que veo en peligro... Hace poco, no sé cuándo, creí que me había muerto. Ahora viva estoy; pero sospecho que he de morir pronto... ¡Estoy en pecado mortal!

—Lo has soñado, hija, lo has soñado. No temas nada; tranquilízate.

—¡Estoy en pecado mortal! —repitió María, llevándose las manos a la cabeza—. Dime: ¿es también sueño lo que me dijiste?...

—¿Yo?

—¿Que no me querías?

—¿Pues qué podía ser sino sueño?

María le echó los brazos al cuello y atrajo suavemente hacia su rostro el de su marido.

—Dímelo otra vez para que se me quite el amargor que me dejó aquel mal sueño.

Los esposos hablaron un instante en voz baja.

—Dame una prueba de tu cariño —le dijo María—. Pues estamos lejos de Madrid, pues no debo salir de tu casa en algunos días, hazme el favor de avisar al padre Paoletti. Con él quiero hablar.

—Yo mismo lo traeré.

—¿Tú mismo?

—¿Por qué no? Nada que te agrade puede serme molesto.

A la sazón entró el médico. León había creído prudente confiarle algunos de sus secretos, pues siendo la dolencia de María motivada por causas morales, convenía suministrar a la ciencia datos de aquel orden delicado. Moreno Rubio y León Roch hallábanse unidos por una amistad sincera, fundada en la bondad del carácter de ambos, y principalmente en la concordancia de sus opiniones científicas. Aquella mañana, cuando León hizo a su amigo las revelaciones indispensables para un acertado diagnóstico, sostuvieron un diálogo interesante, del cual mencionaremos lo más sustancial.

—De modo que usted no quiere a su mujer ni poco ni mucho —dijo Moreno Rubio, que tenía el don de expresar los temas con grandísima claridad.

—La mentira me ha sido siempre muy odiosa —replicó

León—. Por lo tanto, declaro que María no me inspira ninguna clase de cariño. Dos sentimientos guarda aún mi alma hacia ella, y son: una lástima profunda y un poco de respeto.

—Perfectamente. Esos dos sentimientos no bastan a hacer un buen marido; pero hay en su alma otros que pueden hacer de usted, y lo harán de seguro, un hombre benéfico... Respuesta al canto: ¿Usted desea que viva su mujer?

—Me ofende usted preguntándomelo. La misma zozobra en que se halla mi conciencia me impele a desear que María no muera.

—Bien, muy bien. Pues si usted quiere que María no muera —dijo Moreno, poniéndole la mano en el hombro—, es necesario calmar en ella la irritación producida por los celos, harto fundados, por desgracia; es preciso que su espíritu, terriblemente desconcertado, vuelva a su normal asiento. Cada vida tiene su ritmo, con el cual marcha ordenada, pacíficamente. Un trastorno brusco y radical de ese ritmo puede ocasionar males muy graves y la pérdida de la misma vida. El ejemplo lo tenemos bien cercano. Apresurémonos, pues, a devolver a ese organismo el compás que ha perdido, y triunfaremos de la espantosa revolución del sistema nervioso que afecta y destroza la región cerebral. Es urgente que desaparezcan los celos en la medida posible, para que, entrando los sentimientos de la enferma en un período de calma, recobre toda la máquina su marcha saludable. Es preciso que las escenas que originaron su mal se borren de su mente. Si vive, tiempo hay de que sepa la verdad. Es necesario que no se reproduzca ni la cólera ni el despecho, haciéndole creer que no ha pasado nada; y, sobre todo, amigo mío, es urgentísimo tratarla como a los niños enfermos, dándole todo lo que pida y satisfaciendo sus caprichos, siempre que éstos pertenezcan al orden de los entretenimientos. Su mujer de usted, bien lo conozco, pedirá amor y devoción: en ninguno de estos apetitos hay que ponerle tasa.

Después de este sustancioso discurso, indicó otra vez León la necesidad apremiante de sacarla de Suertebella, a lo que se opuso decididamente Moreno. Desechado el plan de traslación por *homicida* (ésta era la expresión del médico), ambos determinaron desfigurar la estancia, traer de Madrid los criados que rodeaban constantemente a María, y otras cosas secundarias y menudas, pero indispensables para el buen propósito de León Roch. Antes de separarse, éste dijo a su amigo:

—Hábleme usted con franqueza: ¿Se morirá mi mujer?

—Aún no puedo decir nada. Es muy posible que así suceda. Déjeme usted que determine bien la especie de fiebre con que tenemos que luchar.

Aquella noche, cuando María volvió a su natural ser, después de pasearse con la fantasía por los infiernos, llenos de horribles máquinas y diablos fabricantes, entró Moreno a verla, como se ha referido.

—¡Hola, hola! —dijo, riendo, al observar que marido y mujer se miraban muy de cerca—. ¿Estamos como tórtolos? ¿Qué tal, mi querida amiga?... El pulso no va mal... Debemos procurar un reposo completo del cuerpo y del alma.

María frunció el ceño mirando a su marido.

—No, no ponga usted mala cara a este hombre, que está enamorado de su mujer como un novio de primavera. Me consta... Dentro de unos días saldrán ustedes por ahí a coger lilas y a mirar las mariposas... Una mujer discreta no debe hacer caso de hablillas malignas. Cabeza llena de dicharachos de la envidia, ¿que hará sino desvariar? Ahora, querida amiga, vamos a entrar en un período razonable, vamos a celebrar unas paces duraderas, vamos a querernos mucho... Lo digo por usted... En fin..., veamos esa lengua...

Después preparó por sí mismo algunas medicinas. León y Rafaela le ayudaban.

*

Mientras esto ocurría junto a la enferma, el marqués de Fúcar, dando de mano por un momento al grandioso asunto del empréstito, ya casi ultimado, se llegaba a su querida hija y muy seriamente le decía:

—Los pronósticos de Moreno son muy tristes. Pero no hay que desesperar. La Ciencia puede hacer mucho todavía, y Dios más aún. A nosotros nos corresponde auxiliar a la Ciencia en la medida de nuestro escaso poder e implorar el auxilio de la Providencia.

Alzando del suelo sus ojos llenos de turbación, Pepa mostró al marqués su rostro, que parecía de cera. Como quien se aprieta la herida para que arroje más sangre, echó de sí esta pregunta.

—¿Se morirá?

—De esto te hablaba y no me has oído —dijo don Pedro, que también tenía en aquel día su herida sangrienta—. Nuestro deber es demostrar a esos infelices huéspedes la parte que tomamos en su desgracia. Conduzcámonos como corresponde a nuestro nombre y a esta casa. ¿Conviene que manifestemos con un acto religioso nuestro sincero anhelo de ver fuera de peligro a María Egipcíaca? Pues hagámoslo con esplendor y magnificencia. Tenemos aquí una capilla que me ha costado al pie de ochenta mil duros, y que hubiera costado menos cuando los artistas valían más y no tenían tantas pretensiones. Pues bien: es preciso celebrar mañana una misa solemne de rogativa y que asista toda la servidumbre de Suertebella, presidida por ti. Te autorizo para que me gastes en cera lo que se te antoje. Que venga mañana a decir la misa ese bendito cura de Polvoranca, y si quieres traer más curas, vengan todos los que se puedan haber a mano.

Dijo y retiróse dando un gran suspiro. Él, que también guardaba un pesar hondo en su alma, ¿quería implorar del Cielo favor y misericordia para sí? No sabemos aún cuáles eran las cuitas que tan de improviso habían cambiado la jovial sonrisa del marqués de Fúcar en mohín displicente. El empréstito, lejos de navegar mal, arribaría pronto al puerto de la realización, después de surcar con buen viento el piélago turbio de nuestra Hacienda, y era seguro que entre Fúcar, Soligny y otros pájaros gordos de Francfort, Amsterdam y la City se tragarían un puñado de millones por intereses, corretaje y comisión. Entonces, ¿qué...?

Era la capilla de Suertebella un hermoso monumento construido en un ángulo del palacio, alto de cimbra, grueso de paredes, brillante cual si le hubieran dado charol, con mucho yeso imitando mármoles y pórfidos de diferentes colores, oro de purpurina y panes, que hacía el efecto de una pródiga distribución de botones y entorchados de librea por las impostas, entablamentos y pechinas de aquella arquitectura greco-chino-romana, con muecas góticas y visajes del estilo neoclásico de Munich que nuestros arquitectos emplean en los portales de las casas y en los panteones de los cementerios. El imitado jaspe, el oro, los colorines, parecían moverse circulando en el agua de su redoma.

Por el techo corrían ángeles honestos que antes fueron gentílicas ninfas en el taller del escultor, y en las pinturas de los tímpanos había virtudes teologales que habían sido musas pizpiretas. Todo tenía el deslumbrante lustre que la albañilería moderna da a nuestras alcobas, y que en éstas cuadra a maravilla. Ningún atributo ni alegoría cristiana se les quedó en la paleta, o en el molde de escayola, a los artistas encargados de decorar aquella gran pieza. Más adelante conoceremos a un chusco que, al decir de la gente, se entretuvo cierto día en dar una explicación humorística y a todas luces irreverente de las figuras que hermoseaban la capilla. Tal matrona de vendados ojos, con un cáliz en la mano, era España, quien los hacendistas habían puesto de aquella manera para que apurase sin protesta la amargura de su ruina; aquella otra que tenía un ancla y volvía los desconsolados ojos al Cielo, representaba el abatido Comercio, y la que hacía caricias a unos niños era la Beneficencia, símbolo hermoso del interés que a los Fúcares merecen la propiedad y la industria, y de la tierna solicitud con que las conducen por el fácil camino de los hospicios. Los doctores, en número de cuatro y representados en actitud de escribir gravemente con el *aquilífero pincel*, que dice fray Gerundio, eran la Prensa, siempre dispuesta a elogiar a los grandes empresarios, que antes de hacer de las suyas se amparan de las volubles plumas. Aquel barquichuelo que naufragaba en las aguas de Tiberíades era la nave del Estado, donde los oradores y articulistas hacen tantas travesías: los multiplicados panes eran copia gráfica de la entrega y recepción de algunos artículos de contrata; y, por último, las atónitas sibilas que no hacían nada, como quien está en Babia, eran la Administración pública. El intérprete de estos símbolos y pinturas bíblicas daba versiones muy atroces de los letreros que corrían por frisos y arquitrabes, y leía: "Yo soy Pedro, y sobre esta piedra edificaré mi casa. Dadme a mí lo que es del César y lo que es de Dios." Por este estilo profano lo explicaba y traducía todo.

La capilla, admitido con indulgencia el gusto moderno en construcciones religiosas, era bonita. Su suelo estaba al nivel de la planta baja y tenía puerta al jardín, por donde entraba el Pueblo; su techumbre sobresalía del tejado del palacio, ostentando su poco de torre con campanas. Habíanla dedicado a San Luis Gonzaga, cuya imagen, bien esculpida, ocupaba el altar mayor bajo la gran escena del Calvario. Hízose la piadosa ceremonia tal y como don Pedro la había dispuesto. No bien despuntara el día, fueron encendidas sobre el altar grande, así como sobre los pequeños, cantidad de finísimas velas; y mil y mil flores olorosas, aprisionadas en elegantes búcaros, tributaban a la idea religiosa la doble ofrenda de su belleza y de su fragancia. Luces y aromas disponían al fervor, hiriendo los sentidos con fuerte estímulo, y llevando el alma a una región de dulce embeleso, donde le era fácil orar y sentir. La servidumbre toda asistía, desde el administrador hasta el último marmitón de las cocinas.

Decía la misa el cura de Polvoranca, humildísimo varón protegido de la casa, viejo, un poco ridículo en apariencia, por reunir a la fealdad más acrisolada ciertas excentricidades y manías que, a más de perjudicarle mucho en su carrera eclesiástica, le dieron cierta celebridad. Gozaba en Suertebella de una mezquina renta que don Pedro le señaló para celebrar el divino oficio los domingos, y para confesar una vez al año a todos los criados, costumbre piadosa que el prócer millonario mantenía en su casa, atento a evitar de este modo muchas trapisondas y latrocinios.

En la tribuna que los señores de Suertebella tenían en su capilla al nivel de las habitaciones del palacio, oyó la misa de rogativa Pepa Fúcar, juntamente con sus doncellas, el aya y Monina, quien no comprendiendo la razón de tanto recogimiento y mutismo estuvo a punto de alzar la voz y dar un grito en lo más solemne del oficio santo. Sabe Dios las cosas que se habrían oído si el aya no la contuviera, ya tapándole la boca, ya amenazándola con que el Señor le iba a quitar la lengua. Esto hizo efecto, y Monina tuvo paciencia hasta el fin.

Pepa Fúcar estaba de rodillas en su reclinatorio, junto al antepecho de la tribuna. ¿Quién podrá saber lo que pensaba durante aquella hora patética, ni lo que a Dios pedía su alma afligida? La misa de rogativa llegó a su fin. Salieron todos, y Pepa se quedó en su puesto, observando la actitud recogida que había tomado desde el principio. Apoyada la frente sobre el reclinatorio, medio oculta la cara entre las cruzadas manos, no se le había sentido voz ni suspiro. Cuando alzó el rostro para levantarse, miró al altar un rato sin expresar sentimiento alguno que pueda definirse. Quedaba el reclinatorio como si en él se hubiera derramado un vaso de agua.

La señora dejó la capilla para dirigirse a sus habitaciones. Iba taciturna, los ojos enrojecidos, la boca ligeramente entreabierta, como la de quien necesita respirar mucho y fuerte para no ahogarse. En la puerta de su cuarto encontró a su padre, quien si no había asistido *corpóreamente* a la misa, había dejado ver su cara por cierto ventanuco que se abría en la Galería de la Risa y daba a la capilla, en la pared lateral de ésta y en el sitio mismo donde estaba pintado San Lucas, el *evangélico toro,* según reza el de Campazas. Desde allí observó Fúcar la puntual asistencia de sus criados, sin que faltase ninguno, y admiró la magnificencia de la *cathédrale pour rire* —según el chusco mencionado, y según el dueño, *monísima basílica*—, toda llena de *carácter*, pues no podía negarse esta cualidad artística a las decoraciones cristianas que había pintado el gran escenógrafo de los teatros de Madrid. Pero hay motivos para pensar que el espíritu del buen marqués pasó de este orden de consideraciones a otro más elevado. Hallábase apenadísimo aquel día, y sin duda cuando asomó su impotente rostro por el ventanillo, de tal modo que bien pudo confundirse con el de un evangelista o doctor, tuvo en su mente ideas de oración y pidió algo al Autor de todas las cosas. Pero éstas son hipótesis que no tienen valor real, y que sólo se exponen aquí para llenar el vacío que deja la falta absoluta de datos. Lo que sí no tiene duda es que al encontrar a su hija la detuvo, diciéndole:

—Ya sé que han asistido todos.

—¿Y cómo está hoy?... ¿Se sabe algo? —preguntó Pepa con voz muy débil.

—Hay esperanza, hija mía. Esa desgraciada pasó bien la noche y está mejor, según ha dicho Moreno.

—¿De modo que vivirá?...

—Es muy posible —dijo don Pedro, demostrando con la indiferencia de la frase que pensaba en otro asunto—. Ciertamente, hija, parece que Dios quiere echar sobre nosotros todas las calamidades.

Diciendo esto, el pobre señor no pudo dominar su emoción. Abrió los brazos para recibir a su hija, que se arrojaba en ellos, y con voz ahogada exclamó:

—Hija de mi corazón, perla mía; ¡qué desgraciada eres!

Pepa derramó sobre el pecho de su padre las lágrimas que le sobraron de la misa. Después, don Pedro, reponiéndose de su emoción, dijo:

—Pero no exageremos... Todavía no hay nada seguro... Mañana...

Pepa entró en su habitación, y el marqués se fue a la suya, donde examinó por vigésima vez diversas cartas y telegramas que el día anterior hicieron hondísima impresión en su ánimo, casi siempre sereno y claro como el sol y el ambiente de primavera.

3. León Roch hace una visita que le parece
    mentira

Consecuente con su natural generoso, y deseando cumplir cuanto antes la promesa que a su mujer había hecho, León fue a Madrid y al mismo San Prudencio en busca del padre Paoletti. Cosa inverosímil en verdad era que él pusiese su planta en aquellos lugares, y así, cuando el fámulo le rogó que esperase en la desnuda y pobre sala destinada a locutorio, tuvo tiempo de echar sobre ésta y sobre sí mismo incrédula mirada, sacando en consecuencia que una de las dos cosas, o él o la sala, eran pura ilusión de la fantasía.

Muy simple o muy soberbio es el hombre que se hace juramento de no traspasar jamás el umbral de esta o la otra puerta, sin prever que el rápido giro de la vida trae las puertas a nosotros, las abre y nos mete por ellas, sin que nos ocupemos de evitarlo. León no pudo entregarse por mucho tiempo a estas reflexiones, porque apareció ante él un clérigo pequeño, pequeñísimo, de mediana edad, blanco y un sí es no es pueril de rostro, de ojos grandes, vivos y tan investigadores, que no parecían sino que su cara toda era ojos. Con lo exiguo de su cuerpo contrastaba la gravedad de su paso, largo y cadencioso, golpeando duro sobre el suelo, como resultaría del constante uso de zapatos de plomo. Saludó Paoletti a su visitante con exquisita urbanidad, y León, que no estaba para fórmulas, expuso en breves palabras el objeto de su presencia en aquella casa. Paoletti, sentado con cierta tiesura de creyente humilde frente al fatigado ateo, le oía con benevolencia confesional, bajos los ojos, enlazados los dedos de ambas manos y volteando los pulgares uno sobre otro. Debe advertirse que las manos del padre eran finísimas y pulcras como las de una señorita.

—Vamos allá —dijo, alzando los ojos y parando el

molinete de los dedos pulgares—. Yo tenía noticia de su viaje a Carabanchel, de su desazón; pero no sabía que estuviese grave ni que la hubieran llevado a Suertebella... ¿Al mismo palacio de Suertebella?

—Al mismo —dijo León, sombríamente.

—Supongo —indicó el curita refinadamente— que la hija del señor marqués de Fúcar se habrá trasladado a Madrid con su preciosa niña.

—Lo hará hoy.

—¿Y usted...?

—No pienso separarme de María mientras continúe enferma.

—Me parece muy bien, caballero —dijo el italiano agraciando a León con un golpecito en la mano—. Sin embargo, la situación de usted frente a esa bendita mártir es muy singular y poco agradable para entrambos.

—Esa situación es tal —dijo León—, que he creído necesario venir yo mismo, con objeto de hacer a usted algunas revelaciones que sólo a mí me corresponden, y rogarle que me ayude.

—¿Yo?

—Sí..., que usted me ayude a conllevar la situación, y aun a salir de ella lo mejor posible.

Paoletti frunció el ceño. Se había levantado para partir; mas volvió a sentarse, tornando a voltear los pulgares uno sobre otro.

—Ante todo —dijo, en tono de quien acostumbra simplificar las cosas—, revéleme usted los pensamientos que le han traído aquí. Es singularísimo que venga usted a confesarse conmigo, ¿no es verdad?

Sonreía con expresión de triunfo humorístico que hacía más daño a León Roch que una burla declarada.

—A confesar con usted..., es cierto.

—¡Oh!, no, señor mío —dijo Paoletti con cierta dulzura relamida que a la legua revelaba la casta italiana—. No confesará usted. ¡Ojalá lo hiciera! No me revelará usted su conciencia ni renegará usted de sus errores... No hará otra cosa que contarme lo que ya sé, lo que sabe todo el mundo..., y todo para que le ayude...

Paoletti repitió las versiones de la tertulia de San Salomó.

—En eso hay algo de verdad y mucho de calumnia —dijo León—. Es falso que Monina sea mi hija; es falso que yo tenga relaciones criminales con Pepa Fúcar; pero es cierto que la amo; es cierto que en mi corazón se ha extinguido todo el cariño hacia mi pobre mujer, y en él no queda sino una estimación fría, un respeto ceremonioso a las virtudes que reconozco en ella.

—¡Estimación, respeto! —dijo Paoletti—. ¡Reconocimiento de virtudes!... Eso es algo, caballero. La grande y purísima alma de María Egipcíaca merece más, mucho más; pero si pudiéramos contar con que esa estimación y ese respeto crecían y se purificaban...

Paoletti volvió a acariciar con su mano de frío marfil el puño de León, y le dijo:

—¿No podríamos intentar una reconciliación?

—Es imposible, de todo punto imposible. Hace algún tiempo hubiera sido fácil... ¡Cuántos esfuerzos hice para llegar a esa deseada reconciliación!... Usted debe saberlo.

Mirando al suelo, el hombre diminuto hizo signos afirmativos con la cabeza.

—Usted lo sabe todo... —añadió León con sarcasmo—. El dueño de la conciencia de mi mujer, el gobernador de mi casa, el árbitro de mi matrimonio, el que ha tenido en su mano un vínculo sagrado para atarlo y desatarlo a su antojo; este hombre, a quien hoy veo por primera vez después de aquellos días en que iba a visitar al pobre Luis Gonzaga, muerto en mi casa; este hombre, que, a pesar de no tener conmigo trato alguno, ha dispuesto secretamente de mi corazón y de mi vida, como puede disponer un señor del esclavo comprado, no puede ignorar nada.

—Ese lenguaje mundano y soberbiamente filosófico me es conocido también, caballero —dijo Paoletti, tomando un tono de represión evangélica—. Si quiere usted que entre en ese terreno y le dé contestación cumplida, lo haré.

—No... No he venido aquí a disputar. La tenebrosa batalla en que he sido vencido después de luchar con honor, con delicadeza, con habilidad y aun con furia, ha concluido ya. Mis juicios están formados hace tiempo, y no pueden variar... La ocasión no es propia para cuestionar. Nos hallamos en presencia de un hecho terrible...

—Que María se muere.

Refirió León a Paoletti la visita de María Egipcíaca a su esposo y la escena que precedió al desmayo y enfermedad de la santa mujer. Después de una pausa, el padre dijo severamente:

—Todo me indica que María le ama a usted, y que aquí el verdadero traidor al matrimonio, el culpable de hoy, es el mismo que lo fue ayer, el culpable de siempre; en una palabra: usted. No apruebo, sin conocerlo bien, el paso dado por mi ilustre penitente; pero ese paso, ese traspié, dado que lo sea, anuncia que aún conserva en su corazón y en su voluntad dulcísimos favores para quien no es digno de ellos.

—Usted, que todo lo sabe, debe saber que mi mujer no me tiene amor. Si los que no entienden de sentimientos nobles y puros se empeñan en dar aquel nombre a lo que no lo merece, yo me apresuro a constituirme en juez de los afectos de mi pobre mujer y a declarar que no me satisfacen, que los rechazo y los pongo fuera de juego en el problema de nuestra separación o de nuestras paces.

Paoletti meditaba profundamente.

—Entre los dos —añadió León— no existe ya ningún lazo moral. María y yo, estas dos personas, ella y yo, se me pintan en la imaginación como un discorde grupo representando la idea del divorcio.

—Un grupo, una obra de arte —dijo Paoletti, deslizando, en medio de la nube negra de su severidad, un relampaguillo de malicia.

—Una obra de arte, sí..., que, como tal, no se ha creado por sí sola, sino que tiene autor. Mi mujer no me ama; creo que habría podido amarme, como yo deseaba, si las grandes imperfecciones de su carácter, en vez de disminuir, sometidas a mi autoridad y a mi cariño, no hubieran aumentado, sometidas a otras corrientes, y a otra autoridad. No me ama, ni yo la amo a ella tampoco. Por consiguiente, la reconciliación es imposible.

—No dirá usted —manifestó Paoletti con severidad mezclada de tolerancia— que no le escucho con paciencia.

—¡Paciencia! Más he tenido yo.

—Aunque uno no quiera, siempre tiene en sí algo de cristiano, caballero. Para concluir, señor de Roch, usted no ama a su mujer ni ella le ama a usted; usted no quiere reconciliarse con ella; usted la respeta y la estima... ¿Qué significa esto? Mejor dicho, ¿a qué ha venido usted aquí?

—María me ha rogado que le lleve su confesor. Lejos de oponerme a esto, lo hago con gusto.

—Pues vamos —dijo Paoletti, levantándose.

—Falta lo principal —dijo León, tocando la sotana del reverendo—. Fácilmente comprenderá usted, en su claro talento, que para avisarle no era menester que viniera yo mismo. He venido para decir a usted cosas que sólo yo puedo decirle. Considere, ante todo, que el estado moral es verdaderamente grave en la dolencia de María.

—Sí.

—Debo declarar que deseo su restablecimiento —dijo León con calmosa voz—. Pongo a Dios por testigo de esta afirmación: quiero absolutamente y sin ninguna clase de reserva que mi mujer viva.

—Comprendo muy bien su propósito. Usted desea que se salve, es decir, que no muera. Usted desea que se calme su irritación nerviosa, para lo cual conviene que no la turbe ningún pensamiento de los que motivaron su trastorno. Es preciso que las ideas optimistas y lisonjeras desembrollen esta madeja enredada por el despecho y por la pasión no satisfecha; es preciso que la dirección espiritual proceda con cierto arte mundano, fomentando las ilusiones de la penitente y quitando de sus ojos la triste realidad; es preciso que el confesor sea médico, y médico de amor, que es lo más peregrino, y que aplaque los celos y fomente esperanzas y aprisione de este modo una vida que se escapa.

León admiraba la sagacidad del ilustre maestro de conciencias.

—Pues bien —dijo Paoletti con energía—, yo haré en este particular todo lo que sea posible. Nada puedo afir-

mar sin conocer de antemano el estado espiritual de mi
querida hija en Dios.

—María está en Suertebella.

—Sí.

—Y es necesario que no comprenda que está allí.

—Bueno..., pase —dijo Paoletti, mirando al suelo y
soltando las palabras por un ángulo en la boca—. Es un
engaño que puede disculparse.

—María persiste en mostrarme el especial cariño tardío
que siente ahora por mí.

—Tampoco veo culpa en esto. Puede admitirse, enten-
diendo que este cariño no está bien juzgado por usted.

—María debe arrojar de sí, mientras continúe en ese
estado febril, la idea de que amo a otra mujer.

—Alto ahí —dijo el clérigo, extendiendo su blanca
mano, como una pantalla de marfil—. Eso no pasa, caballero. He pasado por el ojo de la aguja hilos un poco
gordos; pero el camello, señor mío, no cabe, no cabe. Lo
que usted propone es una impostura.

—Es caridad.

—La verdad lo prohíbe.

—Lo manda la salud.

—Una exigencia física a la que no podemos dar valor
excesivo. Mi ilustre amiga sabrá morir cristianamente,
despreciando las menudas pasiones del mundo.

—Nuestro deber es siempre y en todo caso impedir la
muerte.

—Siempre que podamos hacerlo sin comedias indignas.
¡Y a esa pobrecita mártir se la hará creer en la inocencia
de su marido, cuando está albergada en la propia vivienda de
su rival, de la amada de su esposo!... Doy por cierto,
si usted quiere, que no habrá en la casa escenas licenciosas,
ni aun siquiera entrevistas; admito que no se dará el caso
de que dos enamorados adúlteros se digan ternezas en
una sala, mientras la infeliz esposa legítima agoniza en la
inmediata. Pero, aun concediendo que habrá circunspección y decoro, la horrible verdad subsiste. Yo no se la
diré si ella no quiere saberla; pero si me pregunta..., y
preguntará, preguntará...

—¡Sí! —exclamó, de súbito, León, impresionado por tan graves palabras—. Esa comedia es indigna de ella y de mí. La verdad me espanta, la ficción me repugna; pero aquélla es la muerte y ésta puede ser la vida... No irá usted conmigo a Suertebella. Llevaré un clérigo cualquiera, el cura de la parroquia, el capellán de la casa.

Se marchaba ya, y Paoletti le llamó con un *cecé* de reconciliación.

—Al claro talento de usted —dijo, devolviendo un piropo recibido poco antes— no se ocultará que la asistencia de otro sacerdote no agradará a la pobre mártir tanto como la nuestra. Si usted no insistiera en intervenir en lo que no le importa, yo iría de buen grado a consolar a esa desgraciada. Hay más —añadió con un arranque sentimental—: no puedo ocultar a usted que lo ansío ardientemente. ¡Es tan buena, tan santa!... No sólo la admiro, sino que la respeto, la venero como a un ser superior.

—¿Y qué le dirá usted?

—Lo que deba decirle —contestó Paoletti, clavando en León sus dos ojos, que parecían doscientos—. Es por demás extraño que quien declara haber roto moralmente el lazo matrimonial se inquiete tanto por la conciencia de su esposa.

—No me inquieto por su conciencia, sino por su salud —dijo León, sintiéndose muy abatido.

—¿No dice usted que no la ama ni es amado por ella?

—Sí.

—Entonces su cuerpo y sus mortales gracias podrán pertenecer a un hombre; su purísima conciencia, no.

—Es verdad —dijo León, apurando el cáliz—. Su conciencia, yo la entrego a quien la ha formado. No quiero apropiarme esa monstruosidad.

—Perdono la expresión —replicó Paoletti bajando los ojos—. Para concluir, señor mío, ¿voy o no voy?

—¿La matará usted?

—¡Yo...!

—Y, después de exhalar un suave suspiro, añadió:

—Le preguntaremos quién es su asesino.

León sintió su alma llena de espanto. Meditó un rato.

Después golpeó el suelo con el pie. A veces, de un pisotón sale una idea, como una chispa brota del pedernal herido. León tuvo una idea.

—Vamos —dijo con resolución—. A la conciencia de usted dejo este delicado asunto.

—Y en prueba de esa confianza —manifestó el otro, no ocultando su gozo por ir—, prometo conciliar en lo posible la veracidad con la prudencia, y hacer los mayores esfuerzos por no turbar las últimas horas, si el Todopoderoso dispone que sean las últimas, de mi amadísima hija espiritual. Seguro estoy de que mi presencia le dará mucho consuelo.

—Vamos.

—Soy con usted al instante —dijo el clérigo pequeñísimo, corriendo, con el paso duro de sus pies de plomo, a buscar capa y sombrero. Deteniéndose en la puerta y poniendo en su cara una sonrisa cortés, añadió:

—Es muy temprano. No se ha desayunado usted. ¿Quiere tomar chocolate?

—Gracias —repuso León, inclinándose—, gracias.

Una hora después ambos se apeaban de un coche en el pórtico de Suertebella.

4. Despedida

Ya había concluido la misa de rogativa; ya había entrado Paoletti en la estancia donde moraba entre sombras de fiebre y duda su bendita amiga espiritual, cuando León, pasando apresurado de sala en sala, buscaba a la hija del marqués de Fúcar. Al fin, la halló en la habitación de Ramona. Deseaba decirle una cosa muy importante. Creeríase que Pepa barruntaba la enunciación de la importante cosa, porque estaba en pie, con la anhelante mirada fija en la puerta, atendiendo a los pasos del que se acercaba, y así que le vio entrar, retiróse a un ángulo de la pieza, indicando a su amigo, con el lenguaje singular de cuatro o cinco pasos (pues también los pasos hablan), que allí estarían mejor que en ninguna otra parte. Monina corrió al encuentro de León y se abrazó a sus piernas, echando la cabeza hacia atrás. El la tomó en brazos, y al verse arriba la nena, se empeñó en hacerse admirar la perfección artística de un cacharrillo de barro con asa y pico, obsequio reciente del cura de Polvoranca, y luego se entretuvo en la difícil operación de colgárselo de una oreja.

—Estate quieta, Mona; no seas pesada —dijo Pepa—. Ya, ya me figuro a qué has venido y lo que vas a decirme... Hija, estate quieta... Ven aquí...

Arrancó a la chiquilla de los brazos de León para tomarla en los suyos.

—...No necesitas decirme nada... Lo comprendo, lo adivino —prosiguió—. Debo marcharme de aquí. Ya estaba decidida, aunque tuviera que irme sin verte.

—Agradezco tu delicadeza —dijo León—. Márchate a tu casa de Madrid, y por ahora..., no te acuerdes de que existo.

—Eso no será fácil... Hija, por Dios, no me sofoques —dijo Pepa, en cuya oreja continuaba la criatura su penoso trabajo—. Ponte en el suelo... Me marcharé sin preguntarte siquiera cuándo nos volveremos a ver. Tengo miedo de hacer la pregunta, y respeto tu vacilación en contestarme.

León bajó los ojos en silencio. No conocía palabra tierna, ni frase amistosa, ni concepto de esperanza que, al pasar de su mente a sus labios, no llevase en sí un sentido criminal. Callar parecióle más decoroso aún que la misma protesta contra toda intención de escándalo. Ambos se quedaron mudos por largo rato, sin osar mirarse, temerosos cada cual de la fisonomía del otro, como si fuese claro espejo de su propio pensamiento.

—No me preguntes nada, no me digas nada —manifestó León, al cabo—. Llena tu corazón de generosidad y vacíalo de esperanza.

Pepa quiso hablar algo; pero tanto temblaba su voz,

que prefirió decir para sí estas palabras: "Todo lo echaré de mí, menos la idea triste, la idea vieja y lúgubre: que ella, rezando, rezando, se salvará; yo, esperando, esperando, me moriré."

León, que parecía leer los pensamientos en el contraído entrecejo de su amiga, le dijo, cara a cara:

—En los trances duros se conoce la índole generosa o egoísta de las almas.

Pepa tembló de pies a cabeza. Después, sosteniendo su frente en un dedo, rígido como clavo de martirio, dijo, mirando a sus propias rodillas, donde tocaban el piano los diminutos dedos de Ramona:

—No sé si la mía será egoísta o generosa. Yo sé que he derramado hace poco algunas lagrimillas, pidiendo a Dios que no matara a nadie por culpa mía. ¡Qué sabor tan amargo sacan a veces nuestras oraciones, y cómo se acongoja nuestro pensamiento luchando para que las flores que quieren echar de sí no se conviertan en culebras!... Yo he rezado hoy más que ningún día de mi vida; pero no estoy segura de haber rezado bien y con limpieza de corazón. Horrible batalla había dentro de mí. Creo que las palabras y las ideas que andaban por mi cerebro variaban de sentido a cada instante, y que decir *Dios* era decir *demonio,* y decir *amor* era decir *odio,* y decir *salvarse* era decir *morirse.* La idea sentida y la idea pensada se combatían, quitándose una a otra el vestido de su palabra propia. Yo creo que no he rezado nada, que no soy buena... ¡Me siento con tan poco de santa y tanto de mujer!... Y, sin embargo, yo no seré tan mala cuando he tenido alma para pedir claramente que muriéramos las dos, y así todo quedaría bien...

Se levantó, añadiendo:

—En fin, me voy. Ya sabes que obedecerte es el único placer de mi vida.

—Gracias —murmuró León, tomando en brazos a la nena.

—Despídete de ese... —dijo Pepa, contemplando con amor a su hija y al que la besaba.

Estrechó León en sus brazos a la chiquilla y le dio mil

besos, considerando que las manifestaciones de su cariño no eran escandalosas recayendo en la inocente persona de un ángel tan bonito. Con ella en brazos dio dos o tres paseos por la estancia, ocultando así, con estas idas y venidas, la emoción que sentía y traspasaba los límites del alma para salir al rostro. Sin mirar a la buena mamá, ésta podía vanagloriarse, allá en el ángulo de la pieza, de ser bien contemplada. La pasión tiene su perspicacia nativa y un astro maravilloso para sorprender los pensamientos del ser amado, asimilárselos y alimentar el espíritu propio con aquel rico manjar extraño.

En cuanto al desgraciado hombre, nunca como entonces había sentido el dominio irresistible que sobre él ejercía aquel ser pequeño y lindo, nacido de la unión de una mujer que no era la suya y de un hombre que no era él. No creía en la posibilidad de vivir contento si le quitaban de las manos aquel tesoro, ajeno, sin duda, pero que se había acostumbrado a mirar como suyo y muy suyo. Con este cariño se mezclaba el cariño y la imagen de la madre como dos luces confundidas en una sola. ¡Familia prestada que en el corazón del solitario ocupaba el desierto hueco y se apropiaba el calor reservado a la propia! El no tenía culpa de que en su cansado viaje por el páramo se le presentaran aquellas dos caras, risueña la una, enamorada la otra, ambas alegrando el triste horizonte de su vida y obligándole a marchar adelante cuando ya sin fuerzas caía sobre pedregales y espinas. En Pepa Fúcar había hallado amor, docilidad, confianza, misteriosas promesas de la paz soñada y del bien con tanto afán perseguido. Era la familia de promisión, con todos los elementos humanos de ella, pero sin la legitimidad; y el no ser un hecho, sino una esperanza, dábale mayores encantos y atractivo más grande. La pasión arrebatada de Pepa y el ardor fanático con que a todo lo sobreponía, lejos de infundirle cuidado, le seducían más, porque en ello veía la ofrenda absoluta del corazón, sin reserva alguna; la generosidad ilimitada con que un alma se le entregaba toda entera, sin esconder nada, sin ocultar sus mismas imperfecciones ni estimar un solo pensamiento. Quien había

sido mendigo de afectos no podía rechazar los que iban a
él con superabundancia y cierto alarde bullicioso. Infundíale, al mismo tiempo, orgullo y piedad el ver cómo aquel
admirable corazón, sin dejar de ser religioso, le pertenecía enteramente, por ley que es divina a fuerza de ser
humana; y al sentirse tan bien amado, tan señor y rey
en el corazón y en los pensamientos de ella, no podía
menos de darse también todo completo. Cualquier afecto
secundario y remoto que existiera antes de aquel mutuo
resplandor en que ambos se veían, debía extinguirse, como
palidecen los astros lejanos cuando sale el sol.

Pero quizás no era ocasión de pensar tales cosas. León
puso la niña en brazos de su madre, y le dijo:

—Ni un momento más. Adiós. Si es necesario explicar
a tu padre la causa de tu traslación a Madrid, yo me atreveré a decírsela:

—Se la diré yo.

Con precipitación y desasosiego, salieron uno y otro
por puertas distintas.

5. A almorzar

El narrador no cree haber faltado a su deber por haber
omitido hasta ahora que los Tellería corrieron en tropel
a Suertebella desde que llegó a su noticia el grave mal y
estado de María. Ello es tan natural, que el lector debía
darlo por cierto, aunque las fieles páginas del libro no
lo dijeran. Lo que sí conviene apurar, por si la posteridad,
siempre entremetida y buscona, tuviera interés en saberlo, es que en la mañana de aquel célebre martes (el día
de la misa de rogativa, de la visita de Paoletti y de la partida de Pepa), la marquesa de Tellería, el marqués y Polito oyeron atónitos, de boca de León Roch, estas enérgicas palabras:

—No se puede ver a María.

—¿Hoy tampoco? ¡Lo oigo y no lo creo! —exclamó Milagros, sin poder contener su ira—. ¡Prohibir a una madre que vea a su pobre hija enferma!...

—¡Y a mí, a su padre!...

Polito no decía nada y se azotaba los calzones con un junto que en la mano traía.

—¿Qué razón hay para esto?

—Alguna razón habrá cuando así lo dispongo —dijo León.

—Yo quiero entrar a ver a mi hija. Yo quiero verla, asistirla.

—Yo la asisto y la velo.

—¿No nos das ninguna razón, ¡por Dios!, ninguna explicación de esa horrible crueldad? —dijo el marqués, poniéndose severo, que era lo mismo que si se pusiera cómico.

León les habló del delicadísimo estado moral de María, del gran temor que a él le inspiraban las indiscreciones de su familia si ésta entraba en la alcoba de la enferma.

—¿Está sola en este instante?

—Está con su confesor.

Y Milagros llevó aparte a su yerno y le dijo:

—Verdaderamente, no creí que llegaras a tal extremo. Explícate, explícame las monstruosidades que han pasado aquí... ¡Ah! Mi pobre y desventurada hija ignora, sin duda, que se halla en la misma casa de la querida de su esposo... Temes que le abra los ojos, temes que la verdad salga de mis labios como sale siempre, espontánea, natural..., porque no sé fingir, por que no sé hacer comedias.

—¡Oh! No, señora; yo no temo nada —dijo León, deseando cortar la disputa—. Pero usted no verá a su hija hasta que se restablezca.

—¿Y qué autoridad tienes tú sobre la mujer que has despreciado?... ¿O es que estás arrepentido de tu conducta y quieres...?

La dama cambió de tono y de semblante. Aquella trágica arruga de hermosa frente desapareció como nubecilla disipada por el sol; brillaron su ojos con animación juvenil,

y hasta parecía que el disecado pajarillo de su elegante
sombrero aleteaba entre las gasas.

—¿Hay, por ventura, proyectos de reconciliación? —dijo, entre agrias y maduras—. Si los hay, no seré yo quien
los estorbe... como vayan precedidos de arrepentimiento.

—No hay ni puede haber proyectos de reconciliación
—dijo, bruscamente, el yerno, a punto que entraba en la
sala el marqués de Fúcar.

Este, sobreponiéndose a su tristeza, para cumplir los deberes que le imponía la condición de castellano de aquel
magnífico castillo, se presentó a saludar a los Tellería, a
compadecerlos por la enfermedad de la pobre María, a ro-
garles que dispusieran de la casa y de cuanto en ella había.
Y como el caso que allí los llevaba no era cosa de un momento, el generoso Fúcar, dando a su hospitalidad un
carácter grandioso y caballeresco, conforme a la resonancia
europea de su nombre, invitaba a los Tellería a permanecer allí todo el día, toda la noche y todos los días y noches
siguientes y a comer, cenar, tomar un *lunch,* un *picnik* o
un hispano piscolabis, a descansar, dormir, disponer de la
casa entera, pues allí había mesa, despensa, bodega, servidumbre, camas para la mitad del género humano, caballos
para pasear, flores en que recrear la vista, etc.

—¡Oh! Gracias, gracias... Cuánto agradecemos...

La mano del millonario fue estrujada por la de Tellería,
que en su emoción no pudo decir nada. En las grandes
ocasiones, el silencio, una mirada al cielo y un apretón
de manos son más elocuentes que cien discursos enalte-
ciendo a los que nos hacen olvidar que vivimos en *un
siglo corrompido por las ideas materialistas.* La marquesa
se esforzaba en dar a su cara la expresión que, según ella,
cuadraba más a su occidental belleza, o que mejor realzaba
aquellos restos, bastante valiosos aún para lucir mucho
si el arte, la coquetería, la palabra misma, discreto artífice, los presentaba en buena y proporcionada luz. Empeñando conversación mundana con Fúcar, supo llevar a
éste por las vías sentimentales con tanta gracia y donosura, que el agiotista la oía con encanto. Al mismo tiempo,

Tellería llevaba a León junto a la ventana para decirle con acento majestuoso:

—Las cosas han llegado a tal extremo, y tu conducta es tan ruin y vituperable en apariencia, que necesitas darme una explicación completa, aunque para ello sea preciso llevarte a un terreno...

—Al terreno del honor —dijo León con sarcasmo—. Vea usted: ése es un terreno al cual no será fácil que vayamos juntos...

—Comprendo que un padre político... No es que yo quiera agravar el escándalo con otro escándalo mayor. Confiamos aún en tu caballerosidad, en lo que todavía queda en ti de esa *hidalguía castellana* que los españoles no podemos desechar aunque queramos..., y si Dios te tocase el corazón y te reconciliaras de un modo durable con mi querida hija...

—No me reconciliaré.

—Entonces...

Lanzó el prócer a su hijo político una mirada que, dado el carácter promiscuo, entre cómico y serio del ilustre personaje, podía calificarse en el orden de las miradas terribles.

—Entonces, yo sé lo que debo hacer.

Estaban en el salón japonés, lleno de figuras de pesadilla. Por sus paredes de laca andaban, cual mariposas paseantes, hombrecillos dorados, cigüeñas meditabundas, tarimas de retorcidos escalones, árboles que parecían manos y cabezas semejantes a obleas. Las figuras humanas no asentaban sus redondos pies en el suelo, ni los árboles tenían raíces; las casas volaban lo mismo que los pájaros. Allí no había suelo, sino una suspensión arbitraria de todos los objetos sobre un fondo oscuro y brillante como un cielo de tinta. Los expresivos rostros japoneses parecían hacer el comentario más elocuente de la escena viva, y las mariposas de oro y plata reproducían, por arbitrio de la fantasía en aquella especie de estancia soñada, la sonrisa jeroglífica de la marquesa de Tellería. Cacharros de color de chocolate poblaban rincones y mesas; y viendo los ídolos tan graves, tan tristes, tan feos, tan hidrópicos, tan aburridos se hubiera creído que estaban comentando en teología misticoasiática la tristeza indefinible de don Agustín Luciano de Sudre.

Como se pasa de una página a otra en libro de estampas, así se pasaba de la habitación japonesa al gran salón árabe, donde estaba el billar, y en él, Leopoldo. Con su tarugo de aspirar brea puesto en la boca, a guisa de cigarro, se entretenía en hacer carambolas. Un lacayo se le acercó.

—¿Ha llamado el señorito?

—Sí —repuso el joven, sin mirarle—. Tráeme cerveza.

Ya se marchaba el lacayo, y Polito le volvió a llamar para decirle:

—¿Se servirán pronto los almuerzos?

—Dentro de un momento.

Y siguió haciendo carambolas. El marqués de Fúcar se retiró por un momento del salón japonés. Un *maître d'hôtel,* rubio y grave, reclutado en cualquier cafetín de París, y que se habría parecido a un lord inglés si no lo impidiera su servilismo melifluo y su agitación de correveidile, se acercó a la marquesa para pedirle órdenes.

—¡Oh, no! —dijo ésta—. Tomaré muy poca cosa… ¿Hay *gateau d'écrevisses?*… ¿No? Bueno, no importa. Las pechugas ahumadas no me gustan. Mi *beefsteack,* que esté *poco hecho.*

—No olvide usted —dijo el marqués a aquel hombre benéfico, cuyo frac negro parecía el emblema de la caridad cristiana creadora de los hospicios—, no olvide usted que yo no bebo sino Haut Sauterne.

Fúcar reapareció, melancólico, pero apresurado, indicando con esto que las tristezas no son incompatibles con el almorzar. Era un poco tarde, y los cuerpos necesitaban reparación. La marquesa, don Agustín, Polito, el señor de Onésimo, que llegó cuando los demás estaban en la mesa, hicieron honor, como se dice en la jerga gastronómica, a la cocina del de Fúcar. O por delicadeza de estómago, o porque la aflicción de su ánimo le cortara el apetito, ello es que Milagros apenas probó de algunos platos.

—No se deje usted dominar por la pena —le decía don Pedro—. Es preciso hacer un esfuerzo y tomar alimento. Yo tampoco tengo ganas; pero ¿de qué sirve la razón? Hago un esfuerzo y como.

Buena prueba de los esfuerzos de don Pedro era un *beefsteack* que entre manos y boca tenía, el cual, pedacito tras pedacito, pasaba a su estómago dejando en el plato la sangre bovina revuelta con manteca y limón. La marquesa no hacía más que picar y catar, tan pronto apeteciendo como desdeñando, y el marqués se encariñaba con las cosas picantes y afrodisíacas, obsequiándolas, risueño, con una mirada galante y después con las traidoras caricias de su tenedor. Las trufas, las *sauciles* trufadas, la rica lengua escarlata de Holanda, y otras cosillas se ofrecían a su paladar con provocativos encantos.

—¿Y Pepa? —dijo, bruscamente, el marqués de Onésimo.

—Está en Madrid —replicó Fúcar, sin alzar los ojos del plato, donde el solomillo parecía representar el Tesoro español por lo recortado y empequeñecido.

Siguió a estas palabras un largo silencio, que rompió, al fin, el mismo don Pedro, diciendo a la marquesa:

—¡Oh!, amiga mía..., hay que sobreponerse al dolor... Además, la situación no es desesperada... María está bien hoy... ¿Llora usted?... A ver..., esta media copa de Sauterne.

Milagros no rehusó el obsequio. Después de apurar el vino, dijo así:

—Veremos si ese tigre de mi yerno me permite esta tarde ver a mi hija.

Deseando Fúcar hablar de asuntos menos aflictivos, sacó a relucir las voces que corrían acerca de la próxima boda de Polito con una riquísima heredera cubana, cuya familia, recién venida a Madrid, metía bastante ruido con la ostentación de colosal fortuna. Desmintió la marquesa el rumor, y Leopoldo lo confirmó, indirectamente, con frases en que la modestia enmascaraba a la vanidad. Los rumores eran ciertos, como lo eran el noviazgo y las pretensiones del joven, y su seguimiento cotidiano de la chica, a caballo y a pie; mas, a pesar de esta cacería ecuestre y pedestre, lo de la boda era un puro mito, sin otra realidad que la que tenía en el deseo ardentísimo de Milagros de

er a su hijo poseedor de un caudal limpio y gordo. La
amilia de Casa-Bojío, a pesar de tener amistad con la
e Sudre, oponíase a las aspiraciones de Leopoldo; pero
Milagros trabajaba en silencio con diplomacia y finura
ara que aquel sueño de oro fuera un hermoso despertar
e plata.

Agotado el tema, retiróse Milagros del comedor. Un
acayo presentaba al marqués y a Polito los mejores ciga-
ros del mundo. Era aquel artículo, digámoslo en términos
e comercio, el más superfino de cuantos abastecían la
asa del millonario. Sus corresponsales de La Habana le
nandaban para su uso lo mejor de lo mejor, en recompen-
a de la gracia y arte mágico con que se las componía
on el Gobierno para hacer fumar al país lo peor de lo peor.

Estallaron fósforos y chuparon labios.

—Polito —dijo el marqués—, si quieres dar un paseo,
ile a Salvador que ensille a *Selika*.

El benemérito jinete de caballos ajenos no se hizo de
ogar y bajó al punto al picadero. Don Pedro dio un sus-
»iro, hizo una seña al marqués de Tellería y al marqués de
Onésimo, dos nobles subalternos, el uno de raza y el otro
e administración, que observando la fisonomía del noble
el dinero parecían tributarle culto idolátrico, acatándole
on sus miradas e incensándole con sus aromáticos puros.
Acercáronse entrambos: don Pedro bajó la voz, y, con en-
ristecida cara, les comunicó un pensamiento, una noti-
ia, un hecho. Así, trasegando la pena de su afligido cora-
ón al corazón de los amigos, el digno prócer se sentía
liviado, respiraba con más desahogo, hasta podía soltar
in chascarrillo y reír con aquella carcajada congestiva que
ímos por primera vez en la casa de baños.

—¡Qué vida esta!... ¡Qué alternativas, qué inesperadas
»eripecias!... Luego, ¡esta pícara tendencia del corazón
umano a exagerar las penas, pintándoselas como irreme-
iables!...

Onésimo se quedó estupefacto al oír el hecho referido
»or su insigne amigo. Creeríase que su cabeza, totalmente
bsorbida por las altas especulaciones bancarias y por la
netafísica de hacer empréstitos, no comprendía aquel he-

cho vulgar. El de Tellería se llenó de alborozo oyendo pa
labras tristes que salían de los labios de Fúcar, y tuvo
una idea propia, una idea felicísima. Acariciábala en su
mente, contemplando con los ojos del cuerpo las pintura
decorativas del comedor de familia, en cuyas paredes se
veía representado un verdadero diluvio de animales muer
tos, perdices, liebres, ciervos, cangrejos, y otro diluvio de
frutas, berzas, pepinos y mariposas. El roble tallado tam
bién ofrecía medallones de cacería, bocas tocando trompe
tas venatorias, perros corriendo, manojos de perdices y mi
representaciones diversas del reino alimenticio, de tal mo
do que el comedor parecía el palacio de la indigestión

6. El clérigo miente y el gallo canta

   Cuando María Egipcíaca vio que entraba en su cuarto
el padre Paoletti lanzó un grito de alegría. Le miró con
cariño, posó después los dulces ojos en León, expresándole
su gratitud por aquella fineza matrimonial que rayaba en
lo sublime, y alargó una mano a cada uno. Aquel movi
miento tan natural en ella, y que no fue acompañado de
ninguna observación, era la cifra de su vida, y aún podría
ser la síntesis de este libro en lo que a la dama se refiere
Los dos le preguntaron a un tiempo que qué tal se encon
traba, y con una sola respuesta satisfizo a entrambos:
   —Me parece que estoy mucho mejor. Me siento con
ánimos...
   León le dio una palmada en el hombro, diciéndole
   —Ahora... yo me retiro.
   —No, no, no... —declaró, con gran presteza el padr
Paoletti, que se había sentado a la izquierda de la cama—
Doña María y yo no vamos a hablar de cosas de concien
cia... El médico nos ha dicho que su estado no es ni bas

tante grave para acudir con premura a la salvación del
alma, ni bastante lisonjero para poder platicar extensa-
mente sobre temas espirituales que, por lo mismo que son
dulcísimos y preciosísimos, fatigan la atención. Depar-
tiremos un poco los tres..., sí, señor, los tres..., y a su
debido tiempo, cuando esa cabeza esté más serena, mi
ilustre hija espiritual y yo nos secretearemos un poco.

La sonrisa con que concluyó el discursillo comunicóse
a María, que la reprodujo como reproduce la mar el color
del cielo. Era Paoletti, como se ve, un hombre afable, me-
loso, de palabra sencilla, insinuante, de apariencia modesta
y seductora en una pieza, por la reunión feliz de una figura simpática y de la voz más clara, más argentina, más
conmovedora que se ha oído jamás. Era su acento dulce
y firme a un tiempo, formado del misterioso himeneo de
dos notas que parecen antitéticas: la precisión y la vaguedad. Los resabios del decir italiano, atenuados por el largo
uso de nuestra lengua, daban a ésta en su boca como un
son quejumbroso que hacía resaltar más de los matices vivos y el enérgico juego de consonantes del idioma español.
Conocedor de su destreza para instrumento tan primoro-
so, se esmeraba en manejarlo, corrigiendo los pequeños
defectos y concordando la idea de un modo perfecto. El uso
de superlativos dulzones hacía un poco empalagoso su estilo.

Mientras hablaba ponía también en ejercicio la singular
luz, la expresión activa de sus ojos, cuyas múltiples maneras de mirar, que podrían llamarse fases, añadían y como
redondeaban el lenguaje oral. De sus ojos podía decirse
que eran la prolongación de la palabra, pues llegaba a
donde no podía llegar la voz. Eran a ésta lo que la música es a la poesía. Indudablemente, había algo de estudio
en el extraordinario empleo de estas cualidades; pero la
principal causa de ellas eran un don ingénito y la dilatada
práctica de bucear en conciencias y de leer en rostros con
esfuerzos de agudeza y persuasión, y el usar artificio de
ojeadas y reclamos de inflexiones dulces para descubrir
secretos.

—Según el parecer de ese sabio médico —dijo—, nuestra dulcísima amiga se restablecerá pronto. Ha sido esto

una crisis nerviosa que va pasando, y pronto volverá a l
calma primera. Estamos sujetos al traidor influjo de la
bruscas impresiones morales que desatan tempestades e
nuestra alma, sin que nuestra razón flaquísima lo pued
evitar. El demonio, siempre vigilante, la nefanda carn
rara vez sometida por entero, se amotinan y nos acometer
cogiéndonos de sorpresa. Aquí es el desvarío de los senti
dos, que no abultan, sino que desfiguran las cosas; aqu
el encenderse de la fantasía, que va a donde nunca deb
ir, y todo lo ve de aquel color de sangre y fuego de qu
ella está vestida. El espíritu sucumbe, aterrado por un
apariencia vana, por una apariencia vana, querida amiga
Después viene el reposo, casi siempre después de un gra
desorden físico, y se ven las cosas claras, se ve que n
había motivo para tanto, que se hizo demasiado caso d
la maledicencia, quizás de la calumnia; que se vieron fan
tasmas, sí, fantasmas... ¡Oh!, ya hablaremos de esto, m
querida amiga... Ahora procure usted reponerse pront
y llevar su alma a un estado suavísimo... Y me parec
que está usted muy bien alojada en esta casita. Tuvo buen
elección el señor esposo al tomar tan tranquila vivienda
A mí me gusta mucho Carabanchel... Doña María, cuan
do usted pueda levantarse, y su esposo la saque a pasec
porque la sacará a paseo, ¿no es verdad?, verá usted qu
trigos tan hermosos hay por estos campos... Luego esto e
una bendición para las gallinas: no da uno un paso si
tropezar con una bandada de estos animales humildísimos
Y basta de sermón por hoy, señora mía. Empecé por e
alma y acabo por las gallinas. ¿Qué tal?

En este momento oyóse cantar un gallo.

—Es el gallo de San Pedro —dijo Paoletti aparte
León.

Y, volviendo rápidamente los ojos a su amiga, añadió

—Empecé hablando del alma y concluí haciéndom
cargo de las aves que hay en este pueblo. En otra ocasió
empezaremos por el corral y acabaremos por el Cielo..
Con Dios.

—Pero ¿se va usted? —dijo María con verdader
aflicción.

—Me pasearé por estos contornos, iré a comer y volveré luego.

—¡Oh, no! De ninguna manera —manifestó León—. Comerá usted aquí.

—Gracias, gracias. Señora doña María —dijo Paoletti, inclinándose ante la enferma con mundana cortesía y riendo con familiaridad—, su marido de usted es muy amable... No lo había visto desde aquellos días tristes en que subió al Cielo nuestro amadísimo Luis. He tenido mucho gusto de verle hoy.

María miraba a su marido, vacilando entre la benignidad y el enojo.

—¿Sabe usted, mi buena amiga —añadió el clérigo—, que hoy he descubierto una cosa por las vías más extraordinarias y más inesperadas?

—¿Qué? —preguntó la dama con gran curiosidad.

—Ya hablaremos de eso... No quiero incomodar.

—Dígamelo usted —insistió María, con el tono mimoso que emplean los niños cuando piden una cosa que no quieren darles.

—Pues he descubierto —prosiguió el italiano, bajando más la voz y fingiendo que no quería ser oído de León Roch—, pues he descubierto que su marido de usted es mejor de lo que parece: que todo cuanto le dijeron a usted..., ya sé que fueron allá con mil cuentos la de San Salomó y doña Milagros..., es un puro error, equivocación... Me consta, ¿lo oye usted?..., me consta que no hay tales infidelidades...

En los ojos de María brillaban con viva luz la ansiedad y el orgullo. Aquellas palabras, que en tal boca sonaban para ella como el mismo Evangelio, eran en su turbado espíritu cual bálsamo dulce aplicado por las propias manos de los ángeles. Se sentía saliendo de un negro abismo a la clara luz y al grato ambiente de un hermoso día. Aunque más tarde debía venir la reflexión a aquilatar el valor de tales afirmaciones, por de pronto, las palabras del clérigo hicieron rápido efecto en su credulidad de penitente. Si Paoletti le dijera que en aquel momento era de noche, antes creyera en el error de sus ojos que en la verdad de la luz del día. Sin saber qué decir, ni cómo expresar su gozo, miraba al padre y al esposo, y las manos de ambos estrechaba.

—Sí, mi querida amiga —añadió Paoletti—, no hay motivo para pensar en tales infidelidades, y este hombre...

Volvióse a oír el canto del gallo, y el clérigo suspendió su frase cual si le faltara la voz. Recobróla al variar de asunto, y dijo:

—Conque, amiguita, a ponerse buena pronto... ¡Ah, qué función tan linda se perdió usted ayer!... Cuando vuelva usted por allá le enseñaremos las estampas que hemos recibido... Tenemos agua de Lourdes fresquita... ¡Cuánto hemos echado de menos a nuestra doña María! ¡Ah!, se me olvidaba: ya nos comimos el chocolate... Se le dan gracias cordialísimas a nuestra protectora en nombre de todos los de casa.

—Si no vale nada... ¡Por Dios!

—Doña Perfecta se ha enojado con nosotros porque no quisimos admitir su donativo... Angelical señora es doña Perfecta. ¡Qué alma tan pura! ¿Pues y la pobre doña Juana? Anoche nos mareó de lo lindo y hasta nos llamó déspotas porque hemos prohibido a la mujer del portero que le haga el café a ella y a las demás devotas madrugadoras que van a comulgar muy de mañana y quieren desayunarse en seguida. Francamente, la portería parece algunos domingos un *restaurant*.

A esta sazón entró el médico, diciendo:

—Mucha, mucha conversación hay aquí... Si tendré yo que venir, como un maestro de escuela, con una caña en la mano, a mandar callar...

—Yo..., punto en boca. Creo que he hablado más de la cuenta —indicó el confesor—, y me voy a dar una vuelta por ahí.

Llevando a León al hueco de la ventana, le dijo:

—¿Qué tal?

—Bien —replicó León admirando la habilidad histriónica del padre.

Oyóse otra vez el canto del gallo.

—He negado a mi Dios, he faltado a la verdad —dijo

Paoletti con sonrisa que parecía reprensión—. Si ese gallo
sigue avisándome con su voz, que parece venir del Cielo,
no tendré fuerzas para hacer traición a mi Maestro.

—Es caridad. Los gallos no entienden de esto.

—Ella y Dios me lo perdonarán. Como no la he enga-
ñado nunca, como de mis labios no ha oído jamás palabras
que no fueran la misma verdad, me cree como al Evangelio.

León meditó un momento sobre esta última frase, que
despertaba en él añejos dolores.

El médico hizo en voz alta lisonjeros vaticinios sobre
la enfermedad.

—¿Oye usted lo que afirma el facultativo? —dijo el
confesor, hablando aparte con el marido—. Albricias, querido caballero: ya se puede asegurar que *nos* vive doña
María.

Aquel plural, dicho y repetido naturalmente y sin malicia, era el más cruel sarcasmo que León escuchara de labios humanos en toda su vida. Había visto con gusto la
milagrosa virtud terapéutica de los consuelos del padre
en la desgraciada María; pero aquella familiaridad del
clérigo con su penitente, aunque encerrada dentro de la
pudibunda esfera de las relaciones espirituales, le repugnaba en extremo. Fue aquel un momento de los más tristes
para su espíritu, porque vio cara a cara la fuerza abrumadora con que había querido luchar durante los batalladores
años de su matrimonio. Se entristecía y se avergonzaba. ¡Ay!
El divorcio moral de que repetidas veces habló, y que, según
él, estaba ya consumado, no fue completo y radical hasta
aquel momento. Hasta entonces quedaba la estimación,
quedaba el respeto; pero ya estos tenues hilos parecían,
si no rotos, tan tirantes, que pronto, muy pronto, se rompe-
rían también.

Ocultando lo que en sí pasaba, se acercó a su mujer,
y le dijo:

—El señor Paoletti y yo vamos a tomar alguna cosa...
Rafaela te acompañará mientras volvemos.

—¡Oh! Sí..., almorzad, almorzad... —replicó María
alegremente y dulcificando su mirada—. Pero no tardes;

quiero verte..., quiero hablarte... No olvides que tu debe
es acompañarme, no separarte de mí ni un solo momen
to... Ahora que te cogemos a propósito, verás qué repri
mendas y qué sobas te vamos a dar el padre Paoletti y
yo. Te veo ya acobardado y humillado... ¡Pobre hombre!... ¡Desgraciado ateo! Pero no tardes: quiero verte...
Mira... Esta noche pones ese sofá aquí, junto a mi cama
para que duermas a mi lado... Así dormiré yo mejor, y s
sueño algún disparate, con alargar la mano y tocarte me
tranquilizaré.

—Bien. Haré todo lo que deseas —dijo el esposo con
la vacilación en la mente y el hielo en el corazón.

—¡Ah! —prosiguió María, reteniéndole por la manga—
dispón que traigan hoy mismo mi rosario, el crucifijo y
todos mis libros de rezo que están sobre la mesa de mi
cuarto; todos, todos los libros, y el agua de Lourdes, y
mis reliquias, mis adoradas reliquias.

—Rafaela irá esta tarde a Madrid y te traerá todo.

—¡Cómo se conoce que estoy en el cuarto de un ateo!
—observó la enferma, tomando de súbito el tono impertinente, que no había desaparecido en ella sino ante la
atroz quemadura de los celos—. No hay aquí ni un solo
cuadro religioso, ni una imagen, nada que nos indique que
somos cristianos... Pero ve a almorzar, ve a almorzar. El
buen padre estará en ayunas..., ¡pobrecito! Dale lo mejor
que haya, ¿entiendes?, lo mejor. Reconoce tu gran infe-
rioridad; humíllate, hombre. Háblale de mí, háblale de
mí, y aprenderás a apreciarme mejor.

Cuando León salía disimulando una sonrisa amarga,
volvió a cantar el gallo.

7. Fuegos parabólicos

Luego que Fúcar entendió que pisaba los pavimentos
de Suertebella la venerable planta del padre Paoletti, se
apresuró a ofrecerle palacio, mesa, servidumbre, coches,
capilla, obras de arte. Creeríase que don Pedro era poseedor de toda la creación, según la facundia y liberalidad
con que todo lo brindaba para goce y dicha de la Humanidad menesterosa. Y arqueándose cuanto lo consentía su
crasa majestad, manifestaba con reverencias y cortesías
cuán inferiores son las riquezas y esplendores del mundo
a la humildad de un simple religioso, sin otra gala que
su sotana ni más palacio que su celda.

Paoletti, que era entendidísimo en artes bellas y aun
en las suntuarias, elogió mucho la riqueza de Suertebella,
dando así propicia coyuntura al marqués para que gustara
su satisfacción predilecta, que era enseñar el palacio, sala
tras sala, sirviendo él de cicerone... Largo rato duró la
excursión que a marear bastaría la más sólida cabeza, por
la heterogénea reunión de cosas bonitas que contenían
aquellos pintorreados muros. Paoletti lo admiraba todo
con comedimiento, demostrando ser hombre muy conocedor de museos y colecciones. El marqués de Fúcar, que
parecía la gacetilla de un periódico, según prodigaba sus
elogios a las obras medianas o malas, solía apuntar el precio de algunos objetos, bien cuadritos tomados a Goupil,
bien porcelanas adquiridas en el martillo de la calle Drouot,
y que eran hábiles imitaciones.

—Y aquí me tiene usted aburrido, completamente aburrido entre tantas obras de mérito —decía, encarándose
con Paoletti y cruzando las manos en actitud ascética—.
Soy esclavo del bienestar, mi querido padre. Parece que
no, y ésta es la esclavitud más odiosa. ¡Cuánto envidio a
los que viven tranquilos, con esa libertad, con esa inde-

pendencia que da la pobreza, sin los afanes del trabajo, sin conocer otro banquete que el que cabe dentro de una escudilla, ni más palacio que cualquier celda, choza o agujero!...

—¡Oh!, querido señor mío —manifestó el italiano riendo y llevándose la mano a la boca para ocultar urbanamente un bostezo—, pues no hay nada más fácil que realizar ese deseo... ¡Ser pobre! Cuando oigo a los mendigos expresar deseos de ser millonarios, me río y suspiro; pero cuando oigo a los ricos hablar de la cabañita de un palmo de tierra en que descansar los huesos, les digo lo que me permito decir a usted en este momento: ¿Por qué no se va el señor marqués a las ermitas de Córdoba? ¿Por qué no cambia Suertebella por una celda de cartujo?...

Y concluyó la observación como la había empezado, con francas risas. Otra vez bostezó, haciendo pantalla de su blanca mano para cubrir la boca.

—Eso..., dicho así —repuso Fúcar riendo también—, parece fácil...; pero... ¿y las cadenas sociales..., y el yugo de la Patria, que no quiere desprenderse de sus hijos más útiles?... Ahora caigo... ¡Qué descuido el mío! Es muy tarde, y usted no ha almorzado.

—¡Oh!, no importa... Deje usted.

—¿Cómo que no importa? Puede ser que aún esté ese bendito cuerpo...

—Con el triste chocolate nada más. Pero es un cuerpo misionero y sabe resistir.

—León, León —dijo don Pedro llamando a su amigo, que en aquel momento pasaba por la pieza inmediata—, voy a mandar que os sirvan el almuerzo en la sala de Himeneo. No querrás alejarte mucho de tu mujer... Y usted, señor Paoletti, no gustará del bullicio del comedor. Ahora están almorzando todos los que han venido últimamente... ¡Bautista, Philidor!

Dando voces a los criados españoles y al maestresala francés, el marqués hacía correr a sus fieles servidores de un aposento a otro. La multiplicidad y premura de los servicios eran causa de que se sintieran crujir los finos pisos de madera y de que se oyera por todas partes el tin-

tilín de botellas y copas transportadas en enormes bande-
jas, y el claqueteo de los platos, rumor tan˙grato al cortesano hambriento. Olores de guisotes y frituras recorrían
los largos pasillos y las grandiosas salas, como corre el incienso por los templos de capilla en capilla.

La sala de Himeneo, llamada así porque en el centro
de ella había un grupo representando la idea del matrimonio en un abrazo de mármol, estaba próxima a la habitación que llamaremos de María Egipcíaca, pero no
junto a ella. Una mesa fue traída al punto. León y el
padre Paoletti almorzaban.

—*Consommé* —dijo León, sirviendo a su comensal una
buena porción del rico caldo—. Esto le conviene a usted.

—Estoy pensando, querido señor —dijo Paoletti, después de que con las primeras cucharadas puso remedio a
la gran debilidad que sentía—, que en toda mi vida, que
no es corta ni carece de lances extraños, he visto un cuadro como el que en este momento presenciamos los dos.

—¿Cuál es el cuadro?

—Nosotros... Usted y yo comiendo juntos. Ningún
suceso es obra del acaso. Sabe Dios a qué plan divino
obedecerá esta peregrinísima reunión nuestra. ¿Qué grandes mudanzas en los órdenes más altos nos trae a veces
el encuentro, al parecer fortuito, de dos personas? Re-
flexione usted, querido señor: a veces una meditación breve,
una observación pasajera, dan al alma claridad vivísima,
y entonces... No, no, gracias; no me dé usted cosas picantes ni nada de esas fruslerías de la cocina moderna...
¿Ha meditado usted?

—¿Quiere usted vino? —dijo León, poco inclinado a
seguir al padre por el campo de sus observaciones.

—No lo pruebo jamás. Déme usted agua pura, y Dios
le pague su amabilidad... Cualquier tonto que juntos nos
viera me criticaría a mí o le criticaría a usted... "Miren
el padrazo haciéndose mieles con el liberal", dirían; o:
"Miren al incrédulo partiendo un confite con el clerizon-
te...", sin comprender que, aunque coman juntos un poco
de pan y carne, la verdad no transige nunca con el error,
ni el error perdona jamás a su enemiga la verdad... ¿Fre-

sa? Jamás la pruebo... Porque la vergüenza del error es
la verdad, por lo cual huye de ella, se esconde y se ciega
con imaginaciones suyas, o bien se tapa los oídos con el
bulliciosísimo estruendo del mundo... Pero ¿no come
usted?

—No tengo apetito.

Paoletti almorzaba poco. León casi nada. Clavando en
éste sus ojos, llenos de expresión, el italiano le dijo con
patético acento:

—Señor don León, la persona que conozco en todo el
mundo más digna de lástima es usted... Nuestra pobre
doña María no es digna de lástima, no, sino de admiración. Muerta, entrará en la región de los bienaventurados, ornada de diversas coronas, entre ellas la del martirio; viva, será ejemplo de mujeres superiores. Es un delicado lirio que en sí reúne la hermosura, la pureza y el
aroma.

—Era, sí, un delicado lirio —dijo León, pálido y con
nervioso temblor en su lengua, en sus ojos, en sus facciones todas—, un lirio que convidaba con su pureza y su
aroma al amor cristiano, a los honestos goces de la vida...

—Pero juntóse al cardo...

—No... Vino el hipopótamo y lo tronchó con su horrible planta.

Los ojos del padre se multiplicaron.

—Es un tesoro de las más altas prendas.

—Era un tesoro de las más altas prendas —afirmó León,
haciendo un nudo en la servilleta y apretándolo fuertemente—, mezclada con pasiones toscas, una naturaleza al
mismo tiempo contemplativa y sensual.

—Vino la mano depuradora y apartó la escoria...

—Vino la helada mano y, arrojando fuera los diaman-
tes, no dejó más que la pedrería falsa.

—¿Por qué se descuidó el joyero?

—Cuando los ladrones no entran por la puerta, sino
por mina subterránea, el joyero no tiene noticia de ellos
hasta que no le falta la joya. Me quitaron el amor, la generosidad, la confianza; no me dejaron más que el deber
frío, la corrección moral en lo externo. Era una fuente

cristalina: secaron el manantial, se estancó el agua, y cuando fui a beber, no hallé más que el sedimento impuro. Corriendo, corriendo siempre, aquella agua, que amargaba un poco, se habría dulcificado; pero no la dejaron correr, la encerraron en un charco...

—Dulce y por extremo rica era y es aquella agua, querido señor —dijo Paoletti con expresión seráfica—; agua mística, agua suavísima, regaladísima, que es la esencia del alma misma, el amor divino. Cuando esta agua corre en el mundo, justo es que Dios se la beba y arroje el vaso.

—Es lo que me han dejado, el vaso.

—El vaso de oro, que es lo que apetece la concupiscencia del joyero sin fe. El desgraciado esclavo de la materia para nada necesita del agua riquísima. Su sed no se aplaca con amores del agua; su sed no es más que una forma de avaricia, y se sacia con la posesión del oro del vaso, con la hermosura corporal.

—Para el que no conoce el amor sino por el pecado, para el que no siente el amor, sino que solamente lo oye, recibiendo aquí —y señaló la oreja— los secretos de los que aman, la vida del corazón es un misterio incomprensible. El no ve más que deberes cumplidos o faltas cometidas. Esto es mucho, pero no es todo. El que no ha bebido jamás, sólo concibe el gusto insípido del misticismo o el amargor del pecado.

—El que no ha bebido jamás y, sin embargo, no está sediento, puede, por la preciosa facultad de asimilación, que es uno de los más hermosos dones de nuestra alma, penetrarse bien de todas las suertes del verdadero amor, desde el más noble al más impuro. El que todo lo sabe, todo lo siente... ¡Oh! Usted, que así nos vitupera, habría podido tener amigos en los que cree enemigos, y leales pacificadores de su matrimonio en los que cree perturbadores de él.

—Rechazo, detesto esa colaboración.

—¿Con qué derecho acusa el que por sí ha roto todos los lazos? Sólo la circunstancia de considerarse fuera de la Iglesia quita a ciertos hombres el derecho a quejarse de los inconvenientes de un lazo que es por sí religioso. "Yo no quiero religión —dicen—, yo la abomino, yo la echo de mí; no permito a la Fe que se defienda de mis ataques ni que reclame lo suyo."

—Lo que no quiero que reclame es lo mío, lo humano.

—Lo humano es una cómoda puertecilla para que mi hombre se escape a la infidelidad, al adulterio, dejando a la pobre mártir sola y sin amparo.

—Lo divino pone a la pobre mártir bajo el amparo de los bebedores de agua espiritual.

—¡Qué sería de ella si así no fuese!... ¡Pobre alma destinada a pudrirse al contacto de un alma corrompida!

—No de corromperla, sino de salvarla, traté yo con la persuasión, con el cariño casi siempre, a veces con la autoridad, hasta con la tiranía...

—¡Lo confiesa!... ¡Confiesa su despotismo!

—Este no llegó a donde podría haber llegado en manos comunes. Algunos apalean, yo solamente prohibí... Mis prohibiciones eran a cada instante violadas... Imposible persistir en ellas sin llegar a un extremo horrible.

—Y la paloma se ha escapado de las garras del cernícalo —dijo prontamente y con cierta ironía meliflua Paoletti.

—Sí, para caer en las del vampiro que me chupaba la savia de mi vida... Yo enseñaba a mi tesoro a creer en mí, y fuera le enseñaron a aborrecerme... Nunca combatí sus creencias ni me opuse a que tuviera un confesor discreto; pero sus amistades espirituales me repugnaban. Mi enemigo no era un hombre, sino un ejército que, llamándose celestial, se hacía formidable, teniendo por colaboradores a los santos y a los tísicos que se creían santos. Yo traté de luchar en las tinieblas; pero en las tinieblas me despedazaban. Un acto hipócrita como el que a muchos débiles ha salvado, me habría salvado tal vez a mí. Ella, la pobre ilusa vendida al misticismo por la promesa de goces celestiales, me traía condiciones de paz. ¡Cosa fácil, según ella! "Humilla tu incredulidad loca; ven a nuestro campo", me decía. ¡Eso quisieran! No compraré la paz de mi casa con la impostura, ni encadenaré con fe mentirosa un corazón que se me escapa. No añadiré con mi persona una figura al escuadrón de hipócritas que forman la parte más visible de la Sociedad contemporánea... Pasa el tiempo, sigue la lucha. Mi entereza exaspera a los maestros espirituales de mi mujer, ministros de la intrusión y del abuso religioso. Pero, ¿qué me importa? Prefiero ser infame a sus ojos a serlo a los míos.

—El que teme miradas que no son las de Dios, no debe hablar de estas cosas.

—Si no se le permite hablar, ¿qué se le permite? Es un desgraciado a quien se le viene encima una montaña. ¿Ni siquiera se le consiente gemir cuando es aplastado?

—Alce las manos si puede y contenga el peñasco.

—No puede, no puede; pesa como los siglos y está formado de los huesos de cien generaciones.

—¡Pobre insecto!... Aseguro a usted que nada me inspira tanta lástima como un filósofo... Por mi parte, quisiera que me expresase usted con toda franqueza los sentimientos que le inspiro...

—¿Con toda franqueza?

—Con toda franqueza, sin omitir palabra dura.

—Cuando viene el turbión y me azota y me derriba, ¿qué he de pensar de aquella fuerza enorme? ¿Puedo detenerla, puedo castigarla, puedo ni siquiera injuriarla? ¿Qué decir contra ella, ni cómo defenderme, si, con ser tan formidable, no es más que aire?

—Querido señor —dijo Paoletti, cruzándose las manos compungidamente sobre el pecho—, este humilde clérigo ultrajado le compadece a usted y le perdona.

En seguida oyéronse los pasos largos y duros del clérigo, que, golpeando el suelo con sus pies de plomo, dirigíase a la estancia de la enferma.

8. Sorbete, jamón, cigarros, pajarete

La noticia de la mejoría, volando de aposento en aposento y llegando hasta el picadero, donde estaba Polito; hasta la estufa, donde los marqueses de Tellería y de Onésimo examinaban las piñas exóticas, haciendo discretísimas apreciaciones sobre los progresos de la aclimatación —de lo cual debía resultar con el tiempo, según don Joaquín, un gran aumento en la materia imponible—; llegando también hasta la pajarera, donde estaba Milagros encantada con el piar de las aves pequeñas, que era un recreo muy de su gusto, esparció el júbilo por todas partes. Además de los Tellería, mucha y diversa gente acudió a enterarse, y algunos aceptaban los aparatosos obsequios de Fúcar. Los más cumplían dejando tarjeta; las amigas íntimas quedábanse un rato, para consolar a Milagros, que, después de dar una vuelta por el jardín, había entrado bastante tarde y daba descanso a su fatigada persona en un sofá de la sala japonesa. Entre ídolos y jarros de color de chocolate, exhalaba sus quejas y suspiros.

—Ahora no se opondrá ese troglodita a que yo vea a mi hija. ¡Pchs!

Un lacayo que pasaba con servicio de copas y licores se detuvo al llamamiento.

—Tráigame usted un helado.

—¿De qué lo quiere la señora?

—De piña, si hay; si no, de plátano... Pilar, ¿no tomas nada?

—¡Si acabo de tomar dulce de coco, *plumpund ding,* Jerez y no sé qué más! Ese bendito marqués de los adoquines quiere vengarse de mis burlas matándome de empacho. Se empeña en que me quede a comer aquí, en que pasee en sus caballos y en sus coches, en que me lleve todas las rosas... Si ya sabemos, señor tratante en blancos, que tiene usted buen cocinero, buenos caballos, un gran jardinero y muchos muñecos de baratillo. El cocinero vale poco. Es un marmitoncillo que estaba en París en los Trois Freres Provenceaux... Francamente, me carga lo que no es decible este palacio de similor, tan semejante a una prendería... Parece una gran librea recargada de galones... Pero, querida Milagros, ¿sabe usted que estamos aquí haciendo un papel lucido? ¿Entramos en la alcoba de María? ¿Habrá reconciliación por ahora?

Los ojos de la marquesa se iluminaron como la luz de los faros giratorios cuando les llega el momento de crecer. Después se apagaron los ojos, mientras los labios decían:

—¡Reconciliación! ¡Oh! ¡Desgraciadamente, no la habrá!

—Y Pepa, ¿dónde está?

—En Madrid.

—Sería una desfachatez que se presentase en Suertebella. Todavía no me explico por qué está aquí María.

—Mi pobre hija fue acometida de un violento ataque. Hallábase en un caserón sin muebles, sin camas, sin recursos. El marqués de Fúcar la hizo trasladar aquí. ¡Cuánto le agradecemos su bondad!... Pero mi bendito yerno... No puedo contenerme: voy a decirle cuatro verdades... ¡Ah!, el sorbete.

Habíase levantado la dama con ciertos ademanes de femenil fiereza; pero se sosegó, volviendo a su primer asiento entre ídolos y jarrones para embaular el sorbetillo en las profundidades inconsolables de su ser afligido. Polito había vuelto al billar, donde jugaba a carambolas con su amigo Perico Nules.

—¡Eh!..., *Philidor*... —gritó de improviso, mascullando el tarugo de aspirar brea—. Haga usted el favor de mandar que me traigan un poco de jamón en dulce y una copa...

—¿De Jerez?

Vaciló, rascándose la barba rala.

—No..., que me irrita... De Chateau Iquem. Si yo pudiera dejar la maldita brea...; pero no, no puedo dejarla,

porque me ahogo... ¡Eh!, un momento, *mon cher Philidor*... A éste tráigale usted también jamón en dulce o
lengua escarlata y pajarete.

Cuando se quedaron solos, Polito se llevó los dedos a
la boca y dijo a su amigo:

—¿*Smoking?*...

—¿Fumar? Pues fumemos —dijo el otro sacando su
petaca.

—Hombre, no... Mira, allí está la caja... Toda la Vuelta
Abajo la tenemos en casa.

Bastoneando con los tacos, fueron derechos a una caja
de tabacos que con su incitante olor revelaba el aristocrático abolengo de los vegueros que entre sus tablas de ce-
dro tenía.

—¡Buenos cigarros, buenos!

—Mira, chico, aquí viene bien aquello de "lo que es
de España..." Hagamos provisiones.

—Hombre, es demasiado —dijo Perico Nules, algo es-
candalizado de aquella incautación.

—No seamos panolis... Digamos como Raoul: *chascun
per se*...

Cantando a Meyerbeer, cada nota disminuía de un modo
deplorable la riqueza tabaquina del marqués de Fúcar.

—Verdaderamente, ¿qué es esto que vemos, que toca-
mos, que fumamos? —dijo Nules, encendiendo una ceri-
lla—. ¿Qué recinto es éste, espléndido y rico? Este salón
lujoso, ¿qué es? Los ricos alicatados árabes de esta sala,
el caballo en que has paseado esta tarde, las piñas de la
estufa; los cuadros, las flores, los tapices, los vasos, ¿qué
son? Pues son el jugo, la savia, la esencia de nuestro país,
de nuestra amada Patria..., ¿tú te enteras?, y como las
cosas sacadas de su centro natural por malos caminos tienen que volver a su natural centro temprano o tarde, bien
así como los seres orgánicos se asimilan por el alimento
aquello mismo que pierden por el uso de la vida, resulta
que...

Trajeron el jamón, y la presencia del lacayo obligóles
a guardar silencio.

—Y como nosotros somos el país o parte del país...
—dijo Leopoldo.

—El país recobra lo que le pertenece —añadió Nules,
arremetiendo al plato.

Aquel humorístico joven era el mismo que había hecho,
según crónicas fidedignas, la interpretación profana y
maliciosa de las pinturas y letreros de la capilla.

—La riqueza, querido Polo —dijo, escanciando el pajarete—, es un círculo, ¿te enteras bien?, es un círculo...;
sale y vuelve al punto de partida... El Estado saca a mi
padre por contribución la mitad de sus rentas de Jerez;
Fúcar le saca al Tesoro, en el feliz instante de un empréstito, la contribución de seis meses, y yo me bebo el
vino de Fúcar y le fumo sus cigarros, con lo cual satisfa-
go una necesidad que mi padre no pudo satisfacerme por
causa de aquella maldita contribución. ¿Tú te enteras de
este círculo infinito?... Todavía quedan algunos cigarros
en la caja. Esos se los fumarán los criados.

—No lo consiento, *pietoso ciel!* —dijo Leopoldo—. No
faltaba más..., *in tal periglio stremo*...

—¡Oh feliz encuentro! —exclamó Nules mirando al
parque por la ventana—. Ahí están las de Villa-Bojío,
madre y cándidas hijas.

Leopoldo se asomó para ver a las damas que del *landau*
bajaban junto a la escalinata, y su corazón se movió en
pecho con trabajoso palpitar, así como la pepita de una
avellana medio seca que tiembla en las ramas agitadas
por el temporal.

—Convidémoslas a dar un paseo en coche —dijo Nules.

—Sí, que enganchen. *Attlez!... Philidor!...* —gritó Leopoldo—. Pero vamos a recibirlas.

—Las llevaremos a dar un paseo a Leganés.

—No hay nada que ver.

—Hombre, los locos.

9. También yo... despeino

Los progresos en la mejoría de la pobre santa y mártir siguieron por la tarde; pero al anochecer cesaron. Sintió María dolor de cabeza, vértigos, y se amparó de ella la tristeza. Paoletti la había acompañado gran parte del día, hablando muy poco y de cosas sin sustancia. León pasaba largos ratos a su lado.

—Oye —le dijo María—, no sé si es cosa de mi imaginación, algo extraviada por la fiebre, o engaño de mis sentidos; pero ello es que siento...

—¿Qué?

—Como si por ahí, no sé por dónde, anduviera mucha gente... Creo oír como tropel de criados y ruido de platos, y hasta me parece que siento olores de comida que me repugnan.

León quiso arrancarle aquellas ideas, mas no lo consiguió. Sólo se quedó tranquila cuando Paoletti, que era para ella la verdad misma, le dijo:

—Mi buena amiga, esos ruidos y esos olores, quizás sean pura aprensión.

Esta vez no cantó el gallo.

—Deseo rezar —dijo María—. Pero no te vayas, León, no te vayas. Supongo que, viéndome enferma, no te reirás interiormente de mí porque rece. Quiero que me oigas y que te estés callado oyéndome, porque ésa es tu obligación. El que no cree, oye y calla... Pero no: no te separes, no...

—¡Si estoy aquí!

—Siéntate, y no mires al suelo, sino a mí. Mi padre y yo rezaremos, y tú..., ahí, ahí quieto. Cada palabra nuestra será un latigazo...; pero tú quieto ahí, sin moverte, mirándome..., aquí..., de modo que yo te vea bien...

Y sujetándole la mano, echábale miradas amorosas.

—No debes rezar —le dijo León—. Nuestro amigo el señor Paoletti rezará... Pon atención y no te fatigues.

—Bueno —dijo María, tomando de debajo de la almohada una medalla que le había traído Rafaela—. Ahora hazme el favor de besar esta medalla.

León la besó, no una, sino muchas veces. María la besó luego, diciendo:

—¡Madre mía, salva a mi ateo, y si él no quiere salvarse, sálvame a mí, y mientras viva consérvamele fiel!

Sin quererlo, se pintó a sí misma en esta breve plegaria. La síntesis de su pensamiento era: "Que yo me salve, aunque para salvarme tenga que hacer pedazos la ley fundamental del matrimonio, y que mientras yo abandono lo humano para aspirar con ferviente anhelo a lo divino, mi marido, este hombre que la Iglesia me dio para mi regalo, me quiera mucho, muchísimo, guardándose muy bien de mirar a otra." En una palabra: para ella, como poseedora de la verdad, grandes libertades; para él, como esclavo del error, todos los deberes.

La habitación se oscurecía lentamente, llenándose de tristeza fúnebre, en la cual no tenía poca parte el rezo cadencioso del diminuto clérigo. ¡Cosa por demás extraña! Aquella voz, tan armoniosa y dulce en la conversación corriente, tornábase un tanto áspera en la plañidera rutina de los paternóster y avemarías. Rafaela trajo luz a punto que se acababa el rezo, y con esto y con la transición del sonsonete al tono agradable del diálogo, se creería pasar de una región sepulcral a una esfera de vida. Paoletti, después de charlar jovialmente con su ilustre hija espiritual, se despidió hasta el siguiente día. Cuando León, atento a las conveniencias, le acompañaba hasta la sala de Himeneo, el clérigo le dijo con acritud:

—Quiera Dios, asegurándole la salud, que me sea permitido pronto mostrarle la pura verdad. Esta comedia comienza a dejar de ser caritativa.

León vio al sacerdote bajar con precaución la escalinata y meterse en el coche, y cuando éste rodaba por la fina arena del parque, se internó de nuevo en el palacio, diciendo para sí:

"¡La verdad! ¡La verdad! ¡Que la sepa y que viva! Ese es mi deseo."

En el salón de tapices, llamado así porque contenía en sus paredes hermosa colección de aquellas obras de arte, cuyas gastadas tintas y pálidas figuras parecían representar una procesión de tísicos, había placentera tertulia. León no quiso asomar por allí y volvió al lado de su mujer. Nada ocurrió en la primera noche digno de ser referido, sino que el médico, no seguro aún del buen resultado, recomendó con más energía el reposo, y puso veto a los rezos y ejercicios místicos. Serían las diez cuando María, después de dormir un poco con fácil sueño, se mostró inquieta, inclinada a hablar más de la cuenta. León, obedeciendo a su mandato, había colocado un sofá junto a la cama, y en él trataba de descansar también. Pero María le hacía mil preguntas, hablándole de sí misma, de él y de los demás. Entonces oyó León repeticiones de las impertinentes homilías caseras que tanto le mortificaban en épocas anteriores: se oyó llamar ateo, empedernido materialista, enemigo de Dios, hombre lleno de orgullo y de pecado, si bien estas duras acusaciones eran suavizadas en el orden material por la hermosa mano de María, acariciando la barba del heterodoxo, dándole golpecitos a ratos o cogiendo entre sus finos dedos la piel del cuello con tanta fuerza a veces, que se oía la voz del marido:

—¡Oh!, que me haces daño.

—Más mereces tú... Pero mucho te será perdonado si cumples tus deberes conmigo.

A esto sucedía larga pausa en que los dos parecían dormitar, y de pronto María despertaba sobresaltada y decía:

—Vamos a ver, marido, ¿cuál de nosotros dos vale más?

—Evidentemente, tú; eso no puede dudarse.

—Ayúdame a hacer memoria... ¿Es cierto que yo te dije que no te quería y que tú me dijiste también lo mismo?

León se quedó perplejo, sin saber qué contestar.

—No recuerdo nada —respondió al fin.

—¿Que no recuerdas?... ¿Lo habré soñado yo?

—Es que no recuerdo. Me he consagrado a cultivar el olvido.

—Pero te alejas de mí.

—Si no me muevo.

—Acércate más... aquí. ¡Qué pálido te has puesto!... ¡Qué ojeras tienes, querido!... Acércate más. Que tu cabecita esté cerca de mí.

Después de esta insinuación cariñosa se volvió a dormir, asiendo fuertemente por los cabellos cortos y rizados la hermosa cabeza de su esposo, como pintan al verdugo cogiendo la cabeza del ajusticiado para mostrarla al público. La luz de velar enfermos, tenue, misteriosa, encerrada dentro de un cilindro de porcelana, a la cual daba transparencias de ópalo y madreperla, trazando además en el techo un gran círculo de claridad movediza, alumbraba lo bastante para ver los bultos y la indecisa silueta de los rostros. Todo lo oscurecía aquella luz, semejante a la que debe existir en el Limbo, convidando al sosiego y a un medio sueño parecido al estupor. León no velaba ni dormía; el cansancio le impedía lo primero, y la atormentadora idea no le dejaba llegar al reposo cuando caía lentamente en él. Ya muy avanzada la noche, creyó sentir ligero rumor en el cuarto; miró con asombro; no era posible que nadie entrara allí a tal hora. Quedóse helado de espanto cuando vio una sombra o fantasma que avanzaba con paso lento. Parecía un capricho óptico de la misteriosa luz encerrada en el vaso cilíndrico. Felizmente, León no podía creer en aparecidos. Quiso moverse para expulsar al intruso, a quien al punto reconoció como persona humana, pero no pudo. Estaba muy bien agarrado por los cabellos, y el más ligero movimiento habría despertado a su mujer, que dormía con sueño tranquilo. Extendió el brazo para decirle algo con el brazo, ya que no podía decirlo de otra manera; pero el fantasma no hacía caso; se acercaba más, se inclinaba hacia el lecho con cierta curiosidad parecida al pavor. León sintió el extraño envolvimiento, por decirlo así, de una mirada dolorosa. Su corazón latía y forcejeaba en el pecho, como un loco furioso dentro de su camisa de fuerza. Estaba indignado..., ¡no poder moverse para conjurar aquel peligro! Luego observó que el fantasma, y seguiremos dándole este nombre pueril, movía la cabeza, como quien reconviene o interroga. Después se alejó sin cautela, precipitadamente, haciendo más ruido que al entrar y dejando tras de sí un quejido como ráfaga de viento que pasa. María se despertó sobresaltada.

—¡León, León! Yo he visto...

—¿Qué?... No delires.

—Yo he visto..., sí, he oído... como el ruido de una falda de seda... corriendo.

—Sosiégate... Aquí no ha entrado nadie.

—Yo vi —repitió la enferma, llevándose las manos a los ojos—. Me pareció que una mujer salía por aquella puerta.

—Duérmete otra vez y no veas ni oigas lo que no existe.

—¿Está el padre Paoletti?

—¿Cómo ha de estar, hija? Son las doce de la noche. Vendrá. mañana.

—¡Oh! Yo quiero que él me explique esto. El sólo me lo puede explicar.

Después la dama se durmió, recogidas y puestas blandamente sobre su pecho las manos, con lo cual dicho está que dejó libres los cabellos de su esposo. Este, imposibilitado ya de conciliar el sueño por las batallas de su ánimo, y porque creía sentir aún bullicio de persona viva en la habitación inmediata, levantóse del sofá con toda precaución y silencio, y andando de puntillas salió de la alcoba. Al llegar al aposento próximo, un ruido singular que con ningún otro puede confundirse le indicó la precipitada fuga de una falda de seda. Siguió tras ella, pasando de sala en sala; pero la falda huía, como alimaña que se siente cazada y busca en la oscuridad su vivienda. Por último, en la sala llamada Incroyable o Increíble (de que se hablará luego), la fugitiva, cansada de correr, dio con su cuerpo en un sillón. Allí no había lámpara ni bujías; pero por un ancho tragaluz entraba la claridad del farol encendido toda la noche en el ángulo de uno de los grandes corredores del palacio. Alumbraba tan poco y un sí es no es románticamente, la sala Increíble, si no tenía claridad bastante para que en ella se pudiera leer, o mirar las estampas, o hacer un detenido estudio de las porcelanas allí colocadas, teníala para que se reconocieran las personas y aun se recrearan los rostros, si la ocasión lo exigía, en su contemplación muda.

Pepa Fúcar, pues no era otra la que allí fue como alma en pena, se inclinó sobre sí en el sillón, juntando la frente a las manos cruzadas y casi tocando con éstas a las rodillas. Entre gemidos pronunció estas palabras:

—Ya sé lo que vas a decirme, ya sé..., no me digas nada.

—Por Dios... Tu imprudencia... —murmuró León en pie ante ella.

—No, no volveré más; no lo haré más... Ya sé que no tengo derecho a nada...; que mi destino es dolor y abandono..., siempre abandonada... Ya sé que no puedo quejarme, que no puedo pedir explicaciones, ni pedir nada, y que hasta el pensamiento amante me está prohibido.

León se sentó junto a ella. La dama no cesaba en aquel angustioso movimiento de su cabeza y sus manos cruzadas, inclinándose acompasadamente en dirección de las rodillas. Irguiéndose luego como quien se envalentona consigo mismo y domina su corazón pisoteándolo (también hirió el suelo alternativamente con ambos pies), secó sus lágrimas con las manos temblorosas, por no tener serenidad bastante para hacerlo con el pañuelo (y aun se puede asegurar que había perdido el pañuelo), dijo así:

—Estoy de más aquí... Tengo todos los sentimientos, pero me faltan todos los derechos... Soy una mujer sin honor. La esposa podría abofetearme y sería aplaudida... Adiós.

León le señalaba la salida sin decirle nada. Ella le miró con honda ternura. Rápidamente extendió hacia la cabeza del caballero su mano, a la cual la pasión daba energía formidable, hizo presa en los cabellos, tiró, trajo hacia sí la cabeza, obligando al cuerpo a una violenta inclinación; la puso sobre sus rodillas, enredó por un instante en el cabello sus diez dedos... Machacó encima...

—También yo... —dijo, hablando como se habla cuando no se puede hablar—. También yo... despeino.

León se incorporó, vacilante entre la severidad y el perdón.

—Márchate —le dijo.

—Sí, adiós... —replicó ella alejándose—. No quiero deshonrarte más..? Iré despacio. Mi pecho está oprimido. El llorar y el correr me ahogan... No me acompañes...

Abrió sigilosamente con llave falsa la puerta del museo pompeyano, la cual estaba en el ángulo de la sala Increíble, y desapareció en un recinto oscuro. León salió poco después por donde había entrado, regresando, como buen soldado, a su puesto de combate.

10. Latet anguis

En la tarde precursora de aquella noche, la de San Salomó —a quien no hemos visto desde que en el salón japonés presenciaba el cuadro interesante de la marquesa de Tellería asimilándose un sorbete de piña— fue invitada por don Pedro Fúcar a visitar la estufa, echando al paso una ojeada a los caballos ingleses, poco ha traídos de un *haras* de Londres. *El tratante en blancos,* en noble que traía su abolengo, si no de batallas contra moros, de felicísimas contratas entre fieles cristianos, conocía muy bien la poca estimación que a Pilar inspiraba, y ganoso de conquistar adeptos, no satisfecho de haber rendido a sus pies la Administración y el agio de ambos mundos, abrumó a la marquesa con obsequios muy delicados. Además de mostrarle con especial diligencia las maravillas de Suertebella, le regaló algunas preciosidades de las que el palacio contenía, con la añadidura de flores vivas en tiestos de lujo, exóticas frutas, y para colmo de galantería, le dio también reliquias y objetos piadosos que en la capilla había. Con toda su habilidad cortesana no podía ocultar el prócer pecuniario que la pena le dominaba más cada día, y distrayéndose a menudo, echaba suspiros y se quedaba mirando al suelo, cual si en el suelo, escrita en misteriosos guarismos, como el binomio sobre la tumba del gran Newton, estuviese la fórmula de un negocio que llevase a las armas fucarinas la tierra toda que habitamos.

La de San Salomó, interpretando mal aquel desasosiego, lo atribuyó al escándalo del día, a la situación equívoca y deshonrosa en que estaba Pepa, a la singular instalación de León Roch y su mujer en Suertebella. Firme en este juicio, Pilar dio al marqués cuando regresaban al palacio gracias mil por sus obsequios, añadiendo:

—Y tienen más valor sus finezas, marqués, en los momentos en que se halla tan preocupado y entristecido con estas trapisondas.

—¡Y qué trapisondas! —exclamó don Pedro, poniendo su alma toda en aquellas palabras—. No lo sabe usted bien, Pilar... Figúrese usted cómo serán ellas para conmover esta montaña.

Puso la mano en su pecho, indicando que aquella roca cuaternaria tenía también sus escondidos manantiales de sentimiento. Serían las cinco cuando Fúcar se despidió, después de reiterar a los Tellería el ofrecimiento de la casa. El iba a Madrid a comer con su hija, y probablemente no volvería a Suertebella hasta el día siguiente. No obstante, si ocurriera alguna novedad, vendría a cualquier hora de la noche. Felizmente, María estaba mejor y se pondría buena sin duda. Después de saludar a Gustavo, que a la sazón entró, porque no le permitían venir antes sus tareas parlamentarias y el cuidado de su bufete, tomó las de Villadiego.

Pilar quería marcharse pronto a Madrid; mas la detuvo Gustavo, muy afanoso por decirle no sabemos qué cosas; sólo se puede asegurar que la de San Salomó las oyó con grandísimo anhelo, regalándose mucho con aquel notición estupendo, de riquísimo gusto para su curiosidad y para su malicia. Ambos pasearon un rato por el jardín, y a veces Pilar prorrumpía en risas, diciendo:

—Parece una bufonada y al mismo tiempo un golpe de arriba, un castigo. Es de esos latigazos providenciales que hacen reír, mientras llora el que los recibe... Aquí no cabe lástima ni conmiseración... ¡Oh! ¡Dios mío omnipotente! ¡Qué grande eres y qué diligente para acudir a todo! ¡Cómo atajas los pasos de la maldad, disponiendo las cosas con arte semejante al de los que hacen las novelas, causándonos una sorpresa que da miedo y un miedo que nos obliga a pensar en Ti y a decirte: "Señor, avísanos antes de darnos esos golpes!"

A esta ensalada de profanidad y misticismo siguió otra vez la risa, y después estas dos briosas palabras: "Voy allá."

—¿Tú?... ¿Y a qué?

—Quiero ver esas caras —repuso Pilar con el lindo pañuelo en la boca, y se frotó la punta de la lengua, como se pulimenta el filo de la hoja después de envenenarla—. Tomaré un pretexto cualquiera.

Anochecía cuando Pilar entró en su berlina, mandando al cochero que fuese a Madrid, y al palacio de Fúcar. Entró. Don Pedro, su hija, el marqués de Onésimo y la condesa de Vera se disponían a sentarse a la mesa. Fúcar invitó a Pilar; pero ella se excusó diciendo que no estaría sino el tiempo preciso para dar las buenas noticias que traía. Besó a Pepa, apretó la mano del marqués, después se puso a hacer mimos y caricias a Monina.

—¿Qué hay? —dijo don Pedro.

—Que María está muy bien. Ya es seguro que habrá reconciliación: así me lo ha dicho Milagros. Me alegro mucho: no me gustan los matrimonios mal avenidos... Monísima, ¿no me das un beso?

—No —replicó decididamente Ramona, apartando su cara y defendiéndola con sus manecitas de los labios de Pilar.

—¡Oh, qué tonta, qué mala!

—No te *quielo*.

Rechazada en aquel lado, Pilar se volvió a Pepa, y echándole una mirada de compasión, le dijo:

—Adiós, querida..., sabes que me asocio a tus desgracias.

Al salir, acompañada por don Pedro, díjole al oído algunas palabras, que hicieron en el buen millonario el efecto de un tiro, y al despedirse de él junto al coche, la dama terminó su visita con estas palabras:

—He querido prevenirle a usted para que esté con cuidado. Ahora, marqués, resignación cristiana es lo que hace falta.

Pepa, en tanto acometida de un estupor doloroso, no sabía qué pensar ni a qué región de las posibilidades volver su alma llena de presentimientos y atormentada por las conjeturas. Aquel anuncio de reconciliación había penetrado en sus entrañas como una lanza. Sentáronse los cuatro a la mesa. Para Pepa, los manjares eran un comistrajo nauseabundo que no podía pasar de los labios. El marqués no comía tampoco. En medio de su pena horrible, Pepa, que había observado desde el día anterior extraña expresión de pena y contrariedad en el rostro de su padre, notó aquella noche que estaba como fuera de sí. También don Joaquín Onésimo, poseedor de los secretos de Fúcar, estaba tétrico. ¿Qué ocurría?

"¡Ah! —dijo Pepa para sí, amparándose de una idea triste, que era feliz para ella en aquel momento—. Mi padre habrá tenido algún revés grande en los negocios; estará arruinado..., nos quedaremos en la miseria."

Esta idea, con ser de las más negras, la consoló. La causa de la tristeza paterna no afectaba a los grandes intereses de su corazón. ¿Qué le importaba todo el dinero, todos los bonos, todas las obligaciones bancarias, los empréstitos habidos y por haber? Pepa habría pasado aquella noche junto al papel fiduciario de todo el mundo, hecho una montaña y encendido por los cuatro costados, y no habría concedido a tanta riqueza perdida ni el favor de una simple mirada.

Después de comer, y habiéndose retirado los amigos, don Pedro y ella se encontraron solos en la alcoba donde dormía Monina, a punto que aquel ángel, despojado de sus vestiduras, que arrugó el juego, disponíase a entrar en el rosado paraíso de su sueño inocente. El marqués tomó en brazos a su nieta, y estrechándola con, más cariño que de costumbre, y siempre lo hacía con cariño, pronunció estas palabras:

—¡Pobre paloma de mi casa! No, no caerás en las garras del cernícalo horrible.

—¿Qué tienes, papá, qué tienes? —preguntó Pepa, uniendo su brazo vigoroso al tierno enlace con que los brazos de Monina rodeaban el cuello de toro del marqués de Fúcar.

—Nada, hija mía, nada... No te asustes, no pierdas tu tranquilidad y confía en mí, que yo lo arreglaré todo.

—Pero, ¿no me explicas...?

—Todavía no.

—¿Has tenido algún quebranto en tus negocios?

—No, pichona, no —repuso Fúcar rechazando con cierta indignación aquella conjetura que menoscababa su dignidad de arbitrista—. He ganado diez millones en el último empréstito. Desecha, pues, esa idea lúgubre.

—Entonces...

—Nada..., no te aflijas. Duerme tranquila y déjame a mí que lo arregle todo.

—Pero, ¿te vas? —dijo Pepa con desconsuelo, viendo que don Pedro se desataba de tan cariñosos brazos.

—Sí; tengo que hacer. Me esperan en el ministerio de Hacienda. A este pobre país desventurado no le basta con el empréstito que se ha hecho, y necesita hacer otro.

—Me dejas llena de inquietud... ¿Qué te dijo Pilar?

—¿A mí? Nada —repuso el marqués con un poco de turbación—. Nada más que lo que oíste.

—Te habló al oído.

—No..., no recuerdo. ¡Ah, sí! Que parece segura la reconciliación de nuestro amigo con la pobre María: no me dijo más. Yo me alegro, porque es impropio de dos personas honradas, un marido bueno y una mujer buena, desavenirse por una misa de más o de menos. Esto es completamente tonto... Adiós, queridita.

—¡Reconciliarse! —exclamó Pepa, los ojos llenos de fuego.

El marqués, que no la miraba en aquel momento, dio algunos pasos hacia la puerta.

—Felicitémonos de que el bueno se reconcilie con el bueno —murmuró al salir—. Pero no tengamos paz ni perdón para el malo. Que lo perdone Dios.

Pepa iba a decir algo; pero este algo debía ser de naturaleza tan escabrosa, que no dijo nada. Quedóse largo rato sin moverse de aquel sitio. Después anduvo de una parte a otra de la pieza, llamó a su doncella, dio órdenes, las denegó luego, reprendió al aya, corrió por distintas partes de la casa sin saber adónde iba. Cuando la niña se durmió, encerróse la madre en su habitación para meditar. Indudablemente un misterio la rodeaba y envolvía como las invisibles influencias eléctricas. Pero así como todo humano ser a quien un dolor atormenta, gusta de asimilar las no comprendidas penas de los extraños a la suya propia, la dama creía ver en la desazón moral de su padre una variante del mal agudísimo que ella sentía, o pensaba que los males de ambos provenían de una sola causa. La grandeza de su cuita le impedía ver otra alguna; no imaginaba que criatura nacida pudiera afligirse por cosa distinta de aquella reconciliación tan temida y con tal impertinencia anunciada.

El razonamiento de que pueda ser mentira lo que muy vivamente nos hiere, no basta a desclavarnos el dardo; por el contrario, los silogismos son la peor clase de pinzas que se conoce, y cuando se meten a arrancar lo que tan sólo es una púa, parece que la centuplican. Pepa, dándose a creer que las palabras de Pilar serían falsas, se atormentaba más. La tal reconciliación la hería, como si corrieran sobre su pecho los múltiples dientes de una sierra.

Era muy tarde, y el marqués de Fúcar no vendría en toda la noche, porque desde el ministerio se iría a cultivar amistades de cierta clase que en la Villa tenía. Era hombre tan benéfico y tan protector del género humano, que sostenía tres casas en Madrid además de la suya.

Concebida la idea, Pepa no vaciló en ponerla en ejecución. Fue a Suertebella, entró en el palacio por la puerta del museo pompeyano, de éste pasó a la sala Increíble, y de allí no había más que seguir habitaciones hasta llegar a donde quería ir. Llegó, vio... En lo demás de este lance hay una parte conocida sobre la cual no es preciso insistir; pero hay otra que conocerá todo el que tenga paciencia para seguir leyendo.

11. Excesos del apostolado

En la mañana del miércoles, León salió temprano a dar una vuelta por el jardín. Al regreso estaba solo en la sala de Himeneo, cuando entró Gustavo. Venía con semblante enmascarado de severidad, la vista alta, el además forense, entendiéndose por esto una singular hinchazón y tiesura debidas, sin duda, al hervor de todas las leyes divinas y humanas dentro del cuerpo, de modo que el individuo reventaría si no tuviera el cráter de la boca, por donde todas aquellas materias flogísticas salen en tropel mezcladas con la lava de la indignación. Su cuñado comprendió al punto que venía de malas.

—Estaba esperando con mucha impaciencia que fuera de día para hablar contigo —dijo Gustavo con sequedad que anunciaba mucho enojo.

—Cuando se tiene tanta impaciencia —replicó León con más sequedad aún—, se enciende una luz y se habla de noche.

—¿De noche?..., no; temía distraerte de ocupaciones gratas —dijo el orador con ironía.

—Pues habla de una vez y con brevedad. Olvídate de que eres orador y de que vives constantemente entre mujeres que charlan demasiado.

—Siento molestarte, pero te comunico que voy a ser largo.

—En este caso —dijo León con tétrico humorismo—, ya que predicas, comienza predicándome la paciencia.

—Tú la tienes para tus obras criminales —replicó Sudre exaltándose—. Lo que yo podría predicarte ahora es la resignación, si fueras capaz de ella.

—Resignación... ¿Pues no te oigo? —dijo Roch, que había llegado a una situación de ánimo en que le era imposible, sin reventar, hacer un misterio de la antipatía que toda aquella bendita familia suya le inspiraba.

—Mucho has de necesitar, pues esa calma de escéptico, que es mortaja de tu espíritu sin vida, no te servirá para oír lo que voy a decirte... Ya sabes que soy enemigo del duelo. Es contrario a todas las leyes divinas y humanas.

—Yo tampoco lo defiendo; pero creeré que el duelo es bueno si esas leyes divinas y humanas de que me hablas son las tuyas.

—Las mías son, y al mismo tiempo las únicas. Aborrezco el duelo porque es absurdo, porque es pecado; pero...

—Pero en estas circunstancias —dijo el otro interrumpiéndole—, te decides a condenarte por tener el gusto de batirte conmigo y matarme.

—Eso no sería un gusto. Soy cristiano.

—Acaba —dijo León, exaltado—. ¿A qué vienes? ¿A desafiarme? El duelo es un absurdo que se acepta: un asesinato fiado al acaso y a la destreza, que a veces se nos impone con fuerza invencible. Yo acepto ese asesinato contigo... cuando quieras, ahora, mañana, en la forma que gustes...

—No; no has comprendido mi idea —indicó Gustavo, dando vueltas al tema como abogado que quiere alargar un pleito—. Decía que aunque no soy partidario del duelo, ésta sería una ocasión buena para sobreponerme a mis escrúpulos religiosos y coger una pistola o un sable...

—Pues cógelos...

—No. Tú has hecho el mal suficiente para que un hombre como yo atropelle todos los respetos, las leyes divinas y humanas y fíe a un arma el cumplimiento de una sentencia. Pero...

—Pero... —dijo el otro, remedando la torcida argumen-

tación de su hermano político—. Habla claro; habla y
piensa derecho, como yo, y di: "Te odio…"

—Mis ideas no me permiten decir: "Te odio", sino "Te
compadezco"; no me permiten decir: "Te mato", sino
"Te matará Dios."

—Pues no me hables entonces con tus ideas; háblame
con las ajenas, con las mías.

—Si te hablara con las tuyas, me pondría en oposición
con las leyes divinas y humanas. Voy a concluir. No se
trata de duelo, aunque la ocasión parece reclamarlo, y aunque todas las ventajas estarían de mi parte. Primera ventaja: que tengo razón y tú no; que eres tú el criminal y
yo el juez; que lógicamente soy el vencedor y tú el vencido.
Segunda ventaja: que yo manejo todas las armas, porque
me he ejercitado en el tiro y en la esgrima por higiene,
mientras que tú, dedicado a la alta física y a la geología,
no sabes manejar ninguna. De modo que en el terreno
de la fuerza también me conceptúo vencedor. Sin embargo de esto, asómbrate…

—¡Me perdonas! —exclamó León, reconcentrando la furia para dar paso a la ironía—. Gracias, elefante cargado
de leyes divinas y humanas.

—No te perdono —dijo el letrado, dando a su hermosa
voz oratoria toda la expresión patética de que era suscepti-
ble—: es que renuncio a las ventajas que tengo sobre ti,
renuncio a imponerte castigo por mi mano, y te entrego al
brazo justiciero de Dios, que ya está levantado sobre ti.

—Gracias —repitió León, mezclando en un acento la
ironía y la furia—, gracias, alguacil de Dios. Supongo que
a tu familiaridad con Dios, de quien eres apóstol, deberás
el conocimiento de sus altos secretos y el saber cosas de
justicia divina.

—La intención divina se conoce por los deseos del mundo, cuya ordenada disposición es a veces tan clara que
sólo un idiota dejaría de ver en ella un movimiento ame-
nazador de aquel brazo terrible que antes nombré. No
me tengo por profeta ni por inspirado. Para conocer tu
horrible castigo me ha bastado saber alguna cosa que tú
ignoras. Por eso renuncio al duelo; por eso remito tu casti-

go a quien lo ejecutará mejor que yo. Y así te digo: "Vas a morir."

—¡Morir yo! —exclamó León, que aun despreciando a su acusador, no podía oírle sin cierto espanto.

—Sí, tú. Morirás de rabia.

—Lo creo, sí —dijo León, trayendo a su mente en espantosa serie a todos los individuos de su familia política—. Se muere también de un empacho de parientes; y cuando el hombre que persigue con todas las fuerzas de su alma la familia ideal y sus puros y honrados goces no encuentra más que un potro donde diversos sayones le dan martirio, es fácil que reviente y se acabe; que si hay ·yerbas venenosas, también hay familias mortíferas.

—Morirás de empacho —repuso Gustavo con crueldad—. Lo sé, lo he visto, lo tengo escrito en mi bufete en papel sellado, y cada letra de aquéllas es una gota de la mortal ponzoña que ha de destruirte.

—No te entiendo —dijo León, tocado, al fin, de curiosidad—. ¿Y qué? ¿Algún pleito? ¿Si creerás tú que a mí se me mata con un pleito? ¡Pobres juristas! Pasáis la vida envenenando al género humano con mil enredos y creéis que yo morderé hoy el cebo de vuestros sofismas... No quiero saber qué intriga es la que estás urdiendo contra mí.

—Yo no urdo intrigas... Aquí no hay intriga... No hay más que justicia, y aun de esa justicia no soy yo el impulsor, sino instrumento. En otras circunstancias nada habría intentado contra ti; yo te creía honrado; pero después de tu comportamiento con mi pobre hermana, agravado con hechos deshonrosos, que hace poco he conocido...

—¿Cuándo? —preguntó León, y su pregunta estallaba como el trueno.

—¿No lo sabes?

—No. ¿Qué hechos deshonrosos son ésos?

—¡Y lo pregunta el hipócrita!... ¡Aquí!

—¿Aquí... qué?

—Disimulas; pero tu semblante lívido declara tu culpa, y ante la conciencia sublevada, hasta el cartón de tu máscara escéptica palidece. Hace poco te has revelado a mí en toda la desnudez repugnante de tu ser moral, cuya depravación raya en lo absurdo.

—Explícate, o te...

Las manos de León se oprimían como queriendo ahogar algo.

—Pues qué, ¿son un misterio para nadie tus relaciones criminales con la dueña de esta casa, faltando así al amor de la mujer más santa, más pura, más angelical que Dios ha puesto en el mundo? Con todo, tu conducta hasta aquí, con ser tan contraria a todas las leyes divinas y humanas, no había llegado a la imprudencia. Si eras criminal, no habías descendido a este último escalón de la perversidad en que el hombre se confunde con el Demonio.

—Muéstrame ese escalón bajo en que me confundo con tus amigos —dijo León, dando otra vez a su furor el tono de humorismo, de ese humorismo que amarga, embriaga y, al mismo tiempo, hace reír, como el ajenjo.

—¿A qué quieres que te diga lo que sabes? Pero hay malvados que gustan de que se les ponga un espejo delante de su conciencia para recrearse en la fealdad de ella, como los sapos que se miran en los charcos.

—Basta ya de viles rodeos y figuras hipócritas. Habla claro, refiere, explica, di las cosas con sus nombres, abogado, orador de Parlamento, ergotista sin fin, enredador de leyes divinas con miserias humanas.

—Pues bien: oye lo que has hecho. Después de traer a mi pobre hermana al deplorable estado en que se halla, cualquier hombre, por malo que se le suponga, respetaría, si no la inocencia, al menos la enfermedad. En todo moribundo hay algo de ángel. Tú ni esto has respetado, y mientras la santa víctima reposa en su lecho, tranquilizada quizás por tus mentiras y creyéndote menos malo de lo que eres, tú recibes en la sala Increíble a tu querida. A la una engañas, a la otra enamoras; a la una matas lentamente, a la otra das las caricias robadas al matrimonio. Comprendo estos crímenes, León; comprendo el uno, comprendo el otro; lo que no comprendo, porque excede a la ruindad humana, es que los dos se cometan bajo el mismo

techo. Son demasiadas infamias para una sola ocasión y
un solo sitio.

Antes de que su fiscal concluyera, prorrumpió León en
una risa franca, despreciativa, con la cual parecía que su
enojo se disipaba.

—Sí, ríe, ríe; no me causa sorpresa tu risa. Ya he
comprendido el cinismo descarnado que se esconde bajo
ese forro artificial de virtud filosófica. Tu ser moral es
me ha revelado como un árbol seco al cual se quitan de
pronto las flores y las hojas de trapo que le hacían pasar
por árbol vivo. He aquí lo que son tus teorías morales:
flores de trapo. Las naturales, las que dan fragancia y colores hermosos, no nacen en el vaso hueco, donde sólo hay
fórmulas matemáticas, y una ciencia estéril. ¡Y yo que te
he defendido contra las acusaciones de mi familia! ¡Yo
que te he creído honrado! ¡En qué error tan grande
estaba!

—¿Y es cierto eso de que mientras mi mujer duerme
recibo a mi querida en la sala Increíble? —dijo León, entrando decididamente en la burla, que en aquella ocasión
era la forma más adecuada del desprecio—. ¿Lo has visto
tú? Hay ojos calumniadores.

—Lo he visto. Anoche quise acompañar a mamá, que si
tiene defectos como mujer es cariñosa madre y no puede
apartarse de estos sitios donde gime su hija idolatrada.
No pudiendo verla, por tu prohibición cruel, se contenta
con llorar donde ella llora, con ver de lejos la puerta por
donde se entra a su alcoba. ¡Pobre madre! Anoche com-
partía yo su pena mientras papá, que en las situaciones
más críticas tiene debilidades indisculpables, visitaba a
solas, sin más compañía que una luz y su concupiscencia,
el sótano en que está lo reservado de la colección pompe-
yana, ese museo de arte libidinoso, donde no entran más
que los hombres con un permiso especial del marqués de
Fúcar. Polito había bebido demasiado en compañía de
Perico Nules, y estaba muy inquieto. Anduvo a primera
hora por los pasillos en persecución de las criadas de Suertebella, hasta que, perseguido a su vez por mí, logré en-
cerrarle. A medianoche dormía como un ángel borracho.

Mamá y yo hacíamos números en la sala japonesa, arre
glando nuestra desquiciada hacienda; más tarde, rezab.
ella, y yo, después de buscar inútilmente un libro poi
todo el palacio, me puse a rezar también. En esta suntuo
sa morada, donde se reúnen tantas maravillas de la indus
tria y donde las malas imitaciones de lo antiguo alternan
con mamarrachos de invención flamante, simbolizando el
arte contemporáneo, hay todo lo que la boca puede pedir,
menos una biblioteca. Parece que al entrar aquí se han de
traer muy despiertos los sentidos para que sea más fácil
dejar la inteligencia a la puerta... Mamá se cansó de
rezar, peró no tenía sueño; pensaba en nuestra María y
en el modo de burlarte y de verla. No quería acostarse,
y andando de puntillas discurrió por estas salas. Llegando
cerca de la Increíble, creyó sentir voces... Me llamó, fui,
acechamos los dos, oímos. Lo que primero nos parecieron
gemidos, pronto conocimos que eran besos amorosos. Eras
tú; era ella. Ocultos tras el grupo de Meleagro y Atalante,
que está en el corredor, la sentimos abriendo con llave la
puertecilla del museo pompeyano. Después te sentimos
pasar a ti por esta sala para volver a apoyar tu infame
frente, coronada de los laureles de la ignominia, en el lecho de la mártir. La que estaba contigo en la Increíble
era Pepa, y para quitar toda duda pudo confirmarlo mi
padre, que la encontró cuando volvía solo, con su luz
y su concupiscencia, del sótano reservado.

—¿Nada más? —dijo León con calma—. ¿Vuestro espionaje no sabe más? Hay seres que ni respirar saben sin
que de su aliento nazca la calumnia.

—¡Calumnia! Buena salida... Sé que darás al hecho
una interpretación favorable a ti. No te faltan argucias
para defenderte.

—¡Defenderme yo! ¡Descender yo al muladar de tus
groseras suposiciones, argumentar sobre un hecho que tu
madre y tú han visto con el cristal manchado de su im-
pura conciencia!... ¡Jamás!

—La estratagema es hábil, pero no hace efecto. No me
convence.

—No quiero convencerte a ti ni a ella... —dijo León

con ímpetu fiero—. Vuestro juicio es para mí de tan poca
valía, que siento no sé qué júbilo en dejaros en vuestro
error estúpido. ¡Estáis tan bien así, con vuestra infernal
aureola de malos pensamientos!... ¿Puedo modificar acaso
la grosería de vuestras almas? ¿Puedo, por más que discu-
ta, llevar una idea de pureza y honra a vuestra mente,
devorada por la lepra de la deshonra crónica?... Sabe
que tú y tus juicios y los juicios todos de tu familia de-
gradada, que paga los beneficios con hablillas, son para
mí como la lluvia que nos moja, pero no nos envilece.
No se discute con la rueda del coche que pasa, y arrojando el cieno, nos mancha... Moralista de política religiosa
y de sermones de partido, maquinilla de hacer moral de
confitería, que amasas las leyes divinas y humanas para
dar al mundo esas pastillas de virtud, según el gusto de
cada uno, a mí no se me administra moral en caramelos.
Desdichado discursista, mis defectos podrían servirte a
ti para hacer tus honradeces, y los sentimientos malos que
yo desecho y arrojo podrías recogerlos tú del suelo para
hacer con ellos la gala de tu conciencia. Antes de predicar,
¿por qué no vuelves los ojos a ti mismo? Si te miras bien,
comprenderás que tu existencia, y tu fama, y tu prestigio
desaparecerían como el humo si el marqués de San Salomó fuera un hombre en vez de ser un muñeco.

Lívido y cejijunto, los labios blancos, las manos trémulas, oyó Gustavo su acusación, y tartamudeando, sin saber
qué decir, rompió a hablar de este modo:

—Duelista hábil, has puesto la punta en mi pecho.
Pues bien, yo no lo niego: aprende de mí el mérito de la
franqueza, el mérito de la confesión, de que es incapaz
un ateo. Me declaro culpable. El torbellino del mundo,
el engreimiento que dan la lisonja y el aplauso, me han
puesto a mí mismo en contradicción con las leyes divinas
y humanas que adoro y acato. Yo soy el primero que me
acuso, como he sido el primero en reprobar los escándalos
de mi familia, como he sido el primero en defenderte
cuando te creía bueno; bien lo sabes. Pero no hagas para-
lelo entre tu infamia y la mía, entre tu desorden y mi
desorden. Ambos hemos caído en el mal; tú, por cinismo

y desconocimiento absoluto del bien; yo, por flaqueza de espíritu. En ti no hay más que mal, y ninguna puerta para el bien se abrirá en tu alma cerrada; en mí se han corrompido las acciones, pero queda la fe, queda la puerta del bien. Al lado de tu crimen no tienes nada, sino la sombra fea del crimen mismo. Al lado de mi crimen tengo yo un tesoro: el remordimiento. Tú no eres capaz de enmienda; yo, sí. Tú no ves nada más allá; yo veo mi salvación, porque veo mi enmienda. La misma idea del pecado me da la idea del perdón. No sé mi destino individual, pero sé el del género humano, y me basta saber que hay. Cielo. Tú lo ignoras, y el mal no te espanta porque crees que no hay Infierno.

—Sofista, barajador de palabras, ¿qué sabes tú lo que yo pienso, lo que soy? ¿Crees que estamos los hombres y las almas a merced de tu dogmatismo de apóstol intruso, y de esa oficiosidad evangélica con que repartes cédulas de vida o muerte? Polizonte de la vida inmortal, ¿crees que ésta es una aduana donde se registran bolsillos para ver si hay tabaco, es decir, género prohibido por los que estancan el pensamiento para venderlo en paquetes a cambio de hipocresía? Hazme el favor y el honor de librarme de tu presencia, porque no respondo del respeto que debo a esta casa y al parentesco que nos une.

—¡Asesino de un ángel! —exclamó Gustavo, rugiendo de ira.

—Se me acabará la paciencia para oír tus sandeces —dijo León, dando tres pasos hacia él en actitud tan amenazadora, que Gustavo retrocedió en el primer momento, esperándole después en actitud nada cobarde—. Calla, o sabrás lo que es una paciencia que se agota, un mártir a quien se acaba la entereza.

Señalando la ventana, León extendió su brazo que, sin aparato hercúleo, era capaz de desplegar extraordinaria fuerza.

—Y si quieres seguir provocándome —añadió—, a pesar de no ser partidario del duelo, yo, que no sé disparar pistolas, ni esgrimir sables, ni echar sermones, te proporcionaré un bonito espectáculo. Verás cómo un apóstol sale volando por una ventana, sin que nada lo pueda evitar.

—Abusa, bárbaro, si te atreves, de tu fuerza corporal —gritó Gustavo, desafiándole con la mirada—. ¡Asesino de mi hermana!

—No irritarás mi furia con esa palabra —dijo León en el último grado de la cólera—. Has de saber que tu hermana y tú, y tu madre, y tu padre, y tu abuelo, sois para mí como las aves que pasan volando. No existís para mí. Elige entre salir por la puerta o por la ventana.

La disputa iba a concluir con una brutal refriega, quizás con la concisa violencia de aquella escena que hizo decir a Segismundo: "¡Vive Dios, que pudo ser!", cuando entró la marquesa de Tellería dando gritos, y detrás don Agustín muy alterado y temeroso.

—¡Qué es esto..., León..., Gustavo..., hijos míos! —dijo Milagros, extendiendo sus amantes brazos entre los dos.

—Ese... —rugió Gustavo.

—¡León!... ¿Hasta dónde vas a llegar?... Después de que nos has secuestrado brutalmente a nuestra querida hija...

—¡Secuestrarla yo!... ¿Yo?... —replicó el airado yerno con cierto desvarío—. No; ahí está... Tómenla ustedes... La devuelvo... La regalo...

—¡No nos dejas entrar a verla...! Anoche no he podido pegar los ojos pensando en esa mártir —manifestó el marqués.

—Adentro todo el mundo —dijo León, señalando la puerta por donde se iba al aposento de María—. ¡Adentro!

Sin esperar a más, precipitáronse todos por aquella puerta.

En la sala inmediata a la alcoba oyóse rumor de amantes besos, dados con la precipitación y el calor que eran naturales después de la forzada ausencia.

12. La verdad

Pasadas las primeras manifestaciones del cariño, María
habló así:

—Dime, mamá: ¿lo he soñado yo o es cierto que oí
la voz de Gustavo y la de mi marido como si riñeran?

—Hemos tenido una cuestión —dijo el insigne joven,
que aún no había perdido su palidez, ni su nerviosidad,
ni el ceño de su frente, tabla del Sinaí donde se creería
estaban escritos el Decálogo y la Novísima Recopilación.

—Convertido en un salvaje al oírse acusado —dijo Gustavo—, tu señor marido amenaza a sus semejantes con ti-
rarlos por los balcones, como si fueran puntas de cigarro.

Después de esto trató de reír, creyendo que con un poco
de risa volvería su sistema nervioso al estado normal.

—¿Dónde disputabais?

—Ahí, en la sala de Himeneo.

—¿Qué sala es ésa?

—No hagas caso, hija de mi corazón.

—Querida de mi alma —dijo el marqués, acariciándola—, vete acostumbrando a presenciar con calma las acciones de tu marido, y a que no te importe un ardite lo
que él haga o deje de hacer. *Es de lamentar* que no puedas
sobreponerte a ciertos sentimientos arraigados en ti, y
que te empeñes en ser mártir, siempre mártir contra viento y marea.

—¿Qué dices, papá? —preguntó María con aturdimiento.

—Que yo —prosiguió don Agustín, poniéndose la honrada mano sobre el pecho nobilísimo— estoy decidido a
desplegar toda la energía de mi carácter para evitar un
escándalo que nos deshonra a todos y a ti te pone en la
situación más ridícula que puede imaginarse.

—Agustín —dijo la marquesa, sin poder disimular su ira—, harás bien en irte a dar una vuelta por el museo reservado. No haces falta aquí.

Al decir esto tocaba a su marido con el codo para advertirle que no era llegada la ocasión de desplegar energías ni de evitar escándalos. Como mujer y madre, habíase penetrado mejor que los demás de la situación ilusoria en que León tenía a su mujer, y aplaudiéndola en el fondo del alma daba pruebas del recto sentir.

—¿Qué museo reservado es ése? —dijo María, cada vez más confusa y apoderándose con presteza de toda idea que pudiera servir de combustible a la naciente hoguera de sus sospechas.

—Ahí cerca, hija mía— balbució el marqués, comprendiendo la idea de su esposa y admitiéndola tácitamente, porque también él, si pecaba por débil, torpe y corrompido, quería bien a su hija—. Es que hace poco estuve en Suertebella.

María nos miró a todos detenida y asombradamente. Interrogaba con la morbosa estupefacción de sus ojos, mientras las palabras rebeldes se negaban a salir a sus labios.

—¿Suertebella..., ahí cerca?... —murmuró—. Explicadme una cosa...

—¿Qué dices, hija mía?

—Explicadme por qué siento yo los cimientos de ese palacio aquí..., dentro de mis entrañas; por qué siento sus muros...

—¿Qué dices, paloma?

—Sus muros pesando sobre mí...

—Por Dios, no delires.

—¡Qué fantasmagorías tan tontas!... *Es de lamentar* que tu buen juicio...

—Esta casa...

—Es esta casa... Ya sabes... Un edificio...

A escape, y con los brazos abiertos, entró de repente Polito, y abrazó y besó a su hermana, diciéndole:

—Mariquilla, al fin tu dicho marido nos deja verte... ¡Secuestrador, bandido, *lazzaroni!*... Yo estaba en la cuadra divirtiéndome con una lucha entre dos perros y catorce ratas feroces, cuando me dijeron que se te podía ver. Subí corriendo... Ahí fuera está tu marido, que parece una estatua, una figura más del grupo de Himeneo... Hermanita, ya estás bien, ¿no es verdad? Te levantarás pronto y saldrás de aquí.

Milagros se rompió el codo contra el cuerpo de su hijo sin conseguir poner dique al torrente de indiscreción.

—No sé qué horrible miedo leo en vuestras caras —dijo la enferma, mirando uno por uno a todos los individuos de su familia—. Parece que al mismo tiempo se me quiere decir y se me quiere ocultar algo muy malo.

—Hija de mi alma, estás aún bastante delicada —indicó el marqués, pasándole la mano por la frente—. Cuando te restablezcas, cuando podamos llevarte con nosotros...

—La pobre se figura lo que no es —dijo Milagros con emoción—. Mejor es que se salgan todos y nos dejen solitas a las dos.

—¡Me engañáis, me engañáis todos! —exclamó María con arrebato.

Y tomando el Crucifijo que bajo la almohada tenía, lo presentó a su familia, diciendo:

—Atreveos a engañarme delante de éste.

Todos callaron. Sólo Gustavo extendió su mano forense y deuteronómica hacia la sagrada imagen, y dijo con voz oratoria:

—Aborrezco la mentira, y creo que en ningún caso puede ser inconveniente ni peligrosa la verdad.

Milagros le empujó como para echarle fuera. Pero él se acercó más a su hermana, le pasó la mano por las mejillas y mirándola muy de cerca, prosiguió:

—Veo que te afanas demasiado por lo que poco vale. Tu santidad y tu virtud te ponen en una situación eminente, altísima, desde la cual podrás abrumar con tu desprecio a cuantos te ofenden. Estás mejor, y pronto te llevaremos a casa, a nuestra casa, donde te cuidaremos como nadie, te apreciaremos en lo mucho que vales y te adoraremos como mereces tú que te adoren... Lejos de afligirte, alégrate y bendice tu libertad... ¡Pobre mártir!

Tampoco Gustavo era perverso, pero tenía el fanatismo de lo que llamaremos *virtud pública*.

—¡Pobre mártir! —repitió lúgubremente María, clavando sus ojos en un lugar vacío de la atmósfera, en un punto donde no había objeto ni forma alguna, sino la vaga, indeterminada proyección de un pensamiento. Después de un momento de silencio, su voz, más débil a cada sílaba, murmuró éstas:

—Yo lo soñaba. Soñaba la verdad, y el error me engañaba despierta...

Saltando bruscamente de su lecho, gritó:

—¿Dónde está mi marido?

—Ahora vendrá, paloma —repuso la madre, besándola cariñosamente—. Sosiégate; mira que puedes recaer.

—¿No fuiste tú quien me llenó el corazón de celos? —preguntó la mártir, dirigiendo a su madre una mirada de ira—. ¿Pues por qué quieres calmarme ahora?... Que venga mi marido, que venga el padre Paoletti... Que se vayan los demás. Quiero estar sola con los dos.

Lanzó un grito agudo, llevándose la mano a la frente.

—¿Qué tienes, cielo?

—Me duele la cabeza —murmuró, cerrando los ojos—. Es un dolor que punza, quema y entra hasta el pensamiento... Esa mujer, ¿no la ves, mamá?..., esa mujer me ha agujereado la cabeza con un clavo ardiendo.

Todos se quedaron mudos y espantados.

—¡Socorro! —gritó la Egipcíaca, ya en completo estado de delirio—. ¿No la veis que vuelve hacia mí? ¿No habrá una mano caritativa que la detenga, que la ahogue? ¡Jesús mío, Redentor mío, defiéndeme!

A estas palabras siguió un silencio de miedo y pena. Sólo el marqués, imposibilitado de mandar en su garganta, lo turbó con ahogadas toses. Milagros lloraba. Besando a su hija, la llamó con tiernas palabras. Pero su hija no respondía. Con los ojos fuertemente cerrados, su torvo silencio parecía el grave callar de la muerte.

Ya iban a llamar al médico, cuando éste vino. Al punto declaró muy crítico el estado de la enferma, se puso furioso, dijo que declinaba toda responsabilidad porque no se

habían cumplido sus prescripciones, y, amostazado y lleno
de aspereza, mandó despejar la alcoba. El momento de los
remedios heroicos había llegado. La batalla que poco antes
parecía ganada se perdía ya si Dios no lo remediaba. Ur-
gía desplegar toda la fuerza contra aquella traición súbita
de la Naturaleza, la cual, pasándose al campo de la enfermedad, dejaba a la Ciencia sola, inerme y desesperada.

*

Concluida la disputa con Gustavo, León estuvo solo
un mediano rato. Después sintió la necesidad de andar
mucho, porque hay situaciones de espíritu que piden marcha rápida, como si un hilo de dolor estuviera devanado
en nosotros y necesitáramos irlo soltando en un largo camino. Paseó por el parque durante una hora. Al volver,
y cuando entraba en la sala de Himeneo, vio sobre una
silla un sombrero negro de teja. Sentadito en el diván
que rodeaba el grupo marmóreo, y empequeñecido por
su postura de ovillo, estaba el cuerpo minúsculo del padre Paoletti. De aquel montoncillo negro vio León salir
la cara agraciada y los dos ojos que parecían doscientos,
como sale el caracol de su concha estirando las antenas.
¡Cosa extraña! En el estado de ánimo de León, la presencia del buen clérigo le pareció consoladora.

—Me han dicho al entrar —manifestó Paoletti, muy
afligido— que la señora doña María se ha agravado repentinamente. Vea usted la inutilidad de nuestras piadosas
mentiras. ¿Habrá llegado la hora de la verdad?

—Es posible —dijo León, indicando al padre la puerta
para que entrara primero.

Ambos llegaron cuando Moreno empezaba a aplicar
los remedios heroicos. Paoletti se retiró después a rezar en
la capilla, cuyos altares se llenaron de luces. En la alcoba,
el médico y el marido asistieron solos, con zozobra y compasión, al desarrollo de aquel drama cuyos elementos, idea
o fluido, vida orgánica o esencia misteriosa se arremoli-
naban en el cerebro y en los centros nerviosos, precipi-
tando, con su tenebroso combate, el desenlace que se lla-

ma muerte. Se hizo cuanto en lo humano cabía para conjurar el peligro inminente, solicitando el mal desde las extremidades, para apartarlo de los centros. Pero ningún agente terapéutico lograba despertar las energías orgánicas que expulsan el mal. Este seguía su marcha invasora, como el atrevido conquistador que ha quemado sus naves. Se apeló a todos los medios, y cada uno de ellos aumentaba la desesperación.

La paciente estuvo todo el día fluctuando entre la postración y el delirio. Los entreactos de sus crisis espasmódicas anunciaban un aplanamiento más peligroso que las crisis mismas. El médico anunció con sepulcral entereza la próxima conclusión de la lucha.

—Lo que resta —dijo— corresponde al médico del alma.

Por la tarde, María Egipcíaca pareció que despertaba, y sus facultades se mostraron claras. Estaba en posesión de sí misma, en aquel breve período de lucidez que la Naturaleza concede casi siempre a las criaturas, antes de pasar a otro mundo, para que puedan echar la última ojeada sobre el que abandonan.

—Pido... —murmuró María —que me dejen sola con mi padre espiritual.

El marido y el médico salieron. Ni Ciencia ni afectos de la Tierra hacían falta ya.

13. La batalla

María fijó los ojos en Paoletti con expresión dulce. La ocasión era tan solemne, que el bendito clérigo enano, a pesar de estar muy hecho a emociones y a espectáculos tristes, se enterneció. Dominándose se acercó al lecho, tomó la mano ardiente y blanca que se le extendía, y dijo así:

—Ya estamos solos, mi querida hija, hermana y amiga, a quien profeso dulcísimo afecto; ya estamos solos, con nuestras ideas espirituales y nuestro fervor. No reine aquí el miedo; reine la alegría. ¡Conciencia purísima, levántate, no temas, muestra tu esplendor, recréate en ti misma, y así, en vez de temer la hora de tu libertad, la desearás con ansia! ¡Oh, triunfo, no te disimules, vistiéndote de vencimiento!

Menos ganosa que otras veces de saborear la miel regalada de aquel panal de misticismo, María Egipcíaca pensaba en otra cosa. Con amarga melancolía murmuró:

—He sido engañada.

—Engañada con piedad —replicó al punto el clérigo—. El estado penosísimo del organismo de usted exigía que se le encubriera la verdad fea. Perdóneme si también yo me presté a esa farsa, que, lo repito, era una farsa caritativa. Comprendí la necesidad de ayudar los planes benéficos de su esposo de usted...

—¡Que me ha tenido y me tiene en la casa de esa mujer!... exclamó la enferma, ahogándose.

—Esto no ha sido culpa suya. No había lugar más a propósito para prestar a usted los auxilios de la Ciencia y ponerla en buenas condiciones de higiene. En esto apruebo plenamente su traslación aquí. Una vida en inmediato peligro no podía ser tratada como un saco que se lleva y se trae. Lo de menos para usted es estar aquí.

—Yo lo soñaba, y despierta lo desmentía.

La laringe de la dama no pudo seguir sin tomar descanso. No es fácil dar idea de la intensa tristeza de su acento débil, apagado, quejumbroso. Más que acento de mujer amante, parecía el llanto de un niño abandonado, cuando ya se cansa de llamar y pedir.

—Y mi marido y esa mujer —añadió— se verán a todas horas en cualquier sala de este palacio, para contar, entre abrazos y besos... —la laringe se resistió de nuevo. También Paoletti sentía un nudo en su garganta—, entre abrazos y besos los instantes que me quedan de vida..., como yo cuento los Padrenuestros con mi rosario.

Siguió una pausa. El confesor se esforzaba en desatar su nudo.

—Mi buena amiga en el Señor, esa última idea es una cavilación absurda. Oiga usted de mi boca la pura verdad, la verdad que proclamo como sacerdote de Dios. Al grande espíritu de usted no puede ser nociva la verdad. Esa conciencia fuerte no se turbará por la revelación de las miserias humanas, que en nada la afectan, como no afecta el polvo de la tierra a la blancura y limpieza esplendorosísima de las nubes del cielo. Sépalo usted todo, sin quitar nada a la verdad, pero también sin añadirle nada. El señor don León ama, en efecto, a esa señora, él mismo me lo ha dicho, y como no me lo ha dicho en confesión, puedo y debo declararlo a usted. Pero al mismo tiempo debo afirmar que esa señora no vive ahora en Suertebella, porque su mismo esposo de usted la mandó salir de aquí. Así lo exigía el decoro, que es en el mundo la fórmula ceremoniosa del pudor. Su desventurado marido de usted es incapaz de toda idea moral; pero tiene, gracias a su cultura, la religión de las apariencias, y sabe ponerse a tiempo esa ropa pintada de virtud que el mundo llama caballerosidad.

María no contestó nada. Su blanca mano, que no había tenido tiempo de adelgazarse con el mal y conservaba su pastosa finura, jugaba con el fleco de la colcha, entretejiéndolo con sus dedos gordezuelos. No lejos de aquella mano estaba la cabeza minúscula y redonda del italiano, la cual, si abatía los ojos, dejaba en lóbrega oscuridad su cara; pero si los volvía hacia arriba, llenábala de luces, como un torreón de fuegos artificiales.

—No puedo creer —dijo el padre, alzando la vista y envolviendo a María en fascinadora proyección de ella— que un espíritu fortalecido por el amor divino, como el de usted, se turbe por la verdad que acaba de oír. Yo no puedo imaginarme ahora a mi espiritual amiga empeñada en inquietudes menudas, como una mujer cualquiera, o apartando el pensamiento de las grandes esferas ideales para pasearlo, como holgazán que mata el tiempo, por las callejuelas de la cavilación mundana. ¿Acierto, mi querida hija? ¿Me equivoco al pensar que esos ojos, hechos a la suavísima luz de arriba, no se dignarán mirar a los faroles de abajo?

—Tengo celos —declaró María, con el mismo tono, sin duda, con que Cristo dijo en la Cruz: "Tengo sed." '

El enano hizo lo mismo que el sayón del Calvario. Cogió una esponja mojada en hiel y vinagre, la puso en una caña y la aplicó en los secos labios, diciendo:

—¡Celos!... ¡Celos quien ha sabido encender su alma en el amor que jamás es mal pagado! O yo no penetré bien en el espíritu de mi ilustre penitente, o el espíritu de mi ilustre penitente tenía toda la fortaleza, toda la gracia, toda la influencia de amor divino para no incurrir en tales flaquezas. ¿Celos de qué? ¡De otra mujer y por un hombre; celos por quien nada es y de quien nada es ni nada vale!... Encuentro una turbación radicalísima en el espíritu de mi amada hija y penitente. ¿Quién ha traído esa turbación?

—Los celos —murmuró María desde la hondura de su angustia.

Lentamente, descansando a cada instante, pudo la dama referir todo lo ocurrido desde que la de San Salomó le reveló la infidelidad de León, hasta que perdió el conocimiento. En lenguaje conciso lo dijo todo, sin omitir nada sustancioso ni perder detalle de importancia.

—Fuera de los arrebatos de ira, del coquetismo mundano y de la precipitación, no hallo nada reprensible en el acto —dijo Paoletti, después que, apoyada la cabeza en la mano y los ojos echados al suelo, como un arma que por el momento no se necesita, recogió en su mente la confesión toda, sílaba a sílaba, gota a gota, cual licor destilado en el alambique.

María dio un gran suspiro, diciendo:

—Yo me creía llena de pecado.

—Pecado hubo por lo que he dicho, pero no es grave. En la visita veo el movimiento natural de la esposa para impedir la ruptura del lazo sagrado. Ya he dicho, no una, sino mil veces, que el prurito en usted de cultivar la vida espiritual, en él de menospreciar la fe. no eximen al uno ni al otro del cumplimiento de sus deberes matrimoniales. Mientras ambos vivan, atados se hallan por el Sacramento, y si uno de los dos forcejea por romper el lazo, es natural y meritorio que el otro corra a evitarlo, apretando más el lazo si puede ser. ¡Oh mi nobilísima hija! ¡Cuánto hemos hablado de esto!

María decía que sí con la cabeza y alzaba los ojos al techo.

—Cuando era necesario para metodizar la vida preciosísima de usted, lo dije, en sazón oportuna —añadió Paoletti, sin recoger del suelo la mirada, antes bien, paseándola por la alfombra, como no sabiendo qué hacer de ella—. Bastantes veces la tranquilicé a usted sobre este punto, cuando me manifestaba escrúpulos. "No, no —decía yo—: Dios no puede exigir a la mujer casada que haga una exclusión total de las consideraciones, digámoslo así, que debe a su esposo." Este adquirió un derecho que no prescribe ni aun por apartarse radicalmente en ideas y principios de los principios y las ideas de la esposa. Bueno que le niegue usted su dulcísimo espíritu; que, viendo la contumaz incredulidad de él, no le confíe ni un átomo —y digo átomo porque necesito valerme de una idea material—, ni un átomo de ese mismo espíritu, de esas galas divinas reclamadas por quien las creó; bueno que no tenga usted con él comercio alguno de ideas, que no le permita esperar que sus halagos desvíen a la esposa de la senda de la perfección por donde camina; pero entiéndase que le pertenece todo lo que no es del espíritu, lo que es propio y peculiar manjar del mundo. Usted me refería sus más íntimos y escondidos secretos, misterios delicadísimos de su alma; referíame también hechos y palabras reservadas de su esposo, las cuales apreciaba yo en su justo valor, y, fundado en palabras y en hechos, yo trazaba a usted ese régimen de vida, al cual hase ajustado perfectamente hasta ahora en que la veo aturdida y un tanto descarriada. Recuerde usted lo que hemos hablado sobre esto, la argumentación para poner cada cosa en su lugar, y no confundir nunca lo espiritual con lo humano, lo que es de Dios con lo que es de la carne.

María empezó a decir algo y se detuvo asustada.

—Hable usted, mi tiernísima oveja...

—Mi marido me decía muchas cosas... —murmuró la dama.

—Sí, y bien sabe usted que en nuestros gratísimos coloquios yo rebatía con firme dialéctica todos los argumentos de ese sofista..., y usted me daba la razón; usted quedaba convencida.

—Porque no tenía celos, que son en mí..., ahora lo veo claro como la idea de Dios..., que son en mí la manera de amar.

—Sí, usted amaba —dijo el padre, lleno· de confusiones, recogiendo su mirada y dejándola de nuevo—, porque usted se interesaba por él y no quería que le pasase ninguna desgracia, en cuyas ideas la sostenía yo, sí, la sostenía...

—Pero él me decía muchas cosas —repitió María, con el mismo lastimoso tono de niño que llora—. Me decía que usted...

—Que yo...

—Que usted, cercenando poco a poco los afectos para devolvérselos a Dios, cercenando las ideas para que no las manchara el ateísmo, quitándome todo lo del corazón y no dejándome más que un deber, había hecho de mí la concubina de mi marido.

—¡Oh! Mujer, mujer —exclamó Paoletti con viveza de tono—, ¡cuántas, cuántas veces rebatí ese argumento de apariencia terrible, dejándola a usted tranquila!

—Pues rebata usted este otro.

—¿Cuál?

—Que estoy celosa, envidiosa, y ahora quisiera para mí lo que ya no es mío.

El buen Paoletti, alzando del suelo su mirada, irguió la cabeza. No satisfecho con esto y deseando poner sus ojos lo más alto posible, como se pone la luz en una torre para alumbrar a los navegantes extraviados, se levantó. Quería mirar a su amiga de arriba abajo. Indudablemente, el ilustre enano estaba inquieto, desasosegado, y, dígase la verdad, poco satisfecho de sí.

—Mi querida amiga —añadió el hombre chico, esgrimiendo su mirada como un ángel celeste esgrimía su espada—, veréme obligado a hablar a usted con una energía que no cuadra bien con la amistad suavísima, ¿que digo amistad?, con el respeto, con la veneración que ha sabido inspirarme, pues últimamente la grandeza de sus perfecciones me ha cautivado de tal modo, que no he podido mirar a usted como penitente, ni aun como amiga espiritual, sino como una santa, como criatura purísima y gloriosísima, superior a mí por todos conceptos. ¡Y ahora!...

Nueva pausa. María Egipcíaca, afectada por aquel lenguaje, cruzó las blancas manos, y, con acento fervoroso, exclamó:

—¡Señor, hermano mío, venid ambos en mi ayuda!

—Llámelos usted con el corazón limpio de afectos menudos, que son, permítaseme decirlo, como el moho del sentimiento —dijo Paoletti, sintiendo que la elocuencia venía en torrentes a su boca—; llámelos usted así, y vendrán. Un movimiento espiritual, íntimo, mi dulcísima amiga —añadió, llevándose la mano al corazón y apretándola sobre él como una garra—; un impulso hondo, de aquí; un impulso que en una sola energía comprenda dos deseos, el deseo de expulsar esa lepra y el de volver arriba, a esas regiones serenas, iluminadas, radiantes, de donde jamás debió descender... Animo, alma predilecta, en cuyas alas se ven ya cambiantes y reflejos de la luz inextinguible del Paraíso..., ánimo y no abatir las alas..., te falta muy poco, esto, tanto así —fió a sus dedos la expresión material de la idea—; no mires abajo, que te dará vértigo: mira hacia arriba, y verás las magnificencias que te aguardan, hermosura y dichas superiores a cuanto imagina tu fantasía en los deliquios más placenteros; oirás regaladas músicas y te sentirás penetrada de ese fin infinito, que te envolverá toda, te suspenderá, manteniéndote en un vuelo de arrobo infinito, de contemplación angélica. No vuelvas atrás, alma bendita, te lo ruego, te lo pido por ti, por todos nosotros, que esperamos tu ejemplo; por el Dios que te creó tan hermosa, como obra maestra destinada a su propio recreo y grandeza; te lo pido de rodillas, yo, humildísimo clérigo, que nada valgo, que nada soy; pero que he tenido la dicha de encaminarte a tu celestial destino, ¡oh alma preclarísima!, conquistando así un mérito que muy poco vale al lado de los tuyos.

Pausa. Paoletti se puso de rodillas, cruzando las manos.

—De rodillas... usted —murmuró María con voz balbuciente—; no, eso no... Haré lo que usted me manda...; pero ¿qué se hace para dejar de sentir lo que se siente?

—Sentir otra cosa —dijo el italiano, levantándose—. ¡Oh!, bien lo sabe usted..., que ha educado su corazón y su mente con arte maravillosísimo igual al de los santos. ¿Siente usted, por ventura, enflaquecimiento o tibieza en su amor a Dios, en su piedad?

Silencio. María respondió negativamente con un movimiento de su mano. Después, acercando más su cabeza al padre, para que éste la oyera mejor, habló así:

—Eso que usted quiere echar de mí, ¿impedirá mi salvación si no lo echo?

—¡Oh ángel de bondad! Ni por un momento he puesto en duda su salvación... Eso, no. Pues qué, ¿un alma tan llena de merecimientos podría perderse? Sin que usted me lo declare, conozco que esos afectos que han venido a conturbarla no van acompañados de rencor, ni excluirán el perdón de los que hayan a usted ofendido. ¿Me equivoco?

María volvió a negar con la cabeza.

—Entonces la salvación es segura. Si me empeño en arrancar esa yerbecilla, es porque no me contento con que esta alma sea buena: quiero que sea perfecta. No me satisface la victoria, y deseo un triunfo gloriosísimo, para que, además de la corona de la virtud, lleve usted la de la santidad. Quiero —añadió con énfasis— que usted suba al Cielo bañada en luz esplendentísima, entre las aclamaciones de los ángeles, y que desde el eterno umbral recamado con estrellas de zafir no vuelva la mirada a la Tierra ni aun para obsequiarla con su desprecio. Quiero en usted la pureza absoluta, el amor en su esencia divina.

—Todo eso tendré sin arrancarme el afán de la Tierra. Si me puedo salvar con él, que Dios me reciba en su seno tal cual soy.

Paoletti meditaba. De pronto dijo:

—Mi querida amiga, ¿perdona usted de corazón a todos los que la han ofendido?

Pausa.

—Sí —dijo María, cuando ya el padre había perdido la esperanza de recibir contestación—. Perdono a mi infiel marido, que me ha matado.

Al decir esto, dos lágrimas corrían por sus mejillas.

—Y a ella, a esa mujer que ha robado a usted el amor de su marido, ¿la perdona usted?

Paoletti esperaba con los ojos fijos en la enferma. María bajó los párpados de los suyos y se sumergió en abstracción profunda. El clérigo creyóla presa de un desmayo; alarmado, acercó su rostro, observó, esperó. Al fin, pudo oír un sollozo, que decía:

—También la perdono.

—Pues si mi nobilísima hija perdona, que es la manera de arrojar esa levadura maléfica, entrará triunfalmente en la morada celestial —dijo el padre en tono patético, cual si tuviera en su mano la llave de aquella morada.

Súbitamente, poseída de entusiasmo místico por efecto del influjo sobrehumano que sobre ella tenía el padre, María recobró sus fuerzas, y, singularmente, las de la emisión de la voz. Hasta en sus mejillas pálidas viéronse señales de la reacción vital, que, principalmente, se mostraba en la movilidad, gracia seductora y resplandor de sus ojos.

—Parece que esas palabras me han infundido una vida nueva —dijo con fácil acento—. No sé qué telas había delante de mis ojos que ya han desaparecido, y veo claro, tan claro, que me pasmo de los beneficios que el Señor me ha hecho dando esta luz a mi alma, y no sé cómo agradecérselo. El me ha enseñado el camino para ir a El; me ha llamado con voces de cariño. No me aparto: voy, voy, Dios, Padre y Redentor mío; voy abrazada a tu Cruz.

—Así, así, así quiero a mi amadísima penitente y amiga —exclamó el poeta de los superlativos, dejando correr las lágrimas que venían a sus ojos—. Pronto vivirá usted, en espíritu, en la región del consuelo eterno. ¡Qué gran privilegio, amiga mía, no asustarse de la muerte, sino, por el contrario, ver con gozo ese momento, en que la última chispa de la vida asquerosa se confunde con la primera centella de vivir limpio, infinito! ¡Alma hermosísima, purificada por la oración, por la piedad constante, por el heroico trabajo de la vida interior, por la perenne inmersión del pensamiento en la idea divina, extiende tus alas, más blancas que las nubes; no temas, remóntate, mira tu puesto arriba, oye las deleitosas músicas que te reciben, aspira esa fragancia inconcebible del Paraíso, atrévete a afrontar la mirada paternal del que hizo el sol y las estrellas, y que, sonriendo con la sonrisa de que salió la luz, te recibe como a mártir, como a santa!

—Sí —dijo María, cruzando blandamente las manos sobre el seno—; yo me siento subir, y no encuentro palabras para expresar mi júbilo. Parece que se me olvida ya el lenguaje de la Tierra, que no sé hablar. Mi última palabra sea para repetir que perdono de todo corazón a los que me han ofendido.

Pausa. El italiano murmuraba una oración.

—Padre —dijo María Egipcíaca, dando un golpecillo en la cama para despertarle de aquel sopor místico en que había caído—, me ocurre que debo manifestar de palabra mi perdón a mi marido.

—No es absolutamente necesario, pero puede usted hacerlo.

—Quién sabe si unas cuantas palabras dichas en momentos tan solemnes harán efectos provechosos en su alma perdida.

—¡Oh, sí!... Esa idea es propia de una inteligencia sublime... Se lo *diremos*.

—En este trance —añadió María, agitada otra vez por los afectos que Paoletti llamaba menudos—, él no puede contestarme. ¡Ay! Tiene tan prontas las respuestas cuando yo le acuso, que a veces me aturde. Una vez...

María reflexionó un instante antes de seguir.

—...vino a mí lleno de tristeza y desaliento. Era una noche que llovía mucho... El pobrecito..., por ceder su coche a un amigo enfermo, se había mojado hasta los huesos. Además, aquel día se le había muerto otro amigo que amaba mucho, un célebre ateo, ya sabe usted, compañero de estudios y de herejías de mi pobre León. ¡Oh, qué triste estaba! Le vi entrar, y me dio lástima; pero yo estaba rezando y no podía suspender mi rezo. Se mudó de ropa; pero con la ropa seca tiritaba lo mismo que con la húmeda... Tenía fiebre. Yo mandé que le hicieran abajo una bebida calmante, y seguí rezando, pidiendo a Dios fervorosamente que le convirtiera, ¡y él no me lo agradecía!... De pronto se llegó a mí, y, sentándose en una banqueta baja, puesto casi a mis pies, me tomó una mano, imprimiendo en ella unos besos que me quemaban. Díjome así: "Yo necesito amar y que me amen... Esto es vivir como los cardos, que crecen solos y tristes en el campo..." Gran esfuerzo el mío para no hacerle caso. Obligada a dejar el libro de rezo, rezaba mentalmente, apartando de él los ojos, trayendo a mi mente cosas de piedad, para que otras cosas y pensamientos no pudieran entrar. Aquel día habíamos hablado usted y yo largamente de las estratagemas de que se vale el espíritu ateo para cautivar el espíritu con fe. Yo me fortalecí con el recuerdo de aquellas palabras, y dejé pasar, dejé pasar la corriente de cariño que de él hacia mí venía. Yo era una estatua; comprendí que debía enojarme, y me enojé, echándole en cara su ateísmo. El tiritaba y me decía: "Puesto que mi hogar está vacío para mí, me voy a meter en un hospicio..." ¡Qué cosas dijo! El "yo quiero amar, yo quiero que me amen", no se apartaba de su boca... Me galanteaba a veces como un estudiante, riendo; a veces me hablaba de nuestra casa, de los hijos que no habíamos tenido... Yo, firme; yo, revestida de frialdad, porque si le mostraba cariño, ¡cuál no sería su engreimiento y mi humillación! Habría yo creído que conmigo se humillaban la Fe cristiana y la Santa Iglesia. No, no; mi plan de conducta estaba trazado, ¡y qué bien trazado! Yo me levanté, y le dije, sin mostrar emoción: "Conviértete, y hablaremos"; y me retiré, dejándole solo. ¡No se me ha olvidado aquella noche! Me acuerdo de que, al entrar en mi alcoba, me dio lástima de verle con tanto frío, y, tomando una manta, se la tiré desde la puerta. Yo me había puesto a rezar de nuevo en la alcoba, cuando le oí decir: "¡Maldito sea quien te ha hecho así!"

—¡Oh mi querida amiga! —dijo Paoletti—. Se agita usted demasiado con esos recuerdos.

—Me parece que le estoy viendo... —añadió María con no sé qué expresión de éxtasis en sus ojos... Estaba pálido aquella noche, y tenía en sus hermosos ojos una melancolía, un desconsuelo... Parecía un niño hambriento que extiende los brazos hacia el seno de su madre, y se encuentra con que el seno de su madre es de cartón. Paréceme que siento el picor de su barba fuerte aquí, sobre la piel de mi mano, y me pesa, me pesa aún sobre las rodillas su cabeza fatigada. Yo no la dejaba reposar allí, pero la miraba, preguntándome por qué Dios permite que las ideas materialistas y el no creer estén dentro de una cabeza tan hermosa. ¡Y aquella cosa inexplicable y encantadora que hay en sus ojos negros..., y aquella energía de su mano varonil, y aquel conjunto de seriedad, de brío, de fuerza, sin perjuicio de su esbeltez!...

—Amiga de mi alma —dijo Paoletti, interrumpiendo—, creo que si se ocupa usted tan prolijamente de perfecciones físicas, es para asombrarse de que Dios, en su alto juicio, las haya unido a un espíritu ciego y muerto.

—Eso es, eso es...; pero estos recuerdos vienen a mí y no los sé desechar. Pueden más que yo... Un día, después de muchos días de destemplanza entre los dos, le vi entrar furioso. Era la primera vez que le veía colérico: me dio mucho miedo. Me habló violentamente, y, tomándome por la mano, sacudióme como si quisiera arrastrarme. Caí de rodillas delante de él. Me parece que aún siento su mano como argolla, y si la sintiera de veras ahora, creo que el gusto me haría vivir... Díjome cosas muy duras; pero su misma ira, con ser tan fuerte, no le impedía la delicadeza... Aquel arrebato de cólera me regocijaba en el fondo del alma, porque me demostraba su amor; pero como yo estaba segura de su fidelidad, no quise manifestarle nada de mi afecto. Bien sabía yo que no me había de hacer daño, y, por lo mismo, le dije: "No me importa que me mates, pero aguarda un poco. Estoy repartiendo mi ropa a los pobres." Así era: más de cien infelices aguardaban a la puerta. Yo estaba tan orgullosa de mi caridad, que supe despreciar a mi tirano. El me dijo: "¡Es horrible que se sienta uno herido en el alma y ni aun pueda devolver golpe por golpe, y no pueda vengarse, ni matar a nadie, ni aun castigar...!" ¡Oh, qué simpático estaba en su enojo!

—Basta, basta —dijo, prontamente y con desasosiego, el padre—. No permito ni una palabra más de esa revista de memorias nocivas al alma. La que luchó entonces por limpiar su espíritu no puede sucumbir ahora.

—No, no sucumbiré —afirmó María, revelando en su rostro lívido el esfuerzo que hacía su alma para romper las misteriosas cadenas que la aprisionaban en la hora tremenda—. Bastante me he mortificado, bastantes batallas he dado en mi mente para despojarle de aquellas perfecciones y dejar desnudo el horrible esqueleto. Este procedimiento de no ver en el ser hermoso más que un esqueleto, me fue recomendado por usted... y ha sido mi salvación... Porque, indudablemente, mi alma se habría perdido, ¿no es verdad, padre?..., el fin de conquistarme espiritualmente y hacerme suya, extraviando mi corazón, ¿no es verdad, padre?

A cada pregunta, señal en ella de dudas o refriega interior, el padre contestaba afirmativamente con fuerte cabeceo.

—Yo le decía: "Tuya soy en aquello que nada vale; pero mi espíritu no lo tendrás jamás." A veces me imponía la obligación de estar semanas enteras sin hablarle. ¿No es verdad que hacía bien?

—Mi felicísima amiga —dijo el italiano, suspirando—, está usted refiriéndome lo que mil veces me ha referido. Volvamos esa página sombría, sobre la cual todo lo hemos dicho ya, y hablemos de Dios, del perdón...

—¡Del perdón!... —exclamó la dama, alzando su cabeza sin mover su cuerpo—. ¿De qué perdón?

En sus ojos se pintó un vago mareo, como el que precede al delirio. Incorporóse súbitamente en el lecho con dura sacudida, y, oprimiéndose las sienes, gritó:

—¡No los perdono, no los perdono, no los puedo perdonar!... ¡Marido, a ti solo te perdono, si vuelves a mí! A ella...

No pudo acabar la frase. Retorciéndose los brazos, cayó en la cama como un cuerpo muerto. Paoletti miró, aterrado, los ojos de la enferma clavados en él con expresión bravía. El clérigo sintió en su frente sudor glacial, y el corazón agitado se le salía del pecho. La dama, después de mirarle así, cerró los ojos. La crisis se resolvía en distensión de músculos y en sollozos y suspiros. Paoletti dijo, con voz que se esforzó en hacer cavernosa:

—¡Alma que creía victoriosa y que ahora sucumbes vencida: si no perdonas, Dios no te perdonará!

Después se arrodilló, y, tomando el crucifijo, se puso a rezar, contemplándolo. Afligido y lloroso, como pastor a quien roban su más querida oveja, permaneció un rato. La pobre dama no se movía ni hablaba. Al fin, tras doloroso gemido, pronunció estas tristes palabras:

—Soy pecadora y no me salvaré.

Alma infeliz y llena de congoja, luchaba como el náufrago de los aires, alargando una mano al Cielo y otra a la Tierra.

—Estoy transido de dolor —dijo Paoletti, mostrando a María su blanco rostro pueril, inundado de lágrimas sinceras—, porque el alma que creí haber ganado para un esplendorosísimo puesto del Cielo, cae de improviso en los abismos...

—¡En los abismos!... —murmuró la Egipcíaca con un sollozo de angustia.

—Sí, y pido a mi Dios que la salve, que salve a esta alma queridísima, que no la condene, que tenga piedad de ella... ¡Oh Señor misericordiosísimo, haberla visto tuya y ahora verla de Satanás!... ¿No es tu perla escogida? ¿Cómo permites que caiga en el lugar del tormento eterno?... ¿No la perfeccionaste, no la purificaste como a joya que había de pertenecerte eternamente?... Alma, oye mi último ruego, si no quieres ver trocada la túnica purísima de la bienaventuranza por vestidura de llamas horribles... Torna en ti, vuelve a tu ser suavísimo y al peregrino estado, donde hallabas deleite superior, al que podrían dar a tus sentidos los más delicados aromas, los manjares más exquisitos y las visiones más bellas. Sálvate, no ya del mundo, sino del Infierno.

Siguió hablando el reverendo poeta con aquella oratoria sentida, patética, un poco teatral, que era propia suya, haciendo gasto considerable de retórica descriptiva, y no perdonando *resplandores celestes* ni *coros angélicos*, ni *amor esencial*, ni *candideces del alma*. Cuando concluyó, María, besando el crucifijo que su amigo espiritual le puso en las manos, derramaba lágrimas y decía:

—Bien: todo lo cedo ante Ti, Redentor mío; no queda nada en mí de esta levadura de los afectos menudos. Me lo arranco todo con la vida y lo echo al fuego. Aún queda algo; pero usted, padre, que tanto puede, me arrancará esta última espina que tengo en el corazón.

—¿Cuál?

—Pruébeme usted que la niña de Pepa no es hija de mi marido.

—¿Cómo he de probar eso, criatura? —replicó, asustado, el buen Paoletti—. ¿Conozco, acaso, los secretos recónditos de la Naturaleza? Podrá ser hija, podrá no serlo.

Después, aquel hombre de buena fe, pero que sólo conocía la superficie, no las honduras del humano corazón, dijo estas palabras:

—La niña es bonita.

Esto era ser Longinos, tomar la lanza y herir el divino costado para abreviar la agonía. La dama parecía saltar en su lecho.

—Alma escogida —exclamó el valiente Paoletti, puesto en pie, fulgurantes los ojos, alta la mano—, desecha esa última turbación, arroja las últimas heces y ten limpio el vaso en que ha de entrar el agua purísima de la eternidad gloriosa.

—Quiero salvarme —murmuró María, que más parecía un muerto que habla que un vivo moribundo.

—Pues desecha, límpiate por completo, perdona, ¡oh alma preciosa!

—Desecho, me limpio, perdono —se oyó en la estan-

cia, como el silabear misterioso de una vida que se escapa
por los labios y fenece en ellos.

—Perdona, y tu salvación es segura.

El enano se agigantaba con la expansión de su entusiasmo místico. Al entusiasmo de María mezclábase un pavor
supersticioso que erizaba sus cabellos sobre la sudorosa
piel de la frente. Caía desmelenada su cabeza como la yerbecilla inclinada y rota ante la voladora pesadez del tren
que pasa.

—Abrazada a esta imagen bendita —dijo el clérigo—,
olvide usted todo lo del mundo, todo, absolutamente todo.

—Olvido —murmuró María en el fondo de aquella
sima oscura de abnegación en que había caído.

—Todo, todo… Olvide que existe un hombre, que existe una mujer.

—Olvido —dijo la voz más quedamente, como si siguiera bajando.

—Hágase usted cargo de que es igual que su cuerpo
esté en Suertebella o en su propia casa. Humille su amor
propio hasta llegar a que no le importe nada la victoria
terrestre de los malvados. No tenga usted horror al palacio en que está y en el cual hay una capilla consagrada
a San Luis Gonzaga, cuya imagen parece el retrato de
nuestro amadísimo Luis.

A este recuerdo, María pareció subir.

—Me reconcilio con el palacio. Tu nombre, hermano
querido, me alegra. Que tu alma triunfante venga en auxilio de la mía.

—Así, así.

—Cuanto tengo, si es que tengo algo —dijo con voz
clara, besando el crucifijo—, deseo que se reparta a los
pobres. Mi marido y usted se pondrán de acuerdo. Deseo
ser enterrada junto a mi hermano y que se me digan
misas de cuerpo presente en el altar donde esté la imagen
del santo que más quiero y admiro: San Luis Gonzaga.

—Sí, mi dulcísima amiga; y no se le importe nada a
esta alma nobilísima que el altar esté en Suertebella.

—Nada me importa. Perdono de todo corazón, me reconcilio con mi Dios Salvador, y espero.

Con las manos extendidas, los ojos medio cerrados, Paoletti pronunció grave, despaciosa, solemnemente, la absolución cristiana.

—Reconciliada con Dios —dijo luego con voz conmovida—, va usted a recibir la Santa Comunión.

14. Vulnerant omnes, ultima necat

La ceremonia anunciada se efectúa después de anochecer, con pompa y fervor. El palacio de Suertebella préstase maravillosamente a la ostentación de mil y mil hermosuras, homenaje tributado por las gracias materiales al rito católico. Flores preciosísimas, luces sin cuento, son la ofrenda más propia para festejar al Señor de los Señores. Entre tanto brillo, parece que las mismas obras de arte humano se hacen más bellas y se perfeccionan, como si también les tocara a ellas algo del bien que la divina visita trae a la casa. El rumor de llanto que por doquiera se siente, ya en un ángulo de la sala japonesa, ya tras de la estatua griega de perfil majestuoso, completa la profunda gravedad triste del espectáculo. El fervor y el miedo, originados aquél de la idea del más allá y éste de la proximidad de una muerte, se juntan en un solo sentimiento.

El cura de Polvoranca trae la Sagrada Forma de la parroquia cercana, en lujoso coche, al que otros muchos siguen con alineación melancólica. Parece que los propios caballos comprenden que no debe hacerse ruido, y pisan quedo. El hermoso pórtico se llena de personas, cuyas caras enrojecen con el fulgor del hacha que tienen en la mano, y confundidas libreas con gabanes, señores y criados están de rodillas. La campana, en cuyo son se mezclan el pavor y el consuelo, va clamando por las anchas galerías despertando de su sueño ideal a las figuras de mármol. El arte serio y el cómico se transforman, tomando no sé qué expresión de temor cristiano. El charolado suelo refleja las luces. Por el techo y las altas paredes corren reflejos rojos y sombras de cabezas. Flores y tapices se inclinan con silencioso acatamiento. Los pasos resuenan con bullicio sobre la madera. Creyérase oír redoble lejano de fúnebres tambores. Después se apagan sobre las alfombras, produciendo efectos acústicos semejantes a los de una trepidación subterránea. Al fin, para el ruido y se detienen los pasos. El silencio es sepulcral. La procesión ha llegado a su término. Durante aquel rato solemne, todo el palacio está desierto: cuantos en él respiran se hallan en las inmediaciones de la escena. Los que no pueden presenciar el acto entran con la imaginación en la alcoba, llena de luces y suspiros, y gozan, o gimen, imaginándose lo que no pueden ver. Desde fuera se adivina la escena y el corazón tiembla. En el pórtico y en las galerías solitarias e iluminadas, la atmósfera muda parece un inmenso aliento suspendido por la expectación del respeto. Todo calla: sólo puede oírse quizás, en el rincón más oscuro, el roce de un vestido que pasa, se desliza, corre y desaparece.

Pasa un rato. Siéntese, primero, un murmullo; después, los pasos nuevamente; reaparece la fila de lacayos con hachas, crece el rumor, se aumenta la claridad, sombras de vivos corren por sobre las figuras pintadas, vuelven a crujir las charoladas tablas; siguen libreas, mucho calor, mucho traje, hombres y mujeres de todas clases, rostros indiferentes, otros que revelan pena o lástima; óyense las sílabas quejumbrosas del rezo del cura y sus acólitos. La procesión, que unos ven con inefable sentimiento y otros con frío pavor, avanza al son de esquila que agita un niño, el mismo a quien Monina llamaba *Guru*, y sale por el pórtico, donde unos la despiden de rodillas, otros la acompañan con la cabeza descubierta. Dentro, la fragancia de las flores parece misteriosa huella del pie invisible que ha entrado en el palacio.

Ego sum via, vita veritas.

*

Toda la familia asistió al acto: la marquesa, agobiada por el dolor y sin fuerzas para tenerse de rodillas (tan vivamente la afectaba aquel trance temido); el marqués y sus dos hijos, manifestando sinceramente su pena. Concluida la ceremonia, se retiraron todos apremiados por los amigos más íntimos. Milagros perdió el conocimiento y fue preciso llevarla a un rincón de la sala japonesa, donde amigas solícitas la rodearon para consolarla. El marqués, que había perdido la memoria de sus excursiones artísticas por el palacio, huía de los consuelos de importunos amigos y quería estar solo. Allá en un ángulo de la sala de tapices halló lugar propicio a su recogimiento y dolor, y, oculto tras un sátiro de mármol, meditaba sobre la vanidad de las grandezas humanas. Gustavo, atendiendo a su madre, se dejaba consolar por el poeta de los *arrebatos píos* y de las *almas cándidas*. Leopoldo echaba de su cuerpo suspiros y temblaba nerviosamente, sintiendo aquella glacial caricia de la muerte tan cerca de su persona.

Mucha gente salía, y en el parque los cocheros se llamaban unos a otros, dándose los nombres históricos de sus amos: "*Garellano*, ahora tú; *Ceriñola*, entra; *Lepanto*, echa un poco atrás." La noche estaba hermosa, limpia, serena, inundada de la claridad azul de la luna, y el horizonte ofrecía a lo lejos la falsa apariencia de un mar tranquilo. Palidecían las estrellas pequeñas; pero las grandes lograban brillar, retemblando con visible esfuerzo. ¡Naturaleza espléndida, por donde parecía cruzar dulce respiración de calma y amor! Más bien convidaba a nacer que a morir. ¡Cuánto abruma al hombre observar la majestuosa indiferencia de los cielos visibles ante los dolores de la Tierra! El más horrendo cataclismo moral no podía formar la más ligera nubecilla. Todas las lágrimas de la Humanidad no llevarían a esos espacios insensibles una sola gota de agua.

León salió de la triste alcoba para decir dos palabras de gratitud al marqués de Fúcar.

—Querido —le dijo éste, estrechándole con cariño las manos—, recibe el pésame de un afligido. Aquí, donde me ves, gimo bajo el peso de un disgusto.

—¿Hay algún enfermo en casa?...

—No..., ya hablaremos... Ahora no es ocasión... No tienes que agradecerme nada..., era mi deber. Ya ves que he mandado adornar el palacio como corresponde a ceremonia tan augusta y a la firmeza de mis ideas religiosas. Se trajeron todas las camelias de la estufa, los rododendros y los naranjos que están en pesados cajones de madera. Pero no importa: hay ocasiones en que me parece conveniente llegar hasta la exageración... Volveré a saber... A su debido tiempo hablaremos.

Poco después salió a tomar su coche para irse a Madrid, pensando en esta desdichada, en esta mal dirigida nación, que al día siguiente de hacer un empréstito ya necesitaba hacer otro... León volvió a la alcoba. La terminación parecía próxima. Rafaela, Paoletti, Moreno y él rodeaban a la pobre María, que, desde las últimas palabras de su espiritual confesión, se había ido postrando y perdiendo rápidamente el aspecto de persona viva. Su hermosa cabeza y cara, en que estaba representado, por vanagloria de la Naturaleza, el ideal de la belleza humana, parecían más perfectas en aquel momento cercano a la extinción de la vida orgánica, y su inmovilidad, su blancura, la fijeza de aquel blando reposo sobre la almohada, la calma escultural de las facciones y de los músculos faciales, no contraídos por dolor alguno, la asemejaban a una representación marmórea de la muerte tranquila, noble, aristocrática, si es permitido decirlo así, puesta en figura yacente sobre el sepulcro de una gran señora. Nada se movía en ella. Lograba el privilegio de entrar en el reino sombrío con sosegada parsimonia, sin dolor físico, como se pasa de una visión a otra en el entretenido viajar de un sueño.

Sus ojos, medio velados por las negras pestañas, se fijaban en el rostro sombrío y atónito del hombre de la barba negra. León esperaba junto al lecho, observando con dolor aquella hermosura sublimada por la muerte, y pensaba en el sentido profundamente filosófico de la aparente transformación de su mujer en estatua. La solemnidad del caso doloroso, el silencio del lugar, sólo turbado por un aliento apenas ronco, más difícil a cada minuto; la mirada triste de aquellos ojos moribundos, fijos en él como una raíz misteriosa que no quiere dejarse arrancar, lleváronle a pensar cosas divinas, referentes a él mismo, a ella, dos seres que se decían esposos y sólo estaban unidos ya por el hilo de una mirada. Sondeó su corazón, deseando hallar en él un resto de amor para ofrecerlo, como la última florecilla de la galantería conyugal, a la que expiraba en la soledad fría de su misticismo, y por más que buscó y rebuscó, no pudo encontrar nada. Todo lo que su corazón contenía en caudales de amistad y ternura, había sido retirado sigilosamente del hogar legítimo para ser depositado y como escondido en otra parte.

Pero si amor no, la hermosa estatua que había sido embeleso de su juventud le inspiraba una compasión tan viva y tan honda, que con el amor mismo se confundiera en tan supremo instante. Al despedir aquella vida, que habría podido ser encanto y ennoblecimiento ·de la suya, y que, sin embargo, no lo había sido, León sintió que las lágrimas subían a sus ojos y que el corazón se le oprimía. "¡Infeliz! —dijo para sí—, Dios te perdonará todo el mal que me has hecho; te lloro como si te amase, y te compadezco, no sólo por tu muerte prematura, sino por el desengaño que vas a tener cuando sepas, y lo sabrás pronto, que el amor de Dios no es más que la sublimación del amor de las criaturas."

Se acercó a ella, atraído por los ojos, que se abrían un poco más. Vio de cerca el vello finísimo, casi imperceptible, que sombreaba su labio superior; vio el punto luminoso de su pupila irradiada de oro; sintió su aliento, que casi no se sentía ya. ¡Desconsolada! No hay voces para expresar aquel desconsuelo, que por sí no se expresaba tampoco con palabras, sino con el último destello de una mirada que lloraba apagándose. Bajo la tranquilidad exterior de su cuerpo y la calmosa fijeza de su mirar de desconsuelo, se revolvían quizás tormentosas ansias y los ardientes afanes humanos, despertados sordamente en lo más íntimo del ser moribundo, cuando ya no existía el poder físico para darles forma. Pero la superficie no decía nada, así como la costra helada del río no permite oír la bulliciosa y veloz corrida de las aguas profundas.

Así lo comprendió León. Vio una gota brillante temblar en cada uno de los ojos de María. Eran la última y la única forma posible de expresar la energía postrera de sentimiento humano en su alma, solicitada ya del abismo insondable y atada aún al mundo por la tenue raíz de un deseo. Dos lágrimas asomadas, que no llegaron a correr, fueron lo único que de aquel oleaje recóndito salpicó fuera.

León acercó sus labios al rostro frío y oprimió firme. Oyó entonces el fuerte suspiro de una gran ansiedad satisfecha. Estremecido con sacudimiento el cuerpo exánime, óyose una voz que dijo:

—¡Oh!... ¡Gracias!...

Transit.

Quietud absoluta. ¡Formidable silencio aquel en que María Egipcíaca resbaló por la pendiente de la invisible playa, como grano de arena arrastrado por la ola y llevado a donde la humana vista no puede penetrar!

Los que la miraban morir se encontraron solos. Con un suspiro se dijeron que ya la infeliz esposa no existía. Ya se podía hablar en voz alta... El que tenía la obligación de cerrar aquellos ojos los cerró con trémula mano... Temía hacerle daño.

El padre, puesto de rodillas, rezaba en silencio, la mirada fuertemente contenida dentro de los párpados, como el prisionero a quien se doblan los cerrojos de su calabozo. Contempló León breve rato lo que restaba de quien fue la mujer más hermosa de su época, reuniendo a este privilegio el de ser la más santa de su barrio, y tembló de dolor al choque de las memorias que a él venían, de los sentimientos que en él se encrespaban. ¡Cuán triste hermosura en aquella calma de los despojos tibios, donde lo bello ocultaba tan bien lo fúnebre, que era propio en aquel caso llamar ascéticamente muerte a la vida y vida a la muerte!

Lleno de turbación y rebosando lástima de su corazón oprimido, el viudo salió de la alcoba como si saliera de su juventud. Las fieles amigas de devociones y los cria-

dos quedaron allí. Paoletti se retiró a rezar a la capilla.
Circuló la noticia por el palacio y se oían lamentos lejanos, bullicio de gente que corría en busca de cordiales,
secreteo suspirón de amigos que entraban y salían. León
fue a dar a la sala de Himeneo, donde se arrojó en un diván, fijando la vista en el antiguo reloj artístico que en
torno al círculo de las horas tenía un renglón curvo, semejante a un triste ceño, con esta inscripción:

Vulnerant omnes, ultima necat.

15. La sala Increíble

Reuniéronse a él los criados y algunos amigos fieles.
Dadas las disposiciones que exigían las circunstancias, se
retiró a la parte del palacio próxima a su habitación. Quería estar solo. En medio de su pena, sentía escondida la
satisfacción de haber cumplido hasta el último instante
obligaciones sagradas. Mandó a su criado que guardara
la puerta, no permitiendo que nadie penetrase hasta él, y
se encerró en la sala Increíble. Al fin le acompañaba
la soledad tan deseada. Podía pensar solo y considerar la
marcha de los sucesos, su propia situación, el estado de su
alma, echar una mirada al pasado y otra al porvenir. La
dolorosa lucha que tiempo ha sostenía con un ideal distinto del suyo, había concluido. Estaba libre; pero su libertad venía impregnada de tristeza, porque había sido
traída por la muerte; le quitaba los hierros una figura
hermosa, melancólica, que no merecía en modo alguno
el odio, sino compasión y respeto. El óbice suprimido por
la muerte, aposentado en la memoria y aun en el corazón del liberto por la compasión, ganaba dulces simpatías
sólo por el hecho de su fin lamentable. Tenía el prestigio
de la inocencia y la hermosura del ángel.

Por mucho que León empapara su pensamiento en aquella memoria, si no cariñosa, interesante y patética, no pudo evitar que fuese sorprendido su espíritu por una idea lisonjera. Tenía porvenir. Ante él se abría el pórtico de una vida nueva, donde quizás vería realizado lo que persiguió vanamente en la vida fenecida, completamente rematada en la calma triste de un funeral. Pero lo reciente del duelo le hacía mirar con miedo el porvenir, y sujetaba su mente para no lanzarse a imaginar días venturosos ni a fabricar lindos castillos, todos en la región luminosa de lo probable, pero también en el caos oscuro que en un punto se juntasen el homenaje de respeto y piedad debido a lo que fue y la ilusión de lo que había de ser. Pero la esperanza es como el remordimiento, y viene tan puntual cuando la lógica la trae, que se la creería un don precioso de la conciencia. Así como no se puede cerrar la puerta al remordimiento cuando este viajero llega y toca reclamando su hospitalidad ineludible, no se puede tampoco despedir a la esperanza que viene, atropella, invade, se apodera, se instala y despliega ante la vista el lienzo seductor de los días venideros. No hay ceguera voluntaria que sea parte a impedir el goce de los horizontes de la vida cuando éstos se agrandan y se iluminan por sí No hay momento en la vida, por doloroso que sea, que no se encadene con los momentos esperados que aún permanecen en los infinitos depósitos, no consumidos, del tiempo. La vida no es más que la apreciación de un *más adelante*. La Naturaleza ha cooperado en esta ley, no creando ningún ser superior que tenga los ojos en la espalda.

Vacilaba y padecía, no queriendo lanzarse a donde su pensamiento iba con fatal vuelo, y gustaba de atarse otra vez la cadena rota. Creía honrarse apartando de sí toda idea de su propio bien, aunque éste fuera legítimo, y quería que su fantasía procediera noblemente, no imaginando nada lisonjero en aquella luctuosa noche. Pero si el espíritu tiene velas maravillosas que lo impulsan y sin las cuales no puede navegar, tampoco puede hacerlo sin un lastre que se llama egoísmo. El egoísmo es necesario. Sin él y con velas se entregaría el hombre al loco arbitrio

de los huracanes. Y con él solo y sin velas queda reducido
al triste papel de pontón. Gallarda y perfecta nave es la
que tiene en justa medida alas y peso. Meditando en esto,
él se negaba resueltamente a ser pontón. Había arrojado al
agua todo su lastre para lanzarse como un rayo al oleaje
de la contemplacion pura de lo ideal, cuando sintió ruido,
un rumor que le hizo temblar, como la cuerda tirante en
los altos topes tiembla en la horrible trepidación del hu-
racán: era un ruido de traje de mujer mezclado con un
suspiro. Cuando miró, Pepa Fúcar estaba delante de él.

León, medroso, no osó preguntarle nada. Tenía ella en
su cara el aspecto de un muerto que se levanta por miedo
de haberse muerto. Sus dientes chocaban como al efecto de
un frío intensísimo. Traía la tragedia en sus ojos y en su
mano un papel. León tuvo valor para decirle:

—Por Dios..., no vengas a turbarme... Mi pobre mujer ha muerto.

—Y yo...

El temblor, aquel frío que parecía adquirido al contacto
del sepulcro, le impidió seguir. Al fin concluyó la frase:

—Y yo ha tiempo que he venido... a decirte que mi
marido vive.

León se quedó como quien no oye bien. Su conciencia
fue la que gritó un instante después:

—¡Tu marido!...

—Se llevó la mano a la cabeza, en cuyo centro toda su
sangre parecía circular en remolino.

—¡Vive!

—¿Le has visto?

—Sí; y me habría muerto de espanto si no hubiera
pensado que estás tú en el mundo para salvarme y ser mi
amparo contra este bandido.

Estas palabras llevaron el espíritu de León a un aturdimiento estúpido.

—¿Yo? ¿Qué tengo que ver con eso?... —dijo, pug-
nando por echarse fuera de aquella situación escandalosa,
por medio de un sofisma de dignidad—. Déjame... ¿Tengo
algo que ver con tu marido..., ni tampoco contigo?

En su pecho se había levantado una tempestad de rabia, contra la cual luchó, oponiéndole el decoro, el honor, diques de barro, que se rompían apenas usados. Sintiendo un torbellino en su cabeza y deseando que su amor fuera oído y que las cosas no fuesen como eran, ordenó a Pepa salir de allí. Un rayo de lógica le había destrozado interiormente. Cediendo a un movimiento natural de su alma, que no sabía si era el despecho o el honor, dijo a su amiga:

—Déjame... Te repito que me dejes... No me turbes ahora. No quiero verte, te separo de mí, te expulso.

—No estás en tu juicio —dijo Pepa con dolorida tristeza—. Me arrojarás de esta sala, pero no puedes arrojarme de tu corazón.

—Es que has venido a burlarte de mí —repuso él—, cuando merezco más respeto... Lo que has dicho no será verdad.

—¡Oh! Si no lo fuera... —dijo la dama, cruzando las manos—. Esta mañana me dio mi padre la terrible noticia; pero yo no creí que el *otro* tuviera valor para presentarse a mí... Esta noche me hallaba en mi cuarto..., sentí ruido en el jardín, me asomé..., vi un hombre..., era él..., la luz que alumbra el pórtico iluminó su cara aborrecida..., le conocí. Creí que la tierra se abría y me tragaba... y empecé a temblar de frío y miedo. Instintivamente me eché a correr por toda la casa, creyendo sentir sus pasos detrás de mí y su mano que me tocaba. Salí por la puerta de servicio, y si no hubiera puerta, me habría arrojado por una ventana... Salí al patio, no quería detenerme... Corrí a la calle, tomé un coche de alquiler y he volado aquí para decírtelo... He esperado mucho tiempo en el museo... No he tenido paciencia para esperar más.

—¿Y tu hija?

—Si hubiera estado en casa, la habría traído conmigo... Papá se la llevó esta noche a casa de la condesa de Vera. Yo pensaba ir también; pero supe lo que pasaba aquí, y me entró horror de presentarme en público...; me fingí enferma...

—¡En qué triste instante vienes aquí! —exclamó León con honda amargura—. Ni siquiera consolarte puedo.

—¿Qué ves en mi presencia?

—Profanación..., escándalo..., no sé qué... Una espantosa inoportunidad que me hace temblar.

—No tengo la culpa de lo ocurrido. Dios lo ha dispuesto así... Pero no perdamos el tiempo en lamentaciones... Pensemos, discurramos lo que se debe hacer.

—¿Quién?

—Nosotros... ¿Me desamparas en este conflicto sin igual? ¿No sabes lo que trama el perverso? Mi padre me enteró esta mañana... Hace dos días que llegó a Madrid y se alojó en casa de sus tíos para echarme desde allí... No sé quién le ha informado... Creo que serían sus tíos. Gustavo es su abogado... Sí, va a entablar querella contra mí... El muy canalla escribió a mi padre esta mañana declarándole arrepentido de sus infamias y pidiéndole perdón... En la carta de mi padre remitía una para mí... Mírala.

El primer movimiento de León fue rechazar la carta; pero, sin saber cómo, la arrebató de la mano de Pepa y leyó lo que sigue:

"Un hombre que se muere no tiene derecho a exigir fidelidad a la esposa que vive. Felizmente para mí, el Señor Todopoderoso ha querido conservar mi preciosa existencia. Mientras llega el momento de abrazar a mi esposa y a mi hija, tengo el honor de poner en conocimiento del primero de estos seres queridos que estoy resuelto a otorgarle mi perdón si se decide a poner de nuevo el cuello bajo el yugo matrimonial, atendiendo a que mi supuesto alejamiento del mundo de los vivos disculpó hasta ahora su desvarío. Pero si el susodicho ser querido se obstina en considerarme destinado a ser pasto de peces en el golfo mejicano, yo me tomo la libertad de asegurarle que estoy decidido a usar de los derechos que la ley me otorga. Mi adorada hija no puede crecer en el impuro regazo del adulterio. Seguro estoy de que la dama de quien tengo el honor de ser esposo no preferirá los halagos de un amor criminal a los dulces deberes de madre; en caso contrario, yo entablaré mi querella, contando, como cuento, con los testigos necesarios para hacer la previa información que la ley exige, y reclamaré a mi hija, persuadido de que la ley la pondrá en mis paternales brazos cuando cumpla los tres años.

"Para que mi buena esposa comprenda bien cuán fuerte es mi posición de cónyuge inocente, le ruego dé una vuelta por el despacho de su señor padre, y allí, estante tercero, tabla segunda, hallará la *Novísima Recopilación*, de cuya interesante obra me tomo la libertad de recomendarle la ley 20, título I, libro II.

F. Cimarra."

—Es él —exclamó León estrujando la carta—, es su letra, es su estilo, su descaro, su miserable ironía, su falta absoluta de vergüenza y delicadeza. Reconozco la mano infame en la bofetada que recibo... ¡Dios Poderoso, si el ataque de un monstruo semejante no es razón suficiente para atropellar todas las leyes y respetos, para olvidar la dignidad y la conciencia misma; si esto no es razón para rebelarme y estallar, no quiero la vida, la desprecio!

Arrojó al suelo la carta estrujada, y Pepa le puso el pie encima, diciendo con cierta fiereza:

—Así trataría yo tu persona, malvado, y tu *Novísima Recopilación*.

Después se dejó caer en el sofá, exclamando entre sollozos:

—¡Mi hija, en poder de ese vil!... ¡Mi hija, que es alma toda, separada de ti y de mí!... ¡La idea de esta feroz amputación de mi vida me vuelve loca!

León clavaba en el suelo una mirada torva, aviesa.

—Un rasgo enérgico de mi voluntad nos salvará —dijo Pepa, alzando su rostro, que parecía la imagen misma de la resolución.

—Calla, espera —dijo León, apartándola, lleno de ansiedad—. ¿No oyes?

Ambos quedaron mudos conteniendo el aliento. Sentíase por la galería cercana ruido de pasos lentos, tardos, como de muchos hombres que transportan un objeto pesado. Se acercaban, pasaban con cierta solemnidad aterradora; después se perdían a lo lejos...

Pepa y León, en la actitud de rechazarse el uno al otro, atendían con temerosa quietud a lo que cerca de ellos pasaba. El vivo palpitar de ambos corazones se confundía en un solo latido. Cuando el silencio volvió a reinar en el palacio, León miró a su amiga, que tenía el rostro inclinado y los ojos llenos de lágrimas.

—¿Rezas?

—¡Oh Dios mío! —exclamó Pepa, oprimiéndose el corazón—. Ella reposa en paz, yo me consumo en ardientes afanes; ella goza ahora de la dicha eterna en premio de sus virtudes, yo soy señalada como criminal y perseguida por la Justicia, y veo mi pobre corazón cazado en horrible trampa de leyes... No, Señor; yo no te pedí que la mataras para darme el triunfo, yo no pedí eso... Yo no he sido mala, yo no merezco este castigo... Por momentos la aborrecí, es verdad; pero ya no. Ahora no sé si la temo, no sé si es respeto lo que me hace pensar tanto en ella y verla día y noche enfrente de mí, viva y muerta al mismo tiempo.

—¡Feliz ella! —dijo sordamente el viudo.

—Pero no nos entreguemos a nuestra melancolía. Es preciso resolver esta noche misma... Escucha, yo tengo un plan, el mejor, el único posible.

—Un plan...

—Ya lo sabrás. Antes necesito traer a mi hija. Paréceme que han de quitármela, que ella y tú y yo corremos peligro...

—Tráela al momento.

—Son las diez. Tengo tiempo de ir y volver pronto. Ya he hablado a Lorenzo, el mejor cochero que tenemos. Está enganchada la berlina. ¿Prometes esperarme aquí?

—Te lo prometo —dijo León, mirándola sin verla—. Corre en busca de Monina, tráela pronto; yo también temo...

—Hasta luego... No te muevas de aquí.

Salió por la puerta del museo. Largo rato estuvo León sin poder coordinar sus ideas. Antes de resolver nada concreto, convenía ver la cuestión con claridad y con sus naturales formas y dimensiones, sin hacerla más difícil ni más fácil de lo que realmente era. Pero él mandaba a las ideas presentarse con lucidez y no lo podía conseguir. La disciplina de su entendimiento estaba rota. El gran cansancio físico y el caos intelectual en que se hallaba lleváronle a una especie de sopor, en el cual su mente se aletargaba, dejando que desvariaran febrilmente los sentidos. La sala cuadrada le pareció circular, y el muro cilíndrico daba vueltas en torno de él, paseando, con el remolino jaquecoso de un tiovivo, las mil estrafalarias figuras que lo adornaban. Eran estampas grandes y chicas, platos y jarros, medallas y esculturas del tiempo del Directorio, que fue la revolución del vestido, trivial apéndice a la revolución del pensamiento. Después de cortar las cabezas, la fiebre innovadora se dedicó a reformar sombreros. La industria no quiso ser menos que la libertad, y en la cúspide del montón de cráneos alzados por el Terror plantó el figurín.

Allí no había más que hombres embutidos en inverosímiles casacas, estrangulados por corbatas sin fin y sirviendo de pedestales a fantásticos gorros. Unos esgrimían bastones llenos de nudos o en espiral, y estaban desgreñados como las furias y calzados como bailarines. Cadenas informes y sellos como badajos pendían⌐algunos; de otros no se sabía cuáles eran las piernas y cuáles los faldones, ni dónde empezaba el hombre y acababa la ropa. Parecían chabacana metamorfosis de la Humanidad en bandada de aves graznadoras, llevando los lentes sobre el pico y las patas con borceguíes. Las mujeres mostraban media pierna con listadas medias, y en la cabeza torres de pelo, plumas, cartón, cintas, túmulos, veletas, pagodas, flechas, escobas.

Hombres y mujeres corrían en rápido ciclón, abigarrada chusma bufona, de cuyo centro salían silbidos, ayes, befa y risa, entre la confusa masa de garrotes, piernas desnudas, narices, lentes, faldones, abanicos, sombreros. La Humanidad actual encerrada en un cañón tan grande como el mundo y disparada a los aires en millones de pedazos, no habría formado sobre el cielo espantado una nube más horrible.

Vio León que del círculo se destacaba una figura y

avanzaba hacia él. Al punto se sintió abrasado de un furor
semejante al que despierto había sentido en la mañana de
aquel día contra su hermano político, furor no contenido
ahora por consideración ni respeto alguno. El odiado *increíble* que hacia él venía era el más grotesco de aquella
muchedumbre antipática, y con su infame risa parecía in-
sultar a la razón humana, al pudor, a la virtud, a todo
cuanto distingue al hombre de la bestia.

—Execrable animal —gritó o creyó gritar León, aba-
lanzándose a él y cogiéndole por el cuello—, ¿crees que te
temo?... ¿Por qué me la quitas?... ¿Dices que es tuya?...
Ahora te enseñaré yo de quién es.

Desarrollaba contra él atlética fuerza y le decía:

—¿Tienes derechos? Pues yo los pisoteo... ¿Has contraído lazos? Pues yo los rompo... Mira el caso que hago
yo de tus derechos y de tus lazos: el mismo que de tu vida,
empleada en el mal y en el escándalo... ¿Me pides que te
respete?... ¿Que respete en ti la ley, el Sacramento, como
los respeté en la infeliz que ya no pertenece al mundo?
¿Cómo te atreves a compararte con ella? En ella respeté
la virtud seca, la piedad exaltada, la honradez, la inocencia,
la debilidad, la belleza. Pero en ti, ¿qué hay sino corrupción, mentira, infamia, vicios?... No me pidas que te tenga lástima, porque la compasión no se ha hecho para los
animales dañinos. No me pidas que te entregue tu hija.
Pues qué, ¿un ángel se echa a los perros?... Tu hija te
aborrece, tu mujer te aborrece, y yo... te acabo.

Creyóse rodando por una pendiente oscura con su víctima entre las manos. Sin darse cuenta de ello, durmió un
rato con agitado sueño. Cuando aquel vértigo insano se
calmó por completo en su mente, empezó a distinguir de
un modo confuso los objetos; luego los vio salir de la
sombra con más claridad. Los *increíbles* y las *increíbles*
estaban en su sitio con su natural pergenio irrisorio, ni
más feos ni más agraciados que antes. No oyó León rumor alguno. Miró su reloj; eran las once y media.

La primera idea que vino a su mente fue la de que
debía salir del palacio aquella misma noche y retirarse a
su casa. Pensó en María muerta, en Pepa viva, y a entram-

bas las veía cual si delante las tuviera. Después, como si
su pensamiento evocara a esta última, la vio aparecer por
la puertecilla del museo, trayendo a Monina de la mano.

16. Los imposibles

—Aquí está —dijo con orgullo—. ¿Ves como la traigo?
Su fatigada respiración apenas le permitía articular las
palabras. Soñolienta y malhumorada, la pobre niña se dejó
tomar en brazos por León e inclinó la cabeza sobre sus
hombros para dormirse allí.

—¿No le cuentas nada? —dijo Pepa, acariciando sus
manecitas—. Mona, alma mía, ¿no le cuentas lo que te he
dicho?

La nena cerró los ojos, murmuró algo, entregándose sin
cuidado al sueño en el borde del abismo que a los pies
de su descarriada madre se abría.

—Se duerme —dijo León, oprimiéndole dulcemente la
cabeza para fijarla más sobre su hombro—. Hablemos en
voz muy baja, ya que lo terrible de la ocasión nos obliga
a vernos y a no estar callados.

—Aquí no puede ser. Se oye desde ese corredor —dijo
Pepa, levantándose y tomando a León de la mano—. Ade-
más, tengo que enseñarte una cosa que está en otra parte.
Es un secreto. Sígueme.

Dejóse guiar. Abrió Pepa la puerta del museo y entraron. Encendiendo una bujía, condújole por una pieza donde había cuadros viejos, y luego por una sala, y otra, y
otra. Ella iba delante. León, con Monina en brazos, la seguía, sin hacer observación alguna. Al fin reconoció las
habitaciones.

—Aquí no penetran los curiosos, ni esa turba de majaderos que han invadido a Suertebella —dijo Pepa.

Y pasaron a una estancia que era la misma donde Monina había estado enferma del *crup*. Una criada esperaba las órdenes de Pepa. Era la mujer de un mozo de Suertebella, en quien la señora tenía confianza; y como sus criados estaban en Madrid, sirvióse de aquélla para que a la niña cuidara. A ésta la acostaron pronto, y Teresa quedó junto a la camita, con encargo de avisar si alguien llegaba. Pepa llevó a su amigo a la pieza inmediata.

—Es mi alcoba —dijo la dama, cerrando la puerta—. Aquí nadie nos ve ni nos oye. Aquí está mi secreto. Siéntate... ¡Oh! ¡Dios mío, qué pálido estás! ¿Y yo?...

—Tú también —repuso León, sentándose fatigado.

—Somos espejo el uno del otro —afirmó ella, tratando de endulzar con un grano humorístico la hiel que ambos apuraban en una misma copa.

El matemático no estaba en disposición de observar la suprema elegancia del dormitorio, cuyas riquezas podrían compararse a las que en tiempos de fe se gastaban en decorar capillas y altares; no paró mientes en los hermosos muebles de ébano incrustado de marfil, ni en el lecho negro, prodigio de ebanistería, que en sus vastas blanduras sin uso, cubiertas con extraña tela oscura y dorada, tenía un no sé qué de tálamo sepulcral; ni se fijó en las pinturas religiosas con marcos de plata, algunas semejantes a las de María Egipcíaca, ni en la colgada lámpara esférica, recién encendida, y que, semejante a una luna, derramaba discreta claridad por la alcoba. Rica y misteriosa, la alcoba habría llamado la atención del buen amigo en otro momento; entonces, no.

—Tu secreto... ¿qué secreto es ése?

—¡Mi secreto!... —declaró Pepa, llena de congoja—. ¡Mi secreto es huir, huir! Consiente, y de aquí saldremos los tres sin que nadie nos vea.

—¡Huir!... ¡Qué loco absurdo! —exclamó él, llevándose el puño a la frente—. ¡Y en qué momento! Tu conciencia, la mía, nuestro amor mismo deben protestar contra esa idea. ¡Olvidas lo que ha sucedido en esta casa, por Dios! ¡Pretendes que ni siquiera haya en mí el respeto y la delicadeza que exige la muerte! ¡Quieres que, apenas cerrados por estas manos aquellos ojos...! ¡Horrible corazón el mío si tal consintiera! Merecería descender a más bajo puesto que el que tienen los que ya me llaman a boca llena *el asesino de María*... Ni comprendo que puedas amarme viéndome caer tan de golpe en la bajeza de una acción fea, torpe, escandalosamente inicua.

Cada palabra era para la infeliz una vuelta dada en el lazo que la estrangulaba. Ambos enmudecieron largo rato, sin mirarse. Repentinamente puso ella su mano sobre el hombro del matemático, le miró con aterrados ojos, y con un acento que él no había oído jamás, se dejó decir:

—Pues entonces me voy con mi marido.

—¿Qué dices?

—Que tengo que someterme a él... ¿Lo quieres más claro?... O huir contigo, o enjaularme con la fiera.

En su interior sintió León como un salto, fenómeno producido por la repercusión violenta del alma, si así puede decirse, rebotando en su centro.

—¿Lo quieres más claro? —añadió la dama, dejándole ver muy de cerca la expresión conminatoria de sus ojos chiquitos—. Gustavo ha conferenciado esta mañana con papá para decirle las pretensiones de Federico. Es su cliente; en las hábiles manos de ese joven ha puesto el malvado la salvación de sus derechos.

—Ya comprendo por qué amenazaba con un arma misteriosa. ¿Estabas presente cuando Gustavo habló a tu padre?

—Sí... Mi padre acababa de revelarme la resurrección de nuestro enemigo... Por carta lo supo. Pilar le dio anoche la noticia de que estaba aquí. El espanto no me había dado aún respiro, cuando entró el hinchado jurisconsulto. Venía, como amigo nuestro y de Federico, deseoso de arreglar nuestras diferencias antes de entrar en pleitos... ¡Hipócrita!, sus frases oratorias me hacían efecto semejante al chirrido de una máquina sin aceite, que ataca los nervios y da dolor de cabeza... Mi padre y él estuvieron largo rato tiroteándose con palabrillas y floreos ridículos, que me indignaban. Yo hubiera puesto al abogado en medio de la calle. Ya supondrás su énfasis cargante y la complacencia con que me atormentaba... Después de mucho hablar, dijo que ya tenía hecho el escrito de querella.

Pepa se detuvo para tomar aliento y fuerzas morales, de las cuales parecía tener inagotable depósito.

—Mi padre —prosiguió— hizo muchos distingos y sutilezas... Yo dije que el valiente que se sintiera capaz de arrancarme a mi hija, viniera a tomarla de mis brazos. Creo que en el calor de mi ira solté a Gustavo alguna palabra impropia. El pidió indulgencia por su intervención, afirmando que no era más que un letrado... Deseaba que nos arreglásemos, que en el juicio de conciliación hubiera avenencia, que no diéramos un escándalo. Yo quise defenderme de la fea nota que echaba sobre mí, pero el grito de mi conciencia me detuvo, me hizo equivocar las palabras, y pensando probar que no soy culpable, creo que dije y proclamé lo contrario.

—¿Y qué más habló el furibundo moralista?

—Estuvo media hora citando leyes. Habló primero del Deuteronomio; después dijo no sé qué cosa de los Germanos y Tácito; luego citó... creo que a un señor Chindasvinto, a don Alfonso el Sabio, y, por último, creyendo que no nos había mareado bastante, citó partidas, leyes, artículos, qué sé yo. Oyéndole yo me deleitaba.

—¿Te deleitabas?

—Sí, pensando en lo bueno que sería cogerle y arrojarle en el estanque grande de casa para que fuera a enseñar leyes a las ranas y a los peces... El muy fastidioso, empleando palabras discretas y corteses, me dio a entender que toda la razón estaba de parte de su cliente y que a éste le sería muy fácil probar mi culpa. Cuenta con testigos.

—¡Testigos! ¿De qué? Yo dudo que puedan probar nada a pesar de su saña; pero te deshonrarán, arrastrarán tu nombre y tu dignidad por el lodo, y es fácil que pierdas a tu hija cuando ésta tenga la edad que marca la Ley. Si huimos... les damos prueba plena. Entonces sí que perderás a tu hija.

—Pero ¿si nos vamos lejos?

—No te acobardes ni pienses en la fuga, que es tu con-

denación. Mientras él pleitea, pleitea tú pidiendo a la Ley
que le imposibilite para ejercer la patria potestad, por
pródigo, malversador de fondos, falsario, por diversos crímenes que será fácil probar si tu padre te ampara.

—Comprendo tu idea y tu ilusión; pero voy a disiparla.
Aún no sabes lo mejor, es decir, lo peor.

—¿Qué?

—¿Crees que mi padre ha tomado con calor mi defensa?

—Naturalmente.

—Pues te equivocas. ¡Ay! Pobre de mí, pobre amigo
de mi alma. Estamos solos, sin amparo; tenemos en contra la religión, las leyes, los parientes, los buenos y los
malos, el mundo todo. Cuando el celebérrimo Gustavito
me habló de las ventajas legales de su cliente, yo me en-
furecí; pero, conteniéndome, dije que Federico no podía
ejercer la patria potestad, que si él insiste en presentar su
querella, yo le acusaré... de todo eso que has dicho. Mi
padre oyó esto con mucha calma, y al punto le vi inclinado a no sé qué horribles pasteleos... Bulbuciente, dijo
varias frases que me helaron el corazón... "Mi hija será
razonable..." "Es preciso que todos hagamos un sacrificio..." "Yo, si Federico conviene en algo aceptable..., ya
se ve..., no se puede hacer todo lo que se quiere..." "Lo
principal aquí es evitar el escándalo..." Esto de evitar el
escándalo, que repitió más de veinte veces, me probó que
mi padre no está decidido a defenderme como deseo.
¡Transacción! ¡Y con quién, Dios mío! También habló
de entenderse con los tíos de Federico, dos señores muy
respetables, ya los conoces: el uno es magistrado del Supremo y el otro presidente de la Audiencia... ¿Qué saldrá
de aquí? ¿En qué piensas? ¿Qué dices a esto?

—Que si tu padre te abandona, fuerza será que comba-
tas sola.

—Eso es, sí, me batiré sola. Bendito sea tu consejo. Tú
me das los ánimos que me quita mi padre con su dichosa
repugnancia de la exageración —dijo Pepa muy reanima-
da—. ¡Si vieras qué armas tan formidables tengo!... Para
enseñártelas te he traído aquí. Vas a verlas.

En un ángulo de la alcoba vio León, siguiendo con los ojos la señal de su amiga, un armario de ébano y marfil, no muy grande, rico y bello en materia y forma, con aspecto a la vez elegante y sólido. A este mueble se dirigió la dama, y, abriéndolo, mostró su interior, que era un laberinto de puertecillas, arquitos, gavetas, secretos, escondrijos. Impulsó resortes y abrió desconocidos huecos.

—Esta parte de arriba —dijo Pepa, sacando del depósito un papel que puso en manos de León— se llama el *arca de la tristeza*. ¿Conoces esto?

—Es una carta, una carta mía.

—Me la escribiste cuando yo estaba en el colegio y tú preparándote para entrar en la Escuela de Minas. Léela y reflexiona sobre lo que decías en aquellos tiempos... "Que yo te había inspirado un amor insensato..." Ríete ahora, si puedes, de tus tonterías de colegial... ¿A que no conservas tú mis cartas de colegiala, como yo conservo las tuyas? Y esto, ¿lo conoces?

—Es un alfiler de corbata —dijo él tomándolo—: también es mío.

—Sí... Se te perdió en casa un día que fuiste a comer... Ya eras novio de esa pobrecita...; pero yo tenía esperanza de que no te casaras con ella... Encontré esta prenda en la alfombra y la guardé... Y estas flores, ¿las conoces?

—Son las camelias que te di un día en San José.

—Sí... A la noche siguiente fuiste a verme a mi palco, y por primera vez te sorprendí mirando con mucho interés a...

—¡Pobres flores!... No pensé volverlas a ver ni que me hablaran como me hablan ahora, removiendo en mí todas las ideas y todas las pasiones de mi vida. ¿Sabes que no están tan secas como parece debieran estar después de tanto tiempo?

—Están embalsamadas con los infinitos besos que las he dado en todas las épocas de mi vida... Pero no nos entretengamos. Dame eso acá.

Recogió y puso cada objeto en su sitio con maneras tan respetuosas cual si fuesen las más preciosas reliquias.

—Dormid aquí el sueño triste, queridos compañeros

—dijo después—. Ahora. que has visto el *arca de la tris-teza,* voy a mostrarte el *arca de los horrores.*

Sacó de recóndita gaveta un paquete de postales, atados en cruz con cinta roja, como expediente de oficina. León lo tomó comprendiendo lo que era, y ambos se sentaron para examinarlo.

—Ahí tienes —dijo Pepa, contagiada de horror a la vista de aquel legajo de ignominia— diversos testimonios del martirio a que he vivido sujeta como esposa de un perdido: ahí tienes viles secretos que él me confiaba en momentos de apuro, cuando necesitaba de mi bolsa. Cada hoja de ésas es recuerdo de una deshonra que yo oculté cuidadosa, prueba de delitos que logré frustrar, o de los que quedaron ocultos entre la hojarasca de la Administración pública. Examina eso y verás que tengo medios bastantes para declarar a Federico incapaz no sólo de ejercer la patria potestad, sino también de vivir en el seno de una sociedad medianamente digna.

León examinó el paquete con curiosidad muy viva, pasando rápidamente por algunas partes, deteniéndose en otras. Vio cartas con firmas conocidas, contratos secretos, minutas, cuentas; papeles con sello de oficinas públicas, hojas que evidentemente habían sido sustraídas de algún expediente famoso, una orden judicial que, sin duda, tenía la firma del juez arrancada por sorpresa... Después de verlo todo, devolvió a Pepa el expediente de los horrores diciendo:

—Quema todo esto.

—Pues qué —preguntó la dama con estupor, abriendo las manos para tomar el paquete, pero sin atreverse a tomarlo—, ¿no me sirve?

—No.

—¿Que no sirve?... ¿No podré...?

—Poder, sí...; pero...

—Entonces...

—En estas circunstancias terribles es preciso decirlo todo claramente. Uno a otro nos debemos la verdad, aunque ésta perjudique a un ser querido.

—No te entiendo.

—Quema eso, porque no te sirve de nada. Es un arma de doble filo que te herirá a ti misma cuando quieras usarla. Perdóname la franqueza de mis palabras. Con esto podrás acusar a Federico victoriosamente. Por poca justicia que haya en un país, esto bastará a meter a un hombre en presidio... Pero, si lo haces, el infame debería ir a su destino muy bien acompañado.

—Debería ir...

—Dígolo así porque en España las personas de cierta talla no entran jamás en la cárcel, aunque lo merezcan... Pero tu expediente horrible podrá fácilmente cubrir de ignominia...

—¿A otras personas?

—Sí; a una que tú quieres mucho y a quien no puedes desear daño... Pepa, por Dios, quema eso.

La dama se llevó la mano a los ojos, como queriendo poner un estorbo a sus lágrimas... Sacando nuevamente singular fuerza de aquel depósito inagotable que en su alma tenía, cogió el paquete, lo guardó en el *arca de los horrores* y cerró ésta, diciendo:

—Lo quemaré más adelante.

En pie frente a León, dijo en voz baja:

—De modo que es imposible incapacitar legalmente a mi marido...

—Imposible.

—¿Es imposible poner un acto legal a su querella?

—¡Imposible! Ahora comprenderás perfectamente la vacilación de tu padre, su flaqueza acomodaticia, la cual no es sino el miedo..., miedo de entrar en pleitos con su enemigo, con el que un tiempo ha sido su cómplice. Todo es imposible, querida.

—No, no. ¿Por qué buscar siempre los caminos torcidos? hombre, amigo, amante, esposo, o no sé qué, a quien legítimo con la elección de mi alma, imítame en mi osadía —dijo la dama con bravura, mostrando aquella resolución valiente que en ocasiones la hacía tan bella—. Nos queda el camino recto, el camino fácil, el único camino: la fuga. El coche nos espera, nada nos estorba, nada nos falta... Tú eres rico; yo, más... Todo nos favorece, todo nos precipita.

—¡Imposible..., locura! —murmuró León sombriamente.

—¡Locura!... En verdad lo parece; pero no lo es... Parece un absurdo, un escándalo, un infame reto a la moral y, sin embargo, para mí, que conozco el peligro y sé qué clase de enemigo tenemos, es cosa natural... ¿Crees que yo te propondría un escándalo semejante si no lo creyera necesario?... ¡Ah!, tú no le conoces, no sabes que yo, mi hija, tú, todos, estamos en peligro... Temo un insulto, un duelo contigo; temo un homicidio... Los momentos son preciosos... El no respeta nada. A cada instante me parece que le veo entrar...

—¡No y no! —repitió León con energía poderosa que tenía algo de crueldad.

Pepa, que en su osadía no cesaba de estar dominada por él, no se atrevió a protestar contra la espantosa fiereza que cerraba el único camino abierto a su felicidad. Temía que su insistencia provocara imposibilidades mayores aún, y miraba a la esfinge, esperando que de ella misma partiera la solución al problema, que según ella, la tenía tan fácil. Cansada de esperar, dijo al fin:

—Pues si todo es imposible, seguiré el dictamen de mi padre, abriré mis brazos al canalla...

—¡Tú en poder de ese monstruo! —exclamó León como una cuerda tirante que estalla—. Sería preciso, para tal consentir, que ni una sola gota de sangre me quedara en las venas.

—Pues si el monstruo se aplaca con el Código —dijo Pepa con sarcasmo—, le arrojaré a mi hija y me marcharé a vivir contigo.

—¿Separarte de tu hija?

—Ya ves que esto es más imposible todavía. Por todas partes adonde vuelvas los ojos, no verás sino imposibles.

—Algún punto habrá —dijo León meditando— adonde pueda mirarse sin ver la imposibilidad.

—Ese punto, ¿cuál es?

—Lo sabrás a su tiempo. Antes de decírtelo, me será preciso hablar con tu padre, con tu marido mismo.

—¿Tú?

—Sí, yo. Hablaré con él o con sus tíos, personas honradas y respetables. ¿No concibes tú que esto se resuelva sin fuga y sin pleito?

—No lo concibo.

—Yo, sí.

—Sabrás algún modo secreto de hacer milagros... Tendré que pleitear, pleitearemos contra él los dos, tú y yo.

—¡Los dos! Entonces perderás, y tu hija te será arrancada sin que nadie pueda remediarlo.

—Pues bien: puesto que me cierras todas las salidas, abre tú una: es tu deber.

—Mañana —dijo León lúgubremente, mirando al suelo— te abriré la única posible.

Pepa hizo un gesto de desesperación.

—¡Mañana! —exclamó, pasando de la desesperación al decaimiento, cual ascua que de fuego se trueca en ceniza—. Tus *mañanas* son mi muerte.

—¿Insistes en la idea de la fuga?

—Insisto, porque cada minuto que estemos aquí tú, yo y mi hija es un peligro para los tres... Esta noche, fúnebre para ti, es para mí la noche decisiva. Es capaz..., ¡qué sé yo!... Todo lo preveo y todo me hace temblar... ¡Me inspira tanto miedo, tanto!... Tengo por seguro que al saber que estás aquí, vendrá y te provocará..., ¡un duelo con él!... También temo que me insulte, que se me ponga delante... Siempre te aborreció..., temo hasta el asesinato..., me veo amenazada por no sé qué horrores..., veo sangre... ¡Y es tan fácil salir de este círculo de miedo!

León iba a contestar, cuando creyó sentir rumor de pasos y cuchicheo junto a una puerta que en la alcoba había.

—¿Adónde da esta puerta? —preguntó en voz baja.

—A una sala que comunica con la japonesa.

—Ya ves..., espían nuestros pasos, nuestras voces y... Son los testigos que se preparan para la prueba.

—Sabe Dios quién será. Supón que mi esposo viene... —dijo Pepa, deslizando las palabras en el oído de su amigo como ladrón que con ladrón habla en la soledad de la estancia robada—; supón que entra aquí. Puede asesinarnos casi sin responsabilidad. La Ley le ampara. Estás en la alcoba de su mujer.

León sintió una corriente glacial por todo su cuerpo.

—Calla —murmuró al oído de la dama—. Alguien acecha; pero es cuchicheo de mujeres curiosas y de hombrecillos menguados. No tienen más arma que su lengua.

—¡Estamos aquí para que ensayen su papel de testigos! —gritó Pepa, separándose de su amante y parándose con actitud de leona frente a la puerta misteriosa—. ¿Quién me escucha, quién me vigila, quién pone su oído en mi puerta con acecho cobarde?... Estoy en mi casa, estoy en mi casa, y no con palabras, sino a latigazos, echaré de ella a quien no me respete.

Después se volvió a León, diciéndole:

—¡Y todavía dudas!... Mil peligros nos rodean... Tiemblo por tu vida, tiemblo por todo.

Detrás de la puerta había ya profundo silencio. Después se oyeron menudos pasos de mujeres alejándose.

—Oye esas pisadas de gato —dijo él—. Los cobardes no matan, pero ya nos arañarán el rostro.

Al decir esto, ambos se asustaron porque una persona había entrado en la alcoba por la habitación de Monina. Era el marqués de Fúcar. Venía muy alterado.

—Tengo que hablar con mi hija —dijo a León con cierta seriedad—. ¡Qué sería de ella si un padre solícito no...! Después hablaré contigo, León. No, mejor será que hable antes... ¡Qué asunto tan delicado!... Vengo de... En fin, hija mía, un momento: León y yo tenemos que decirnos dos palabras. Pasemos aquí al cuarto de la nena.

La dama se quedó en su alcoba oyendo el rumor de las voces de su padre y su amigo, pero sin entender nada. Pasado un rato, don Pedro volvió solo al lado de Pepa. Esta miraba con afán a la puerta, esperando al que poco antes saliera por ella; pero, según dijo el marqués, ambos señores habían convenido en que el amigo no debía asistir a la conferencia entre el padre y la hija.

Retiróse León al cuarto que habitaba, no lejos de la sala Increíble, y pasó la noche en las crueles ansias del combate interior. Era este primero como una disputa entre formidables enemigos. Después el combate tomó la forma pavorosa de preguntas, a las cuales era preciso contestar de algún modo.

¿Huir con ella en el momento? Esto no podía ni siquiera pensarse.

¿Dejarla expuesta a la mala voluntad y quizás a las violencias del otro? No podía ser.

Mas por el momento, las conveniencias le mandaban salir de Suertebella y retirarse a su casa, donde podría seguir discurriendo lo que debía hacer. Verdaderamente esto era lógico; pero más lógico era no desamparar a la que de él tan tan cordialmente se amparaba. Si había peligros para entrambos en Suertebella, érale forzoso seguir allí, desafiando los comentarios del público. La opinión de los demás sobre aquel asunto suyo había llegado a serle indiferente, y decidido a obrar conforme a su conciencia, despreciaba el juicio de la muchedumbre. Quedándose allí tenía que arrostrar la desagradable impresión de las visitas que le harían pronto sus amigos y conocidos, gente ávida de dar un pésame en las condiciones más singulares. Todo el mundo sabía lo que pasaba. Era seguro que hasta los amigos menos afectuosos irían a verle, sólo por verle allí, en el teatro de su doble desgracia y de su escándalo. Pensó primero que no debía recibir a nadie; y después pensó lo contrario. Sí; afrontaría con valor la implacable embestida de la curiosidad y de la novelería. ¿Por qué no? Aquel enjambre social, viviendo en el goce del pecado propio y en la eterna crítica del ajeno no le inspiraba temor, sino desprecio. Además, Fúcar le había rogado que se quedara para prestar su cooperación a un benéfico plan que meditaba, y seguramente saldría bien a pesar de no ser contrata ni empréstito.

17. Visitas de duelo

Despierto estaba aún y batallando en su interior al romper el día; pero luego durmió algunas horas, con ese sueño breve y profundo que la última madrugada suele acometer al reo en capilla, y que parece, más que sueño, una embriaguez producida por el dolor fuerte y continuo.

Hora de las diez sería cuando su criado le ayudaba a vestirse, informándole de muchas cosas interesantes. El cuerpo de la señora había sido colocado en la capilla, con beneplácito del marqués de Fúcar, y el padre Paoletti lo había velado la noche anterior y lo velaría todo el día y la noche siguiente, rezando de continuo. El mismo señor y el cura de Polvoranca y el de la parroquia habían dicho misa aquella mañana en el altar de San Luis Gonzaga. El padre Paoletti se personó luego en la estancia del viudo para hablarle de ciertas disposiciones piadosas de la difunta. De todo ello se ocupó León con solicitud, y dio nuevas órdenes al padre para que lo restante fuera realizado con la posible magnificencia. El marqués de Fúcar vino, y ambos hablaron larguísimo rato sin agitación, sin palabras duras, tranquilos y tristes como dos diplomáticos de naciones vencidas y desgraciadas que comentan el modo de atajar a un usurpador victorioso. "De ti depende —dijo repetidas veces don Pedro con atribulado semblante, y después añadió—: Eres árbitro de todo." Después de estas palabras, prolongóse bastante el diálogo, siendo cada vez más triste, más apagado y terminando en acentos que oídos de fuera parecían de salmodia. La conferencia, como otras de que depende la suerte de las naciones, terminó en almuerzo. Pero aquella vez el almuerzo fue mudo y casi de fórmula, cosa que jamás pasa en política.

Por la tarde empezaron a entrar los amigos. Vio León

un lúgubre desfile de levitas negras, y oyó suspirillos que eran como la representación acústica de una tarjeta. Unos con cordial sentimiento y otros con indiferencia le manifestaron que sentían mucho lo que había pasado, sin determinar qué, dando lugar a una interpretación cómica. Algunos meneaban la cabeza cual si dijeran: "¡Qué mundo éste!" Otros le apretaban la mano como diciendo: "Ha perdido usted a su esposa. ¡Cuándo tendré yo igual suerte!" Doscientos guantes negros le estrujaron la mano. Aturdido y pensando poco en la frasecilla de cada uno, creía oír un susurro de ironía. Si los mil *increíbles* que le rodeaban en efigie soltaran la palabra desde aquel laberinto lioso en que se confunden la corbata y la boca no formarían un concierto de burlas más horrible. Muchos habían venido por amistad, otros por contemplar aquel caso inaudito, aquel escándalo de los escándalos, por ver de cerca al viudo que después de haber matado a su mujer a disgustos hacía alardes de sus relaciones nefandas con una mujer casada, bajo el mismo techo donde había expirado poco antes la esposa inocente... Después de saludar al amigo, algunos iban a ver a la muerta en la capilla... ¡Estaba tan guapa!

El enjambre negro se fue aclarando. Al fin no quedaron más de tres amigos, luego dos, después uno. Este, que era el de más confianza, le acompañó un rato. Después León se quedó solo.

—¿Se te puede hablar? —dijo una voz desde la puerta. León se estremeció al ver a Gustavo.

—Hablando con claridad y prontitud, sí —contestó.

El insigne joven se acercó lentamente.

—Nosotros nos vamos de esta casa —dijo—, que es para nosotros la mansión del horror y de la tristeza. Tú, por lo que veo, aún permanecerás en ella, atado por tus intereses y por tus pasiones. Te dejamos con gusto. Mamá te suplica, por mi conducto, que le hagas el favor de no presentarte a ella para despedirla.

—Ya había yo renunciado a ese honor —repuso León con irónica frialdad—. Hazme el favor de transmitir esta idea a toda la familia.

—Está bien. Y complaciéndome en ser lo contrario de ti —dijo el letrado, llevándose la mano al pecho—, opongo mis principios a tu ironía filosófica, y te declaro que mamá y papá y todos nosotros te perdonamos.

—Dales las gracias en mi nombre. Estoy encantado de tan cristiana conducta.

—Te perdonamos, no sólo por el triste fin...

—¿Más todavía?

—No sólo por el triste fin de mi hermana, sino por el ultraje que has hecho a sus santos despojos.

León se mantuvo sereno y digno en su muda tristeza.

—¿Vas a protestar? ¿Te atreverás a negarlo? —dijo el otro.

—No, no niego nada. Gozo dejándote en la posesión, poco envidiable, de tus bajos pensamientos.

—Pues dejemos ese horrible asunto. Nosotros, convencidos; tú, impenitente, cada cual en su lugar. Antes de separarnos para siempre, quiero advertirte que yo no he apadrinado a Cimarra ni le he azuzado contra ti. Llegó a mi casa, consultóme, le aconsejé, le hice el escrito. Lo demás será obra suya.

—Vive tranquilo. No se turbe tu conciencia por eso, que defendiendo sus legítimos derechos podrás llevarle por la mano al camino de la salvación

—Tus burlas de ateo no turbarán mi conciencia, que si está lejos de ser pura, no deja de ver con claridad el bien. No sé si el arrepentimiento de Federico es sincero o no. En buena doctrina no puede rechazarse al hombre que confiesa sus culpas y se declara resuelto a variar de conducta. El decirse arrepentido puede traer el desearlo, y el desearlo es andar una parte del camino para llegar a serlo de veras..., ventaja que la perversidad de aquel hombre tiene sobre tu empedernido descreimiento, pues ni confeso ni arrepentido podrás ser jamás.

—Te suplico —dijo León— que me evites el efecto soporífero de tus sermones, que, por cierto, están empapados en la heterodoxia más abominable. ¡Valiente apóstol tiene la Iglesia!... Para informarme de la despedida y del perdón de tu familia, podría haber venido Polito, que no sermonea.

—El quería venir, pero mamá se lo ha prohibido... Le infundía temores su carácter arrebatado. Todos esperamos que, entrando ahora en la vida esencialmente moralizadora del matrimonio, sentará la cabeza y se curará de los infames vicios que nos abochornan.

—¿Se casa Leopoldo?... ¡Oh! Permíteme que felicite a su mujer, aunque no tengo el gusto de conocerla.

—Las diferencias que había entre mi familia y la familia de Villa-Bojío han terminado anoche, cuando la madre de la novia de Polito visitó a mamá, prodigándole los más tiernos consuelos. La de Villa-Bojío acaba de perder un niño. Ambas madres confundieron en una su pena, y quedó acordado que Leopoldo y Susana se casarán cuando pase el luto.

—Felicito a tu mamá; dale mil parabienes.

—La sátira que envuelven tus palabras es digna de quien no respeta el dolor de una desgraciada familia. Por mi parte, nada he hecho en este asunto. Bien sabes tú que he llorado con lágrimas del corazón las distintas ignominias que han caído sobre mi familia por culpa de la inmoralidad de mi padre, de la mala cabeza de mamá y de los vicios de Polito. Has sido el confidente de mi tristeza, cuando yo te creía formal y honrado. Ahora, cuando nos repelemos con invencible antipatía, sólo debo decirte que, si es preciso, no llevaré un trozo de pan a mi boca antes de que se haya devuelto hasta el último céntimo a quien no merece ser nuestro acreedor.

—Si lo dices por mí, sabe que no me acuerdo de tal cosa. Me honro y me creo suficientemente pagado con la ingratitud.

—¡Frase bonita! —indicó Gustavo con sarcasmo—. Lo que dije, dicho está... Ya no nos veremos más. Mi última palabra sea para declarar mi equivocación al anunciarte que morirás de rabia. No, no muere de rabia el que vive de cinismo... Ya, ya sé que está preparado el coche y dispuestas las maletas para esa dramática fuga, atropellando todos los respetos sociales y pisoteando las leyes.

Bien, bien: eres consecuente. Buen viaje, pareja de Satanás...

—Tu penetración y el conocimiento que tienes de mis acciones me cautivan... Despidámonos si te parece.

—Sí, yo lo deseo.

—Y yo lo suplico. Adiós.

Poco después, mirando por entre las persianas, vio salir a la que había sido su familia. El marqués, caduco y abatido, casi era llevado en brazos por un fornido poeta bíblico. La marquesa, realmente traspasada de dolor, inspiraba lástima. Polito, con el cuello forrado en complejas bufandas, daba un brazo a la que había de ser su mujer, y con el otro agasajaba a una perra. La de San Salomó y la de Villa-Bojío conducían como en volandas a Milagros hasta el carruaje. Crujieron látigos, piafaron los caballos, y uno, dos, tres, cuatro coches rodaron por el parque llevándose aquella distinguida porción de la Humanidad, que necesitaba de una pena reciente para ser respetable.

18. El cónyuge inocente

Al anochecer salió León de su cuarto para pasar al que fue de su mujer. Había allí varios objetos que le correspondía recoger. El palacio estaba ya desierto..., oíase el eco de los pasos; la escasa luz multiplicaba las sombras. Creyó ver una figura que viniendo del pórtico entraba en la galería principal, andando despacio y con cautela, como los ladrones, poniendo oído a los rumores, reconociendo el terreno. La sospecha primero, el odio que le siguió, instantáneo, como el tiro a la aplicación de la mecha, detuvieron a León, impeliéndole a esconderse para observar aquella figura sin ser visto. Ocultóse detrás de una luenga cortina, y, en efecto, le vio pasar. Era él. Se lo revelaba, más que la vista, un instinto singular que emanaba del aborrecimiento, como por arte contrario ciertas delicadas adivinaciones nacen del rescoldo nobilísimo del amor.

Pasó con su andar de gato, parsimonioso y explorador. Entró en una galería alfombrada, llamada de la Risa, por contener riquísima colección de caricaturas políticas, tomadas de periódicos de todas las naciones y extendidas por los muros en grandes cuadros cronológicos que eran la historia del siglo escrita en carcajadas. En los ángulos había cuatro biombos del siglo XVIII, adornados con los dibujos que no habían cabido en las paredes. León se deslizó detrás del que. tenía más cerca y observó al intruso. Este se sentó en un gran diván que en el centro había.

Para explicar satisfactoriamente la presencia de un tercer personaje en la galería de la Risa, es necesario referir que al entrar en Suertebella el hombre intruso habló con un criado de escalera abajo en cuya discreción confiaba.

—Hazme el favor —le dijo— de ir a la capilla y decir al padre Paoletti que he venido aquí para hablar con él de lo que él sabe; que le espero arriba en la galería de la Risa. Enséñale el camino: no tiene más que subir la escalerilla de la tribuna, atravesar el cuarto de los cuadros viejos y el corredor chino.

León sintió el duro pisar de unos pies de plomo aproximándose. Después vio que la puerta del corredor pequeño se abría, dando paso al clérigo pequeñísimo. Pudo reconocerle muy bien, porque la galería de la Risa tenía grandes vidrieras para el pórtico, aquella noche, como siempre, profundamente iluminado. Adelantóse el intruso hasta recibir a Paoletti, y sentados ambos, el clérigo dijo:

—Sus respetables tíos me anunciaron anoche que usted quería hablarme; pero no creí que sería esta noche ni en esta casa, sino más adelante y en mi celda.

—Pensaba hablar a usted de una cosa, más adelante y en su celda —repuso el otro—. Ya comprenderá que al venir aquí esta noche no quiero hablarle de una cosa, sino de otra. Es decir, que son dos cosas, querido señor Paoletti: una muy urgente.

—Pues vamos a la urgente y dejemos para luego la interesante.

—Vamos a la urgente. Le supongo a ustel conocedor de los secretos de esta casa: no hablo de secretos de confesión.

—No conozco ninguno —dijo con sequedad el italiano.

—Sin duda no merezco su confianza. Pues qué, ¿no sabe usted que mi mujer...? He oído que los adúlteros tratan de ponerse en salvo.

—Caballero —dijo Paoletti con severidad—, yo no entiendo una palabra de lo que usted quiere saber de mí, ni me meto en donde no me llaman, ni me importa cosa alguna que los criminales se pongan en salvo o no. Estoy velando el cuerpo de una dulcísima hija y amiga de quien he tenido el honor de ser director espiritual.

—Lo sé... Pero usted es muy apreciado en todas partes. Don Pedro le aprecia también; mi mujer es muy religiosa, y cuando está afligida gusta que le hablen de la Virgen del Carmen y de los santos. Pudo suceder que usted hubiera sido llamado a consolarla esta mañana, esta tarde..., qué sé yo... Podría suceder que usted supiera lo que yo ignoro; y dándonos a las conjeturas, podría suceder también que usted quisiera revelármelo y sacarme de la incertidumbre en que estoy.

—Ni yo sé nada, ni, sabiéndolo, podría rebajarme a hacer el papel de intrigante y chismoso que usted exige de mí —dijo Paoletti, mostrando no poco su enfado—. Usted no me conoce. Sus dignísimos tíos han olvidado decir a usted qué clase de hombre soy. Mi oficio es consolar a los afligidos, corregir a los malos. No me mezclo en intereses mundanos. El que me busca no me encontrará en parte alguna si no es en el confesonario. Con Dios, caballero.

Levantóse para marcharse. El intruso le detuvo pillándole el hábito.

—¡Oh!, aún me queda mucho que exponer —dijo—. No me juzgue usted tan a la ligera. Y si yo confesara, y si yo...

El clérigo se volvió a sentar.

—...No, no se trata aquí de confesonario. Si a él fuera, sería yo un hipócrita. Mal cuadraría la farsa de mis labios, que gustan de decir la verdad, aunque esta verdad salga de ellos metiendo la bala. Déjeme usted que le diga algo de mí propio, para que mejor comprenda mi pretensión urgente.

Dijo que reconocía su escaso mérito, que el mundo moral era para él como un palacio cuyas puertas estaban cerradas... Y, por su parte, no se encontraba con ganas de mortificarse para poner sitio al susodicho palacio ni para escalar sus muros. Tenía la suerte, o la desventura (que esto le era difícil decirlo), de no creer en Dios ni en cosa alguna más allá de esta execrable cazuela de barro en que estamos metidos, y con tan cómoda manera de pensar disfrutaba de una tranquilidad sombría que, teniendo su espíritu en perpetuo letargo, le permitía recibir con indiferencia sabrosa los juicios, buenos o malos, del mundo... Alarmado y lleno de miedo, el clérigo, al oír tan horrible profesión de fe, quiso de nuevo marcharse, diciendo que él era confesor de gentes, pero no domesticador de fieras, con lo que el otro sonrió, y deteniendo al padre le habló así:

—Aún me falta decir algo que tal vez agradará a usted... Me siento fatigado. He sido rico y pobre, poderoso y humilde; he visto cuanto hay que ver y gozado cuanto hay que gozar. En negocio de mujeres sólo diré que, en general, las desprecio. No creo en la virtud de ninguna. Si me pregunta usted la opinión sobre los hombres, le diré como el poeta escéptico: *Plus ~e connais les hommes. plus j'aime les chiens.*

—Aconsejo —indicó Paoletti con ironía— que se vaya usted a vivir en una sociedad de perros, o que funde una colonia canina, donde se encontrará más a sus anchas. Estoy esperando a ver si brota alguna chispa de luz de la torpísima negrura de su alma, y nada veo.

—Voy a tocar el punto delicado. Ya sabe usted lo de mi mujer. Cuando yo pasaba por muerto, mi mujer amó a otro hombre. Yo creo que le amaba desde hace mucho

tiempo, porque eso no se improvisa. Pepa me aborreció
desde que me casé con ella. Verdad que yo hice todo
lo posible para que me aborreciera. La traté mal, quise
envilecerla, la comprometí mil veces con mis atrocidades
pecuniarias; con sus ahorros sostuve el lujo de otras mujeres: mi lenguaje con ella no fue nunca delicado, como
no lo fueron mis acciones. La consideraba como un buen
arrimo y nada más.

—Basta —exclamó con horror el padre, apartándole de
sí, como se aparta un objeto inmundo—. Si eso es confesión de culpas, lo oiré; pero si es asqueroso alarde de cinismo, no puedo, no tengo estómago...

—Me ha interrumpido usted en lo mejor... Iba a decir
que ahora mi mujer me inspira respeto, que me reconozco
muy culpable y muy inferior a ella, que merezco su desprecio, y que es cosa muy natural y hasta legítima en teoría (advierto a usted que yo también tengo teorías), pues
digo que me parece natural que Pepa ame a otro hombre,
tan natural como lo es que las aves hagan sus nidos en
las ramas del árbol en vez de hacerlos entre las mandíbulas
del zorro.

—Nunca es natural y legítimo que una mujer casada
ame a un hombre que no es su marido —dijo Paoletti con
solemnidad—. Lo natural y legítimo es que su señora de
usted, en vez de admitir el amor de un hombre casado,
contribuyendo así al martirio y a la muerte de un ángel,
hubiera dedicado a Dios por entero el corazón que usted
no merecía.

—El misticismo es un agua figurada que no satisface a
los sedientos. Ella no ha querido aficionarse a un fantasma, sino a un hombre. Tengo motivos para presumir que
le amó desde la niñez. En una de nuestras acaloradas disputas, que eran un día sí y otro no, me dijo: "Tú no eres
mi marido ni lo has sido nunca; mi marido está aquí", y
se señaló la frente. Otra vez me dijo: "El casarme contigo
fue una manera especial que tuve de despreciarme." En
fin, querido padre, hoy por hoy yo siento un poquito de
respeto hacia esa desgraciada que fue mi víctima. Como
mujer no me interesa. Nada dice a mi corazón ni a mi

imaginación ni a mis sentidos. El amor casi, casi le toleraría romper el lazo para contraerlo con otro; pero el amor propio no puede permitirlo. Además, sépalo usted, yo aborrezco a ese hombre; creo que le aborrezco desde que estuvimos juntos en el colegio; pienso que mi antipatía y el amor de ella han ido paralelamente hasta este momento terrible en que se encuentran, se tropiezan, se traban en batalla y... Yo he de vencer, yo he de vencer.

—Usted trata de hacer valer sus derechos. Esto no me incumbe. Yo no soy abogado del Derecho, sino del espíritu.

—Voy al caso. Aquí se juntan la moral y el Derecho, y ambos están de mi parte —afirmó el otro con energía—. Yo soy el fuerte; ellos, los débiles; yo soy el ofendido; ellos, los criminales; a mí me amparan la religión y la moral, Dios y la ley, la Iglesia y la opinión pública; a ellos, nada ni nadie los ampara. El terreno en que me coloco es terreno firme, es el más propio para quien, como yo, quiere reconciliarse ahora con los grandes organismos que gobiernan el mundo y ser una rueda útil de la máquina social. Seguro en mi puesto y ayudado por la justicia humana y por la que llaman divina, he pensado perseguirlos en el terreno legal, apurar todos los medios, no dejarlos vivir, no darles tregua ni descanso, cubrirlos de deshonor, rodearlos de escándalo..., acusarlos con el Código en una mano y las prácticas de la Iglesia en otra. Esas son mis armas; pero ha de saber usted que mis respetables tíos y mi respetable suegro han estado todo el día concertando un arreglo. ¡Ah!, mi esclarecido suegro es hombre eminentemente práctico y aborrece la exageración. Me ama como se podría amar a un dolor de muelas. Por desgracia suya, ese hombre que todo lo puede en nuestra sociedad y que trata a los españoles como a negros comprados o a blancos vendibles, no puede nada contra mí. Las armas legales con que me ataque se volverán contra él...

—¿Y decía usted que el venerabilísimo señor don Justo Cimarra y el señor don Pedro han concertado una componenda? —preguntó Paoletti, que, a pesar de su entereza, dejábase vencer un poquillo por la curiosidad, sentimiento desarrollado tras de la reja de las culpas.

—Separación amistosa, convencional. Pero no hay nada positivo aún, reverendísimo señor. Todo depende del filósofo, del geólogo, del buscador de troglodítas. Gustavo me ha dicho que tienen todo dispuesto para la fuga, y lo creo... ¡Oh!, confieso que puesto yo en el caso de él haría lo mismo.

—Pues por mi parte aseguro que nada de eso me importa —dijo Paoletti sobreponiéndose a la curiosidad—. Me habla usted de litigios y nada de la conciencia.

—Ahora voy a hablar de esa señora. Usted sabrá que yo tengo una hija.

—Ya...

Sintió de nuevo el clérigo en sí el aguijoncillo de la curiosidad.

—Monina es mi hija. Pues bien, señor cura; el único ser que hay en el mundo capaz de despertar en mí un sentimiento; el único ser que me hace pensar a veces de una manera distinta de como pienso casi siempre; el único ser por quien algo sonríe dentro de la región oscura, misteriosa, que llamo alma por no poder darle otro nombre, es mi hija. No sé lo que pasa en mí. Cuando estuve a punto de perecer a bordo de aquel horrible vapor cargado de petróleo, todo el mundo huyó de mi pensamiento, no quedando más que el peligro, y en el peligro una linda cabecita rubia me bailaba delante de los ojos. Paréceme que me agarré a ella para salvarme en aquella espantosa lancha rota que a cada instante se sumergía... Se reirá usted de mis sandeces... En otros tiempos yo jugaba con ella, la hacía reír para reírme yo viendo su risa...

—Al fin, al fin —dijo el italiano con gozo— veo la chispa pequeñísima.

—No, no me crea usted bueno por esto... Es que esa nena o juguete rubio con ojos de ángel tiene sobre mí un atractivo singular. Se me figura que la quiero, que la querré más si la veo mucho tiempo cerca de mí. Me han dicho que estuvo a punto de morirse de *crup*. ¡Qué espanto!... ¿Qué dice usted?

—Que no hay tierra, por desolada e inculta que sea, donde no nazca una flor.

—No se trata aquí de flores. Lo que sí diré a usted es que al pasar por Nueva York vi en un escaparate un cochecillo de muñecas chiquitas, tirado por corderos, y lo compré para regalárselo.

Paoletti sonrió, diciendo:

—Veo su amor propio de usted, veo la indiferencia hacia su esposa, veo el odio que tiene usted a su rival, veo el litigio y la proyectada transacción, veo el horrible ateísmo de usted, veo sus pasiones, su cínica inmoralidad, veo el amor a la niña, veo el cochecillo tirado por los borregos que lleva usted en el bolsillo; pero no veo lo que yo tengo que hacer aquí.

—Hemos llegado al punto concreto, a la cosa urgente. Yo tengo grandísimo anhelo por saber lo que traman... ¿Está él aquí esta noche?... Me han dicho que hoy recibió aquí a sus amigos. Yo estoy persuadido de que usted lo sabe, porque mi mujer le habrá confiado algo.

—¿A mí?... Creo que soy muy antipático a la señora.

—O lo sabrá por la condesa de Vera, que es la confidente de mi mujer, y si no me engaño es hija espiritual de usted.

—Nada sé ni nada me han dicho —replicó el padre—. Y aunque lo supiera...

—No tema usted que yo, en caso de fuga, me vuelva personaje trágico y tengamos en Suertebella una escena ruidosa. Yo no grito, yo no mato. Soy más filósofo que él y que todos los filósofos juntos.

—Repito que no sé nada, ni me importa saberlo.

—Es imposible que un sacerdote entre dos días seguidos en una casa sin saber todo lo que ocurre en ella.

—Yo no soy amigo de esta casa; soy enemigo.

—Y ya que no satisfaga usted mi curiosidad —dijo el intruso con desconsuelo—, ¿no me podría usted facilitar...?

—¿Qué?

—El ver a mi hija.

—No me pida usted favores que son impropios de mi

carácter. Por nada del mundo pasaría más allá de esta sala. Diríjase a los criados.

—Ninguno quiere servirme por miedo a Fúcar. Mi distinguido suegro les ha mandado que no me permitan entrar. Desde la verja hasta aquí, a un solo criado he podido sobornar. Hasta los perros me odian aquí.

—Entre usted como entran los ladrones.

—Temo que me vean.

—Entre usted como padre.

—No puedo, al menos por ahora.

—Menos puedo yo.

—Si la condesa de Vera está aquí y usted le habla dos palabras, y le pinta con elocuencia mi deseo, tal vez... A usted no le negarán esto. Yo juro que no llevo ninguna intención mala, sólo quiero dar a mi hija tres besos bien dados...

—*Vade retro.* Desconfío de sus intenciones, que pueden ser como las pinta usted, y pueden ser perversísimas.

—Pues no insisto. Tengo la virtud de no ser pobre porfiado. Se acabó la parte urgente de nuestra entrevista. Usted dispensará mi atrevimiento.

—Dispensado.

—La cosa interesante que pensaba tratar con usted, y que podía diferirse, se enlaza con lo que acabo de decir. Supongamos que mi mujer cede ante la ley, domina su pasión y manda a paseo al geólogo... Pasado algún tiempo, fácil le será a usted, dado su predicamento entre las damas, llegar a ser director espiritual de Pepa.

—Yo no voy a donde no me llaman.

—Pepa tiene muchas amigas entre las que forman, permítaseme la frase, la familia espiritual del padre Paoletti. La condesa de Vera, principalmente...

—Me honra con su amistad; yo la dirijo.

—Pues bien. Si usted quiere dirigirá también a Pepa. Su misma soledad la llevará al misticismo. En el pensamiento de las pobres mujeres débiles, allí donde acaban las ilusiones empiezan los altares.

—En lo que oigo puede haber una intención santa y buena. Si se trata de que yo intervenga para arreglar un matrimonio desavenido, y traer hacia Dios a dos almas que pertenecen al Demonio, la idea me parece excelente. Mas para que esto pueda ser, principie usted por abjurar sus pestilentísimos errores y ser católico sincero.

—En cuanto a eso, mi propósito es no desentonar en el convencionalismo general. Yo quiero reconciliarme con la Sociedad, respetar sus altas instituciones, ser hombre de orden, no dar escándalos ni tampoco malos ejemplos a las muchedumbres ignorantes, las cuales basta que nos vean a los de levita huir de la Iglesia para que se crean autorizados a robar y asesinar. No pienso volver a coger un naipe en la mano, y sí trabajar mucho en los negocios hasta labrarme una fortuna por mí mismo. *Faró da me.* Estoy seguro de que saldré adelante y aun de que dejará de llamarme bandido ese marqués de Fúcar, que se cree poco menos que un Dios, y al fin no se desdeñará de entrar en tratos financieros conmigo. La generación actual tiene en alto grado el don del olvido. Es fácil rehabilitarse en una sociedad como la nuestra, compuesta de distintos elementos, todos malos, dominados por uno pésimo, que es, permítaseme lo soez de la palabra, el elemento *chulo.* No extrañe usted la crudeza de mis expresiones. *Ego sum qui sum.* Donde la mitad de los matrimonios de cierta clase son *menages a trois;* donde la Administración debería llamarse ía *prevaricación pública;* donde los altos y los bajos se diferencian en la clase de ropa con que tapan la deshonestidad de sus escándalos; donde hay un pillaje que se llama política; donde la gente se arruina con las contribuciones y se enriquece con las rifas; donde la Justicia es una cosa para exclusivo perjuicio de los tontos y beneficio de los discretos, y donde basta que dos o tres llamen egregio a cualquier quídam para que todo el mundo se lo crea, es fácil labrarse una toga de honradez, y ponérsela, y ser *distinguido hombre público y patricio ilustre,* y figurar retratado en las cajas de fósforos. Yo me comprometo, si pongo empeño en ello, a hacerme pasar por canonizable dentro de dos o tres años. Pero de eso a hacerme mojigato hay mucha distancia. No se moleste usted en echar un remiendo a este matrimonio que ya está roto. Si ella, por instinto de honradez, despide a su amante y se queda sola, hágala usted beata, que esto la consolará mucho. Que mi mujer sea devota, muy santa y muy buena. A mí me gusta la gente edificante. Déjeme usted a mí que me rehabilite en la Sociedad por otro camino. Lo que yo desearía de la bondad y catolicismo de usted es que, después de dominar completamente el espíritu de Pepa, y lo dominará sin intentar reconciliarnos, la indujera a permitirme ver a mi hija. Para esto no será preciso que yo venga aquí, cosa que no deseo, porque siempre me ha aburrido este Suertebella, sino que me la lleven a casa, usted, por ejemplo... Vamos, que la dejen ir a comer conmigo dos veces, una vez por semana, y nada más.

—¡Qué amarguísimo nihilismo! —dijo Paoletti, no sacando ya los superlativos de un tarro de dulce, sino de un depósito de hiel—. Muchos hombres así he visto en la sociedad española; pero usted les da quince y raya a todos.

—Tengo el mérito de decir lo que siento.

—Para concluir, caballero Cimarra: usted es tan abominable, que no hay posibilidad de satisfacer el único deseo legítimo que nace casi invisible en esa alma llena de tinieblas, aridez, podredumbre y miseria. No cuente usted conmigo para nada. Si la señora se arrepiente y arroja a su amante, y soy llamado, como es posible, a dirigir su conciencia, procuraré primero hacerla sanar de la criminal dolencia que padece, y después encaminaré su espíritu a Dios, única salvación de las pobres mujeres que han tenido la flaqueza de amar a hombres indignos. ¡Oh!, ¡qué dulcísimo gozo sería para este pobre combatiente ganar a Satanás una nueva batalla! Usted no existe para mí. Y no me detenga más, que vuelvo al lado de mi queridísima muerta.

—Yo no bajo a la capilla. Tengo horror a los muertos. Perdóneme si le he molestado, padre.

—No olvidaré rezar por usted.

—No me opongo: antes bien, lo agradezco.

—Le aguardo a usted el día del arrepentimiento.

—Gracias... Yo no merezco tanto. Adiós. Mil perdones.

Retiróse tranquilamente el clérigo chico. Sus pasos de plomo se perdieron en el silencio del corredor. Poco después salió Cimarra por el mismo sitio y bajó por la escalerilla de la tribuna sin entrar en la capilla, cuya iluminación de mortuorias hachas, saliendo por las altas vidrieras de colores, le infundían más espanto que respeto. Se paseó por el desierto parque buscando la sombra de los árboles cuando sentía pasos. A ratos se tentaba el bolsillo para ver si no había perdido el coche de muñecas tirado por dos corderos... En una de las vueltas de su nocturno paseo, vio entrar el carruaje del marqués de Fúcar, y desde su escondite lejano le dirigió estas palabras, más bien pensadas que dichas: "¡Ah!, traficante, ¡qué ojos le echabas esta tarde en la calle de Alcalá a la real prójima que he traído de los Estados Unidos!... ¡Júpiter, ya querrías que fuese para ti!"

Cuando le vio descender de su coche en compañía de otra persona, el intruso murmuró: "Viene con mi tío... ¿Qué habrá aquí esta noche? ¡Oh!, fuego de la curiosidad, ¿por qué me abrasas como si fueras el de los celos?"

19. Tres por dos

Por la noche, a la hora concertada con Fúcar, León se dirigió al gabinete de Pepa. Estaban allí don Pedro, su hija y otra persona. Monina, que poco antes enredara junto a su madre, había sido condenada al destierro de la cama, ostracismo casi siempre acompañado de lágrimas, del cual no se libran los pequeños cuando los grandes tienen algo grave que tratar. Sepultado en un sillón estaba el imponente marqués, la canosa barba sobre el pecho, los labios salientes, como algo que sobra en la cara; juntas las cejas entre un dédalo de arrugas, las cuales parecían compendiar en cifra todas las batallas dadas dentro de aquella cabeza contra la exageración. La tercera persona que allí estaba era un anciano de cabellos blancos, muy seco de rostro y no menos corto de vista, a juzgar por la convexidad de los cristales de sus gafas de oro, montadas sobre una nariz semejante, por su majestad y atrevida curvatura, a las que se ven en las peluconas. Tenía la seriedad de un hombre de estudio, confundida con el patriarcalismo algo candoroso de un buen abuelo. Todos vestían de negro. A Pepa se le salía a los ojos el luto del corazón.

—Aquí está —dijo el padre a la hija, acariciándola en las manos.

—Ya la veo —replicó la dama, mirándole—, y ahora me dirá lo que mi padre me ha anunciado y no he querido creer.

—Hija adorada —añadió Fúcar—, se trata aquí del honor, del deber, de las conveniencias sociales, de la moral absoluta y de la moral consuetudinaria... Considera... No se puede hacer todo lo que se quiere.

—Ya lo veo, ya lo veo... —murmuró Pepa, mirando con atónitos ojos el tapete de la mesa que delante estaba.

—Por mucho que me cueste declararlo —dijo León, considerando que debía ser breve—, yo declaro que me creo en el deber ineludible de separarme de la mujer que amo y de renunciar a todo proyecto de unirme a ella.

Nadie contestó a estas palabras. Pepa, dejando caer la cabeza sobre el hombro de su padre, había cerrado los ojos. Tomándole una mano, que ella le abandonó sin movimiento alguno, León pronunció estas palabras:

—Por la grandeza de las ocasiones se mide la grandeza de las almas.

Después de una pausa, don Pedro, comiéndose la mitad de algunas palabras y contrayendo mucho la boca, habló así:

—Y yo declaro que hemos llegado a esta solución salvadora y pacífica gracias al convenio que celebramos el señor Cimarra y yo, por el cual convenio mi digno amigo responde de que su sobrino renunciará a la querella...

Don Pedro se atascó. Don Justo vino en su ayuda, diciendo:

—A la querella y a los derechos que la Ley le otorga.

—Eso es. Renuncia a usar el arma fuerte que la Ley pone en su mano con tal de que desaparezca el que por

la moral, por la Ley, por la Religión, está de más en este
horrible encuentro de tres personas allí donde no debe
haber más que dos... Querido amigo —añadió, volviendo
hacia León su mirada conciliadora—, tú, renunciando a ese
imposible jurídico y moral, que la costumbre y el des-
enfado de la gente corrompida de nuestros días convierte
en posible, has evitado un escándalo vergonzoso... Yo te
lo agradezco de todo corazón, y...

Don Pedro volvió a mirar a don Justo, como suplicán-
dole que siguiera.

—Las circunstancias del hecho en cuestión —dijo éste,
inclinándose y poniendo en ejercicio su dedo índice, que
era en él acentuación y complemento de su palabra—
son raras. Por mi parte, veo con gusto que no siga adelante la querella. Yo fui el primero en aconsejar a mi
sobrino que renunciase a ella, previa ausencia definitiva
del señor— el dedo del magistrado marcó a León—. Pero
como las circunstancias de este hecho son raras, no me
cansaré de repetirlo, como el escasísimo valor moral de
mi sobrino parece que justifica la rebelión que deseamos
evitar —el dedo nombró a Pepa con su insinuación muda—, también he sido el primero en aconsejarle una con-
cesión, reclamada por el señor —León vio el dedo cerca
de sí—, y que entraña cierto espíritu de justicia pruden-
cial, lo reconozco. En vista de todo lo expuesto, creí prudente concertar con mi digno amigo —el dedo, fluctuando
en el centro del grupo como una brújula del pensamiento,
señaló al marqués— los términos de estas paces honrosas.
Empeñando mi palabra honrada, me comprometo, en nombre de mi sobrino, a admitir la condición exigida por el
señor —León—, y de su cumplimiento respondo.

El venerable magistrado, que daba a las pausas opor-
tunas gran importancia para la claridad del discurso, hizo
una muy breve, y después siguió así:

—La condición exigida por el señor y aceptada por la
parte, que es forzoso llamar inocente, ateniéndonos a la
Ley, es que la señora vivirá con su padre y su hija en
Suertebella, y a que mi sobrino no traspasará por ninguna
causa ni pretexto la verja de esta finca, realizándose así

una separación que, no por ser amistosa, deja de ser absoluta.

—Y todo ha concluido de un modo satisfactorio —dijo Fúcar, desarrugando el ceño y acariciando con sus gruesos dedos los cabellos de su hija, que no decía palabra ni abría los ojos—. El tiempo, el tiempo, nuestro querido médico que todo lo cura... ¿No crees lo mismo, León?

—Por mi parte —replicó éste—, no espero del tiempo lo que éste no podrá darme tal vez. Detesto el olvido, que es la muerte del corazón. Tales como son hoy mis sentimientos los conservaré mientras viva; pero lejos, donde no puedan perturbar, ni ser ejemplo de una irregularidad que he condenado siempre y que condeno también ahora. He perseguido con afán un ideal hermoso, la familia cristiana, centro de toda paz, fundamento de la virtud, escala de la perfección moral, crisol donde cuanto tenemos, en uno y otro orden, se purifica. Ella nos educa, nos obliga a ser mejores de lo que somos, nos quita las asperezas de nuestro carácter, nos da la más provechosa de las lecciones, poniendo en nuestras manos a los hombres futuros, para que desde la cuna los llevemos a la edad de la razón. Pues bien: todo esto ha sido y continúa siendo para mí un sueño. Dos mujeres se han cruzado conmigo en el camino de la vida. Diome la primera la religión, y la religión, mal interpretada, me la quitó. La segunda diome ella misma su corazón, y yo lo tomé; pero las leyes me la piden y no puedo menos de entregarla. Tan infructuosas como con aquélla serán mis tentativas para labrar con ésta la hermosa realidad que deseo. La Sociedad ha dado esta mujer a otro hombre, y si me la apropio me condeno y la condeno a vivir en perpetuo deshonor, iguales ambos a la multitud corrompida que abomino; nos condenamos a transmitir nuestro deshonor a seres inocentes que no tienen culpa de las equivocaciones cometidas antes de su nacimiento, y que entrarían en el mundo con la vergüenza del que no tiene nombre.

Besando la mano que Pepa abandonaba entre las suyas, prosiguió así:

—La presencia de dos personas que se escandalizan de

mis palabras no me impide manifestar lo que siento ahora.
Para mí, esta mujer me pertenece, la considero mía por
ley del corazón. Yo, que soy subversivo, adoro en mí esta
ley del corazón; pero cuando quiero llevar mi anarquía
desde la mente a la realidad, tiemblo y me desespero. Quédese en la mente esta rebelión osada y no salga de ella.
Quien no puede transformar el mundo y desarraigar sus
errores, respételos. Quien no sabe dónde está el límite
entre la Ley y la iniquidad, aténgase a la Ley con paciencia de esclavo. Quien sintiendo en su alma los gritos y el
tumulto de una rebelión que parece legítima, no sabe, sin
embargo, poner una organización mejor en el sitio de la
organización que destruye, calle y sufra en silencio.

—Todos somos esclavos de las leyes que rigen en nuestro tiempo —dijo el magistrado con entonación severa.

—Es verdad —añadió León, que parecía decir las cosas para que sólo su amiga las oyera—; nuestro espíritu
forma parte aún del espíritu que las hizo, y si en esas
leyes hay errores, tenemos la responsabilidad de ellos y
debemos aceptar sus consecuencias. Si todo aquel que se
siente herido por esta máquina en que vivimos tirase a
romperla sin reparar en que la mayoría se mueve holgadamente en ella, ¡qué sería del mundo! Dejémonos herir
y magullar, llorando interiormente nuestra desgracia, y
deseando vivir para cuando esté hecha una máquina nueva. Y esta máquina nueva, no lo dudes, también herirá a
alguno, porque cada mejoramiento en la vida humana será la señal de un malestar nuevo. Nuestro vivir es una
aspiración, una sed que se renueva en el momento de
aplacarse. Si no pudiéramos concebir de otro modo nuestra inmortalidad, la concebiríamos subyugados a cada instante, y en los actos grandes o pequeños, por la idea de
lo mejor, y seducidos por la belleza de ese horizonte que
se llama perfección. ¡Si supieras tú, pobre mujer, lo que
he batallado en mi pensamiento después de lo que hablamos anoche!... Todos los imposibles que se nos presen-
taron los examiné. ¡Podría tan fácilmente salir de este laberinto escudándome con una moral abstracta, egoísta,
que nadie comprendería más que yo mismo y que aun

yo mismo no podría formular claramente!... Tú dispuesta a seguirme, un coche a la puerta, todos los medios materiales de nuestra parte, ningún obstáculo, arrojo bastante para soportar el fallo de los hombres... ¡Partir y guarecernos en país extranjero!... Ambos en descarada práctica de la anarquía social: yo perseguido por una sombra; tú, por un vivo, que en todas partes y en toda ocasión alegaría el derecho que tiene sobre ti; los dos sin razón contra nadie, y todos con razones mil contra nosotros; tu hija creciendo y viviendo con este ejemplo execrable ante sus inocentes ojos... Puestos a romper, es preciso romperlo todo, no dejar lazo alguno que ate y consolide el mundo... También pensé que aquí podía quedarme para calmar mis ansias con el placer de sentirte cerca de mí, aunque no te viera ni te hablara. Pero esto es también imposible. Si sigo cerca de ti, los dos a un tiempo, y darnos cuenta de ello, nos juntaremos. Un hombre aborrecido se interpone, me ciego, no puedo reprimir el odio que me inspira y... lo conozco, lo presiento..., esto acabará con sangre. Si no me alejo pronto, veré crecer esta especie de perversidad que en mí ha nacido y que es... como una recóndita vocación del homicidio. Bajo esta frialdad que razona, bullen en mí no sé qué fuerzas tumultuosas que protestan aspirando a suprimir violentamente los obstáculos; pero me espanto al reconocerme incapaz de fundar nada sólido, ni justo, ni moral, sobre el atropello y la sangre. Me amparo a mi conciencia, y en ella me embarco para huir de ti. Huyo por no deshonrarte, por no entristecer la juventud de tu hija querida.

Sin mover su cabeza del hombro paternal, ni abrir los ojos, Pepa dijo estas palabras llenas de amargo desaliento:

—Yo no sé razonar... Busco en mí el raciocinio, y adondequiera que miro dentro de mí no encuentro más que el corazón.

Incorporóse, y abriendo a la luz, mas sin mirar a nadie, los encendidos ojos, añadió:

—Me siento castigada... Al ver que no se rompe el grillete que me une al infame, no puedo menos de recordar que yo tengo toda la culpa, ¡yo, sí!, porque en un

momento de despecho me uní al bandido con lazo eterno.
¡Horribles cosas hacemos, y luego nos espantamos de las
consecuencias! Yo me precipité en el mal, envileciéndome
y envileciendo a mi padre; yo hice del matrimonio una
burla horrible y criminal... ¿Por qué no esperé entonces?
Me arrastró a casarme no sé qué instinto de martirio.
¡Atroz vanidad del dolor que tiende a aumentarse!...
Después, cuando me he creído libre, ¿por qué viniste a
mí? Equivocados ambos, nos habíamos aprisionado con
lazos distintos. Cuando tú fuiste libre, yo me sentí de repente asida por la argolla fatal... Yo esperé que habría
una mano valiente que la rompiera.

—Para romperla es preciso matar a alguno —dijo León
prontamente.

Pepa calló.

—Yo soy la asesinada —afirmó tras lúgubre pausa, mirando al suelo—. No; no me conformo con mi muerte,
ya la llame desgracia, ya la llame castigo... ¡Qué triste es
esto de sacrificarse!... ¡Sí, muy triste!..., aunque deba
ser, aunque lo merezcamos... Veo delante de mí a dos
personas respetables: un padre, un juez. Pues ante ellos
y ante ti..., ¡hombre mío!

Clavó sus ojos en él con expresión que no podía decirse
si era de cariño o de rencor. Hinchó su pecho. Parecía
que necesitaba beberse todo el aire para decir:

—...Hombre mío, ante estos dos y ante ti digo que
este abandono...

Se echó a llorar, añadiendo puerilmente:

—...es una picardía.

Oyóse después la voz reposada persuasiva del magistrado que, manteniendo esta vez en reposo su dedo, habló
así:

—Reduzca usted a sus verdaderas dimensiones lo mo-
mentáneo para no mirar más que lo eterno. El alma se
engrandece con el dolor y hace de éste una especie de
majestad que reina en la conciencia.

—Es verdad —dijo León con tristeza—. Nuestras mismas heridas nos revelan, doliéndonos, el secreto de una
compensación inefable. Pepa, querida amiga y esposa mía,

esposa por una ley que no sé definir, que no puedo aplicar, que no sé traer de ningún modo a la realidad, pero que existe dentro de mí como el embrión de una verdad, de una santa semilla, sepultada aún en las honduras de la conciencia, entra en ti y te hallarás más noble y grande con tu dolor que con tu pasión satisfecha... Tú eres religiosa, yo creo en el alma inmortal, en la justicia eterna, en los fines de perfección, ¡breve catecismo, pero grande y firme! Hemos caído; somos víctimas y mártires. El esperar no tiene límites. Es un sentimiento que nos enlaza con lo desconocido y nos llama desde lejos, embelleciendo nuestra vida y dándonos fuerza para marchar y resistir. No comentamos el crimen de cortar este hilo que nos atrae hacia un punto que no por estar lejano deja de verse, sobre todo si los ojos de nuestra conciencia no están empañados. Vence la desesperación, véncela, resígnate y espera.

—¡Esperar!... ¿No anunciaba yo que moriría esperando? —dijo Pepa con amargura, repitiendo una idea antigua en ella—. ¡Horrible castigo mío, bien me decía el corazón que tu verdadero nombre es esperar!... ¿Y si muero?

—No importa.

—¡Que no importa!... —murmuró la mujer, demostrando que el acalorado espiritualismo de León no la convencía.

Quiso él decir algo más; pero sus argumentos se habían agotado, las ideas de consuelo y de esperanzas que sacaba de su mente se le perdían, como armas inútiles que se quiebran entre las manos en el fragor de un rudo combate. Ya no sabía qué decir. El sentimiento, que rara vez se aplaca con las ideas y que León había tratado de someter y encadenar, se sublevaba, reclamando su cetro despótico y su imperio formidable... Se levantó.

—¿Ya? —dijo la dama, espantada, volando hacia él con súbita expansión del alma representada en los ojos.

—¡Maldito sea yo! —gritó León, rompiendo en ahogado llanto—. Miserable ergotista, estoy apuñalándome con mi lógica. Farsa horrible de la idea, de la moral, de todo, no me tendrás.

Pepa juntó las manos, como el que reza para morir. Iba a decir algo subversivo, profundamente subversivo, que le salía del alma, como la lava del volcán...; pero entró la criada que cuidaba a Monina. Venía despavorida, temblando.

—¿Qué hay? —preguntó el marqués.

—Allí está..., allí...

—¿Quién?

—Un hombre... Ha entrado de repente... Está besando a la niña.

—¡Oh, será él!... —exclamó Fúcar, consternado.

—¡El!

—Quedamos en que no vendría.

—¡Es él..., él aquí! —gritó León, perdiendo de súbito la lógica, la serenidad, las ideas, la razón, la prudencia, el llanto, y no siendo más que un demente—. ¡Que entre! ¡Se atreve a profanar esta morada!... Me alegro que me encuentre aquí... ¡Le arrojaré como a un perro!

Miró a la puerta... Apareció en ella un hombre. Pepa, lanzando desgarrador grito, cayó sin sentido. Don Pedro quiso enlazar con sus fuertes brazos a León para aplacarle, y el anciano venerable corrió indignado a detener al que estaba en la puerta.

—¡Por piedad, por todos los santos!... —exclamó don Pedro.

—Atrás —gritó don Justo—; no des un paso más.

—¿Qué buscas aquí? —dijo León con insolente desprecio.

—Vete —ordenó el magistrado a su sobrino—. ¿Olvidas lo pactado?

—No; el pacto no rige aún —repuso el otro, sin avanzar un paso, mirando a León con la glacial fiereza de una bestia felina—. He venido a ver a mi hija por última vez. No faltaré al compromiso si los demás lo cumplen. No tengo interés en venir aquí con tal de que no estés tú.

—Te suplico que salgas —dijo don Pedro a Federico.

—Él primero.

La imagen tétrica y sombría del que estaba en la puerta no se movía.

—Él primero —repitió Federico.

—Sí; yo primero monstruo; así debe ser.

Al mismo tiempo, don Pedro y la criada acudían a Pepa, y alzándola en sus brazos la extendían sobre el sofá.

—Tú primero —repitió Cimarra, en quien el cinismo se oscureció un momento para dar paso a un poco de dignidad—. Si así no fuera, yo...

—Sí; yo primero —afirmó León—. Es justo.

Y dirigiéndose a la dama, que sin conocimiento reposaba pálida, inerte, la contempló un rato. Mirando después a Cimarra, se inclinó sobre Pepa, la besó en las mejillas con ardiente cariño, volvió a mirar al de la puerta, y le dijo:

—Estafermo, mira cómo me despido de la que llamas tu mujer... Si esto es crimen, mátame; tienes derecho a ello. ¿Has traído arma?

—Sí —dijo, lúgubremente, Federico, metiendo la mano en el bolsillo del pecho.

Entonces pareció que de aquel ser abyecto, verdadero cadáver con prestada existencia, brotaba súbitamente, como fuego fatuo que salta sobre el estiércol, un chispazo de decoro, de energía, de dignidad. Fuese derecho a su rival, la mano armada, la voz rugiente, la mirada amenazante. León le esperó con calma. Don Pedro y el anciano sujetaron a Federico, impidiéndole todo movimiento. Forcejeando trabajosamente con él lograron llevarle fuera. León, entre tanto, permanecía en medio de la habitación con los brazos cruzados.

—¡Fuera de aquí! —gritaba el anciano a su sobrino.

—Yo me encargo del otro —decía don Pedro.

Don Justo Cimarra se llevó, casi a rastras, a Federico, y no permitiéndole detenerse ni un momento, le sacó del palacio.

Con tanta firmeza como dolor salió León por la otra puerta. Acompañóle Fúcar hasta la sala japonesa, donde le dejó arrojado en un diván como cuerpo sin vida.

—Vete, vete de una vez y acaben estos afanes —dijo, corriendo a donde había quedado su hija.

20. Final

Largo rato estuvo allí León sin conciencia del tiempo que transcurría. Lentamente volvieron sus alteradas facultades, si no al reposo, a un estado en que le era posible la apreciación exacta de los hechos. Se levantó para retirarse, y pasó de una sala a otra buscando el camino del pórtico. Ya cerca de él se detuvo, creyendo oír cuchicheo de visitantes. Torciendo el camino bajó por una escalera que al paso encontró y que le condujo a la crujía baja. Por allí quiso buscar la salida al jardín. Después de andar un rato por los largos y tortuosos corredores de servicio, vio en el extremo de ellos una puerta; empujóla.

Toda la sangre se le agolpó al corazón y sintió en su interior como con el golpe de una caída súbita al verse en la capilla iluminada por funerarias luces. Echó mano al sombrero, tendió la vista. Sobrecogido, incapaz de movimiento, con la vida toda en suspenso, permaneció un rato junto a la puerta, percibiendo en la vaguedad de su estupor un montón de llamas rojizas y afiladas que, alargando sus trémulas puntas hacia el techo, surgían de la cera derretida y lloraban en chorros amarillos. En el centro y en la base de aquella pirámide de luces estaba, como en el trono mismo del respeto, un fúnebre objeto yacente. Ropas blancas, unas manos de mármol, eran lo único que desde allí podía verse.

Llamó a sí todo su valor de hombre para acercarse. Antes de dar un paso miró en derredor. No había nadie allí; no se sentía ni siquiera el rumor de la respiración de un vivo junto a los fríos despojos humanos, engalanados con la vestidura del negro tránsito y custodiados por el silencio. La efigie de un adolescente pálido se alzaba en el altar: sus ojos pintados sobre la madera, medían de una extremo a otro la capilla, observando a todo el que entraba y parecían decir: "¡Malvado, no la toques!"

León avanzó despacio, apagando el ruido de sus pasos para no sentirlo él mismo. El respeto, la santidad del lugar, la espantosa vacilación que sentía entre la idea de retroceder y la de acercarse, hiciéronle pasar por distintos estados morales, ya de curiosidad anhelosa, ya de miedo o superstición, durante aquel viaje de veinte pasos desde la puerta al centro de la capilla. Podría asegurarse que el temor le detenía y la desgarradora curiosidad del temor mismo le empujaba.

Por fin la vio. Allí estaba, delante y bajo sus ojos, sobre el suelo, al nivel de las pisadas humanas, esperando, por decirlo así, en los umbrales del imperio del polvo, a que le señalaran sitio para el descanso absoluto de lo inorgánico. Su espíritu, más bien egoísta que generoso, había entrado ya quizás con gemido de sorpresa y temor en la región ignota del saber de amores y de la apreciación exacta del bien y del mal.

Una vez contemplada en el primer golpe de sorpresa y temor, la miró más, oyendo el palpitar de sus propias sienes y la trepidación de su sangre, cual mugido de un mar cercano. Blanco hábito la cubría, puesto por las amigas de devociones con severa elegancia. Sus anchos pliegues corrían en líneas rectas del cuello a las plantas, sólo interrumpidos por las manos de mármol que empuñaban un crucifijo. Finísimo velo blanco le cubría el rostro, sin ocultarlo ni dejarlo ver claramente, presentándolo vagaroso, esfumado, lejano, entre nieblas como la imagen mal soñada que persiste en la reina de los mal despiertos ojos. Hubiera querido verla mejor para apreciar lo que restaba de una hermosura sin igual que la muerte había ido cambiando en no sé qué flor mustia y violácea. En todo rostro, por ciego y muerto que esté, hay siempre algo de mirada. León se sintió visto desde el fondo de aquella cavidad fúnebre, ahondada por las vaguedades de la gasa, y reconoció la mirada última, ya menos amorosa que irónica.

Por su pensamiento pasaron las ideas más graves que

asaltan al hombre en los momentos culminantes de la vida, y consideró la distancia a que estamos del verdadero bien, distancia que a medir no acierta la idea y que no se sabe cómo ha de recorrerse... Cortó sus pensamientos un ruido importuno y vulgar, una tos... Miró... La muerta y él no estaban solos. Allá en el fondo de la capilla alguien velaba. Era el clérigo pequeño, sentado en un banco, los ojos fijos en el libro de rezo. León no pudo menos de admirar la fidelidad del amigo espiritual, que habiendo sido dueño de la vida, quería ser custodio de la muerte. Sin mover la cabeza, el italiano alzó los ojos y miró a León un rato, fijamente, muy fijamente... Después los bajó para seguir leyendo. En aquella blanda caída de la mirada sobre el libro había el desdén más soberano que puede imaginarse. Paoletti, como si nadie estuviera allí, siguió leyendo: *Ego sum vermis et non homo, oprobrium hominum et abjectio plebis.*

¿Por qué al salir, no con menos respeto que al entrar, sintió el hombre en su alma una consoladora tendencia a la serenidad? Había visto cara a cara lo más pavoroso del mundo físico y del mundo moral, y los combates que estas terribles perspectivas habían provocado en su espíritu dejáronle rodeado de grandes y tristísimas ruinas. *¡Impavidum ferient ruinae,* que dijo el pagano! Pero ¿qué le importaba estar vencido, solo, proscrito y mal juzgado, si resplandecía en él la hermosa luz que arroja la conciencia cuando está segura de haber obrado bien? Al entrar en su casa vacía, encontró a su criado ocupado en hacer las maletas, conforme le había mandado aquella tarde. Alegróse mucho éste al verlo entrar, y como León le preguntara la razón de tan grande contento, el fiel criado le respondió:

—En casa de la señora marquesa y en todas las casas donde le conocen a usted decían que usted se pegaría un tiro esta noche. Lo daban por tan seguro, que me eché a llorar.

León sonrió con tristeza.

—Y al entrar en casa para hacer las maletas, lo primero que hice fue esconder las pistolas, por si no pudiendo el

442   Benito Pérez Galdós

señor matarse en otra parte se le antojaba matarse aquí.

—¿Dónde las has puesto? ¿Están cargadas? —preguntó León prontamente.

—¡Oh! ¡El señor se atreverá!... —exclamó el criado, lleno de pavor.

—Tranquilízate, amigo —dijo el amo señalándose la frente—; esto no se ha hecho para el suicidio... En cuanto a las pistolas, si están cargadas, puedes arrojarlas a la calle para que las aproveche el primer tonto que pase.

—¡Tirarlas!... Son tan bonitas...

—O quédate con ellas. Guárdalas para cuando te cases.

—El señor olvida que soy casado.

—Pues para cuando enviudes.

21. Del marqués de Fúcar al marqués de Onésimo

Madrid, 1 de diciembre.

Antes de salir de Londres para Hamburgo a comprarme las veinte toneladas de tabaco, véndame usted todo lo de Riotinto y el Consolidado Exterior. Comprad a escape Gas de París y Mobiliario Español. El empréstito, tercero que hace este año nuestro Tesoro, va a maravilla. Necesito fondos de esa plaza para proponer al Gobierno el pago de parte del cupón exterior a los tenedores ingleses, con lo cual la operación se redondea aquí de un modo completo. Es incalculable el beneficio de este anticipo. En lo demás, confirmo la mía de 23 de noviembre. No olvide usted mis instrucciones para sacar partido de los almacenistas de tabaco de Hamburgo. Nada de timidez. Como el negocio es bueno, no le importe a usted llegar a precios exagerados.

Mi hija sigue bien; muy triste, muy sola, con mediana salud; pero resignada y tranquila. No sale de Suertebella. Mona, cada día más mona, le envía a usted tres besos.

El malvado ha cumplido su compromiso y no nos molesta para nada. Se ha metido en Bolsa y me han dicho que acometiendo con serenidad y tino las jugadas hace una fortuna loca. La verdad es que disposiciones no le faltan.

Le espera a usted para comer el pavo de Navidad en Suertebella, su afectísimo,

P. Fúcar.

P. D.—Si vuelve usted a ver a ese extravagante, déle recuerdos míos, pero nada más que míos.

Madrid, diciembre de 1878.

Indice

Parte segunda

Parte tercera